CB035804

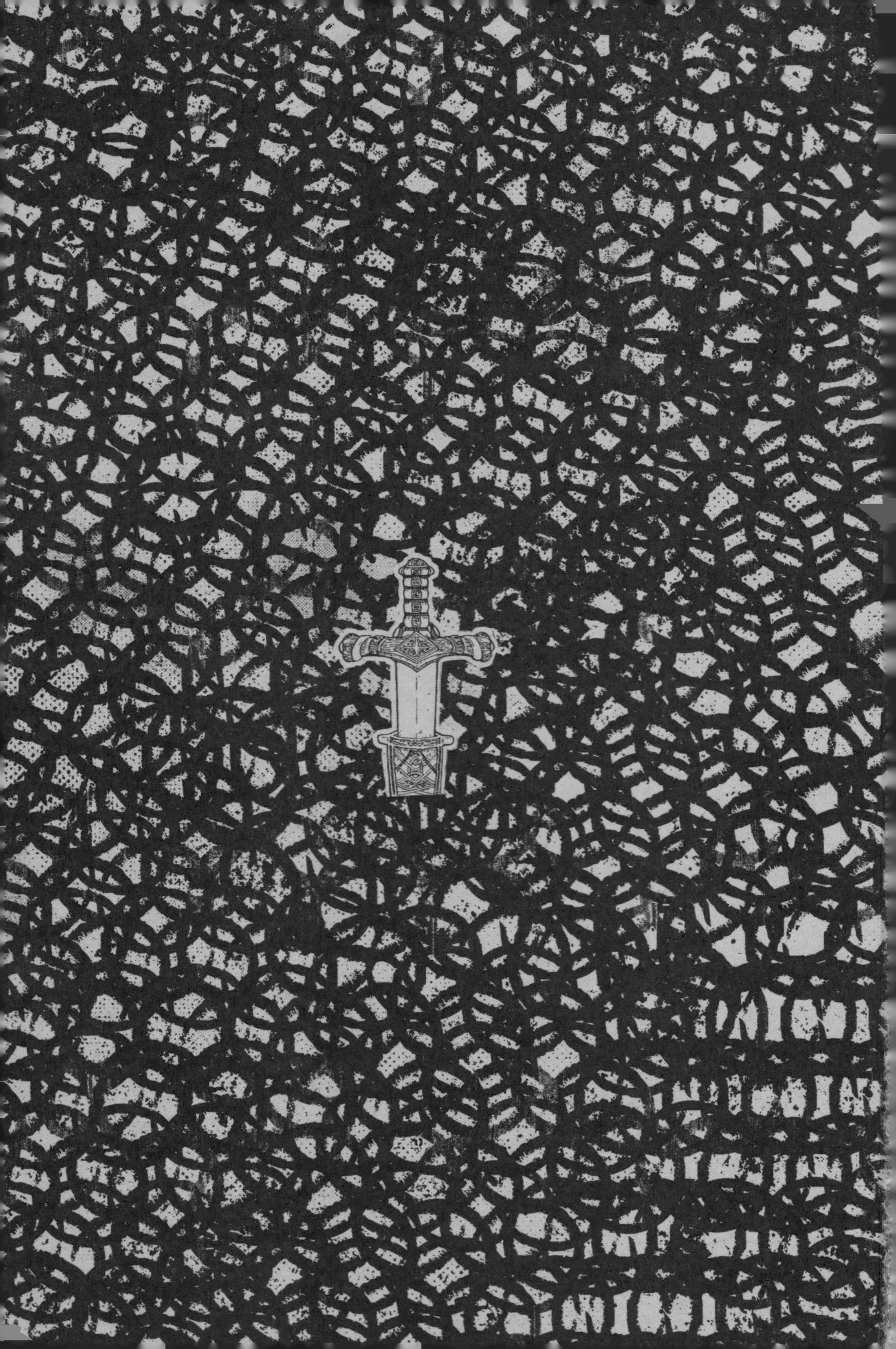

EXCALIBUR

Obras do autor publicadas pela Editora Record

1356
Azincourt
O condenado
Stonehenge
O forte
Tolos e mortais

Trilogia *As Crônicas de Artur*

O rei do inverno
O inimigo de Deus
Excalibur

Trilogia *A Busca do Graal*

O arqueiro
O andarilho
O herege

Série *As Aventuras de um Soldado nas Guerras Napoleônicas*

O tigre de Sharpe (Índia, 1799)
O triunfo de Sharpe (Índia, setembro de 1803)
A fortaleza de Sharpe (Índia, dezembro de 1803)
Sharpe em Trafalgar (Espanha, 1805)
A presa de Sharpe (Dinamarca, 1807)
Os fuzileiros de Sharpe (Espanha, janeiro de 1809)
A devastação de Sharpe (Portugal, maio de 1809)
A águia de Sharpe (Espanha, julho de 1809)
O ouro de Sharpe (Portugal, agosto de 1810)
A fuga de Sharpe (Portugal, setembro de 1810)
A fúria de Sharpe (Espanha, março de 1811)
A batalha de Sharpe (Espanha, maio de 1811)
A companhia de Sharpe (janeiro a abril de 1812)

Série *Crônicas Saxônicas*

O último reino
O cavaleiro da morte
Os senhores do norte
A canção da espada
Terra em chamas
Morte dos reis
O guerreiro pagão
O trono vazio
Guerreiros da tempestade
O portador do fogo
A guerra do lobo
A espada dos reis
O senhor da guerra

Série *As Crônicas de Starbuck*

Rebelde
Traidor
Inimigo
Herói

As Crônicas de Artur
Bernard Cornwell

VOLUME III

Excalibur

31ª EDIÇÃO

TRADUÇÃO DE
ALVES CALADO

EDITORA RECORD
RIO DE JANEIRO • SÃO PAULO
2024

EDITORA-EXECUTIVA
Renata Pettengill

SUBGERENTE EDITORIAL
Mariana Ferreira

ASSISTENTE EDITORIAL
Pedro de Lima

AUXILIAR EDITORIAL
Júlia Moreira

REVISÃO
Ana Lucia Silva

PROJETO GRÁFICO DE CAPA E BOX
Marcelo Martinez / Laboratório Secreto

DIAGRAMAÇÃO
Leandro Tavares

TÍTULO ORIGINAL
Excalibur

CIP-BRASIL. CATALOGAÇÃO NA PUBLICAÇÃO
SINDICATO NACIONAL DOS EDITORES DE LIVROS, RJ

C835e
v.3
31. ed

Cornwell, Bernard, 1944-
Excalibur / Bernard Cornwell; tradução de Alves Calado. – [31. ed]. – Rio de Janeiro: Record, 2024.

(As crônicas de Artur; 3)

Tradução de: Excalibur
ISBN 978-65-55-87335-1

1. Ficção inglesa. 2. Arthur, Rei - Ficção. I. Calado, Alves. II. Título. III. Série.

21-71834

CDD: 823
CDU: 82-3(410.1)

Leandra Felix da Cruz Candido - Bibliotecária - CRB-7/6135

TÍTULO EM INGLÊS:
Excalibur

Texto revisado segundo o novo Acordo Ortográfico da Língua Portuguesa.

Impresso no Brasil

ISBN 978-65-55-87335-1

Seja um leitor preferencial Record.
Cadastre-se no site www.record.com.br e receba informações sobre nossos lançamentos e nossas promoções.

Atendimento e venda direta ao leitor:
sac@record.com.br ou (21) 2585-2002.

Excalibur é para John e Sharon Martin

Personagens

Aelle	Rei saxão
Agrícola	Comandante guerreiro de Gwent
Amhar	Filho bastardo de Artur, gêmeo de Loholt
Argante	Princesa da Demétia, filha de Oengus Mac Airem
Artur	Filho bastardo de Uther, comandante guerreiro da Dumnonia, mais tarde governador da Silúria
Artur-bach	Neto de Artur, filho de Gwydre e Morwenna
Balig	Barqueiro, cunhado de Derfel
Balin	Um dos guerreiros de Artur
Balise	Antigo druida da Dumnonia
Bors	Campeão e primo de Lancelot
Brochvael	Rei de Powys depois da época de Artur
Budic	Rei de Broceliande, casado com Anna, irmã de Artur
Byrthig	Rei de Gwynedd
Caddwg	Barqueiro e ex-serviçal de Merlin
Ceinwyn	Irmã de Cuneglas, companheira de Derfel
Cerdic	Rei saxão
Cildydd	Magistrado de Aquae Sulis
Clóvis	Rei dos francos
Culhwch	Primo de Artur, guerreiro
Cuneglas	Rei de Powys
Cywwyllog	Antiga amante de Mordred, serviçal de Merlin

DAFYDD	O escrivão que traduz o relato de Derfel
DERFEL	(*pronuncia-se Dervel*) O narrador, um dos guerreiros de Artur e mais tarde monge
DIWRNACH	Rei de Lleyn
EACHERN	Um dos lanceiros de Derfel
EINION	Filho de Culhwch
EMRYS	Bispo da Durnovária, mais tarde bispo de Isca, na Silúria
ERCE	Saxã, mãe de Derfel
FERGAL	Druida de Argante
GALAHAD	Meio-irmão de Lancelot, um dos guerreiros de Artur
GAWAIN	Príncipe de Broceliande, filho do rei Budic
GUINEVERE	Mulher de Artur
GWYDRE	Filho de Artur e Guinevere
HYGWYDD	Serviçal de Artur
IGRAINE	Rainha de Powys depois do tempo de Artur, casada com Brochvael
ISSA	Segundo em comando de Derfel
LANCELOT	Rei exilado de Benoic, agora aliado de Cerdic
LANVAL	Um dos guerreiros de Artur
LIOFA	Campeão de Cerdic
LLADARN	Bispo em Gwent
LOHOLT	Filho bastardo de Artur, gêmeo de Amhar
MARDOC	Filho de Mordred e Cywyllog
MERLIN	Druida da Dumnonia
MEURIG	Rei de Gwent, filho de Tewdric
MORDRED	Rei da Dumnonia
MORFANS	"O Feio", um dos guerreiros de Artur
MORGANA	Irmã mais velha de Artur, casada com Sansum
MORWENNA	Filha de Derfel e Ceinwyn, casada com Gwydre
NIALL	Comandante da guarda dos Escudos Pretos de Argante
NIMUE	Sacerdotisa de Merlin
OENGUS MAC AIREM	Rei irlandês da Demétia, líder dos Escudos Pretos
OLWEN, A PRATEADA	Seguidora de Merlin e Nimue
PERDDEL	Filho de Cuneglas, mais tarde rei de Powys

PEREDUR	Filho de Lancelot
PYRLIG	Bardo de Derfel
SAGRAMOR	Comandante de um dos bandos de guerreiros de Artur
SANSUM	Bispo em Durnovária, mais tarde bispo do mosteiro de Dinnewrac
SCARACH	Mulher de Issa
SEREN (1)	Filha de Derfel e Ceinwyn
SEREN (2)	Filha Gwydre e Morwenna, neta de Artur
TALIESIN	"Testa Brilhante", um bardo famoso
TEWDRIC	Ex-rei de Gwent, agora eremita cristão
TUDWAL	Monge no mosteiro de Dinnewrac
UTHER	Antigo rei da Dumnonia, avô de Mordred, pai de Artur

LUGARES

Aquae Sulis	Bath, Avon
Beadewan	Baddow, Essex
Burrium	Usk, Gwent
Caer Ambr**	Amesbury, Wiltshire
Caer Cadarn*	South Cadbury, Somerset
Camlann	Localização real desconhecida; Dawlish Warren, Devon, foi sugerido
Celmeresfort	Chelmsford, Essex
Cicucium	Fortaleza romana perto de Sennybridge, Powys
Corinium	Cirencester, Gloucestershire
Dun Caric*	Castelo Cary, Somerset
Dunum	Hod Hill, Dorset
Durnovária	Dorchester, Dorset
Glevum	Gloucester
Gobannium	Abergavenny, Monmouthshire
Isca (Dumnonia)	Exeter, Devon
Isca (Silúria)	Caerleon, Gwent
Lactodurum	Towcester, Northamptonshire
Leodasham	Leaden Roding, Essex
Lindinis	Ilchester, Somerset
Lycceword	Letchworth, Hertfordshire

* Os nomes de lugares marcados com * são fictícios

Mai Dun	Maiden Castle, Dorset
Moridunum	Carmarthen
Mynydd Baddon	Localização real desconhecida; Little Solsbury Hill, perto de Bath, foi sugerido
Sorviodunum	Old Sarum, Wilsthire
Steortford	Bishop's Stortford, Hertfordshire
Thunreslea	Thundersley, Essex
Venta	Winchester, Hampshire
Wicford	Wickford, Essex
Ynys Wair	Ilha de Lundy, Canal de Bristol
Ynys Wydryn	Glastonbury, Somerset

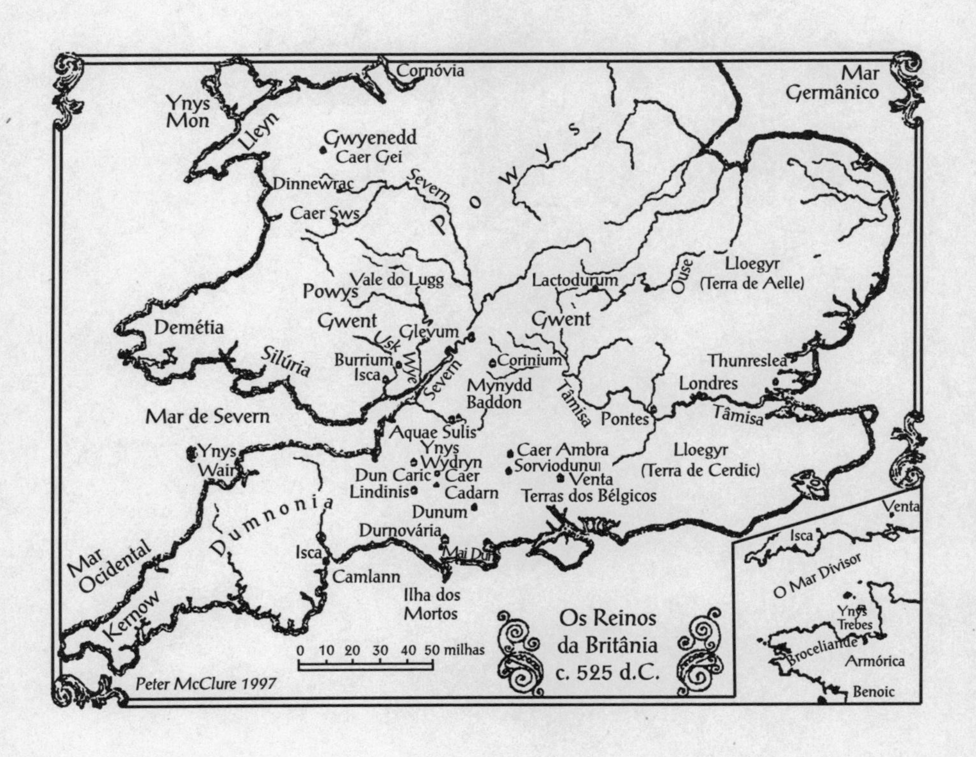
Cornóvia
Mar Germânico
Ynys Mon
Lleyn
Gwyenedd
Caer Gei
Powys
Dinnewrac
Severn
Caer Sws
Vale do Lugg
Powys
Lactodurum
Ouse
Lloegyr
(Terra de Aelle)
Demétia
Gwent
Usk
Glevum
Gwent
Silúria
Burrium
Isca
Wye
Corinium
Thunreslea
Severn
Mynydd Baddon
Tâmisa
Londres
Mar de Severn
Pontes
Tâmisa
Aquae Sulis
Ynys Wydryn
Caer Ambra
Lloegyr
Ynys Wair
Dun Caric
Caer Cadarn
Sorviodunu
Venta
(Terra de Cerdic)
Lindinis
Terras dos Bélgicos
Dumnonia
Dunum
Venta
Durnovária
Isca
Mar Ocidental
Isca
Mai Dun
O Mar Divisor
Camlann
Kernow
Ilha dos Mortos
Ynys Trebes
Os Reinos da Britânia c. 525 d.C.
0 10 20 30 40 50 milhas
Broceliande
Armórica
Peter McClure 1997
Benoic

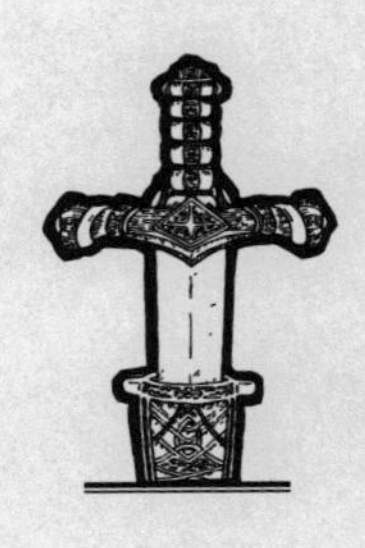

Parte 1

As Fogueiras do Mai Dun

MULHERES, COMO ELAS assombram esta esta narrativa!

Quando comecei a escrever a história de Artur pensei que seria uma narrativa de homens; uma crônica de espadas e lanças, de batalhas vencidas e fronteiras criadas, de tratados arruinados e reis derrubados, não é assim que a história é contada? Quando recitamos a genealogia de nossos reis não citamos suas mães e avós, mas dizemos Mordred ap Mordred ap Uther ap Kustennin ap Kynnar e assim por diante até o grande Beli Mawr, que é pai de todos nós. A história é uma estória contada por homens e de feitura dos homens, mas nesta narrativa sobre Artur, como o brilho do salmão na água escura de turfa, as mulheres reluzem.

Os homens fazem história, e não posso negar que foram homens que derrubaram a Britânia. Éramos centenas, e todos armados de couro e ferro, e com espada, escudo e lança, e achávamos que a Britânia estava sob nosso comando porque éramos guerreiros, mas foram necessários um homem e uma mulher para derrubar a Britânia, e dos dois foi a mulher quem causou maior dano. Ela fez uma maldição e um exército morreu, e esta é sua história agora, porque ela era inimiga de Artur.

— Quem? — perguntará Igraine ao ler isto.

Igraine é minha rainha. Está grávida, coisa que dá grande alegria a todos nós. Seu marido é o rei Brochvael de Powys, e agora vivo sob sua proteção no pequeno mosteiro de Dinnewrac, onde escrevo a história de Artur. Escrevo por ordem da rainha Igraine, que é jovem demais para ter conhecido o imperador. Era como chamávamos Artur, o imperador, *Amherawdr* na língua britânica, mas o próprio Artur raramente usava o título. Escrevo na língua saxã, porque sou saxão e porque o bispo Sansum, o santo que dirige nossa pequena comunidade em Dinnewrac, jamais me permitiria escrever a história de Artur. Sansum odeia Artur, vilipendia sua memória e o chama de traidor, por isso Igraine e eu dissemos ao santo que estou escrevendo um evangelho de Nosso Senhor Jesus Cristo na língua saxã e, como Sansum não fala saxão nem sabe ler nenhuma língua, a mentira deixou a narrativa em segurança até este momento.

Agora a história fica mais sombria e mais difícil de contar. Algumas vezes, quando penso em meu amado Artur, vejo sua maturidade como um dia ensolarado, mas com que rapidez vieram as nuvens! Mais tarde, como veremos, as nuvens se partiram e o sol acariciou mais uma vez sua paisagem, mas então veio a noite, e desde então não vimos o sol.

Foi Guinevere quem escureceu o sol do meio-dia. Isso aconteceu durante a rebelião quando Lancelot, que Artur considerava amigo, tentou usurpar o trono da Dumnonia. Nisso foi ajudado pelos cristãos que tinham sido enganados por seus líderes — dentre eles o bispo Sansum — para acreditar que era seu dever sagrado eliminar os pagãos do país e preparar a terra da Britânia para a segunda vinda do Senhor Jesus Cristo no ano 500. Lancelot também foi ajudado pelo rei saxão Cerdic, que lançou um ataque aterrorizante ao longo do vale do Tâmisa numa tentativa de dividir a Britânia. Se os saxões tivessem chegado ao mar de Severn, os reinos britânicos do norte teriam sido separados dos do sul. Entretanto, pela graça dos Deuses, derrotamos não somente Lancelot e sua turba cristã, como também Cerdic. Mas na derrota Artur descobriu a traição de Guinevere. Encontrou-a nua nos braços de outro homem, e foi como se o sol tivesse desaparecido de seu céu.

— Realmente não entendo — disse-me Igraine um dia, no final do verão.

— O que não entende, cara senhora?

— Artur amava Guinevere, não é?

— Amava.

— Então por que não pôde perdoá-la? Perdoei Brochvael pelo que ele fazia com Nwylle. — Nwylle tinha sido amante de Brochvael, mas contraiu uma doença de pele que desfigurou sua beleza. Desconfio, mas nunca perguntei, de que Igraine usou um feitiço para levar a doença à rival. Minha rainha pode se dizer cristã, mas o cristianismo não é uma religião que oferece o consolo da vingança aos seus adeptos. Para isso você precisa procurar as mulheres velhas que sabem que ervas colher e que feitiços dizer sob uma lua minguante.

— A senhora perdoou Brochvael — concordei —, mas será que Brochvael perdoaria a senhora?

Ela estremeceu.

— Claro que não! Ele teria me queimado viva, mas esta é a lei.

— Artur poderia ter queimado Guinevere, e houve muitos homens que o aconselharam a fazer isso, mas ele a amava, amava-a com paixão, e por isso não podia matá-la nem a perdoar. Pelo menos não a princípio.

— Então ele era um idiota! — disse Igraine, que é muito jovem e tem a gloriosa certeza dos jovens.

— Ele era muito orgulhoso — repliquei, e talvez isso fizesse de Artur realmente um idiota, mas o mesmo acontecia com o resto de nós. Parei, pensando. — Ele queria muitas coisas, queria uma Britânia livre e os saxões derrotados, mas em sua alma queria a confirmação constante, da parte da esposa, de que ele era um homem bom. E quando Guinevere dormiu com Lancelot isso provou a Artur que ele era o homem inferior. O que não era verdade, claro, mas o magoou. Como magoou. Nunca vi um homem tão ferido. Ela rasgou o coração dele.

— Então ele a aprisionou?

— Ele a aprisionou — confirmei e me lembrei de como eu tinha sido forçado a levar Guinevere ao templo do Espinheiro Sagrado em Ynys Wydryn, onde a irmã de Artur, Morgana, se tornou sua carcereira. Jamais houve afeto entre Guinevere e Morgana. Uma era pagã, a outra cristã, e o dia em que tranquei Guinevere no templo foi uma das poucas vezes em que a vi chorar. "Ela ficará aqui", disse-me Artur, "até o dia em que morrer".

— Os homens são idiotas — declarou Igraine, depois me olhou de lado. — Alguma vez você foi infiel a Ceinwyn?

— Não — respondi com sinceridade.

— Alguma vez quis ser?

— Ah, sim. A luxúria não desaparece com a felicidade, senhora. Além disso, que mérito existe na fidelidade se ela jamais for testada?

— Você acha que existe mérito na fidelidade? — perguntou ela e eu me perguntei que guerreiro belo e jovem no *caer* de seu marido atraíra seu olhar. Sua gravidez impediria qualquer absurdo por enquanto, mas eu temia o que pudesse acontecer depois. Talvez nada.

Sorri.

— Nós queremos a fidelidade nas pessoas que amamos, senhora, então não é óbvio que elas a queiram em nós? A fidelidade é um presente que oferecemos aos que amamos. Artur a deu a Guinevere, mas ela não pôde devolver. Ela queria algo diferente.

— E o que era?

— A glória, e ele sempre foi avesso à glória. Ele a alcançou, mas não se deleitava com isso. Ela queria uma escolta de mil cavaleiros, estandartes coloridos tremulando no alto, e toda a ilha da Britânia prostrada à sua frente. E tudo que ele sempre quis foi justiça e boas colheitas.

— E uma Britânia livre e os saxões derrotados — lembrou Igraine secamente.

— Isso também, e queria mais uma coisa. Queria essa coisa mais do que todas as outras. — Sorri, lembrando, e então pensei que talvez, dentre todas as ambições de Artur, esta fosse a que ele achava mais difícil de alcançar, e aquela que os poucos de nós que éramos realmente seus amigos jamais acreditamos realmente que ele desejasse.

— Continue — incentivou Igraine, suspeitando de que eu estivesse caindo num cochilo.

— Ele só queria um pedaço de terra, um salão, algumas cabeças de gado, uma oficina de ferreiro que fosse sua. Queria ser comum. Queria que outros homens cuidassem da Britânia enquanto ele buscava a felicidade.

— E ele nunca encontrou?

— Encontrou — garanti, mas não naquele verão depois da rebelião de Lancelot. Foi um verão de sangue, uma estação de vingança, um tempo em que Artur obrigou a Dumnonia a uma submissão mal-humorada.

Lancelot fugira para sua terra dos Belgae, no sul. Artur adoraria persegui-lo, mas agora os invasores saxões de Cerdic eram o maior perigo. Tinham avançado até Corinium no fim da rebelião, e até poderiam ter capturado a cidade se os Deuses não tivessem mandado uma peste que assolou seu exército. As entranhas dos homens se esvaziavam sem parar, eles vomitavam sangue, ficaram fracos a ponto de não conseguir se levantar, e quando a peste estava no auge as forças de Artur os atacaram. Cerdic tentou instigar os homens, mas os saxões acreditaram que seus Deuses os tinham abandonado e fugiram.

— Mas voltarão — disse-me Artur quando paramos entre os restos da derrotada retaguarda de Cerdic. — Na próxima primavera eles voltarão.

Ele limpou a lâmina de Excalibur na capa manchada de sangue e a enfiou na bainha. Tinha deixado a barba crescer, e ela estava grisalha. Isso o fazia parecer mais velho, muito mais velho, e a dor da traição de Guinevere abatera seu rosto comprido, de modo que homens que nunca tinham visto Artur até aquele verão acharam sua aparência temível, e ele nada fez para amenizar essa impressão. Ele sempre fora um homem paciente, mas agora sua raiva ficava muito próxima da pele, e podia irromper à menor provocação.

Foi um verão de sangue, uma estação de vingança, e o destino de Guinevere foi ser trancada no templo de Morgana. Artur tinha condenado a esposa a viver numa sepultura, e seus guardas receberam ordem de mantê-la ali para sempre. Guinevere, princesa de Henis-Wyren, tinha sumido do mundo.

— Não seja absurdo, Derfel — disse Merlin rispidamente uma semana depois. — Ela vai estar fora de lá em dois anos! Um, provavelmente. Se Artur quisesse tirá-la de sua vida teria de jogá-la nas chamas, e é o que ele deveria ter feito. Não há nada melhor do que uma boa queima para melhorar o comportamento de uma mulher, mas não adianta dizer isso a Artur. O imbecil é apaixonado por ela! E é um imbecil. Pense bem! Lancelot vivo, Mordred vivo, Cerdic vivo e Guinevere viva! Se alguém quiser viver para sempre neste mundo parece uma boa ideia virar inimigo de Artur. Estou muito bem, obrigado por ter perguntado.

— Perguntei antes — falei pacientemente —, mas o senhor me ignorou.

— É a minha audição, Derfel. Praticamente sumiu. — Ele bateu num dos ouvidos. — Surdo que nem uma porta. É a idade, Derfel, a pura velhice. Estou visivelmente em decadência.

Nada disso. Ele parecia melhor agora do que há muito tempo, e sua audição, tenho certeza, era tão aguda quanto a visão — e esta, a despeito dos oitenta anos ou mais, ainda era tão afiada quanto a de um falcão. Merlin não estava decadente, parecia ter uma nova energia, trazida pelos Tesouros da Britânia. Aqueles treze Tesouros eram antigos, tão antigos quanto a Britânia, e durante séculos tinham estado perdidos, mas Merlin finalmente conseguira encontrá-los. O poder dos Tesouros era convocar os antigos Deuses de volta à Britânia, um poder que nunca fora testado, mas agora, no ano do tumulto da Dumnonia, Merlin iria usá-los para criar grande magia.

Eu tinha procurado Merlin no dia em que levei Guinevere a Ynys Wydryn. Era um dia de chuva forte e eu tinha subido o Tor, meio que esperando encontrar Merlin no cume, mas descobri o local vazio e triste. Antigamente Merlin possuíra um grande salão no Tor, com uma torre de sonhos anexa, mas o salão fora incendiado. Parei em meio às ruínas do Tor e senti uma grande desolação. Artur, meu amigo, estava ferido. Ceinwyn, minha mulher, estava longe, em Powys. Morwenna e Seren, minhas duas filhas, estavam com Ceinwyn, e Dian, a mais nova, se encontrava no Outro Mundo, despachada para lá por uma das espadas a serviço de Lancelot. Meus amigos estavam mortos ou longe. Os saxões se preparavam para lutar contra nós no novo ano, minha casa tinha se transformado em cinzas e minha vida parecia opaca. Talvez a tristeza de Guinevere me tivesse infectado, mas naquela manhã, no morro de Ynys Wydryn lavado pela chuva, me senti mais sozinho do que nunca em toda a vida, por isso me ajoelhei nas cinzas lamacentas e rezei a Bel. Implorei que o Deus nos salvasse e, como uma criança, implorei um sinal de que os Deuses se importavam conosco.

Esse sinal veio uma semana depois. Artur tinha ido para o leste, assediar a fronteira saxã, mas eu ficara em Caer Cadarn esperando a vinda de Ceinwyn e minhas filhas para casa. Em algum momento daquela semana Merlin e sua companheira, Nimue, foram ao grande palácio vazio em Lindinis, ali perto. Eu já havia morado lá, guardando nosso rei, Mordred, mas quando Mordred atingiu a maioridade, o palácio foi dado ao bispo Sansum como um mosteiro. Agora, os monges de Sansum tinham sido expulsos, expulsos dos grandes salões por lanceiros vingativos, de modo que agora o grande palácio estava vazio.

Foram as pessoas do local que nos disseram que o druida estava no palácio. Contaram histórias de aparições, de sinais maravilhosos e de Deuses caminhando na noite. Por isso fui de cavalo ao palácio, mas não encontrei sinal de Merlin. Duzentas ou trezentas pessoas estavam acampadas fora dos portões, e repetiram empolgadas as histórias das visões noturnas e, ouvindo-as, meu coração ficou apertado. A Dumnonia tinha acabado de suportar o frenesi de uma rebelião cristã instigada exatamente por esse tipo de superstição enlouquecida, e agora parecia que os pagãos iam se igualar à loucura cristã. Empurrei os portões do palácio, atravessei o grande pátio e caminhei pelos salões vazios de Lindinis. Chamei o nome de Merlin, mas não houve resposta. Encontrei um fogão quente numa das cozinhas e evidências de outro cômodo varrido recentemente, mas nada vivia ali, além dos ratos e dos camundongos.

Mas durante todo aquele dia mais pessoas se reuniram em Lindinis. Vinham de toda parte da Dumnonia e havia uma esperança patética em todos os rostos. Traziam seus aleijados e doentes e esperaram com paciência até o crepúsculo, quando os portões do palácio foram abertos e eles puderam andar, mancar, se arrastar ou ser carregados para o pátio externo. Eu poderia jurar que ninguém estivera dentro da vasta construção, mas alguém tinha aberto os portões e acendido grandes tochas que iluminavam as arcadas do pátio.

Juntei-me à multidão que entrava. Estava acompanhado por Issa, meu segundo em comando, e ficamos cobertos pelas capas escuras ao lado do portão. Avaliei que a multidão era de camponeses. Estavam malvestidos e tinham o rosto escuro e marcado dos que precisavam lutar para retirar a vida difícil do solo, mas aqueles rostos estavam cheios de esperança nas tochas chamejantes. Artur teria odiado aquilo, porque sempre se ressentia de dar esperanças sobrenaturais às pessoas que sofriam, mas como aquela multidão precisava de esperança! As mulheres seguravam bebês doentes ou empurravam crianças aleijadas até a frente, e todos ouviam ansiosos as histórias milagrosas das aparições de Merlin. Esta era a terceira noite das maravilhas, e agora tanta gente queria testemunhar os milagres que nem todos conseguiam entrar no pátio. Alguns se empoleiravam no muro atrás de mim, e outros se comprimiam no portão, mas ninguém entrava na arcada que rodeava três lados do pátio, porque aquele caminho abrigado e entre colunas era protegido por quatro lanceiros que usavam as armas compridas para manter a turba à distância. Os quatro guerreiros eram Escudos Pretos, lanceiros irlandeses da Demétia, o reino de Oengus Mac Airem, e me perguntei o que eles estariam fazendo tão longe de casa.

A última luz do dia escorreu do céu e morcegos bateram asas sobre as tochas enquanto a multidão se acomodava nas pedras do piso, olhando ansiosa para a porta principal do palácio, do lado oposto ao portão do pátio. De vez em quando uma mulher gemia alto. Crianças choravam e eram silenciadas. Os quatro lanceiros se agacharam nos cantos da arcada.

Esperamos. Pareceu-me que esperamos durante horas, e minha mente vagueava, pensando em Ceinwyn e em Dian, minha filha morta, quando de repente houve um grande estrondo metálico dentro do palácio, como se alguém tivesse batido num caldeirão com uma lança. A multidão ofegou, e algumas mulheres se levantaram, cambaleando à luz das tochas. Balançavam as mãos no alto e chamavam os Deuses, mas nenhuma aparição surgiu, e as grandes portas do palácio continuaram fechadas. Toquei o ferro do punho de Hywelbane e a sensação da espada me reconfortou. O clima de histeria na multidão era inquietante, mas não tanto quanto a própria circunstância da ocasião, porque eu nunca soube de que Merlin precisasse de plateia para sua magia. Na verdade, ele desprezava os druidas que reuniam multidões. "Qualquer fazedor de truques pode impressionar os imbecis", gostava de dizer, mas ali, nessa noite, parecia que era ele quem queria impressionar os imbecis. Tinha a multidão preparada, tinha-a gemendo e balançando, e quando o grande ruído metálico soou de novo a turba se levantou e começou a gritar o nome de Merlin.

Então as portas do palácio se abriram e lentamente a multidão ficou em silêncio.

Durante alguns instantes, o portal era apenas um espaço preto, depois um jovem guerreiro com armadura de batalha completa saiu da escuridão e parou no degrau de cima da arcada.

Nada havia de mágico nele, a não ser que era belo. Não havia outra palavra para o rapaz. Num mundo de membros tortos, pernas aleijadas, pescoços inchados, rostos cheios de cicatrizes e almas cansadas, aquele guerreiro era lindo. Era alto, magro e de cabelos dourados, e tinha um rosto sereno que só poderia ser descrito como suave, até mesmo gentil. Seus olhos eram de um azul espantoso. Não usava elmo, de modo que o cabelo, comprido como o de uma garota, caía reto abaixo dos ombros. Tinha um peitoral branco e brilhante, grevas brancas e a bainha da espada era branca. O material de guerra parecia caro, e me perguntei quem ele seria. Eu pensava que conhecia a maior parte dos guerreiros da Britânia — pelo menos os que poderiam comprar uma armadura como a daquele jovem —, mas ele me era estranho. Sorriu para a multidão, depois ergueu as duas mãos e sinalizou para que se ajoelhassem.

Issa e eu continuamos de pé. Talvez fosse nossa arrogância de guerreiros, ou talvez apenas quiséssemos ver por cima das cabeças.

O guerreiro de cabelos compridos não falou, mas assim que a plateia ficou de joelhos ele sorriu agradecendo e depois caminhou pela arcada, apagando as tochas, tirando-as dos suportes e mergulhando-as em barris com água que estavam ali para isso. Percebi que era um desempenho cuidadosamente ensaiado. O pátio ficou cada vez mais escuro até que a única luz que restava era das duas tochas flanqueando a grande porta do palácio. Havia uma pequena lua, e a noite estava gélida e escura.

O guerreiro branco ficou entre as duas últimas tochas.

— Filhos da Britânia — disse e a voz estava à altura de sua beleza, uma voz gentil, cheia de calor —, rezem aos seus Deuses! Dentro destas paredes estão os Tesouros da Britânia e em breve, muito em breve, o poder deles será liberado, mas agora, para que possam ver seu poder, deixaremos que os Deuses lhes falem. — Com isso, apagou as últimas duas tochas e de repente o pátio ficou escuro.

Nada aconteceu. A multidão murmurava, invocando Bel, Gofannon, Grannos e Don a mostrar seus poderes. Minha pele se arrepiou e agarrei o punho de Hywelbane. Será que os Deuses estavam nos cercando? Olhei para onde um retalho de estrelas brilhava entre as nuvens e imaginei os grandes Deuses pairando naquele espaço superior, e então Issa ofegou e baixei o olhar das estrelas.

E também ofeguei.

Porque uma menina, pouco mais do que uma criança no limiar de ser mulher, tinha aparecido no escuro. Era uma menina delicada, adorável em sua juventude e graciosa em seu jeito adorável, e estava tão nua quanto um recém-nascido. Era magra, com pequenos seios empinados e coxas compridas, e numa das mãos tinha um punhado de lírios e na outra uma espada de lâmina estreita.

Fiquei apenas olhando. Porque no escuro, no escuro frio que se seguiu ao apagamento das chamas, a menina luzia. Realmente luzia. Brilhava com uma luz branca e tremeluzente. Não era uma luz forte, não ofuscava, apenas estava ali, como pó de estrela pincelado na pele branca. Era uma radiância espalhada, como se fosse um pó, que tocava o corpo, as pernas, os braços e os cabelos, mas não o rosto. Os lírios luziam, e a radiância brilhava na lâmina comprida e fina da espada.

A garota luminosa caminhou pelas arcadas. Parecia não perceber a multidão que erguia os membros envelhecidos e as crianças doentes. Ignorou-os, simplesmente andando com delicadeza e leveza pela arcada, com o rosto sombreado olhando as pedras do chão. Seus passos eram leves como plumas. Parecia distraída, perdida em sonhos, e as pessoas gemiam e chamavam-na, mas ela não as olhava. Simplesmente caminhava e a luz estranha brilhava em seu corpo, e nos braços e nas pernas, e no cabelo comprido e preto que crescia em volta do rosto que era uma máscara negra em meio ao brilho fantasmagórico, mas de algum modo, talvez instintivamente, senti que seu rosto era lindo. De repente, ela ergueu aquele rosto que era uma sombra negra e olhou em nossa direção. Senti cheiro de algo que me lembrou o mar, e então, tão subitamente quanto tinha aparecido, ela desapareceu por uma porta e a multidão suspirou.

— O que era aquilo? — perguntou Issa num sussurro.

— Não sei. — Eu estava apavorado. Aquilo não era loucura, era algo real, porque eu tinha visto. Mas o que era? Uma Deusa? Mas por que eu tinha sentido cheiro do mar? — Talvez fosse um dos espíritos de Manawydan — falei. Manawydan era o Deus do mar e, sem dúvida, suas ninfas teriam aquele cheiro de sal.

Esperamos longo tempo pela segunda aparição, e quando chegou foi muito menos impressionante do que a luminosa ninfa do mar. Uma sombra apareceu no telhado do palácio, uma forma preta que lentamente cresceu até se tornar um guerreiro armado, de capa, com um elmo monstruoso encimado pela galhada de um grande cervo. O homem mal podia ser visto no escuro, mas quando uma nuvem saiu de frente da lua vimos o que ele era, e a multidão gemeu enquanto ele se erguia acima de nós com os braços abertos e o rosto escondido pelas gigantescas peças laterais do elmo. Segurava uma lança e uma espada. Ficou parado um segundo, depois desapareceu também, mas eu poderia ter jurado que ouvi uma telha escorregar do lado mais distante do telhado enquanto ele desaparecia.

Então, assim que ele desapareceu, a garota nua surgiu de novo, só que dessa vez parecia ter simplesmente se materializado no degrau de cima da arcada. Num segundo havia escuridão, e ali estava seu corpo esguio e luminoso, imóvel e brilhante. De novo seu rosto estava escuro, de modo que parecia uma máscara de sombra, cercado pelo cabelo cheio de luz. Ficou imóvel alguns segundos, depois fez uma dança lenta, esticando delicadamente os dedos dos pés enquanto pisava num padrão intricado que circulava e cruzava o mesmo ponto da arcada. Dançava olhando para baixo. Pareceu-me que aquela luz que brilhava fantasmagórica tinha escorrido na pele, porque vi que em alguns lugares era mais luminosa do que em outros, mas sem dúvida não era coisa humana. Agora Issa e eu estávamos ajoelhados, porque aquele tinha de ser um sinal dos Deuses. Era luz na escuridão, beleza entre as coisas que sobravam. A ninfa continuou dançando, a luz em seu corpo se desbotando lentamente, e então, quando era apenas uma sugestão de beleza brilhante na sombra da arcada, ela parou, abriu os braços e as pernas e nos encarou ousadamente, e em seguida desapareceu.

Um momento depois, duas tochas acesas foram trazidas do palácio. Agora a multidão gritava, chamando seus Deuses e exigindo ver Merlin, que finalmente apareceu na entrada do palácio. O guerreiro branco segurava uma das tochas e Nimue, a caolha, trazia a segunda.

Merlin chegou ao degrau de cima e parou, alto em seu longo manto branco. Deixou que a multidão continuasse gritando. A barba grisalha, que ia quase até a cintura, estava arrumada em tranças amarradas com fitas pretas, e o cabelo comprido fora trançado e amarrado do mesmo modo. Ele segurava seu cajado preto e, passado algum tempo, ergueu-o como sinal de que a multidão deveria silenciar.

— Apareceu alguma coisa? — perguntou ele, ansioso.

— Sim, sim! — gritou a multidão de volta. E no rosto velho, esperto e malicioso de Merlin surgiu um ar de surpresa satisfeita, como se ele não soubesse o que podia ter acontecido no pátio.

Ele sorriu, depois ficou de lado e chamou com a mão livre. Duas crianças pequenas, um menino e uma menina, vieram do palácio carregando o Caldeirão de Clyddno Eiddyn. A maior parte dos Tesouros da Britânia era de coisas pequenas, até mesmo comuns, mas o Caldeirão era um Tesouro genuíno e, dentre todos os treze, o de maior poder. Era uma grande tigela de prata decorada com um traçado de ouro onde apareciam guerreiros e animais. As duas crianças lutavam com o grande peso do caldeirão, mas conseguiram colocá-lo junto do druida.

— Eu tenho os Tesouros da Britânia! — anunciou Merlin e a multidão suspirou em resposta. — Breve, muito em breve, o poder dos Tesouros será liberado. A Britânia será restaurada. Nossos inimigos serão derrubados! — Ele parou, deixando os gritos de comemoração ecoarem no pátio. — Vocês viram o poder dos Deuses esta noite, mas o que viram é coisa pequena, coisa insignificante. Logo toda a Britânia verá, mas se formos convocar os Deuses, preciso da ajuda de vocês.

A multidão gritou dizendo que ele teria essa ajuda, e Merlin sorriu aprovando. Aquele sorriso benevolente me deixou cheio de suspeita. Uma parte de mim sentia que ele estava jogando com aquelas pessoas, mas nem mesmo Merlin, falei a mim mesmo, poderia fazer uma garota luzir no escuro. Eu a tinha visto, e queria muito acreditar, e a lembrança daquele corpo flexível e brilhante me convenceu de que os Deuses não tinham nos abandonado.

— Vocês devem ir ao Mai Dun! — disse Merlin, sério. — Devem ir enquanto puderem, e devem levar comida. Se tiverem armas, devem levar. No Mai Dun trabalharemos, e o trabalho será longo e duro, mas no Samain, quando os mortos andam, invocaremos os Deuses juntos. Vocês e eu! — Ele parou, então levantou a ponta do cajado para a multidão. A haste preta balançou, como se estivesse procurando alguém na turba, depois apontou direto para mim. — Lorde Derfel Cadarn! — chamou Merlin.

— Senhor? — respondi, embaraçado por ter sido escolhido na multidão.

— Você ficará, Derfel. O resto pode ir agora. Vão para as suas casas, porque os Deuses só virão de novo na véspera do Samain. Vão para as suas casas, cuidem de seus campos, depois venham ao Mai Dun. Tragam machados, tragam comida e se preparem para ver seus Deuses em toda a glória! Agora vão! Vão!

A multidão se foi obedientemente. Muitos pararam para tocar minha capa, porque eu era um dos guerreiros que tinham trazido o Caldeirão de Clyddno Eiddyn de seu esconderijo em Ynys Mon e, pelo menos para os pagãos, isso me tornava um herói. Eles tocavam Issa também, porque ele era outro Guerreiro do Caldeirão, mas quando a multidão se foi, Issa esperou no portão enquanto eu ia me encontrar com Merlin. Cumprimentei-o, mas ele desconsiderou minha pergunta quanto à sua saúde, perguntando se eu tinha gostado dos estranhos acontecimentos da noite.

— O que foi aquilo?

— O que foi o quê? — perguntou ele, cheio de inocência.

— A garota no escuro.

Seus olhos se arregalaram, fingindo pasmo.

— Ela esteve aqui de novo, não esteve? Que interessante! Era a garota com asas ou a que brilha? A garota que brilha! Eu não tenho ideia de quem ela é, Derfel. Não sou capaz de solucionar todos os mistérios deste mundo. Você passou tempo demais com Artur e, como ele, acredita que tudo deve ter uma explicação corriqueira, mas infelizmente é raro que os Deuses decidam ser claros. Será que poderia ser útil e levar o Caldeirão para dentro?

Levantei o Caldeirão enorme e levei-o para dentro do salão de recepção do palácio. Quando estive ali antes, naquele dia, a sala estava vazia, mas agora havia um banco comprido, uma mesa baixa e quatro suportes de ferro com lâmpadas a óleo. O guerreiro jovem, bonito e de armadura branca, cujo cabelo era tão comprido, sorriu sentado no banco enquanto Nimue, vestida com um manto preto e velho, levava um círio aceso até os pavios das lâmpadas.

— Esta sala estava vazia hoje de tarde — falei em tom acusador.

— Deve ter-lhe parecido — disse Merlin em tom leve —, mas talvez nós simplesmente tenhamos optado por não aparecer. Você conheceu o príncipe Gawain? — Ele fez um gesto para o rapaz que se levantou e me cumprimentou curvando a cabeça. — Gawain é filho do rei Budic de Broceliande, o que o torna sobrinho de Artur.

— Senhor príncipe — cumprimentei. Eu tinha ouvido falar de Gawain, mas nunca o havia encontrado. Broceliande era o reino britânico do outro lado do mar, na Armórica, e ultimamente, à medida que os francos pressionavam sua fronteira, visitantes daquele reino se tornaram raros.

— Estou honrado em conhecê-lo, lorde Derfel — disse Gawain cortesmente. — Sua fama se espalhou longe, fora da Britânia.

— Não seja absurdo, Gawain — censurou Merlin. — A fama de Derfel não foi a lugar nenhum, a não ser, talvez, à cabeça gorda dele. Gawain está aqui para me ajudar — explicou.

— A fazer o quê?

— Proteger os Tesouros, claro. Ele é um lanceiro formidável, pelo que me disseram. É verdade, Gawain? Você é formidável?

Gawain apenas sorriu. Ele não parecia muito formidável, porque ainda era bem jovem, talvez com apenas quinze ou dezesseis verões, e ainda não precisava se barbear. Seu cabelo comprido e louro dava ao rosto um ar de menina, enquanto a armadura branca, que antes achei tão cara, agora se revelava apenas uma cobertura de cal pintada sobre ferro comum. Se não fosse sua segurança e a inegável boa aparência, ele teria sido risível.

— Então, o que andou fazendo desde que nos vimos da última vez? — perguntou Merlin, e foi então que lhe contei sobre Guinevere. Ele zombou de minha crença de que ela ficaria presa pelo resto da vida. — Artur é um imbecil. Guinevere pode ser inteligente, mas ele não precisa dela. Precisa de alguma coisa simples e estúpida, alguma coisa para manter sua cama quente enquanto se preocupa com os saxões. — Ele se sentou no sofá e sorriu quando as duas crianças que tinham levado o Caldeirão para o pátio lhe trouxeram um prato de pão e queijo e uma taça de hidromel. — Jantar! — exultou. — Junte-se a mim, Derfel, porque queremos falar com você. Sente-se! Você achará o chão bastante confortável. Sente-se ao lado de Nimue.

Sentei-me. Nimue tinha me ignorado até agora. A órbita de seu olho que faltava, arrancado de seu rosto por um rei, estava coberta por um tapa-olho, e o cabelo, que fora cortado tão curto antes de irmos para o sul até o palácio do mar, de Guinevere, estava crescendo de novo, mas continuava curto o bastante para dar-lhe um ar de garoto. Ela parecia furiosa, mas Nimue sempre parecia assim. Sua vida era dedicada a apenas uma coisa: a busca dos Deuses, e desprezava tudo que a afastasse dessa busca, e talvez pensasse que as amenidades irônicas de Merlin eram uma perda de tempo. Tínhamos crescido juntos e, nos anos decorridos desde a infância, mais de uma vez eu a mantivera viva, tinha-a alimentado e vestido, mas ela ainda me tratava como se eu fosse um idiota.

— Quem rege a Britânia? — perguntou ela abruptamente.

— Pergunta errada! — disse Merlin rispidamente, com veemência surpreendente. — Pergunta errada!

— E então? — perguntou-me ela, ignorando a raiva de Merlin.

— Ninguém rege a Britânia — falei.

— Resposta certa — disse Merlin vingativamente. Seu mau humor tinha inquietado Gawain, que estava atrás do assento de Merlin e olhava ansioso para Nimue. Parecia amedrontado com ela, mas não posso culpá-lo por isso. Nimue amedrontava a maioria das pessoas.

— Então quem rege a Dumnonia? — perguntou-me ela.

— Artur — respondi.

Nimue lançou um olhar triunfante para Merlin, mas o druida apenas balançou a cabeça.

— A palavra é *rex* — disse ele. — *Rex*, e se algum de vocês tivesse a menor noção de latim, saberia que *rex* significa rei, e não imperador, ou *imperator*. Será que vamos arriscar tudo porque vocês não sabem de nada?

— Artur reina na Dumnonia — insistiu Nimue.

Merlin a ignorou.

— Quem é o rei aqui? — perguntou-me ele.

— Mordred, claro.

— Claro — repetiu Merlin. — Mordred! — Ele cuspiu em direção a Nimue. — Mordred!

Ela se virou para o outro lado, como se ele estivesse sendo chato. Eu estava perdido, sem entender nem um pouco o que significava a discussão, e não tive chance de perguntar por que as duas crianças apareceram atravessando a cortina da porta de novo, trazendo mais pão e queijo. Quando elas puseram os pratos no chão senti um leve cheiro de mar, aquele sopro de sal e algas que tinha acompanhado a aparição nua, mas então as crianças voltaram pela cortina e o cheiro desapareceu com elas.

— Então — disse Merlin com o ar satisfeito de alguém que tivesse vencido uma discussão. — Mordred tem filhos?

— Provavelmente vários — respondi. — Ele vivia estuprando garotas.

— Como fazem os reis — disse Merlin descuidadamente. — E os príncipes também. Você estupra garotas, Gawain?

— Não, senhor. — Gawain parecia chocado com a sugestão.

— Mordred sempre foi um estuprador — disse Merlin. — Nisso puxou ao pai e ao avô, mas devo dizer que os dois eram muito mais gentis do que o jovem Mordred. Uther, bom... ele nunca podia resistir a um rosto bonito. Ou feio, se estivesse no clima. Mas Artur nunca foi dado aos estupros. Nisso ele é como você, Gawain.

— Fico muito satisfeito em ouvir isso — disse Gawain, e Merlin revirou os olhos, fingindo exasperação.

— Então o que Artur fará com Mordred? — perguntou-me o druida.

— Ele deve ser aprisionado aqui, senhor.

— Aprisionado! — Merlin pareceu achar divertido. — Guinevere trancada, o bispo Sansum cerrado, se a vida continuar assim, logo todo mundo na vida de Artur será prisioneiro! Estaremos todos vivendo a pão mofado e água. Que idiota é Artur! Ele deveria arrebentar os miolos de Mordred.

Mordred era criança quando herdou o reino, e Artur manteve o poder real enquanto o garoto crescia, mas quando ele chegou à maioridade, fiel à promessa feita ao Grande Rei Uther, Artur entregou o reino a Mordred. Mordred usou mal esse poder e chegou a tramar a morte de Artur, e foi essa trama que encorajou Sansum e Lancelot em sua revolta. Agora Mordred seria aprisionado, mas Artur havia decidido que o rei de direito da Dumnonia, no qual corria o sangue dos Deuses, deveria ser tratado com honra, ainda que não tivesse o poder. Seria mantido sob guarda nesse palácio luxuoso, receberia todos os luxos que desejasse, mas longe das trapaças.

— Então você acha que Mordred tem filhotes? — perguntou Merlin.

— Dúzias, é o que penso.

— Se é que algum dia você conseguiu pensar — disse Merlin rispidamente. — Dê-me um nome, Derfel! Dê-me um nome!

Pensei por um momento. Eu estava em posição melhor do que a maioria das pessoas para conhecer os pecados de Mordred, porque tinha sido seu guardião durante a infância, uma tarefa que havia realizado mal e relutantemente. Jamais consegui ser um pai para ele, e ainda que minha Ceinwyn tenha tentado ser mãe, ela também fracassou, e aquele garoto desgraçado tinha crescido carrancudo e mau.

— Havia uma garota serviçal aqui, e ele manteve a companhia dela durante muito tempo.

— O nome dela? — perguntou Merlin com a boca cheia de queijo.

— Cywwyllog.

— Cywwyllog! — Ele pareceu achar o nome divertido. — E você diz que ele é pai de um filho dessa Cywwyllog?

— Um menino, se era dele, e provavelmente era.

— E essa tal de Cywwyllog — insistiu Merlin, balançando uma faca —, onde é que ela poderia estar?

— Provavelmente muito perto. Ela nunca foi morar conosco no salão de Ermid, e Ceinwyn sempre supôs que Mordred lhe dava dinheiro.

— Então ele gostava dela?

— Acho que sim.

— Que gratificante saber que há alguma coisa boa naquele garoto horrível. Cywwyllog, hein? Você pode encontrá-la, Gawain?

— Vou tentar, senhor — disse Gawain, ansioso.

— Não só tente, consiga! Como ela era, Derfel, essa garota com o curioso nome de Cywwyllog?

— Baixa, meio gorducha, cabelos pretos.

— Até agora tivemos sucesso em descrever praticamente todas as garotas da Britânia com menos de vinte anos. Pode ser mais específico? Quantos anos o menino teria agora?

— Seis. E se me lembro bem, tinha cabelo meio ruivo.

— E a garota?

Balancei a cabeça.

— Era agradável, mas não realmente memorável.

— Todas as garotas são memoráveis — disse Merlin, altivo. — Especialmente as chamadas Cywwyllog. Encontre-a, Gawain.

— Por que o senhor quer encontrá-la? — perguntei.

— Eu meto o nariz nos seus negócios? Vou lhe fazer perguntas idiotas sobre lanças e escudos? Vivo incomodando você com indagações idiotas sobre o modo como você administra a justiça? Eu me importo com suas colheitas? Resumindo, eu banquei o chato interferindo na sua vida, Derfel?

— Não, senhor.

— Então, por favor, não seja curioso com a minha. Não é dado às víboras entender a vida da águia. Agora coma um pouco de queijo, Derfel.

Nimue se recusou a comer. Estava mal-humorada, com raiva do modo pelo qual Merlin havia descartado sua afirmação de que Artur era o verdadeiro governante da Dumnonia. Merlin a ignorou, preferindo provocar Gawain. Não mencionou Mordred de novo, nem quis falar sobre o que planejava fazer no Mai Dun, mas finalmente falou dos Tesouros enquanto me acompanhava até o portão do palácio onde Issa continuava me esperando. O cajado preto do druida ressoava nas pedras enquanto andávamos pelo pátio onde a multidão tinha assistido às aparições surgindo e sumindo.

— Preciso de pessoas, veja bem — disse Merlin —, porque se os Deuses vão ser invocados há trabalho a ser feito, e Nimue e eu não podemos fazer tudo sozinhos. Precisamos de cem pessoas, talvez mais!

— Para fazer o quê?

— Você verá, você verá. Gostou de Gawain?

— Ele parece prestimoso.

— Ah, ele é prestimoso sim, mas isso é admirável? Os cães são prestimosos. Ele me lembra Artur quando era jovem. Toda aquela ânsia em ser bom. — Merlin gargalhou.

— Senhor — falei, ansioso para ser tranquilizado —, o que vai acontecer no Mai Dun?

— Vamos invocar os Deuses, claro. É um procedimento complicado e só posso rezar para que consiga fazer direito. Claro, temo que não dê certo. Nimue, como você deve ter percebido, acredita que estou fazendo tudo errado, mas veremos, veremos. — Ele deu alguns passos em silêncio. — Mas se fizermos direito, Derfel, se fizermos direito, que visão iremos testemunhar! Os Deuses vindo em todo o seu poder. Manawydan saindo do mar, todo molhado e glorioso. Taranis rasgando o céu com raios. Bel arrastando fogo do céu e Don cortando as nuvens com sua lança de fogo. Isso deve amedrontar os cristãos, não é? — Ele deu uns dois passos de dança, em puro deleite. — Os bispos vão mijar em seus mantos pretos, hein?

— Mas o senhor não tem certeza — falei, ansioso para ser tranquilizado.

— Não seja absurdo, Derfel. Por que sempre quer a certeza de minha parte? Eu só posso fazer um ritual e esperar que esteja certo! Mas você testemunhou uma coisa esta noite, não foi? Isso não o convenceu?

Hesitei, imaginando se tudo que tinha testemunhado não seria algum tipo de truque. Mas que truque poderia fazer a pele de uma garota brilhar no escuro?

— E os Deuses vão lutar contra os saxões?

— É por isso que vamos invocá-los, Derfel — disse Merlin com paciência. — O objetivo é restaurar a Britânia ao que era nos velhos tempos, antes que a perfeição fosse azedada pelos saxões e cristãos. — Ele parou junto ao portão e olhou para o campo escuro. — Eu realmente amo a Britânia — falou numa voz subitamente débil —, amo demais esta terra. É um lugar especial. — Ele pôs a mão em meu ombro. — Lancelot queimou sua casa. Então onde você está morando?

— Tenho de construir um lugar — falei, mas não seria no salão de Ermid, onde minha pequena Dian tinha morrido.

— Dun Caric está vazio, e deixo você morar lá, mas com uma condição: que quando meu trabalho estiver feito e os Deuses estiverem conosco, eu possa ir morrer em sua casa.

— O senhor pode ir morar lá.

— Morrer, Derfel, morrer. Estou velho. Resta-me uma tarefa, e essa tarefa será tentada no Mai Dun. — Ele continuou, com a mão no meu ombro. — Acha que não sei os riscos que estou correndo?

Senti medo nele.

— Que riscos, senhor? — perguntei, sem jeito.

Uma coruja piou no escuro e Merlin ouviu com a cabeça inclinada, esperando uma repetição do chamado, mas não veio nenhum.

— Toda a minha vida — falou depois de um tempo — busquei trazer os Deuses de volta à Britânia, e agora tenho os meios, mas não sei se vai dar certo. Ou se sou o homem certo para fazer os rituais. Ou se ao menos viverei para ver isso acontecer. — Sua mão apertou meu ombro. — Vá, Derfel, vá. Preciso dormir, porque amanhã viajo para o sul. Mas venha à Durnovária no Samain. Venha testemunhar os Deuses.

— Estarei lá, senhor.

Ele sorriu e se virou. E voltei atordoado para o Caer, cheio de esperança e assediado por temores, imaginando aonde a magia iria nos levar agora, ou se iria nos levar apenas aos pés dos saxões que viriam na primavera. Porque se Merlin não pudesse invocar os Deuses a Britânia certamente estava condenada.

Devagar, como um poço que tivesse sido agitado até ficar turvo, a Britânia se acalmou. Lancelot se encolheu em Venta, temendo a vingança de Artur. Mordred, nosso rei de direito, veio para Lindinis, onde recebia todas as honras, mas estava rodeado por lanceiros. Guinevere ficou em Ynys Wydryn sob o olhar duro de Morgana, enquanto Sansum, o marido de Morgana, era prisioneiro nos aposentos de hóspedes de Emrys, o bispo da Durnovária. Os saxões se retiraram para trás de suas fronteiras, mas assim que a colheita foi guardada cada um dos lados atacou o outro selvagemente. Sagramor, o comandante númida de Artur, guardava a fronteira saxã enquanto Culhwch, primo de Artur e agora novamente um dos seus líderes guerreiros, vigiava a fronteira belgae de Lancelot a partir de nossas fortalezas em Dunum. Nosso aliado, o rei Cuneglas de Powys, deixou uma centena de lanceiros sob o comando de Artur e voltou ao seu reino, e no caminho encontrou sua irmã, a princesa Ceinwyn, que voltava à Dumnonia. Ceinwyn era minha mulher e eu era seu homem, embora ela tivesse feito um juramento de nunca se casar. Veio com nossas duas filhas no início do outono e confesso que não fiquei realmente feliz enquanto ela não voltou. Encontrei-a na estrada ao sul de Glevum e a abracei durante longo tempo, porque houvera momentos em que pensei que nunca mais iria vê-la. Ela era uma beldade, minha Ceinwyn, uma princesa de cabelos dourados que um dia, há muito tempo, fora noiva de Artur e, depois que ele abandonou o casamento planejado para ficar com Guinevere, a mão de Ceinwyn fora prometida a outros grandes príncipes, mas nós tínhamos fugido juntos, e ouso dizer que fizemos muito bem.

Tínhamos nossa casa nova em Dun Caric, que ficava a uma pequena jornada ao norte de Caer Cadarn. Dun Caric significa "O Morro junto do Rio Bonito", e o nome era adequado, porque era um lugar lindo, onde achei que seríamos felizes. O salão no topo da colina era feito de carvalho, com teto de palha de centeio, e tinha uma dúzia de construções externas cercadas por uma paliçada de madeira meio apodrecida. As pessoas que viviam no pequeno povoado ao pé da colina achavam que o salão era assombrado, porque Merlin deixara um velho druida, Balise, chegar ao fim da vida ali, mas meus lanceiros tinham limpado tudo, tirando os ninhos e os bichos, depois puseram para fora toda a parafernália ritual de Balise. Eu não duvidava de que os aldeãos, apesar do medo do lugar antigo, já haviam levado caldeirões, tripés e tudo que tivesse valor real, de modo que tivemos de jogar fora as peles de cobra, os ossos secos e os cadáveres dissecados de pássaros, todos cheios de teias de aranha. Muitos dos ossos eram humanos, grandes montes de ossos, e nós queimamos esses restos em buracos espalhados para que as almas dos mortos não pudessem se costurar de novo e voltar para nos perseguir.

Artur havia me mandado dúzias de rapazes para transformar em guerreiros, e durante todo aquele outono ensinei-lhes a disciplina da lança e do escudo, e uma vez por semana, mais por dever do que por prazer, eu visitava Guinevere em Ynys Wydryn, que ficava perto. Levava comida de presente e, quando ficou mais frio, levei uma grande capa de pele de urso. Algumas vezes levava o filho dela, Gwydre, mas ela nunca se sentia realmente confortável com ele. Ficava entediada com suas histórias de pescarias no riacho de Dun Caric ou de caçadas em nossa floresta. Ela própria adorava caçar, mas esse prazer não era mais permitido, por isso se exercitava andando pela área do templo. Sua beleza não se desbotou, na verdade o sofrimento dava aos seus olhos grandes uma luminosidade que antes não existia, mas ela jamais admitiria a tristeza. Era orgulhosa demais para isso, mas eu podia ver que estava infeliz. Morgana a incomodava, perseguindo-a com pregações cristãs e constantemente acusando-a de ser a prostituta escarlate da Babilônia.

Guinevere suportava isso com paciência, e a única reclamação que fez foi no início do outono, quando as noites se alongaram e as primeiras geadas embranqueceram os vales, e ela me disse que seus aposentos estavam frios demais. Artur pôs um fim nisso, ordenando que Guinevere poderia queimar quanta lenha quisesse. Ele ainda a amava, mas odiava ouvir-me dizer seu nome. Quanto a Guinevere, não sei quem ela amava. Ela sempre me pedia notícias de Artur, mas nenhuma vez mencionou Lancelot.

Artur também era prisioneiro, mas apenas de seus próprios tormentos. Seu lar, se é que tinha um lar, era o palácio real da Durnovária, mas ele preferia viajar pela Dumnonia, indo de fortaleza em fortaleza, preparando-nos para a guerra do ano novo, mas se havia algum lugar onde ele passava mais tempo do que em qualquer outro, era conosco em Dun Caric. De nosso salão no topo da colina nós o víamos chegando, e um momento depois soava uma trompa alertando enquanto seus cavaleiros atravessavam o rio esparrinhando a água. Gwydre, seu filho, corria para encontrá-lo, e Artur se curvava na sela de Llamrei e pegava o garoto antes de passar por nosso portão. Ele demonstrava carinho por Gwydre, na verdade era assim com todas as crianças, mas com os adultos mostrava uma reserva gélida. O antigo Artur, o homem de entusiasmo alegre, tinha sumido. Apenas para Ceinwyn ele desnudava a alma, e sempre que vinha a Dun Caric conversava com ela durante horas. Falavam de Guinevere, de quem mais?

— Ele ainda a ama — disse-me Ceinwyn.

— Ele deveria se casar de novo.

— Como é que pode? Ele só pensa nela.

— O que você lhe diz?

— Para perdoá-la, claro. Duvido de que ela vá ser tola de novo, e se ela é a mulher que o deixa feliz, então ele deveria engolir o orgulho e aceitá-la de volta.

— Ele é orgulhoso demais para isso.

— Evidentemente — disse ela, desaprovando. Em seguida, pousou a roca e o fuso. — Acho que talvez ele precise matar Lancelot primeiro. Isso iria deixá-lo feliz.

Artur tentou naquele outono. Fez um ataque súbito a Venta, a capital de Lancelot, mas Lancelot ficou sabendo do ataque e fugiu para Cerdic, seu protetor. Levou consigo Amhar e Loholt, os filhos de Artur com a amante irlandesa, Ailleann. Os gêmeos sempre se ressentiram de ser bastardos e se aliaram aos inimigos de Artur. Artur não conseguiu encontrar Lancelot, mas trouxe de volta um grande carregamento de grãos que eram tremendamente necessários, porque o tumulto do verão tinha inevitavelmente afetado nossa colheita.

No meio do outono, apenas duas semanas antes do Samain e nos dias seguintes ao ataque a Venta, Artur veio de novo a Dun Caric. Estava ainda mais magro, e o rosto ainda mais fino. Artur nunca fora um homem de presença assustadora, mas agora se tornara reservado para que os outros não soubessem de seus pensamentos, e essa reticência lhe dava um mistério, enquanto a tristeza na alma lhe acrescentava uma dureza. Ele nunca fora lento em demonstrar raiva, mas agora o temperamento explodia à menor provocação. Acima de tudo tinha raiva de si mesmo porque acreditava ser um fracassado. Seus dois primeiros filhos o haviam abandonado, o casamento azedara e a Dumnonia tinha fracassado junto. Ele pensara ser capaz de fazer um reino perfeito, um lugar de justiça, segurança e paz, mas os cristãos preferiram o morticínio. Ele se culpava por não ter visto o que se aproximava, e agora, na calma depois da tempestade, duvidava de sua própria visão.

— Nós devemos apenas nos acomodar em fazer as pequenas coisas, Derfel — disse-me naquele dia.

Era um dia perfeito de outono. O céu estava pintalgado de nuvens, de modo que os retalhos de luz do sol corriam sobre a paisagem amarelo-castanha que ficava a oeste de nós. Artur, pela primeira vez, não procurou a companhia de Ceinwyn, em vez disso me guiou por um trecho coberto de grama do lado de fora da paliçada remendada de Dun Caric, de onde olhou meditativo para o Tor que se erguia ao longe. Olhava para Ynys Wydryn, onde Guinevere estava.

— As pequenas coisas? — perguntei.

— Derrotar os saxões, claro. — Ele fez uma careta, sabendo que derrotar os saxões não era coisa pequena. — Eles se recusam a falar conosco. Se eu mandar emissários eles irão matá-los. Eles me disseram isso na semana passada.

— Eles?

— Eles — confirmou Artur carrancudo, querendo dizer Cerdic e Aelle. Geralmente os dois reis saxões viviam tentando se esganar mutuamente, uma condição que encorajávamos com subornos enormes, mas agora parecia que tinham aprendido a lição que Artur ensinara tão bem aos reinos da Britânia: somente na unidade reside a vitória. Os dois monarcas saxões estavam juntando forças para esmagar a Dumnonia, e sua decisão de não receber emissários era sinal disso, bem como uma medida de autoproteção. Os mensageiros de Artur poderiam levar subornos que talvez enfraquecessem seus chefes tribais, e todos os emissários, por mais que procurem seriamente a paz, servem para espionar o inimigo. Cerdic e Aelle não queriam se arriscar. Pretendiam enterrar as diferenças e juntar forças para nos esmagar.

— Eu esperava que a peste os tivesse enfraquecido — falei.

— Mas novos homens vieram, Derfel. Ouvimos dizer que os barcos estão chegando todos os dias, e cada barco está cheio de almas famintas. Eles sabem que estamos fracos, de modo que milhares virão no próximo ano, milhares e milhares. — Artur pareceu se rejubilar com a perspectiva. — Uma horda! Talvez seja assim que nós dois devamos terminar, não é? Dois velhos amigos, escudo junto de escudo, cortados por machados bárbaros.

— Há maneiras piores de morrer, senhor.

— E melhores. — Ele estava olhando para o Tor. Sempre que vinha a Dun Caric sentava-se nessa encosta ocidental; nunca do lado leste, nem na encosta sul, virada para Caer Cadarn, mas sempre aqui, olhando por sobre o vale. Eu sabia em que ele estava pensando, e ele sabia que eu sabia, mas Artur não falava o nome dela porque não queria que eu soubesse que todas as manhãs acordava pensando nela, e todas as noites rezava para sonhar com ela. Então teve súbita consciência de meu olhar e se virou para os campos onde Issa treinava os garotos para ser guerreiros. O ar do outono estava cheio do barulho áspero dos cabos das lanças se chocando e da voz rouca de Issa gritando para manterem as lâminas baixas e os escudos altos. — Como eles estão? — perguntou Artur, apontando com a cabeça para os recrutas.

— Como nós há vinte anos, e naquela época os mais velhos diziam que nunca seríamos guerreiros, e daqui a vinte anos esses garotos estarão dizendo o mesmo sobre os filhos. Eles serão bons. Uma batalha vai amadurecê-los, e depois disso serão tão úteis quanto qualquer guerreiro na Britânia.

— Uma batalha — disse Artur, carrancudo —, talvez só tenhamos uma batalha. Quando os saxões vierem, Derfel, estarão em maior número do que nós. Ainda que Powys e Gwent mandem todos os seus homens, estaremos em número menor. — Ele falava uma verdade amarga. — Merlin diz que eu não deveria me preocupar — acrescentou, sarcástico. — Diz que suas ações no Mai Dun tornarão a guerra desnecessária. Você visitou aquele lugar?

— Ainda não.

— Centenas de idiotas estão arrastando lenha até o cume. Loucura. — Ele cuspiu para baixo da encosta. — Não ponho minha confiança em Tesouros, Derfel, e sim em paredes de escudos e lanças afiadas. E tenho mais uma esperança. — Ele fez uma pausa.

— E qual é?

Artur se virou para me olhar.

— Se pudermos dividir nossos inimigos mais uma vez, ainda teremos uma chance. Se Cerdic vier sozinho podemos derrotá-lo, desde que Powys e Gwent nos ajudem, mas não posso derrotar Cerdic e Aelle juntos. Poderia vencer se tivesse cinco anos para reconstruir nosso exército, mas não posso fazer isso na primavera que vem. A única esperança, Derfel, é que os inimigos se separem. — Era o nosso modo antigo de fazer a guerra. Subornar um rei saxão para lutar contra o outro, mas, pelo que Artur tinha dito, os saxões estavam tomando cuidado para que isso não acontecesse nesse inverno. — Vou oferecer paz permanente a Aelle. Ele pode manter todas as terras que tem hoje em dia, e todas as terras que puder tomar de Cerdic, e ele e seus descendentes podem governar essas terras para sempre. Está entendendo? Eu cedo a ele aquela terra perpetuamente, se ele ficar do nosso lado na próxima guerra.

Durante um tempo fiquei quieto. O antigo Artur, o Artur que fora meu amigo antes daquela noite no templo de Ísis, jamais teria falado essas palavras, porque não eram verdadeiras. Nenhum homem entregaria terras britânicas aos saxões. Artur estava mentindo na esperança de que Aelle acreditasse e, dentro de alguns anos, Artur quebraria a promessa e atacaria Aelle. Eu sabia disso, mas sabia que não deveria denunciar a mentira, porque então não poderia fingir que acreditava nela. Em vez disso, lembrei a Artur um juramento antigo que fora enterrado numa pedra junto a uma árvore distante.

— O senhor jurou matar Aelle — lembrei. — Esse juramento está esquecido?

— Agora não me importo com juramentos — falou friamente, depois explodiu: — E por que deveria? Alguém mantém os juramentos feitos a mim?

— Eu mantenho, senhor.

— Então me obedeça, Derfel — disse peremptoriamente —, e vá falar com Aelle.

Eu sabia que essa exigência ia chegar. A princípio não respondi, mas olhei Issa empurrar seus garotos, formando uma parede de escudos de aparência trêmula. Depois me virei para Artur.

— Eu achava que Aelle tinha prometido a morte aos seus emissários.

Artur não me olhou. Em vez disso, mirou aquele monte verde e distante.

— Os velhos dizem que o inverno este ano será duro, e quero a resposta de Aelle antes que as neves cheguem.

— Sim, senhor.

Ele deve ter ouvido a infelicidade em minha voz, porque se virou para mim de novo.

— Aelle não vai matar o próprio filho.

— Devemos esperar que não, senhor — falei desanimado.

— Então vá vê-lo, Derfel. — Artur sabia muito bem que tinha me condenado à morte, mas não demonstrou arrependimento. Levantou-se e espanou os fiapos de capim da capa branca. — Se ao menos pudermos derrotar Cerdic na primavera que vem, Derfel, poderemos refazer a Britânia.

— Sim, senhor.

Ele tinha feito tudo parecer simples: era só derrotar os saxões, e depois refazer a Britânia. Refleti que sempre tinha sido assim; uma última grande tarefa, depois a alegria viria para sempre. De algum modo a coisa nunca acontecia. Mas agora, no desespero e para nos dar uma última chance, eu precisava viajar para ver meu pai.

SOU UM SAXÃO. Quando estava grávida, minha mãe saxã, Erce, foi tomada e escravizada por Uther, e nasci logo depois. Fui separado da minha mãe muito pequeno, mas não antes de ter aprendido a língua saxã. Mais tarde, muito mais tarde, logo antes da rebelião de Lancelot, encontrei minha mãe e fiquei sabendo que meu pai era Aelle.

Então meu sangue é puro saxão, e meio sangue real, mas como fui criado entre os britânicos não sentia parentesco pelos saxões. Para mim, como para Artur ou qualquer outro britânico nascido livre, os saxões são uma praga que chegou até nós pelo mar do Leste.

De onde eles vieram, ninguém sabe. Sagramor, que viajou mais do que qualquer um dos comandantes de Artur, diz que a terra dos saxões é um lugar distante, coberto por névoa e cheio de pântanos e florestas, mas admite que nunca esteve lá. Só sabe que fica do outro lado do mar e que eles a estão abandonando, segundo diz, porque a terra britânica é melhor, mas também ouvi dizer que a pátria dos saxões está sob cerco de outros inimigos, ainda mais estranhos, que vêm da borda mais distante do mundo. Mas por qualquer motivo que seja, já faz cem anos os saxões vêm atravessando o mar para tomar nossa terra, e agora ocupam todo o leste da Britânia. Nós chamamos esse território roubado de Lloegyr, as Terras Perdidas, e não há uma alma na Britânia livre que não sonhe em tomar de volta as Terras Perdidas. Merlin e Nimue acreditam que as terras só serão recuperadas pelos Deuses, enquanto Artur deseja fazê-lo com a espada. E minha tarefa é dividir nossos inimigos para tornar a tarefa mais fácil para os Deuses ou Artur.

Viajei no outono, quando os carvalhos tinham se transformado em bronze, as faias em vermelho e o frio cobria as colinas de névoa branca. Viajava sozinho, porque se Aelle fosse recompensar com a morte a chegada de um emissário, era melhor que só um homem morresse. Ceinwyn tinha implorado para que eu levasse um bando de guerreiros, mas com que objetivo? Um bando não podia ter esperança de dominar o poder de todo o exército de Aelle, e assim, enquanto o vento arrancava as primeiras folhas amarelas dos olmos, cavalguei para o leste. Ceinwyn tentara me persuadir a esperar até depois do Samain, porque se as invocações de Merlin funcionassem no Mai Dun certamente não haveria necessidade de emissários para visitar os saxões, mas Artur não quis admitir qualquer adiamento. Ele havia posto a fé na traição de Aelle e queria uma resposta do rei saxão, e por isso eu fui, só esperando sobreviver e estar de volta à Dumnonia na véspera do Samain. Usava minha espada e tinha um escudo pendurado às costas, mas não levava outras armas nem armadura.

Não fui diretamente para o leste, porque essa rota teria me levado perigosamente para perto da terra de Cerdic, por isso me dirigi ao norte entrando em Gwent, e depois ao leste, em direção à fronteira saxã, onde Aelle governava. Durante um dia e meio viajei pelas ricas terras agrícolas de Gwent, passando por vilas e povoados onde a fumaça subia dos buracos nos tetos. Os campos estavam lamacentos e revolvidos pelos cascos dos animais que iam sendo levados aos currais para a matança do inverno, e seu mugido acrescentava uma melancolia a minha jornada. O ar tinha aquele prenúncio de inverno, e de manhã o sol inchado pendia baixo e pálido na névoa. Estorninhos se juntavam em bandos nos campos abandonados.

A paisagem mudou à medida que eu cavalgava para o leste. Gwent era um país cristão, e a princípio passei por igrejas grandes e elaboradas, mas no segundo dia as igrejas eram muito menores e as fazendas menos prósperas, até que finalmente cheguei às terras do meio, os lugares devastados onde nem saxões nem britânicos governavam, mas onde ambos tinham seus campos de matança. Aqui as campinas que um dia haviam alimentado famílias inteiras estavam cheias de mudas de carvalho, pilriteiro, bétula e teixo, as vilas eram ruínas sem tetos e os salões, esqueletos incendiados. Mas algumas pessoas ainda moravam ali, e quando uma vez ouvi passos correndo numa floresta próxima desembainhei Hywelbane, com medo dos homens sem senhores, que tinham refúgio naqueles vales selvagens, mas ninguém me abordou até aquela noite, quando um bando de lanceiros barrou meu caminho. Eram homens de Gwent e, como todos os soldados do rei Meurig, usavam os vestígios do antigo uniforme romano: peitorais de bronze, elmos com crista de crina de cavalo tingida de vermelho e capas vermelho-ferrugem. O líder era um cristão chamado Carig, e ele me convidou a sua fortaleza, que ficava numa clareira sobre uma alta encosta coberta de floresta. O serviço de Carig era guardar a fronteira, e bruscamente exigiu saber meu objetivo, mas não perguntou mais quando lhe dei meu nome e disse que viajava para Artur.

A fortaleza de Carig era uma simples paliçada de madeira dentro da qual havia duas cabanas cheias de fumaça dos fogos desabrigados. Eu me esquentei enquanto a dúzia de homens de Carig se ocupava preparando um traseiro de veado num espeto feito de uma lança saxã capturada. Havia uma dúzia de fortalezas assim num raio de um dia de marcha, todas viradas para o leste para se guardar dos atacantes de Aelle. A Dumnonia tinha mais ou menos as mesmas precauções, mas mantínhamos um exército permanente nas fronteiras. O custo de um exército assim era exorbitante, e malvisto pelas pessoas cujos impostos em grãos, couro, sal e lã bruta pagavam pelas tropas. Artur sempre havia lutado para que os impostos fossem justos e para manter leve o fardo deles, mas agora, após a rebelião, estava impiedosamente cobrando uma penalidade rígida de todos os homens ricos que tinham seguido Lancelot. Essa cobrança caía desproporcionalmente sobre os cristãos, e Meurig, o rei cristão de Gwent, mandara um protesto que Artur tinha ignorado. Carig, fiel seguidor de Meurig, me tratou com certa reserva, mas fez o máximo para me alertar do que me esperava do outro lado da fronteira.

— O senhor sabe que os saxões estão se recusando a deixar homens atravessarem a fronteira?

— Ouvi dizer que sim.

— Dois mercadores passaram há uma semana — disse Carig. — Estavam carregando cerâmica e lã bruta. Eu avisei, mas... — ele parou e deu de ombros. — Os saxões ficaram com os potes e a lã, mas mandaram de volta dois crânios.

— Se meu crânio voltar, mande para Artur. — Olhei a gordura do veado cair e se incendiar no fogo. — Algum viajante vem de Lloegyr?

— Há semanas que não, mas no ano que vem, sem dúvida, o senhor verá muitos lanceiros saxões na Dumnonia.

— E não em Gwent? — questionei.

— Aelle não tem discórdia conosco — disse Carig com firmeza. Ele era um jovem nervoso que não gostava muito de sua posição exposta na fronteira da Britânia, mas cumpria o dever conscienciosamente, e seus homens, notei, eram bem-disciplinados.

— Vocês são britânicos, e Aelle é saxão. Isso não é discórdia suficiente?

Carig deu de ombros.

— A Dumnonia está fraca, senhor, os saxões sabem disso. Gwent está forte. Eles vão atacar vocês, e não a nós. — Ele parecia horrivelmente complacente.

— Mas assim que tiverem derrotado a Dumnonia — falei, tocando o ferro do punho de minha espada para evitar o azar implícito nas palavras —, quanto tempo se passará antes que venham para Gwent?

— Cristo vai nos proteger — disse Carig cheio de fé, e fez o sinal da cruz. Havia um crucifixo pendurado na parede da cabana, e um dos homens dele lambeu os dedos e depois tocou os pés do Cristo torturado. Cuspi no fogo disfarçadamente.

Segui para o leste na manhã seguinte. Nuvens tinham chegado de noite e a madrugada me recebeu com uma chuva fina e fria que soprava em meu rosto. A estrada romana, agora partida e cheia de mato, se esticava por uma floresta úmida, e quanto mais eu seguia, mais meu ânimo baixava. Tudo que tinha ouvido na fortaleza de fronteira de Carig sugeria que Gwent não lutaria por Artur. Meurig, o jovem rei de Gwent, sempre fora um guerreiro relutante. Seu pai, Tewdric, sabia que os britânicos deveriam se unir contra o inimigo comum, mas Tewdric abdicara do trono e fora viver como monge à margem do rio Wye, e seu filho não era um comandante guerreiro. Sem as tropas bem-treinadas de Gwent, a Dumnonia certamente estava condenada, a não ser que uma ninfa nua e luminosa pressagiasse alguma intervenção milagrosa dos Deuses. Ou a não ser que Aelle acreditasse na mentira de Artur.

E será que Aelle ao menos me receberia? Será que acreditaria que eu era seu filho? O rei saxão tinha sido bastante gentil comigo nas poucas ocasiões em que havíamos nos encontrado, mas isso não significava nada, porque eu ainda era seu inimigo, e quanto mais longe eu ia através daquela chuva cortante entre as gigantescas árvores molhadas, maior era meu desespero. Tinha certeza de que Artur me mandara para a morte, e pior, que ele o fizera com a insensibilidade de um jogador que estivesse perdendo e arriscasse tudo numa última tentativa sobre o tabuleiro.

No meio da manhã as árvores terminaram e entrei numa clareira ampla através da qual corria um riacho. A estrada atravessava a corrente num vau, mas ao lado da passagem, e enfiado num monte de terra da altura do peito de um homem, havia um pinheiro morto cheio de oferendas penduradas. A magia me era estranha, por isso eu não tinha ideia se a árvore enfeitada guardava a estrada, se aplacava o rio ou se aquilo era meramente obra de crianças. Desmontei e vi que os objetos pendurados nos galhos secos eram os pequenos ossos da espinha de um homem. Não era brincadeira de criança, admiti, mas o que era? Cuspi ao lado do monte de terra para evitar o mal, toquei o ferro do punho de Hywelbane e depois guiei o cavalo atravessando o vau.

A floresta recomeçou trinta passos depois do rio, e eu não tinha coberto metade dessa distância quando um machado saltou das sombras das árvores. Ele girou enquanto vinha em minha direção, com a luz cinza do dia brilhando na lâmina. O lançamento foi ruim e o machado sibilou, passando a uns bons quatro passos de distância. Ninguém me desafiou, mas nenhuma outra arma saiu das árvores.

— Sou saxão! — gritei na língua deles. De novo, ninguém respondeu, mas ouvi um murmúrio de vozes baixas e o estalar de galhos se partindo. — Sou saxão! — gritei outra vez e imaginei se os que vigiavam escondidos não seriam saxões, e sim britânicos fora da lei, porque eu ainda estava nas terras onde os homens sem senhores, de todas as tribos e países, se escondiam da justiça.

Já ia gritar em língua britânica que não pretendia fazer mal quando uma voz gritou das sombras, em saxão:

— Jogue sua espada para cá — ordenou um homem.

— Você pode vir e pegar a espada — respondi.

Houve uma pausa.

— Qual é o seu nome? — perguntou a voz.

— Derfel, filho de Aelle.

Gritei o nome do meu pai como um desafio, e isso deve tê-los inquietado, porque voltei a ouvir o murmúrio baixo de vozes. Então, um instante depois, seis homens saíram do mato e vieram para a clareira. Todos estavam com as peles grossas que os saxões usam como armadura, e todos traziam lanças. Um deles usava um elmo com chifres, e ele, evidentemente o líder, veio pela beira da estrada até onde eu estava.

— Derfel — disse ele, parando a doze passos de distância. — Derfel — repetiu. — Já ouvi esse nome, e não é um nome saxão.

— É o meu nome, e sou saxão.

— Filho de Aelle? — Ele estava cheio de suspeita.

— Sou.

Ele me observou durante um momento. Era um homem alto, com uma massa de cabelos castanhos enfiados no elmo com chifres. A barba chegava quase à cintura e o bigode ia até a borda superior do peitoral de couro que usava por baixo da capa de pele. Supus que ele fosse um chefe local, ou talvez um guerreiro encarregado de guardar essa parte da fronteira. Ele torceu um dos lados do bigode com a mão livre, depois deixou os fios se desenrolarem.

— Hrothgar, filho de Aelle, conheço — falou, pensativo. — Cyrning, filho de Aelle, eu chamo de amigo. Penda, Saebold e Yffe, filhos de Aelle, já vi em batalha, mas Derfel, filho de Aelle? — Ele balançou a cabeça.

— Você está vendo agora.

Ele levantou a lança, percebendo que meu escudo continuava pendurado na sela do cavalo.

— De Derfel, amigo de Artur, eu ouvi falar — disse em tom acusador.

— Você também o vê — retruquei.

— Nenhum britânico tem negócios com Aelle — disse ele e seus homens rosnaram confirmando.

— Eu sou saxão.

— Então qual é o seu negócio?

— Isso é para meu pai ouvir e eu falar. Não é da conta de vocês.

Ele se virou e fez um gesto para os homens.

— Nós fazemos com que seja da nossa conta.

— Qual é o seu nome? — exigi saber.

Ele hesitou, depois decidiu que revelar seu nome não faria mal.

— Ceowulf, filho de Eadbehrt.

— Então, Ceowulf, você acha que meu pai vai recompensá-lo quando souber que atrasou minha viagem? O que vai esperar dele? Ouro? Ou uma sepultura?

Era um belo blefe, e deu certo. Eu não fazia ideia se Aelle iria me abraçar ou me matar, mas Ceowulf tinha medo suficiente da ira de seu rei para me dar passagem — com relutância — e uma escolta de quatro lanceiros que me levaram cada vez mais para o interior das Terras Perdidas.

E assim viajei por lugares onde poucos britânicos tinham pisado numa geração. Esse era o coração das terras inimigas, e durante dois dias viajei por elas. À primeira vista o lugar parecia pouco diferente das terras britânicas, porque os saxões tinham tomado nossos campos e os utilizavam mais ou menos do mesmo modo que nós, mas notei que suas pilhas de feno eram mais altas e mais quadradas do que as nossas, e que suas casas eram mais robustas. A maioria das vilas romanas estava deserta, mas aqui e ali uma grande propriedade ainda funcionava. Não havia igrejas cristãs, na verdade não pude ver qualquer templo, mas uma vez passamos por um ídolo britânico com algumas oferendas deixadas na base. Ainda viviam britânicos aqui, e alguns até eram donos de suas terras, mas a maioria era composta de escravos ou então eram mulheres dos saxões. Os nomes de todos os lugares tinham mudado, e minha escolta nem sabia como eles eram chamados quando os britânicos governavam. Passamos por Lycceword e Steortford, depois Leodasham e Celmeresfort, todos estranhos nomes saxões, mas todos lugares prósperos. Estas não eram as casas e as fazendas de invasores, e sim assentamentos de pessoas fixadas. De Celmeresfort viramos para o sul passando por Beadewan e Wicford e, enquanto seguíamos, meus companheiros contaram orgulhosamente que agora viajávamos por terras que Cerdic tinha devolvido a Aelle durante o verão. A terra, disseram eles, era o preço da lealdade de Aelle na próxima guerra que levaria aquelas pessoas por toda a Britânia até o mar Ocidental. Minha escolta tinha confiança em que eles iriam vencer. Todos tinham ouvido dizer como a Dumnonia fora enfraquecida pela rebelião de Lancelot, e essa revolta encorajara os reis saxões a se unir num esforço de tomar todo o sul da Britânia.

Os alojamentos de inverno de Aelle ficavam num lugar que os saxões chamavam de Thunreslea. Era um morro alto numa paisagem plana de campos de argila e pântanos escuros, e do cume chato do monte um homem podia olhar para o sul por sobre o amplo Tâmisa até a terra enevoada onde reinava Cerdic. Havia um grande salão sobre o morro. Era uma construção grande, feita de escuras tábuas de carvalho, e no alto de sua cumeeira pontuda ficava o símbolo de Aelle: um crânio de touro pintado de sangue. No crepúsculo o salão solitário parecia negro e gigantesco, um lugar agourento. No leste havia um povoado depois de algumas árvores, e pude ver o tremular de miríades de fogueiras lá. Parecia que eu tinha chegado a Thunreslea na época de uma reunião, e as fogueiras mostravam onde as pessoas estavam acampadas.

— É uma festa — disse um dos membros da minha escolta.

— Em homenagem aos Deuses?

— Em homenagem a Cerdic. Ele veio conversar com nosso rei.

Minhas esperanças, que já eram baixas, afundaram mais. Com Aelle eu tinha alguma chance de sobrevivência, mas com Cerdic, pensei, não havia nenhuma. Cerdic era um homem frio e duro, enquanto Aelle tinha uma alma emocional, até mesmo generosa.

Toquei o punho de Hywelbane e pensei em Ceinwyn. Rezei aos Deuses para vê-la de novo, e então chegou a hora de descer do cavalo, ajeitar a capa, soltar o escudo da sela e ir encarar meus inimigos.

Trezentos guerreiros deviam estar festejando no chão coberto de junco daquele salão alto e lúgubre sobre o morro úmido. Trezentos homens barulhentos, alegres, barbudos e de cara vermelha, que, diferentemente de nós, britânicos, nada viam de errado em levar armas para o salão de festas de um senhor. Três enormes fogueiras chamejavam no centro do salão, e a fumaça era tão densa que a princípio não consegui enxergar os homens sentados atrás da mesa comprida na extremidade mais distante do salão. Ninguém percebeu minha entrada, porque, com meu cabelo comprido e a barba densa, eu parecia um lanceiro saxão, mas quando fui levado para além das fogueiras que rugiam um guerreiro viu a estrela de cinco pontas no meu escudo e se lembrou de ter visto aquele símbolo numa batalha. Um rosnado irrompeu através do tumulto de conversas e risos. O rosnado se espalhou até que cada homem no salão uivava para mim enquanto eu ia ao tablado onde estava a mesa. Os guerreiros uivantes baixaram os chifres de cerveja e começaram a bater com as mãos no chão ou nos escudos até o teto alto ecoar com o ritmo da morte.

O barulho de uma lâmina batendo na mesa terminou com o tumulto. Aelle havia se levantado, e foi sua espada que tinha arrancado lascas da mesa comprida e rústica, onde uma dúzia de homens se sentava atrás de pratos cheios e de chifres com bebida. Cerdic estava ao lado dele, e do outro lado de Cerdic encontrava-se Lancelot. E Lancelot não era o único britânico ali. Bors, seu primo, estava encurvado ao lado dele, e Amhar e Loholt, os filhos de Artur, ocupavam a extremidade da mesa. Todos eram meus inimigos, e toquei o punho de Hywelbane e rezei por uma boa morte.

Aelle me encarou. Ele me conhecia muito bem, mas saberia que eu era seu filho? Lancelot pareceu perplexo ao me ver, até mesmo ruborizou-se, depois chamou um intérprete, falou com ele brevemente e o intérprete se inclinou para Cerdic e sussurrou no ouvido do monarca. Cerdic também me conhecia, mas nem as palavras de Lancelot nem o reconhecimento de um inimigo mudaram a expressão impenetrável de seu rosto. Era um rosto de escrivão, barbeado, de queixo fino e com uma testa alta e larga. Seus lábios eram finos, o cabelo ralo era penteado severamente para trás, fazendo um nó na nuca, mas o rosto pouco notável se tornava memorável devido aos olhos. Eram olhos claros, implacáveis, olhos de assassino.

Aelle pareceu pasmo demais para falar. Ele era muito mais velho do que Cerdic, na verdade faltavam um ou dois anos para completar cinquenta, o que o tornava um idoso segundo qualquer avaliação, mas ainda parecia formidável. Era alto, de peito largo, e tinha um rosto chato e duro, nariz quebrado, bochechas cheias de cicatrizes e uma barba preta. Vestia um belo manto escarlate e tinha um grosso torque de ouro no pescoço, e usava mais ouro nos pulsos, mas nenhuma joia podia disfarçar o fato de que, acima de tudo, Aelle era um guerreiro saxão que parecia um grande urso. Faltavam dois dedos em sua mão direita, perdidos em alguma batalha antiga onde, ouso dizer, ele tivera uma vingança sangrenta. Finalmente falou:

— Você ousa vir aqui?

— Para vê-lo, senhor rei — respondi e pousei um dos joelhos no chão. Curvei a cabeça para Aelle, depois para Cerdic, mas ignorei Lancelot. Para mim ele era um nada, um rei submetido a Cerdic, um elegante traidor britânico cujo rosto moreno era cheio de desprezo por mim.

Cerdic fisgou um pedaço de carne com uma faca comprida, trouxe para a boca e em seguida hesitou.

— Não recebemos nenhum mensageiro de Artur — falou em tom casual — e qualquer um que seja idiota o bastante para vir é morto. — Ele pôs a carne na boca, depois se virou para o outro lado, como se tivesse me descartado como algo trivial. Seus homens gritaram pedindo minha morte.

De novo Aelle silenciou o salão batendo com a espada na mesa.

— Você vem em nome de Artur? — perguntou.

Decidi que os Deuses perdoariam uma inverdade.

— Eu lhe trago lembranças de Erce, senhor rei, e o respeito filial do filho de Erce que, para alegria dele, também é seu.

As palavras nada significaram para Cerdic. Lancelot, que tinha ouvido uma tradução, mais uma vez sussurrou ansioso para o intérprete, e esse homem falou de novo com Cerdic. Eu não duvidava que ele houvesse encorajado o que Cerdic pronunciou agora:

— Ele deve morrer — insistiu Cerdic. Falava muito calmo, como se minha morte fosse uma coisa pequena. — Nós temos um acordo — lembrou a Aelle.

— Nosso acordo diz que não receberemos embaixadas de nossos inimigos — disse Aelle, ainda me encarando.

— E quem mais ele é? — perguntou Cerdic, finalmente mostrando algum temperamento.

— É meu filho — disse Aelle simplesmente, e um som ofegante brotou por todo o salão apinhado. — Ele é meu filho — repetiu Aelle —, não é?

— Sou, senhor rei.

— Você tem mais filhos — disse Cerdic descuidadamente e fez um gesto para alguns homens barbudos que sentavam-se à esquerda de Aelle. Aqueles homens, que presumi fossem meus meios-irmãos, apenas me encararam, confusos. — Ele traz uma mensagem de Artur! — insistiu Cerdic e apontou a faca para mim. — Esse cão sempre serve a Artur.

— Você traz uma mensagem de Artur? — perguntou Aelle.

— Tenho as palavras de um filho para um pai — menti de novo —, só isso.

— Ele deve morrer! — disse Cerdic peremptoriamente, e todos os que o apoiavam no salão rosnaram concordando.

— Não matarei meu filho em meu próprio salão — retrucou Aelle.

— Então eu posso? — perguntou Cerdic acidamente. — Se um britânico vem a nós, ele deve passar pelo fio da espada. — Cerdic falou essas palavras para todo o salão. — Nisso nós concordamos! — insistiu. Seus homens rugiram sua aprovação e bateram com os cabos das lanças nos escudos. — Essa coisa — disse Cerdic, balançando a mão para mim — é um saxão que luta por Artur! É um verme, e você sabe o que se faz com um verme! — Os guerreiros gritaram pedindo minha morte, e seus cães aumentaram o clamor com uivos e latidos. Lancelot me observava, o rosto ilegível, enquanto Amhar e Loholt pareciam ansiosos para me enfiar a espada. Loholt tinha um ódio especial por mim, porque eu havia segurado seu braço enquanto seu pai lhe cortava a mão direita.

Aelle esperou até que o tumulto diminuísse.

— No meu salão — disse ele, enfatizando o pronome possessivo para mostrar que ele governava ali, e não Cerdic — um guerreiro morre com a espada na mão. Algum homem aqui deseja matar Derfel enquanto ele carrega sua espada? — Aelle olhou o salão em volta, convidando alguém a me desafiar. Ninguém o fez, e Aelle olhou para o outro rei. — Não romperei nenhum acordo com você, Cerdic. Nossas lanças marcharão juntas, e nada que meu filho diga impedirá essa vitória.

Cerdic tirou um fiapo de carne de entre os dentes.

— O crânio dele será um belo estandarte para a batalha — falou apontando para mim. — Eu o quero morto.

— Então mate-o — disse Aelle cheio de desprezo. Eles podiam ser aliados, mas havia pouco afeto entre os dois. Aelle se ressentia de Cerdic, mais jovem, como de um carreirista, ao passo que Cerdic achava que o homem mais velho carecia de implacabilidade.

Cerdic deu um meio sorriso diante do desafio de Aelle.

— Eu não — falou em tom afável —, mas meu campeão fará o serviço. — Ele olhou para o salão, encontrou o homem que queria e apontou o dedo. — Liofa! Há um inseto aqui. Mate-o!

Os guerreiros comemoraram de novo. Adoravam a ideia de uma luta, e sem dúvida, antes que a noite terminasse, a cerveja que estavam bebendo causaria mais do que algumas batalhas mortais, mas uma luta até a morte entre o campeão de um rei e o filho de um rei era uma diversão muitíssimo melhor do que a melodia das duas harpistas que observavam das bordas do salão.

Virei-me para ver meu oponente, esperando que ele já estivesse meio bêbado e fosse uma carne fácil para Hywelbane, mas o homem que passou por entre os outros não era o que eu esperava. Pensei que seria um homem enorme, não muito diferente de Aelle, mas esse campeão era um guerreiro magro, ágil, com um rosto calmo e esperto que não tinha uma única cicatriz. Ele me lançou um olhar despreocupado enquanto deixava a capa cair, depois puxou da bainha de couro uma espada de lâmina comprida e fina. Usava pouca joia, nada além de um torque simples de prata, e suas roupas não tinham os adereços que a maioria dos campeões usava. Tudo nele falava de experiência e confiança, enquanto o rosto sem cicatrizes dizia de uma sorte monstruosa ou de habilidade incomum. Além disso, parecia assustadoramente sóbrio enquanto vinha até o espaço aberto na frente da mesa sobre o tablado e fazia uma reverência aos reis.

Aelle pareceu perturbado.

— O preço para falar comigo — disse-me — é se defender contra Liofa. Ou então deve partir agora e ir para casa em segurança. — Os guerreiros zombaram dessa sugestão.

— Falarei com o senhor, senhor rei.

Aelle assentiu, depois se sentou. Ainda parecia infeliz, e achei que Liofa teria uma reputação temível como espadachim. Tinha de ser bom, caso contrário não seria o campeão de Cerdic, mas alguma coisa no rosto de Aelle me disse que Liofa era mais do que apenas bom.

Mas eu também tinha reputação e isso pareceu preocupar Bors, que estava sussurrando ansioso no ouvido de Lancelot. Este, assim que seu primo terminou, chamou o intérprete, que em seguida falou com Cerdic. O rei ouviu, depois me lançou um olhar sombrio.

— Como saberemos que este seu filho, Aelle, não está usando algum feitiço de Merlin?

Os saxões sempre haviam temido Merlin, e a sugestão os fez rosnar irados. Aelle franziu a testa.

— Você tem algum, Derfel?

— Não, senhor rei.

Cerdic não estava convencido.

— Esses homens reconheceriam a magia de Merlin — insistiu ele, mostrando Lancelot e Bors; em seguida falou com o intérprete, que passou suas ordens a Bors. Bors deu de ombros, levantou-se, rodeou a mesa e desceu do tablado. Hesitou enquanto se aproximava de mim, mas abri os braços como se para mostrar que não lhe desejava mal. Bors examinou meus pulsos, talvez procurando fios de capim amarrados ou algum outro amuleto, depois abriu os laços de meu gibão de couro.

— Tenha cuidado com ele, Derfel — murmurou em britânico e percebi, com surpresa, que Bors não era inimigo, afinal de contas. Ele tinha persuadido Lancelot e Cerdic de que eu precisava ser revistado apenas para poder sussurrar seu alerta. — Ele é rápido como uma fuinha, e luta com as duas mãos. Tome cuidado com o desgraçado quando ele parecer que escorregou. — Bors viu o pequeno broche que tinha sido presente de Ceinwyn. — É enfeitiçado? — perguntou.

— Não.

— Mesmo assim vou guardá-lo para você — falou, tirando o broche e mostrando ao salão, e os guerreiros rugiram de raiva porque eu poderia estar escondendo o talismã. — E me dê seu escudo — disse Bors, porque Liofa não tinha nenhum.

Soltei as alças do braço esquerdo e dei o escudo a Bors. Ele o pegou e encostou no tablado, depois pôs o broche de Ceinwyn em cima da borda do escudo. E me olhou como se quisesse se certificar de que eu tinha visto onde ele o havia posto. Assenti.

O campeão de Cerdic cortou o ar enfumaçado com sua espada.

— Matei quarenta e oito homens em combate individual — disse numa voz calma, quase entediada —, e perdi a conta dos que caíram diante de mim em batalha. — Em seguida, parou e tocou o rosto. — Em todas essas lutas não recebi sequer uma cicatriz. Você pode se entregar a mim, se quiser que sua morte seja rápida.

— Você pode me dar sua espada e se poupar de levar uma surra — falei.

A troca de insultos era uma formalidade. Liofa deu de ombros para a minha oferta e se virou para os reis. Fez outra reverência de cabeça e o imitei. Estávamos separados por dez passos, no espaço aberto entre o tablado e as três fogueiras mais próximas, e cada flanco do salão estava apinhado de homens empolgados. Eu podia ouvir o barulho de moedas enquanto as apostas eram feitas.

Aelle assentiu para nós, dando permissão para o início da luta. Desembainhei Hywelbane e levantei o punho até os lábios. Beijei uma das pequenas lascas de osso de porco engastadas ali. As duas lascas de osso eram meu verdadeiro talismã, e muito mais poderosas que o broche, porque os ossos de porco tinham feito parte da magia de Merlin. As lascas de osso não me davam proteção mágica, mas beijei o punho uma segunda vez, depois encarei Liofa.

Nossas espadas são coisas pesadas e desajeitadas, não mantêm o gume na batalha e se tornam pouco mais do que grandes porretes de ferro que precisam de força considerável para ser levantados. Nada há de delicado em lutar com espadas, mas há habilidade. A habilidade está no engano, em persuadir o oponente de que um golpe virá da esquerda e, quando ele guardar esse lado, atacar da direita, ainda que a maioria das lutas de espadas não seja vencida por essa habilidade, e sim pela força bruta. Um homem irá se enfraquecer, e então sua guarda será derrubada e a espada do vencedor irá rasgá-lo e bater nele até a morte.

Mas Liofa não lutava assim. Na verdade, antes ou depois daquele dia nunca lutei com alguém como Liofa. Senti a diferença quando ele se aproximou, porque a lâmina de sua espada, ainda que tão longa quanto a de Hywelbane, era muito mais fina e leve. Ele havia sacrificado o peso em nome da velocidade, e percebi que esse homem seria tão rápido quanto Bors me alertara, uma rapidez de raio. E no momento em que percebi isso ele atacou, só que em vez de girar a espada numa grande curva deu uma estocada, tentando passar a ponta da lâmina pelos músculos do meu braço direito.

Esquivei-me da estocada. Essas coisas acontecem tão depressa que depois, tentando lembrar as passagens de uma luta, a mente não consegue identificar cada movimento e contragolpe, mas eu tinha visto um tremor em seu olho, vi que sua espada só podia golpear para a frente e tinha me movido no momento em que ele veio para mim. Fingi que a velocidade de seu golpe não tinha me causado surpresa e não aparei, apenas passei por ele e então, quando percebi que ele devia estar desequilibrado, rosnei e dei um golpe para trás com Hywelbane, um golpe que teria estripado um boi.

Ele saltou para trás, nem um pouco desequilibrado, e abriu os braços de modo que meu golpe passasse inofensivo a quinze centímetros de sua barriga. Esperou que eu girasse de novo, mas em vez disso eu estava esperando-o. Homens gritavam para nós, pedindo sangue, mas eu não tinha ouvidos para eles. Mantinha o olhar fixo nos olhos cinzentos e calmos de Liofa. Ele ergueu a espada na mão direita, moveu-a rapidamente para tocar minha lâmina, depois golpeou.

Aparei com facilidade, depois contra-ataquei seu giro para trás, o que se seguiu tão naturalmente quanto o dia vem depois da noite. O clangor das espadas era alto, mas eu podia sentir que não havia esforço real nos golpes de Liofa. Ele estava me oferecendo a luta que eu poderia ter esperado, mas também estava me avaliando enquanto se adiantava e lançava golpe atrás de golpe. Eu aparava os giros, sentindo quando eles vinham mais fortes, e justo quando esperava um esforço de verdade ele conteve o golpe, soltou a espada no meio do ar, pegou-a com a mão esquerda e baixou-a na direção da minha cabeça. Fez isso com a velocidade de uma víbora dando o bote.

Hywelbane aparou esse golpe de cima para baixo. Não sei como ela fez isso. Eu estivera esperando um golpe de lado e de repente não havia espada ali, apenas a morte acima do meu crânio, mas de algum modo minha lâmina estava no lugar certo e sua espada mais leve deslizou até o punho de Hywelbane. Tentei converter a aparada num contragolpe, mas não houve força em minha reação e ele saltou facilmente para trás. Continuei indo para a frente, com cortes laterais como ele tinha feito, só que com toda a minha força, de modo que qualquer um dos golpes o teria estripado, e a velocidade e a força dos meus ataques não lhe davam chance além de recuar. Ele aparava os golpes tão facilmente quanto eu tinha aparado os seus, mas não havia resistência em suas aparadas. Ele me permitia golpear, e em vez de se defender com a espada estava se protegendo e recuando constantemente. Também estava deixando que eu exaurisse minha força contra o ar, em vez de em osso, músculo e sangue. Dei um último golpe lateral, parei a lâmina no meio do ar e torci o pulso para estocar Hywelbane contra sua barriga.

A espada dele foi em direção à estocada, depois chicoteou de volta em minha direção enquanto ele dava um passo de lado. Dei o mesmo passo rápido de lado, de modo que ambos erramos o ataque. Em vez disso nos chocamos, peito contra peito, e senti o cheiro de seu hálito. Havia um leve odor de cerveja, mas ele certamente não estava bêbado. Imobilizou-se durante um instante, depois moveu para o lado o braço da espada e me olhou interrogativamente, como a sugerir que deveríamos concordar em nos separarmos. Assenti e nós dois recuamos, as espadas para o lado, enquanto a multidão falava empolgada. Sabiam que estavam assistindo a uma luta rara. Liofa era famoso entre eles e ouso dizer que meu nome não era obscuro, mas sabia que ele era superior. Minhas habilidades, se é que possuía alguma, eram as de um soldado. Eu sabia como romper uma parede de escudos, mas Liofa, o campeão de Cerdic, tinha apenas uma habilidade: lutar homem a homem com uma espada. Ele era mortal.

Recuamos seis ou sete passos, então Liofa saltou à frente, rápido nos pés como um dançarino, e deu um golpe lateral. Hywelbane enfrentou o golpe com força e o vi recuar do choque com um pequeno sobressalto. Fui mais rápido do que ele esperava, ou talvez ele estivesse mais lento do que o usual, porque até mesmo uma pequena quantidade de cerveja é capaz de ralentar um homem. Alguns homens só lutam bêbados, mas os que vivem mais lutam sóbrios.

Pensei naquele sobressalto. Ele não tinha se ferido, mas obviamente eu o havia preocupado. Dei um golpe lateral e ele saltou para trás, e esse salto me deu outra pausa para pensar. O que o tinha sobressaltado? Então me lembrei da fraqueza de suas aparadas e percebi que ele não ousava arriscar sua lâmina contra a minha, porque ela era leve demais. Se eu pudesse acertar aquela lâmina com toda a força ela poderia se partir, por isso golpeei de novo, só que dessa vez continuei golpeando e rugindo para ele enquanto ia em sua direção. Xinguei-o pelo ar, pelo fogo e pelo mar. Chamei-o de mulher, cuspi em sua sepultura e na sepultura de cachorro em que sua mãe estava enterrada, e o tempo todo ele não dizia uma palavra, apenas deixava sua espada encontrar a minha e deslizar para o lado, e sempre ele recuava e aqueles olhos claros me vigiavam.

Então ele escorregou. Seu pé direito pareceu deslizar num trecho coberto de junco e a perna bambeou. Ele caiu para trás e estendeu a mão esquerda para se apoiar. Rugi sua morte e levantei Hywelbane bem alto.

Então me afastei dele, sem mesmo tentar o golpe fatal.

Bors tinha me alertado para aquele escorregão e eu estivera esperando. Ver aquilo era maravilhoso e quase fui enganado, porque poderia ter jurado que o escorregão era acidental, mas Liofa era um acrobata, além de espadachim, e o escorregão aparentemente desequilibrado se transformou num súbito movimento ágil que girou sua espada para onde meus pés deveriam estar. Ainda posso ouvir aquela lâmina comprida e fina sibilando e varrendo apenas a centímetros acima dos juncos no chão. O golpe teria cortado meus tornozelos, aleijando-me, só que eu não estava lá.

Eu tinha recuado e agora o observava calmamente. Ele ergueu os olhos pesaroso.

— Levante-se, Liofa. — Minha voz soou calma, dizendo que toda a minha raiva havia sido fingimento.

Acho que ele soube então que eu era realmente perigoso. Piscou uma ou duas vezes e achei que ele tinha usado seus melhores truques comigo, mas nenhum havia funcionado e sua confiança estava abalada. Mas não sua habilidade. Ele se adiantou com ímpeto e rapidez para me fazer recuar com uma espantosa sucessão de golpes laterais curtos, estocadas rápidas e giros súbitos. Deixei os giros sem ser aparados, enquanto rechaçava do melhor modo possível os outros ataques, desviando-os e tentando quebrar seu ritmo, mas pelo menos um golpe lateral me acertou. Recebi-o no antebraço esquerdo e a manga de couro diminuiu a força da espada, mas fiquei com uma luxação durante praticamente um mês depois disso. A multidão suspirou. Todos assistiam à luta atentamente, ansiosos por ver o primeiro sangue ser arrancado. Liofa puxou a lâmina, tentando ver seu gume cortar o couro e ir até o osso, mas tirei o braço do caminho, estoquei com Hywelbane e o fiz recuar.

Ele esperou que eu prosseguisse com o ataque, mas agora era a minha vez de brincar com truques. Deliberadamente não fui na sua direção, em vez disso deixei a espada baixar alguns centímetros enquanto respirava fundo. Balancei a cabeça, tentando afastar da testa os fios de cabelo encharcados de suor. Estava quente ao lado da grande fogueira. Liofa me observou cuidadosamente. Ele podia ver que eu estava sem fôlego, viu minha espada hesitar, mas não tinha matado 48 homens correndo riscos. Deu um de seus rápidos golpes laterais para testar minha reação. Era um movimento curto que exigia ser aparado, mas não seria como um machado mordendo a carne. Eu o aparei tarde, deliberadamente tarde, e deixei a ponta da espada de Liofa acertar a parte superior do meu braço enquanto Hywelbane se chocava com a parte mais grossa da lâmina dele. Grunhi, fingindo que dava um golpe giratório, depois puxei minha espada enquanto ele se afastava facilmente.

De novo esperei. Ele estocou, desviei sua espada, mas dessa vez não tentei contra-atacar. A multidão havia silenciado, sentindo que a luta estava para acabar. Liofa tentou outra estocada e aparei de novo. Ele preferia a estocada porque mataria sem prejudicar sua lâmina preciosa, mas eu sabia que, se aparasse aquelas estocadas rápidas com frequência suficiente, ele em vez disso acabaria me matando do modo antigo. Liofa tentou mais duas estocadas e desviei a primeira desajeitadamente, recuei da segunda e depois levei a manga direita aos olhos, como se o suor os estivesse fazendo arder.

Então ele girou. Gritou alto pela primeira vez enquanto dava um poderoso golpe circular que veio de cima de sua cabeça em ângulo para o meu pescoço. Eu o aparei com facilidade, mas cambaleei enquanto desviava o golpe com segurança por cima do crânio, usando a lâmina de Hywelbane, então deixei-a baixar um pouco e ele fez o que eu esperava.

Ele girou de volta com toda a força. Fez isso rapidamente e bem, mas agora eu conhecia sua velocidade e já estava levantando Hywelbane num contragolpe igualmente rápido. Eu estava com as duas mãos no punho da espada e pus toda a força nesse golpe para cima, que não era destinado a Liofa, e sim à sua espada.

As duas espadas se encontraram em ângulo reto.

Só que dessa vez não houve um som ressoante, e sim um estalo.

A lâmina de Liofa tinha se partido. Os dois terços externos voaram e caíram entre os juncos, deixando apenas um cotoco em sua mão. Ele ficou aterrorizado. Então, por um segundo, pareceu tentado a me atacar com o resto da espada, mas dei dois rápidos golpes laterais com Hywelbane que o fizeram recuar. Agora ele podia ver que eu não estava nem um pouco cansado. Também podia ver que era um homem morto, mas mesmo assim tentou aparar Hywelbane com a arma partida, mas minha espada afastou aquele frágil cotoco de metal e então estoquei.

E mantive a lâmina imóvel no torque de prata em sua garganta.

— Senhor rei? — gritei, mas mantendo o olhar nos olhos de Liofa. Houve um silêncio no salão. Os saxões tinham visto seu campeão derrotado e perderam a voz. — Senhor rei! — chamei de novo.

— Lorde Derfel? — respondeu Aelle.

— O senhor me pediu para lutar com o campeão de Cerdic, não pediu que eu o matasse. Imploro-lhe pela vida dele.

Aelle fez uma pausa.

— A vida dele é sua, Derfel.

— Você se rende? — perguntei a Liofa. Ele não respondeu de imediato. Seu orgulho continuava procurando uma vitória, mas enquanto ele hesitava movi a ponta de Hywelbane de sua garganta para a bochecha direita. — E então? — insisti.

— Eu me rendo — disse ele e largou o cotoco da espada.

Empurrei Hywelbane apenas o bastante para cortar a pele e a carne em seu malar.

— Uma cicatriz, Liofa, para lembrá-lo de que você lutou com lorde Derfel Cadarn, filho de Aelle, e que perdeu. — E o deixei sangrando. A multidão gritava comemorando. Os homens são coisas estranhas. Num momento estavam clamando por meu sangue, agora gritavam elogios porque eu tinha poupado a vida de seu campeão. Peguei de volta o broche de Ceinwyn, depois apanhei o escudo e olhei para o meu pai. — Eu lhe trago lembranças de Erce, senhor rei.

— E elas são bem-vindas, lorde Derfel — disse Aelle —, elas são bem-vindas.

Ele fez um gesto para uma cadeira à sua direita, que um de seus filhos tinha vagado, e assim me juntei aos inimigos de Artur em sua mesa elevada. E festejei.

No fim da festa Aelle me levou à sua câmara, que ficava atrás do tablado. Era um cômodo grande, com teto de traves altas, uma fogueira acesa no centro e uma cama de peles debaixo da cumeeira. Ele fechou a porta onde tinha postado guardas, depois me convidou a sentar num baú de madeira junto à parede, enquanto ele ia até a extremidade mais distante, afrouxava os calções e urinava num buraco no chão de terra.

— Liofa é rápido — falou enquanto mijava.

— Muito.

— Achei que ele iria vencê-lo.

— Não era suficientemente rápido, ou então a cerveja o deixou lento. Agora cuspa em cima.

— Cuspir em quê? — perguntou meu pai.

— Em sua urina. Para impedir o azar.

— Meus Deuses não se incomodam com mijo ou com cuspe, Derfel — disse ele, divertido. Tinha convidado dois de seus filhos para o quarto, e esses dois, Hrothgar e Cyrning, me olhavam curiosamente. — Então, que mensagem Artur manda?

— Por que ele deveria mandar alguma?

— Porque caso contrário você não estaria aqui. Acha que foi gerado por um idiota, garoto? Então, o que Artur quer? Não, não diga, deixe-me adivinhar. — Ele amarrou a corda que servia de cinto em seus calções, depois foi sentar-se na única cadeira do cômodo, uma cadeira de braços, romana, feita de madeira preta e engastada de marfim, ainda que boa parte do desenho em marfim tivesse se soltado. — Ele vai me oferecer segurança de terra se eu atacar Cerdic no ano que vem. É isso?

— Sim, senhor.

— A resposta é não — rosnou ele. — Um homem me oferece o que já é meu! Que tipo de oferta é essa?

— Uma paz perpétua, senhor rei.

Aelle sorriu.

— Quando um homem promete alguma coisa para sempre, está jogando com a verdade. Nada é para sempre, garoto, nada. Diga a Artur que minhas lanças marcham com Cerdic no ano que vem. — Ele gargalhou. — Desperdiçou seu tempo, Derfel, mas fico feliz por você ter vindo. Amanhã falaremos de Erce. Quer uma mulher para passar a noite?

— Não, senhor rei.

— Sua princesa nunca saberá — provocou ele.

— Não, senhor rei.

— E ele se diz meu filho! — Aelle gargalhou e seus filhos riram junto. Os dois eram altos e, apesar de terem cabelo mais escuro do que o meu, suspeito de que se parecessem comigo, assim como suspeitei de que tivessem sido trazidos ao aposento para testemunhar a conversa e passar aos outros líderes saxões a recusa peremptória de Aelle. — Você pode dormir do lado de fora da minha porta — disse Aelle, sinalizando para seus filhos saírem. — Estará seguro ali. — Ele esperou enquanto Hrothgar e Cyrning saíam do cômodo, depois me fez parar com um gesto. — Amanhã — disse meu pai em voz mais baixa — Cerdic vai embora, e leva Lancelot. Cerdic terá suspeitas porque deixarei você viver, mas sobreviverei às suspeitas. Conversaremos amanhã, Derfel, e terei uma resposta mais longa para o seu Artur. Não será a resposta que ele quer, mas talvez seja uma resposta com a qual ele possa viver. Vá agora, estou esperando companhia.

Dormi no espaço estreito entre o tablado e a porta do meu pai. À noite uma garota passou por mim indo para a cama de Aelle, enquanto no salão os guerreiros cantavam, lutavam, bebiam e por fim dormiram, mas já era madrugada quando o último homem começou a roncar. Foi então que acordei e ouvi os galos cantando no morro de Thunreslea. Pus o cinto com Hywelbane, peguei a capa e o escudo e passei pelas brasas das fogueiras e saí no ar de um frio cortante. Uma névoa se grudava ao alto platô, ficando cada vez mais densa à medida que a terra descia até onde o Tâmisa se alargava indo para o mar. Fui do salão até a borda do morro, de onde olhei para a brancura acima do rio.

— Meu senhor rei ordenou que o matasse caso o encontrasse sozinho — disse uma voz atrás de mim.

Virei-me e me deparei com Bors, primo e campeão de Lancelot.

— Eu lhe devo agradecimentos — falei.

— Por ter alertado sobre Liofa? — Bors deu de ombros, como se o alerta tivesse sido pouca coisa. — Ele é rápido, não é? Rápido e mortal. — Bors parou ao meu lado e mordeu uma maçã, decidiu que estava ressecada e jogou fora. Ele era outro grande guerreiro, outro lanceiro com cicatrizes e barba preta, que estivera em muitas paredes de escudos e vira muitos amigos serem mortos. Arrotou. — Eu nunca me importei em lutar para dar o trono da Dumnonia ao meu primo, mas nunca quis lutar por um saxão. E não queria ver você ser cortado só para divertir Cerdic.

— Mas no ano que vem — falei — você estará lutando por Cerdic.

— Estarei? — Ele pareceu achar divertido. — Não sei o que farei no ano que vem, Derfel. Talvez navegue para Lyonesse, não é? Dizem que as mulheres de lá são as mais bonitas de todo o mundo. Elas têm cabelo de prata, corpos de ouro e não têm língua. — Ele riu, depois pegou outra maçã num bolso e limpou na manga. — Já o meu senhor rei — disse ele, falando de Lancelot — vai lutar por Cerdic, mas que outra opção ele tem? Artur não irá recebê-lo.

Então percebi o que Bors estava dando a entender.

— Meu senhor Artur não tem desavença com você — falei cautelosamente.

— Nem eu com ele — disse Bors, com a boca cheia de maçã. — Então talvez nos encontremos de novo, lorde Derfel. É uma grande pena, mas não consegui encontrá-lo hoje de manhã. Meu senhor rei teria me recompensado regiamente se eu o tivesse matado. — Ele riu e se afastou.

Duas horas depois, vi Bors partir com Cerdic, descendo o morro onde a névoa se dissipava em farrapos entre as árvores de folhas vermelhas. Uma centena de homens ia com Cerdic, a maioria sofrendo da festa da véspera, exatamente como os homens de Aelle que formavam uma escolta para os hóspedes de partida. Eu cavalgava atrás de Aelle, cujo cavalo era puxado enquanto ele caminhava ao lado do rei Cerdic e de Lancelot. Logo atrás deles iam dois porta-estandartes, um levando o crânio de boi manchado de sangue sobre um cajado — o estandarte de Aelle — e o outro o crânio de lobo pintado de vermelho, no qual estava pendurada a pele frouxa de um homem morto — o estandarte de Cerdic. Lancelot me ignorou. Mais cedo, quando tínhamos nos encontrado inesperadamente perto do salão, ele simplesmente olhara através de mim e fiz que não o vi. Seus homens tinham assassinado minha filha mais nova e, apesar de eu ter matado os assassinos, ainda gostaria de ter vingado a morte de Dian no próprio Lancelot, mas o salão de Aelle não era o lugar para fazer isso. Agora, de uma crista coberta de grama acima das margens lamacentas do Tâmisa, eu olhava Lancelot e seus poucos seguidores indo em direção aos navios de Cerdic.

Só Amhar e Loholt tinham ousado me desafiar. Os gêmeos eram rapazes carrancudos que odiavam o pai e desprezavam a mãe. A seus próprios olhos eles eram príncipes, mas Artur, que desdenhava títulos, recusava-se a lhes dar a honra, e isso só fazia aumentar seu ressentimento. Acreditavam que tinham sido privados de posto real, de terras, riqueza e honra e lutariam por qualquer um que tentasse derrotar Artur, a quem culpavam por todo o seu infortúnio. O coto do braço direito de Loholt estava engastado em prata, à qual ele prendera um par de garras de urso. Foi Loholt quem se virou para mim.

— Vamos nos encontrar no ano que vem — falou.

Eu sabia que ele estava louco por uma luta, mas mantive a voz amena.

— Estou ansioso pelo encontro.

Ele levantou o coto engastado em prata, lembrando-me de como eu tinha segurado seu braço enquanto seu pai golpeava com Excalibur.

— Você me deve uma mão, Derfel.

Não falei nada. Amhar tinha vindo para o lado do irmão. Os dois tinham o rosto comprido e de ossos grandes do pai, mas neles isso parecera ter azedado, de modo que não mostravam nada da força de Artur. Em vez disso pareciam astutos, quase como lobos.

— Não me ouviu? — perguntou Loholt.

— Agradeça porque ainda tem uma das mãos — falei. — E quanto à minha dívida com você, Loholt, pagarei com Hywelbane.

Eles hesitaram, mas não podiam ter certeza de que os guardas de Cerdic iriam apoiá-los caso desembainhassem as espadas. Finalmente se contentaram em cuspir na minha direção antes de se virar e descer até a praia lamacenta onde os dois barcos de Cerdic esperavam.

Essa praia abaixo de Thunreslea era um lugar deplorável, meio terra e meio mar, onde o encontro do rio com o oceano tinha produzido uma paisagem monótona feita de bancos de lama, baixios arenosos e riachos emaranhados. Gaivotas gritavam enquanto os lanceiros de Cerdic chapinhavam na lama viscosa, entravam no riacho raso e se alçavam às laterais de madeira dos barcos. Vi Lancelot levantar a barra da capa enquanto escolhia caminho delicadamente pela lama fétida. Loholt e Amhar seguiram-no e, assim que chegaram ao barco, viraram-se e apontaram os dedos para mim, um gesto destinado a lançar má sorte. Eu os ignorei. As velas dos barcos já estavam levantadas, mas o vento era fraco, e as duas embarcações de proa alta tiveram de ser manobradas para fora do riacho estreito na maré vazante com a ajuda de remos compridos usados pelos lanceiros de Cerdic. Assim que as proas com cristas de lobo estavam viradas para o mar aberto os guerreiros-remadores começaram um canto que dava ritmo aos movimentos.

— *Hwaet* para sua mãe — cantavam —, e *hwaet* para sua garota, e *hwaet* para sua amante que você *hwaet* no chão. — E a cada "*hwaet*" eles gritavam mais alto e puxavam os remos compridos, e os dois barcos ganharam velocidade até que finalmente a névoa envolveu as velas grosseiramente pintadas com crânios de lobos. — E *hwaet* para sua mãe — começou o canto de novo, só que as vozes soavam mais fracas através do vapor —, e *hwaet* para sua garota — e os cascos baixos ficaram vagos na névoa até que, finalmente, os navios se desvaneceram no ar embranquecido —, e *hwaet* para sua amante que você *hwaet* no chão. — O som parecia vir de lugar nenhum e então desaparecia com o barulho dos remos.

Dois dos homens de Aelle ajudaram seu senhor a montar no cavalo.

— Você dormiu? — perguntou ele enquanto se acomodava na sela.

— Sim, senhor rei.

— Eu tinha coisas melhores a fazer. Agora me siga. — Ele bateu com os calcanhares nos flancos do animal e virou-o ao longo da margem, onde os riachos serpenteavam e recuavam com a maré. Nessa manhã, em honra aos hóspedes de partida, Aelle tinha se vestido como um rei guerreiro. Seu elmo de ferro era enfeitado de ouro e coroado com um leque de penas pretas, o peitoral de couro e as botas de cano comprido eram tingidos de preto, e dos ombros caía uma comprida pele de urso preto que fazia seu pequeno cavalo parecer ainda menor. Uma dúzia de seus homens nos seguia a cavalo, um deles levando o estandarte do crânio de touro. Aelle, como eu, era mau cavaleiro.

— Eu sabia que Artur iria mandá-lo — falou subitamente, e quando não respondi ele se virou para mim. — Então você encontrou sua mãe?

— Sim, senhor rei.

— Como ela está?

— Velha — falei com sinceridade. — Velha, gorda e doente.

Ele suspirou diante da notícia.

— Elas começam como garotas jovens, tão lindas que podem partir o coração de todo um exército, e depois de terem dois filhos todas parecem velhas, gordas e doentes. — Ele fez uma pausa, pensando naquilo. — Mas de algum modo eu pensava que isso nunca aconteceria com Erce. Ela era muito bonita — falou pensativo, depois riu. — Mas graças aos Deuses há um suprimento constante das novas, não é? — Ele gargalhou, depois me olhou de novo. — Quando você disse o nome de sua mãe pela primeira vez, eu soube que você era meu filho. — Ele parou. — Meu primogênito.

— Seu primogênito bastardo.

— E daí? Sangue é sangue, Derfel.

— E eu me orgulho de ter o seu, senhor rei.

— E deve se orgulhar mesmo, garoto, apesar de compartilhá-lo com outros. Não fui egoísta com meu sangue. — Ele deu um risinho, depois virou o cavalo para um banco de lama e chicoteou o animal, subindo o barranco escorregadio até onde uma frota de barcos estava encalhada. — Olhe para eles, Derfel! — disse meu pai, puxando as rédeas do cavalo e fazendo um gesto para os barcos. — Olhe para eles! Inúteis agora, mas quase todos vieram neste verão, e cada um deles estava cheio até a borda com pessoas. — Ele bateu os calcanhares de novo no animal e passamos devagar pela lamentável fileira de barcos encalhados.

Devia haver umas oitenta ou noventa embarcações no banco de lama. Todos eram navios de duas pontas, elegantes, mas agora todos estavam apodrecendo. As tábuas estavam verdes de limo, os cascos inundados e pretos com a podridão. Alguns barcos, que deviam estar lá há mais de um ano, não passavam de esqueletos escuros.

— Três vintenas de pessoas em cada barco, Derfel, pelo menos três vintenas, e cada maré trazia mais. Agora, quando as tempestades assolam o mar aberto, eles não vêm, mas outros estão sendo construídos e chegarão na primavera. E não só aqui, Derfel, mas por todo o litoral! — Ele girou o braço para abarcar todo o litoral leste da Britânia. — Barcos e mais barcos! Todos cheios com nosso povo, todos querendo um lar, todos querendo terra. — Ele falou a última palavra ferozmente, depois virou o cavalo sem esperar resposta. — Venha! — gritou e segui seu animal atravessando a lama ondulada de um riacho, subi um banco de areia e depois atravessei trechos de espinheiros subindo o morro onde ficava seu grande salão.

Aelle parou o cavalo numa crista do morro e me esperou. Depois, quando me juntei a ele, apontou, sem falar nada, para uma pequena elevação. Havia um exército lá. Eu não podia contá-los, tamanho era o número de homens reunidos naquela dobra do terreno, e esses homens, eu sabia, eram apenas uma parte do exército de Aelle. Os guerreiros saxões formavam uma multidão enorme, e quando viram seu rei no horizonte explodiram num grande rugido de aclamação e começaram a bater com os cabos das lanças nos escudos, de modo que todo o céu cinzento se encheu com o barulho terrível. Aelle levantou a mão direita cheia de cicatrizes e o barulho morreu.

— Está vendo, Derfel?

— Agora vejo o que quis me mostrar, senhor rei — respondi evasivamente, sabendo exatamente qual era a mensagem que eu havia recebido com os barcos encalhados e a massa de homens armados.

— Agora estou forte, e Artur está fraco. Será que ele consegue juntar pelo menos quinhentos homens? Duvido. Os lanceiros de Powys irão ajudá-lo, mas bastarão? Duvido. Tenho mil lanceiros treinados, Derfel, e um número duas vezes maior de homens famintos que usarão um machado para ganhar um metro de terra que possam considerar seu. E Cerdic tem mais homens ainda, muito mais, e precisa de terra ainda mais desesperadamente do que eu. Nós dois precisamos de terra, Derfel, nós dois precisamos, e Artur tem terras, e Artur está fraco.

— Gwent tem mil lanceiros — falei —, e se o senhor invadir a Dumnonia, Gwent irá ajudar. — Eu não tinha certeza disso, mas não faria mal à causa de Artur me mostrar confiante. — Gwent, a Dumnonia e Powys vão lutar, e ainda há outros que virão para a bandeira de Artur. Os Escudos Pretos lutarão por nós, e virão lanceiros de Gwynedd e Elmet, até de Rheged e Lothian.

Aelle sorriu de minha fanfarronada.

— Sua lição ainda não terminou, Derfel. Então venha. — E de novo ele esporeou o animal, ainda subindo o morro, mas agora foi para o leste em direção a um bosque. Desmontou perto das árvores, fez um gesto para sua escolta permanecer onde estava, depois me guiou por um caminho estreito e úmido até uma clareira onde havia duas pequenas construções de madeira. Eram pouco mais do que cabanas com tetos de palha de centeio, e paredes baixas feitas de troncos rústicos. — Está vendo? — disse ele, apontando para a empena da cabana mais próxima.

Cuspi para evitar o mal, porque ali, no alto da empena, estava uma cruz de madeira. Aqui, na pagã Lloegyr, estava uma das últimas coisas que eu esperava ver: uma igreja cristã. A segunda cabana, ligeiramente menor do que a igreja, era evidentemente o alojamento do padre que recebeu nossa chegada abaixando-se para passar na porta de seu casebre. Ele usava a tonsura, tinha o manto preto de monge e uma barba marrom emaranhada. Reconheceu Aelle e se curvou bastante.

— Cristo o saúda, senhor rei! — exclamou o homem em mau saxão.

— De onde você é? — perguntei na língua britânica.

Ele pareceu surpreso por lhe falarem em sua língua nativa.

— De Gobannium, senhor.

A mulher do monge, uma criatura maltrapilha e com olhos cheios de ressentimento, saiu da cabana e parou junto ao homem.

— O que está fazendo aqui? — perguntei.

— O Senhor Jesus Cristo abriu os olhos de Aelle, senhor, e nos convidou a trazer a boa-nova de Cristo ao seu povo. Estou aqui com meu irmão o padre Gorfydd para pregar o evangelho aos saxões.

Olhei para Aelle, que estava dando um sorriso maroto.

— Missionários de Gwent? — perguntei.

— Criaturas débeis, não são? — disse Aelle, fazendo um gesto para o monge e sua mulher voltarem à cabana. — Mas eles acham que vão nos tirar do culto a Thunor e Seaxnet, e eu me contento em deixar que pensem assim. Por enquanto.

— Só porque o rei Meurig lhe prometeu trégua enquanto o senhor deixar os sacerdotes dele falarem com seu povo? — falei devagar.

Aelle gargalhou.

— É um idiota, aquele Meurig. Ele se importa mais com as almas do meu povo do que com a segurança de sua terra, e dois padres são um preço pequeno para manter os mil lanceiros de Gwent parados enquanto tomamos a Dumnonia. — Aelle passou o braço pelos meus ombros e me levou de novo para os cavalos. — Está vendo, Derfel? Gwent não vai lutar, não enquanto o rei de lá acreditar que há uma chance de espalhar sua religião entre o meu povo.

— E a religião está se espalhando?

Ele fungou.

— Entre alguns escravos e mulheres, mas não muitos, e não vai se espalhar até longe. Vou me certificar disso. Vi o que essa religião fez com a Dumnonia e não vou permitir aqui. Nossos Deuses antigos são suficientemente bons para nós, Derfel, então por que precisaríamos de outros? Essa é a metade do problema com os britânicos. Eles perderam seus Deuses.

— Merlin não perdeu.

Isso fez Aelle parar. Ele se virou na sombra das árvores e vi preocupação em seu rosto. Aelle sempre temera Merlin.

— Ouvi histórias — falou, inseguro.

— Os Tesouros da Britânia.

— O que eles são?

— Não muita coisa, senhor rei — falei com honestidade. — Só uma coleção precária de coisas velhas. Apenas duas têm valor real: uma espada e um caldeirão.

— Você os viu? — perguntou ele com ferocidade.

— Vi.

— O que eles fazem?

Dei de ombros.

— Ninguém sabe. Artur acha que não farão nada, mas Merlin diz que eles comandam os Deuses e que se ele realizar a magia certa na hora certa os antigos Deuses da Britânia irão lhe obedecer.

— E ele soltará esses Deuses para cima de nós?

— Sim, senhor rei.

E seria em breve, muito em breve, mas não falei isso ao meu pai.

Aelle franziu a testa.

— Nós também temos Deuses.

— Então chame-os, senhor rei. Deixe que os Deuses lutem contra os Deuses.

— Os Deuses não são tolos, garoto. Por que deveriam lutar quando os homens podem lutar por eles? — Aelle começou a andar de novo. — Agora estou velho, e em todos os meus anos nunca vi os Deuses. Acreditamos neles, mas será que eles se importam conosco? — Ele me olhou, preocupado. — Você acredita nesses Tesouros?

— Acredito no poder de Merlin, senhor rei.

— Mas Deuses andando na terra? — Ele pensou durante um tempo, depois balançou a cabeça. — E se os seus Deuses vierem, por que os nossos não viriam nos proteger? Até você, Derfel — disse ele com sarcasmo —, acharia difícil lutar contra o martelo de Thunor. — Ele havia me guiado para fora do bosque e vi que sua escolta e nossos cavalos tinham sumido. — Podemos andar, e eu vou lhe contar tudo sobre a Dumnonia.

— Já sei sobre Dumnonia, senhor rei.

— Então sabe, Derfel, que o rei de lá é um idiota, e que o governante não quer ser rei, nem mesmo um... como é que vocês chamam, um *kaiser*?

— Um imperador.

— Um imperador — repetiu ele, zombando da palavra com sua pronúncia. Ele estava me guiando por um caminho junto à floresta. Não havia mais ninguém à vista. À nossa esquerda o terreno caía até a região enevoada do estuário, e ao norte ficavam as florestas fundas e úmidas. — Os seus cristãos são rebeldes, o seu rei é um idiota aleijado e o seu líder se recusa a roubar o trono do idiota. Com o tempo, Derfel, e mais cedo do que mais tarde, outro homem exigirá aquele trono. Lancelot quase o tomou, e um homem melhor do que Lancelot tentará em breve. — Ele parou, franzindo a testa. — Por que Guinevere abriu as pernas para ele?

— Porque Artur não quis ser rei — falei em voz opaca.

— Então ele é um idiota. E no ano que vem será um idiota morto, a não ser que aceite uma proposta.

— Que proposta, senhor rei? — perguntei, parando junto a uma faia ferozmente vermelha.

Ele parou e pôs as mãos nos meus ombros.

— Diga a Artur para dar o trono a você, Derfel.

Encarei os olhos de meu pai. Por um instante pensei que ele podia estar brincando, depois vi que não poderia ser mais sério.

— Eu? — perguntei atônito.

— Você, e você jurará lealdade a mim. Vou querer terras suas, mas você pode dizer a Artur para lhe dar o trono, e você pode governar a Dumnonia. Meu povo vai se estabelecer lá e plantar nas terras, e você irá governá-la, mas como rei submetido a mim. Faremos uma federação, você e eu. Pai e filho. Você governa a Dumnonia e eu governo Aengeland.

— Aengeland? — perguntei, porque a palavra era nova para mim.

Ele tirou as mãos dos meus ombros e fez um gesto em volta.

— Aqui! Vocês nos chamam de saxões, mas você e eu somos aenglos. Cerdic é saxão, mas você e eu somos aenglos e o nosso país é Aengeland. Isto é Aengeland! — disse ele com orgulho, olhando aquele morro úmido.

— E Cerdic?

— Você e eu mataremos Cerdic — disse ele com franqueza, depois beliscou meu cotovelo e recomeçou a andar, só que agora me guiava por uma trilha entre as árvores, onde porcos escavavam entre as folhas procurando frutos de faia. — Diga a Artur o que sugeri. Diga que ele pode ficar com o trono, se quiser, mas qualquer de vocês dois que o ocupe fará isso em meu nome.

— Direi, senhor rei. — Mas sabia que Artur zombaria da proposta. Acho que Aelle também sabia, porém seu ódio por Cerdic o levara à sugestão. Meu pai sabia que, mesmo que ele e Cerdic capturassem todo o sul da Britânia, ainda teria de haver outra guerra para determinar qual dos dois seria o Bretwalda, que é a palavra que designa Grande Rei. — E se Artur e o senhor atacassem Cerdic juntos no ano que vem?

Aelle balançou a cabeça.

— Cerdic distribuiu muito ouro entre os meus chefes. Eles não lutarão contra ele, não enquanto ele oferecer a Dumnonia como preço. Mas se Artur der a Dumnonia a você, e se você a der a mim, eles não precisarão do ouro de Cerdic. Diga isso a Artur.

— Direi, senhor rei — falei de novo, mas continuava sabendo que Artur jamais concordaria com a proposta, porque significaria violar seu juramento a Uther, o juramento que prometia tornar Mordred rei, e esse juramento estava na base de toda a vida de Artur. De fato, eu tinha tanta certeza de que ele não violaria o juramento que, apesar de minhas palavras a Aelle, duvidava de que sequer mencionaria a proposta a Artur.

Agora Aelle me levou para uma grande clareira onde vi que meu cavalo estava esperando, e com ele uma escolta de lanceiros montados. No centro da clareira havia uma grande pedra rústica da altura de um homem, e mesmo não se parecendo nem um pouco com os *sarsen* adornados dos antigos templos da Dumnonia, nem como as pedras chatas em que aclamávamos nossos reis, estava claro que devia ser uma pedra sagrada, porque se erguia sozinha num círculo de grama e nenhum dos guerreiros saxões se aventurava perto dela, ainda que um de seus objetos sagrados, um grande tronco de árvore descascado e com um rosto grosseiramente esculpido, tivesse sido plantado no solo ali perto. Aelle me levou em direção à grande rocha, mas parou a alguma distância e enfiou a mão numa bolsa presa ao cinto da espada. Pegou uma pequena sacola de couro que desamarrou, e em seguida jogou alguma coisa na palma da mão. Estendeu o objeto para mim, e vi que era um minúsculo anel de ouro em que havia uma pequena ágata engastada.

— Eu ia dar isso à sua mãe, mas Uther a capturou antes de eu ter a chance, e desde então guardei. Tome.

Peguei o anel. Era uma coisa simples, feita por algum camponês. Não era trabalho romano, porque as joias deles eram elaboradas, nem era dos saxões, porque eles gostavam de joias pesadas, mas o anel provavelmente fora feito por algum britânico pobre que caíra diante de uma lâmina saxã. A pedra verde e quadrada nem sequer tinha sido engastada direito, mas mesmo assim o anel possuía uma beleza estranha e frágil.

— Eu não o dei à sua mãe, e se ela está gorda, não poderá usá-lo agora. Então dê à sua princesa de Powys. Ouvi dizer que ela é uma boa mulher. É?

— É, senhor rei.

— Dê a ela, e diga que se nossos países entrarem em guerra pouparei a mulher que estiver usando esse anel. Ela e toda a sua família.

— Obrigado, senhor rei — falei e pus o anelzinho na minha bolsa.

— Tenho mais um presente para você — disse ele e pôs o braço em meus ombros e me levou até a pedra. Eu estava me sentindo culpado por não ter trazido nenhum presente. Na verdade, com o medo de entrar em Lloegyr, esse pensamento nem me havia ocorrido, mas Aelle deixou de lado a omissão. Parou junto à pedra. — Esta pedra já pertenceu aos britânicos, e era sagrada para eles. Há um buraco nela, está vendo? Venha para o lado, garoto, veja.

Fui para o lado da pedra e vi que realmente havia um grande buraco preto entrando no coração da pedra.

— Uma vez falei com um escravo britânico e ele me disse que, sussurrando naquele buraco, é possível falar com os mortos.

— Mas o senhor não acredita nisso, não é? — perguntei, tendo ouvido o ceticismo em sua voz.

— Nós acreditamos que podemos falar com Thunor, Woden e Seaxnet através daquele buraco, mas e você? Talvez você consiga alcançar os mortos, Derfel. — Ele sorriu. — Vamos nos encontrar de novo, garoto.

— Espero que sim, senhor rei — falei e então me lembrei da estranha profecia de minha mãe, de que Aelle seria morto pelo filho. Tentei descartar isso como a arenga de uma velha louca, mas frequentemente os Deuses escolhem essas mulheres como porta-vozes e, de repente, eu não tinha o que dizer.

Aelle me abraçou, esmagando meu rosto na gola de sua grande capa de pele.

— Sua mãe ainda tem muito a viver? — perguntou ele.

— Não, senhor rei.

— Enterre-a com os pés virados para o norte. Ao modo do nosso povo. — Ele me deu um último abraço. — Você será levado em segurança para casa. — Em seguida, ele recuou e disse, mal-humorado: — Para falar com os mortos você deve dar três voltas ao redor da pedra, depois se ajoelhar perto do buraco. Mande um beijo meu para minha neta. — Ele sorriu, satisfeito por ter me surpreendido ao revelar um conhecimento tão íntimo de minha vida, depois se virou e foi embora.

A escolta ficou olhando enquanto eu rodeava três vezes a pedra, depois me ajoelhava e me encostava no buraco. De repente senti vontade de chorar, e minha voz ficou embargada quando sussurrei o nome de minha filha.

— Dian? — sussurrei para o coração da pedra. — Minha querida Dian? Espere por nós, querida, e nós vamos encontrá-la. Dian. — Minha filha morta, minha linda Dian, assassinada pelos homens de Lancelot. Falei que a amávamos, mandei o beijo de Aelle, depois encostei a testa na rocha fria e pensei em seu corpinho de sombra, sozinho no Outro Mundo. Merlin, é verdade, tinha nos dito que as crianças brincam felizes entre as macieiras de Annwn naquele mundo da morte, mas mesmo assim chorei ao imaginá-la subitamente ouvindo minha voz. Será que olhou para cima? Será que, como eu, estaria chorando?

Fui embora. Demorei três dias para chegar a Dun Caric e lá dei a Ceinwyn o pequeno anel de ouro. Ela sempre gostou de coisas simples, e o anel lhe caiu muito melhor do que algumas joias romanas elaboradas. Ela o usava no mindinho da mão direita, o único em que cabia.

— Mas duvido que isso salve minha vida — disse ela, pensativa.

— Por quê?

Ela sorriu, admirando o anel.

— Que saxão vai parar para olhar um anel? Estupre primeiro e pilhe depois, não é a regra dos lanceiros?

— Você não estará aqui quando os saxões vierem. Você precisa voltar a Powys.

Ela balançou a cabeça.

— Eu ficarei. Posso fugir para junto de meu irmão quando os problemas começarem.

Deixei essa discussão de lado até quando chegasse a hora, e mandei mensageiros a Durnovária e a Caer Cadarn, para dizerem a Artur que eu tinha voltado. Quatro dias depois ele veio a Dun Caric, onde falei da recusa de Aelle. Artur deu de ombros, como se não esperasse outra coisa.

— Valeu a tentativa — disse sem dar importância. Eu não contei a oferta que Aelle me fez, porque em seu humor azedo ele provavelmente acharia que eu estava tentado a aceitar, e talvez nunca mais confiasse em mim. Nem contei que Lancelot estivera em Thunreslea, porque sabia como ele odiava a simples menção daquele nome. Contei sobre os padres de Gwent e essa notícia o fez dar um muxoxo. — Acho que terei de visitar Meurig — falou em voz inexpressiva, olhando o Tor. Depois se virou para mim. — Você sabia que Excalibur é um dos Tesouros da Britânia?

— Sim, senhor — admiti. Merlin tinha me contado há muito tempo, mas fez com que eu jurasse segredo, por medo de que Artur destruísse a espada para demonstrar a falta de superstição.

— Merlin exigiu que eu a devolvesse.

Artur sempre soubera que essa exigência viria, desde o dia distante em que Merlin lhe dera a espada mágica.

— O senhor vai entregá-la?

Ele fez uma careta.

— Se não entregar, Derfel, será que isso impedirá o absurdo de Merlin?

— Se é que seja absurdo, senhor — falei e me lembrei daquela garota nua e luminosa, e disse a mim mesmo que ela era uma precursora de coisas estupendas.

Artur desafivelou o cinto com a bainha bordada com linhas entrecruzadas.

— Leve-a para ele, Derfel — disse relutante —, leve-a para ele. — Artur pôs a espada preciosa em minhas mãos. — Mas diga a Merlin que eu a quero de volta.

— Direi, senhor — prometi. Porque se os Deuses não viessem na véspera do Samain, Excalibur teria de ser desembainhada e levada contra o exército de todos os saxões.

Mas agora a véspera do Samain estava muito próxima, e naquela noite dos mortos os Deuses seriam invocados.

E no dia seguinte levei Excalibur para o sul, para fazer com que isso acontecesse.

MAI DUN É UM GRANDE morro ao sul de Durnovária, e antigamente deve ter sido a maior fortaleza de toda a Britânia. Era um cume amplo, suavemente curvo, estendendo-se para o leste e o oeste, ao redor do qual o povo antigo construiu três gigantescas muralhas de terra compactada, cobertas de grama e íngremes. Ninguém sabe quando foi construída, nem mesmo como, e alguns acreditavam que os próprios Deuses deviam ter escavado as fortificações, porque aquela muralha tripla parece alta demais — e os fossos parecem fundos demais — para mero trabalho humano, mas nem a altura das muralhas nem a profundidade dos fossos impediu que os romanos capturassem a fortaleza e passassem sua guarnição pelo fio das espadas. O Mai Dun ficara vazio desde aquele dia, a não ser por um pequeno templo de Mitra que os romanos vitoriosos construíram na extremidade leste do platô no cume. No verão a antiga fortaleza é um belo lugar onde as ovelhas pastam junto às muralhas precipitosas e as borboletas adejam sobre a grama, o tomilho selvagem e as orquídeas, mas no fim do outono, quando as noites chegam mais cedo e as chuvas varrem a Dumnonia vindas do oeste, o cume pode ser um lugar desnudo e gélido onde o vento corta com força.

A trilha principal para o cume leva ao portão do oeste, que parece um labirinto, e o caminho estava escorregadio de lama enquanto eu levava Excalibur para Merlin. Uma horda de pessoas comuns subia comigo. Algumas tinham grandes fardos de lenha nas costas, outras carregavam odres de água para beber e algumas poucas incitavam bois que arrastavam grandes troncos ou puxavam trenós cheios de galhos sem folhas. Escorria sangue dos flancos dos bois que lutavam para levar as cargas pelo caminho íngreme e traiçoeiro onde, muito acima de mim sobre a fortificação externa e coberta de grama, eu podia ver lanceiros montando guarda. A presença desses lanceiros confirmava o que me tinham dito na Durnovária, que Merlin havia fechado Mai Dun para todos, menos os que vinham trabalhar.

Dois lanceiros guardavam o portão. Ambos eram guerreiros irlandeses dos Escudos Pretos, contratados com Oengus Mac Airem, e me perguntei quanto da fortuna de Merlin estava sendo gasto na preparação daquela desolada fortaleza de grama para a chegada dos Deuses. Os homens reconheceram que eu não era uma das pessoas que trabalhavam no Mai Dun, e um deles perguntou respeitosamente:

— O senhor tem algum negócio aqui?

Eu não estava usando armadura, mas usava Hywelbane, e só a bainha da minha espada me designava como alguém importante.

— Tenho negócios com Merlin.

O Escudo Preto não abriu caminho.

— Muitas pessoas vêm aqui, senhor, e dizem ter negócios com Merlin. Mas será que lorde Merlin tem negócios com elas?

— Diga que lorde Derfel trouxe a ele o último Tesouro. — Tentei dar às palavras o devido sentimento cerimonioso, mas elas não pareceram impressionar os Escudos Pretos. O mais jovem subiu com a mensagem, enquanto o mais velho conversava comigo. Como a maioria dos lanceiros de Oengus, ele parecia um sujeito alegre. Os Escudos Pretos vinham da Demétia, um reino que Oengus criou no litoral oeste da Britânia, mas, mesmo sendo invasores, os lanceiros irlandeses de Oengus não eram odiados como os saxões. Os irlandeses lutavam contra nós, roubavam de nós, escravizavam-nos e tomavam nossa terra, mas falavam uma língua parecida com a nossa, seus Deuses eram os nossos Deuses e, quando não estavam lutando conosco, misturavam-se facilmente aos nativos britânicos. Alguns, como o próprio Oengus, agora pareciam mais britânicos do que irlandeses, porque sua Irlanda nativa, que sempre se orgulhara de nunca ter sido invadida pelos romanos, agora sucumbira à religião que os romanos haviam trazido. Os irlandeses tinham adotado o cristianismo, mas os Senhores do Outro Lado do Mar, os reis irlandeses que, como Oengus, ocuparam terras na Britânia, ainda se agarravam aos seus Deuses antigos e na próxima primavera, refleti, a não ser que os ritos de Merlin trouxessem esses Deuses para nos salvar, esses lanceiros Escudos Pretos sem dúvida lutariam pela Britânia contra os saxões.

Foi o jovem príncipe Gawain quem veio do cume para se encontrar comigo. Ele desceu a trilha vestindo sua armadura pintada de cal, mas o esplendor se estragou quando seus pés escorregaram num trecho enlameado e ele desceu alguns metros arrastando o traseiro.

— Lorde Derfel! — gritou ele enquanto se levantava. — Lorde Derfel! Venha, venha! Bem-vindo! — Ele abriu um sorriso largo enquanto eu me aproximava. — Não é a coisa mais empolgante?

— Ainda não sei, senhor príncipe.

— Um triunfo! — exclamou ele, entusiasmado, cuidadosamente se desviando da lama que causara sua queda. — Uma grande obra! Rezemos para que não seja em vão.

— Toda a Britânia reza por isso. A não ser, talvez, os cristãos.

— Dentro de três dias, lorde Derfel, não haverá mais cristãos na Britânia, porque todos terão visto os Deuses verdadeiros. Desde que não venha chuva — acrescentou ansioso. Ele ergueu os olhos para as nuvens desanimadoras e de repente pareceu à beira das lágrimas.

— Chuva?

— Ou talvez seja uma nuvem que nos negue os Deuses. Chuva ou nuvem, não tenho certeza, e Merlin está impaciente. Ele não explica, mas acho que a chuva é inimiga, ou talvez seja a nuvem. — Ele parou, ainda sofrendo. — Talvez os dois. Perguntei a Nimue, mas ela não gosta de mim. — Ele parecia muito triste. — De modo que não tenho certeza, mas estou implorando aos Deuses que mandem céus limpos. E ultimamente anda nublado, muito nublado, e suspeito de que os cristãos estejam rezando por chuva. O senhor realmente trouxe Excalibur?

Desenrolei o tecido da espada embainhada e estendi o punho para ele. Por um momento ele não ousou tocá-la, depois estendeu a mão hesitante e tirou Excalibur da bainha. Olhou com reverência para a espada, depois tocou com o dedo os arabescos engastados e os dragões gravados que decoravam o aço.

— Feita no Outro Mundo — disse ele numa voz cheia de espanto — pelo próprio Gofannon!

— Mais provavelmente forjada na Irlanda — falei impiedoso, porque havia algo na juventude e na credulidade de Gawain que me levavam a cutucar sua inocência piedosa.

— Não, senhor — garantiu ele, sério. — Foi feita no Outro Mundo. — Ele pôs Excalibur de novo nas minhas mãos. — Venha, senhor — falou tentando me apressar, mas apenas escorregou de novo na lama e cambaleou tentando se equilibrar. Sua armadura branca, tão impressionante à distância, estava lamentável. A pintura de cal estava suja de lama e se desbotando, mas ele possuía uma confiança indomável que o impedia de parecer ridículo. Seus cabelos compridos e brilhantes estavam presos numa trança frouxa que chegava ao meio das costas. Enquanto seguíamos pela entrada que serpenteava entre os altos muros gramados perguntei a Gawain como ele havia conhecido Merlin. — Ah, conheço Merlin a minha vida inteira! — respondeu o príncipe, feliz. — Ele ia à corte do meu pai, veja bem, ultimamente não muito, mas quando eu era pequeno ele estava sempre lá. Ele foi meu professor.

— Seu professor? — Pareci surpreso, e estava mesmo, mas Merlin sempre gostou de segredos e nunca tinha falado de Gawain comigo.

— Não para ensinar as letras. As mulheres me ensinaram isso. Não, Merlin me ensinou qual será o meu destino. — Ele deu um sorriso tímido. — Ele me ensinou a ser puro.

— A ser puro! — Dei-lhe um olhar curioso. — Nada de mulheres?

— Nada, senhor — admitiu com inocência. — Merlin insiste. Pelo menos não agora, mas depois, claro. — Sua voz sumiu e ele até ruborizou-se.

— Não é de espantar que você reze pelos céus limpos.

— Não, senhor, não! Eu rezo por céus limpos para que os Deuses venham! E quando vierem, trarão Olwen, a Prateada. — Ele ruborizou-se de novo.

— Olwen, a Prateada?

— O senhor a viu, em Lindinis. — O rosto bonito dele se tornou quase etéreo. — Ela pisa mais leve do que um sopro de vento, sua pele brilha no escuro e flores crescem em seus passos.

— E ela é o seu destino? — perguntei, reprimindo uma pequena pontada de ciúme maligno só em pensar naquele espírito brilhante e ágil sendo dado ao jovem Gawain.

— Devo me casar com ela quando a tarefa estiver terminada — disse ele, sério —, mas por enquanto meu dever é guardar os Tesouros. Mas dentro de três dias darei as boas-vindas aos Deuses e irei liderá-los contra o inimigo. Serei o libertador da Britânia. — Ele disse essa ultrajante fanfarronada com muita calma, como se fosse uma tarefa comum. Fiquei quieto, apenas o segui passando pelo fosso profundo entre a muralha média e a interna do Mai Dun, e vi que a trincheira estava cheia de pequenos abrigos precários feitos de galhos e palha. — Dentro de dois dias — Gawain viu para onde eu estava olhando — vamos derrubar aqueles abrigos e acrescentar tudo às fogueiras.

— Fogueiras?

— O senhor verá, o senhor verá.

Mas a princípio, quando cheguei ao cume, não pude entender o que vi. A crista do Mai Dun é um espaço alongado e coberto de grama onde toda uma tribo com todos os seus animais poderia se abrigar em tempo de guerra, mas agora a extremidade oeste do morro estava coberta por um complexo emaranhado de cercas feitas de mato seco.

— Ali! — disse Gawain com orgulho, apontando para as cercas como se elas fossem uma realização sua.

As pessoas que carregavam a lenha estavam sendo dirigidas para uma das cercas mais próximas, onde largavam seus fardos e saíam para colher mais madeira. Então vi que na verdade as cercas eram grandes fileiras de lenha empilhada e pronta para ser queimada. Os montes eram mais altos do que um homem, e parecia haver quilômetros deles, mas só quando Gawain me guiou até a fortificação mais interna é que vi o desenho que formavam.

Elas preenchiam toda a metade oeste do platô, e no centro havia cinco pilhas de lenha que formavam um círculo no meio de um espaço aberto com cerca de sessenta ou setenta passos de diâmetro. Esse amplo espaço era rodeado por uma cerca espiralada que fazia três voltas inteiras, de modo que toda a espiral, incluindo o centro, tinha mais de 150 passos de largura. Do lado de fora da espiral havia um círculo de grama vazia, cercado por um anel de seis espirais duplas, cada uma se desenrolando de um espaço circular e se enrolando de novo para envolver outro, de modo que doze espaços com anéis de fogo ficavam no intricado anel interno. As espirais duplas se tocavam umas às outras, de modo que formariam uma paliçada de fogo em volta de todo o desenho enorme.

— Doze círculos menores — perguntei a Gawain — para treze Tesouros?

— O Caldeirão ficará no centro, senhor — disse ele com a voz cheia de espanto.

Era uma realização gigantesca. As cercas eram altas, bem acima da altura de um homem, e todas densas de combustível; na verdade, devia existir lenha suficiente naquele topo para manter as fogueiras da Durnovária acesas durante nove ou dez invernos. As espirais duplas na extremidade oeste da fortaleza ainda estavam sendo completadas, e eu podia ver homens comprimindo com energia a lenha para que o fogo não queimasse com rapidez, e sim demorada e ferozmente. Havia troncos inteiros esperando pelas chamas dentro da lenha empilhada. Seria uma fogueira para sinalizar o fim do mundo, pensei.

E de certa forma, supus, era exatamente isso que o fogo pretendia marcar. Seria o fim do mundo que conhecíamos, porque, se Merlin estivesse certo, os Deuses da Britânia viriam a este lugar elevado. Os Deuses inferiores iriam para os círculos menores do anel externo, enquanto Bel desceria ao coração feroz do Mai Dun, onde seu Caldeirão esperava. O grande Bel, Deus dos Deuses, Senhor da Britânia, viria num grande sopro de ar com as estrelas rolando atrás como folhas de outono jogadas por uma tempestade. E ali, onde as cinco fogueiras individuais marcavam o coração dos círculos de chamas feito por Merlin, Bel pisaria de novo em Ynys Prydain, a Ilha da Britânia. De repente, minha pele ficou fria. Até este momento não tinha entendido de fato a magnitude do sonho de Merlin, e agora ele quase me esmagava. Dentro de três dias os Deuses estariam aqui.

— Temos quatrocentas pessoas trabalhando nas fogueiras — disse Gawain, sério.

— Acredito.

— E nós desenhamos as espirais com corda das fadas.

— Com o quê?

— Uma corda, senhor, trançada com os cabelos de uma pessoa virgem, com apenas um fio de grossura. Nimue ficou no centro e eu andei pelo perímetro, e meu lorde Merlin marcou meus passos com pedras de elfo. As espirais tinham de ser perfeitas. Demorou uma semana para ficar pronto, porque a corda vivia se partindo, e a cada vez que isso acontecia tínhamos de recomeçar.

— Quem sabe não era uma corda de fadas de verdade, senhor príncipe? — provoquei-o.

— Ah, era, senhor. Foi feita com meus cabelos.

— E na véspera de Samain vocês vão acender as fogueiras e esperar?

— As fogueiras devem queimar três horas vezes três, senhor, e na sexta hora iniciaremos a cerimônia. — E em algum momento depois disso a noite iria virar dia, o céu iria se encher de fogo e o ar cheio de fumaça iria ser tumultuado pelas asas dos Deuses.

Gawain estivera me guiando pela muralha de terra no norte da fortaleza, mas agora fez um gesto para onde ficava o pequeno templo de Mitra, logo a leste dos anéis de lenha.

— O senhor pode esperar aqui — disse ele — enquanto vou buscar Merlin.

— Ele está longe? — perguntei, pensando que Merlin poderia se encontrar num dos abrigos temporários montados na extremidade leste do platô.

— Não tenho certeza de onde ele está, mas sei que foi pegar Anbarr, e acho que sei onde pode ser.

— Anbarr? — Eu só conhecia Anbarr de histórias em que ele era um cavalo mágico, um garanhão perfeito que podia galopar tão depressa sobre a água quanto sobre a terra.

— Montarei Anbarr junto com os Deuses — disse Gawain com orgulho — e levarei meu estandarte contra o inimigo. — Ele apontou para o templo onde uma bandeira enorme estava encostada, sem cerimônia, no teto baixo de telhas. — A bandeira da Britânia — acrescentou Gawain e me guiou para o templo, onde desenrolou o estandarte. Era um vasto quadrado de linho branco onde estava bordado o desafiador dragão vermelho da Dumnonia. A fera era toda feita de garras, cauda e fogo. — Na verdade é a bandeira da Dumnonia, mas não creio que os outros reis britânicos se importarão, o senhor acha?

— Não se você lançar os saxões no mar.

— Esta é minha tarefa — disse Gawain, muito solene. — Com a ajuda dos Deuses, claro, e disso — ele tocou Excalibur, que ainda estava debaixo do meu braço.

— Excalibur! — falei, surpreso, pois não podia imaginar outro homem, que não Artur, usando a espada mágica.

— E o que mais? Vou levar Excalibur, montar Anbarr e expulsar o inimigo da Britânia. — Ele deu um sorriso deliciado, depois apontou para um banco perto da porta do templo. — Se quiser esperar, senhor, vou procurar Merlin.

O templo era guardado por seis lanceiros Escudos Pretos, mas como eu tinha chegado na companhia de Gawain eles não fizeram menção de me impedir de curvar a cabeça e passar pelo portal baixo do templo. Não estava explorando a pequena construção por curiosidade, e sim porque Mitra era meu principal Deus naqueles tempos. Ele era o Deus dos soldados, o Deus secreto. Os romanos tinham trazido seu culto para a Britânia e, mesmo tendo eles se retirado há muito tempo, Mitra ainda era o preferido entre os guerreiros. Esse templo era minúsculo, apenas dois pequenos cômodos sem janela, para imitar a caverna do nascimento de Mitra. O cômodo externo estava cheio de caixas de madeira e cestos de vime que, suspeitei, conteriam os Tesouros da Britânia, mas não levantei nenhuma tampa para olhar. Em vez disso, passei abaixado pela porta interna, entrei no santuário negro e vi, brilhando, o Caldeirão prateado e dourado de Clyddno Eiddyn. Para além do Caldeirão, e quase invisível à fraca luz cinzenta que escorria pelas duas portas baixas, estava o altar de Mitra. Merlin ou Nimue, que ridicularizavam Mitra, tinha posto um crânio de texugo no altar, para evitar a atenção do Deus. Tirei o crânio, depois me ajoelhei ao lado do Caldeirão e rezei. Implorei que Mitra ajudasse nossos outros Deuses e rezei para que ele viesse ao Mai Dun, emprestar seu terror ao morticínio de nossos inimigos. Toquei o punho de Excalibur na pedra dele e me perguntei quando um touro teria sido sacrificado ali pela última vez. Imaginei os soldados romanos forçando o touro a se ajoelhar, depois empurrando suas ancas e puxando os chifres para que ele passasse pelas portas baixas até que, dentro do santuário interno, ele ficasse de pé e mugisse de medo, farejando apenas os lanceiros no escuro. E ali, na escuridão aterrorizante, ele receberia uma marretada. Mugiria de novo, desmoronaria, mas ainda assim sacudiria os grandes chifres para os fiéis, mas eles iriam dominá-lo e fazer seu sangue se esvair, e o touro morreria lentamente e o templo ficaria cheio do fedor de sua bosta e de seu sangue. Então os fiéis beberiam o sangue do touro em memória de Mitra, assim como ele havia ordenado. Disseram-me que os cristãos tinham uma cerimônia semelhante, mas eles alegavam que nada era morto em seus rituais, ainda que poucos pagãos acreditassem, porque a morte é o que devemos aos Deuses em troca da vida que nos dão.

Fiquei de joelhos no escuro, um guerreiro de Mitra vindo a um dos seus templos esquecidos, e ali, enquanto rezava, senti o mesmo cheiro de mar que recordava de Lindinis, o odor de algas e sal que tocou nossas narinas quando Olwen, a Prateada, caminhara tão esguia, delicada e linda pela arcada de Lindinis. Por um momento pensei que um Deus estaria presente, ou talvez que Olwen, a Prateada, tivesse vindo ao Mai Dun, mas nada se mexeu; não houve visão, nenhuma pele nua e brilhante, apenas o fraco cheiro de sal do mar e o sussurro baixo do vento do lado de fora do templo.

Voltei pela porta interna e ali, na sala externa, o cheiro de mar era mais forte. Abri tampas de caixas e levantei coberturas de pano dos cestos de vime, e pensei ter encontrado a fonte do cheiro de mar quando descobri que dois dos cestos estavam cheios de sal que tinha ficado pesado e empedrado no ar úmido de outono, mas o cheiro de mar não vinha do sal, e sim de um terceiro cesto que estava cheio de algas. Toquei a alga, depois lambi os dedos e senti gosto de água salgada. Havia um grande pote de barro perto do cesto e, quando levantei a tampa, descobri que o pote estava cheio de água do mar, presumivelmente para manter a alga úmida, por isso enfiei a mão dentro do cesto de algas e encontrei, logo abaixo da superfície, uma camada de mariscos. Os mariscos tinham conchas duplas compridas, estreitas e elegantes, e pareciam mexilhões, só que eram um pouco maiores do que os mexilhões e as conchas eram de um branco acinzentado, em vez de pretas. Levantei um, cheirei e achei que seria apenas alguma iguaria que Merlin gostava de comer. O marisco, talvez se ressentindo do meu toque, entreabriu a concha e mijou uma espécie de líquido na minha mão. Coloquei-o de volta no cesto e cobri a camada de mariscos com as algas.

Já ia me virando para a porta externa, planejando esperar lá fora, quando vi minha mão. Olhei-a durante vários instantes, pensando que meus olhos tinham me enganado, mas à luz fraca perto da porta externa eu não pude ter certeza, por isso voltei pela porta interna até onde o grande Caldeirão esperava junto ao altar, e ali, na parte mais escura do templo de Mitra, levantei a mão diante do rosto.

E vi que ela estava brilhando.

Olhei. Na verdade não queria acreditar no que enxergava, mas a mão luzia realmente. Não estava luminosa, não era uma luz interna, mas sim uma camada de claridade inconfundível na palma. Passei um dedo pela área molhada deixada pelo marisco e fiz uma risca escura na superfície brilhante. Então Olwen, a Prateada, não era uma ninfa, não era nenhuma mensageira dos Deuses e sim uma garota humana molhada com os líquidos de um marisco. A magia não era dos Deuses e sim de Merlin, e todas as minhas esperanças pareceram morrer naquela câmara escura.

Enxuguei a mão na capa e voltei à luz do dia. Sentei-me no banco junto à porta do templo e olhei para a fortificação interna, onde um grupo de crianças rolava e escorregava numa brincadeira ruidosa. O desespero que tinha me assombrado na viagem a Lloegyr voltou. Eu queria muito acreditar nos Deuses, mas estava cheio de dúvidas. O que importava, perguntei-me, que a garota fosse humana, e que sua luz inumana fosse um truque de Merlin? Isso não renegava os Tesouros, mas sempre que eu tinha pensado nos Tesouros, e sempre que fora tentado a duvidar de sua eficácia, havia me tranquilizado com a lembrança daquela garota nua e luminosa. E agora parecia que ela não era nenhuma precursora dos Deuses, mas meramente uma das ilusões de Merlin.

— Senhor? — A voz de uma garota perturbou meus pensamentos. — Senhor? — perguntou de novo. Levantei a cabeça e vi uma moça gorducha, de cabelos escuros, sorrindo nervosamente para mim. Usava uma túnica simples e uma capa, tinha uma fita em volta dos cabelos curtos e encaracolados e segurava pela mão um menino ruivo. — Não se lembra de mim, senhor? — perguntou, desapontada.

— Cywwyllog — falei, lembrando o nome. Ela tinha sido uma de nossas serviçais em Lindinis quando foi seduzida por Mordred. Levantei-me. — Como você está?

— Tão bem quanto possível, senhor — disse ela, feliz por eu ter me lembrado. — E este é o pequeno Mardoc. Puxou ao pai, não é? — Olhei o garoto. Teria uns seis ou sete anos e era atarracado, de rosto redondo, e tinha cabelos duros e espetados como os do pai, Mordred. — Mas não por dentro, por dentro ele não puxou ao pai. Ele é um garotinho bom, é mesmo, bom como ouro, senhor. Nunca deu um minuto de problema, não mesmo, deu, meu querido? — Ela se curvou e deu um beijo em Mardoc. O garoto ficou embaraçado com a demonstração de afeto, mas mesmo assim riu. — Como vai *lady* Ceinwyn?

— Muito bem. Ela vai ficar feliz em saber que nos encontramos.

— Ela sempre foi boa comigo, foi sim. Eu teria ido para a sua casa nova, senhor, só que conheci um homem. Agora estou casada, é sim.

— Quem é ele?

— Idfael ap Meric, senhor. Agora ele serve ao lorde Lanval.

Lanval comandava a guarda que mantinha Mordred em sua prisão dourada.

— Pensamos que você tinha deixado nossa casa porque Mordred lhe deu dinheiro — confessei a Cywwyllog.

— Ele? Me deu dinheiro? — Cywwyllog riu. — Eu viveria para ver as estrelas caindo antes disso acontecer, senhor. Naquela época eu era uma idiota — confessou, alegre. — Claro que não sabia que tipo de homem Mordred era, e ele não era realmente um homem, não na época, e acho que fiquei com a cabeça virada, porque ele era o rei, mas não fui a primeira garota, fui? E digo que não serei a última. Mas tudo acabou saindo bem. Meu Idfael é um homem bom e não se importa que o pequeno Mardoc seja um cuco no ninho dele. É isso que você é, meu bonito, um cuco! — E ela se curvou e fez um carinho em Mardoc, que se retorceu em seus braços e em seguida explodiu em gargalhadas quando ela lhe fez cócegas.

— O que vocês estão fazendo aqui?

— Lorde Merlin pediu que a gente viesse — disse Cywwyllog com orgulho. — Ele gostou do pequeno Mardoc, gostou mesmo. Ele mima o garoto! Vive dando comida a ele, vive mesmo, e você vai ficar gordo, vai sim, vai ficar gordo que nem um porco! — E ela fez cócegas de novo no garoto, que riu, lutou e finalmente se libertou. Não correu para longe, ficou a poucos passos de distância, observando-me com o polegar na boca.

— Merlin pediu para você vir?

— Precisava de uma cozinheira, senhor, foi o que ele disse, e acho que sou tão boa cozinheira quanto qualquer outra, e com o dinheiro que ele ofereceu, bom, Idfael disse que eu tinha de vir. Não que lorde Merlin coma muito. Ele gosta de queijo, gosta sim, mas para isso não precisa de cozinheira, precisa?

— Ele come mariscos?

— Ele gosta de amêijoas, mas não conseguimos muitas. Não, ele come principalmente queijo. Queijo e ovos. Ele não é como o senhor, o senhor adorava carne, se bem me lembro.

— Ainda adoro.

— Aquele tempo era bom. O pequeno Mardoc tem a mesma idade da sua Dian. Eu vivia pensando que eles brincavam muito bem juntos. Como ela está?

— Ela morreu, Cywwyllog.

O rosto dela ficou desolado.

— Ah, não, senhor, diga que não é verdade.

— Ela foi morta pelos homens de Lancelot.

Cywwyllog cuspiu na grama.

— Homens malignos, todos eles. Sinto muito, senhor.

— Mas Dian está feliz no Outro Mundo — garanti. — E um dia todos nós vamos nos juntar a ela.

— O senhor irá, o senhor irá. Mas e as outras?

— Morwenna e Seren estão ótimas.

— Isso é bom, senhor. — Ela sorriu. — O senhor vai ficar aqui para as Invocações?

— As Invocações? — Essa era a primeira vez que eu ouvia aquilo ser chamado assim. — Não, não fui convidado. Acho que provavelmente vou assistir da Durnovária.

— Vai ser digno de se ver — disse Cywwyllog, depois sorriu e me agradeceu por conversar com ela, e em seguida fingiu perseguir Mardoc, que fugiu gritando de prazer. Fiquei sentado, feliz por revê-la, e então imaginei que jogos Merlin estaria fazendo. Por que quis encontrar Cywwyllog? E por que contratar uma cozinheira quando ele nunca havia empregado alguém para preparar suas refeições?

Uma agitação súbita do outro lado das paredes de terra interrompeu meus pensamentos e espalhou as crianças que brincavam. Levantei-me no momento em que dois homens apareceram puxando uma corda. Gawain apareceu correndo um instante depois, e então, no final da corda, vi um garanhão preto, grande e feroz. O cavalo estava tentando se soltar, e quase arrastou os dois homens para baixo da parede, mas eles agarraram o cabresto e estavam puxando o animal aterrorizado, que subitamente disparou descendo a muralha interna e puxando os homens. Gawain gritou para tomarem cuidado, depois meio que escorregou meio que correu atrás do grande animal. Merlin vinha com Nimue, aparentemente sem se preocupar com o pequeno drama. Ele ficou olhando enquanto o cavalo era levado a um dos abrigos no leste, depois desceu com Nimue até o templo.

— Ah, Derfel! — cumprimentou, despreocupado. — Você está muito macambúzio. É dor de dente?

— Eu lhe trouxe Excalibur — falei, tenso.

— Isso eu posso ver com meus olhos. Não estou cego, você sabe. Às vezes um pouco surdo, e a bexiga é frágil, mas o que se pode esperar na minha idade? — Ele pegou Excalibur comigo, tirou alguns centímetros da lâmina de dentro da bainha e beijou o aço. — A espada de Rhydderch — falou, cheio de espanto, e por um segundo seu rosto tinha um ar estranhamente extático, depois ele guardou a espada abruptamente e deixou que Nimue a pegasse. — Então você foi falar com seu pai. Gostou dele?

— Sim, senhor.

— Você sempre foi um sujeito absurdamente emocional, Derfel — disse Merlin e depois olhou para Nimue, que havia retirado Excalibur da bainha e estava segurando a lâmina encostada com força no corpo magro. Por algum motivo, Merlin pareceu perturbado com isso, pegou a bainha com ela e em seguida tentou pegar a espada de volta. Ela não quis soltar e Merlin, depois de lutar alguns instantes, abandonou a tentativa. — Ouvi dizer que você poupou Liofa. Verdade? — disse ele, virando-se de novo para mim. — Foi um erro. Liofa é uma fera muito perigosa.

— Como sabe que o poupei?

Merlin me lançou um olhar reprovador.

— Talvez eu fosse uma coruja nos caibros do salão de Aelle, Derfel, ou talvez eu fosse um camundongo na palha do chão, não é? — Ele saltou para Nimue e dessa vez teve sucesso em arrancar-lhe a espada. — Não se deve gastar a magia — murmurou, enfiando a espada desajeitadamente na bainha. — Artur não se importou em entregar a espada?

— Por que deveria, senhor?

— Porque Artur é perigosamente próximo do ceticismo — disse, abaixando-se para enfiar Excalibur pela porta baixa do templo. — Ele acredita que pode se virar sem os Deuses.

— Então é uma pena que ele nunca tenha visto Olwen, a Prateada, brilhando no escuro — falei sarcasticamente.

Nimue sibilou para mim. Merlin parou, depois se virou lentamente e se empertigou junto à porta, lançando-me um olhar azedo.

— Por que é uma pena, Derfel? — perguntou numa voz perigosa.

— Porque se ele a tivesse visto, senhor, certamente acreditaria nos Deuses, não é? Desde, claro, que não descobrisse os seus mariscos.

— Então é isso. Você andou xeretando, não foi? Andou enfiando seu gordo nariz saxão onde ele não deveria se enfiar, e encontrou minhas fóladas.

— Fóladas?

— Os mariscos, seu idiota, chamam-se fóladas.

— E eles luzem?

— Os sucos dessas fóladas têm uma qualidade luminosa — admitiu Merlin aereamente. Dava para ver que estava chateado com minha descoberta, mas fazia o máximo para não demonstrar irritação. — Plínio menciona o fenômeno, mas menciona também que é muito difícil saber exatamente em que acreditar. A maioria das ideias dele são puro absurdo, claro. Toda aquela bobagem sobre os druidas cortando visgo no sexto dia de uma lua nova! Eu nunca faria isso, nunca! No quinto dia, sim, mas no sexto? Nunca! E ele também recomenda, pelo que me lembro, pegar a faixa dos seios de uma mulher e enrolar no crânio para curar dor de cabeça, mas o remédio não funciona. Como poderia? A magia está nos seios e não na faixa, de modo que é muito mais eficaz enfiar a cabeça dolorida nos seios em si. O remédio nunca me falhou, isso é certo. Você leu Plínio, Derfel?

— Não, senhor.

— Isso mesmo, eu nunca lhe ensinei latim. Descuido meu. Bom, ele fala das fóladas, e observou que as mãos e a boca de quem come a criatura ficava luminosa em seguida, e confesso que fiquei intrigado. Quem não ficaria? Relutei em explorar mais o fenômeno, porque teria perdido muito tempo nas ideias mais crédulas de Plínio, mas esta se mostrou precisa. Você se lembra de Caddwg? O barqueiro que nos resgatou de Ynys Trebes? Agora ele é meu caçador de fóladas. As criaturas vivem em buracos nas rochas, o que é inconveniente para elas, mas pago bem a Caddwg e ele assiduamente as arranca, como um bom pescador de fóladas. Você parece desapontado, Derfel.

— Eu pensei, senhor — comecei e depois hesitei, sabendo que ia ser zombado.

— Ah, você pensou que a garota vinha dos céus! — Merlin terminou a frase para mim, depois deu um riso escarninho. — Ouviu isso, Nimue? Nosso grande guerreiro, Derfel Cadarn, acreditou que nossa pequena Olwen era uma aparição! — Ele deu um tom portentoso à última palavra.

— Ele deveria acreditar nisso — disse Nimue secamente.

— Acho que sim, pensando bem — admitiu Merlin. — É um bom truque, não é, Derfel?

— Mas não passa de um truque, senhor — falei, incapaz de conter o desapontamento.

Merlin suspirou.

— Você é absurdo, Derfel, inteiramente absurdo. A existência dos truques não implica a ausência de magia, mas nem sempre a magia é garantida pelos Deuses. Você não entende nada? — Essa última pergunta foi feita com raiva.

— Sei que fui enganado, senhor.

— Enganado! Enganado! Não seja tão patético. Você é pior do que Gawain! Um druida no segundo dia de treinamento poderia enganá-lo! Nosso serviço não é satisfazer sua curiosidade infantil, e sim fazer a obra dos Deuses, e esses Deuses, Derfel, se afastaram muito de nós. Foram para longe! Estão desaparecendo, fundindo-se à escuridão, indo para o abismo de Annwn. Eles precisam ser invocados, e para invocá-los preciso de trabalhadores, e para atrair trabalhadores precisei oferecer uma pequena esperança. Você acha que Nimue e eu poderíamos construir as fogueiras sozinhos? Precisávamos de gente! Centenas de pessoas! E molhar uma garota com suco de fóladas as trouxe para nós, mas tudo que você faz é choramingar dizendo que foi enganado. Quem se importa com o que você pensa? Por que não vai mastigar uma fólada? Talvez isso o ilumine. — Ele chutou o punho de Excalibur, que ainda estava se projetando para fora do templo. — Imagino que aquele idiota do Gawain mostrou tudo a você, não foi?

— Ele me mostrou os anéis de fogo, senhor.

— E agora você quer saber para que eles servem, suponho.

— Sim, senhor.

— Qualquer pessoa de inteligência mediana poderia deduzir sozinha — disse Merlin grandiosamente. — Os Deuses estão longe, isso é óbvio, caso contrário não estariam nos ignorando, mas há muitos anos eles nos deram os meios de invocá-los: os Tesouros. Agora os Deuses penetraram tanto no turbilhão de Annwn que os Tesouros sozinhos não funcionam. Por isso temos de atrair a atenção deles, e como fazemos isso? Simples! Mandamos um sinal para o abismo, e esse sinal é simplesmente um grande desenho de fogo, e no desenho colocamos os Tesouros, e então fazemos uma ou duas coisas que realmente não importam muito, e depois disso posso morrer em paz em vez de explicar as coisas mais elementares para débeis mentais absurdamente crédulos. E não — disse ele antes que eu ao menos falasse, quanto mais fizesse uma pergunta. — Você não pode estar aqui em cima na véspera do Samain. Eu só quero aqueles em quem posso confiar, e se você aparecer aqui de novo ordenarei aos guardas que usem sua barriga como alvo para treinamento de lança.

— Por que não rodear o morro com uma cerca-fantasma? — perguntei. Uma cerca-fantasma era uma fileira de crânios, enfeitiçada por um druida, pela qual ninguém ousaria passar.

Merlin me olhou como se minha sanidade tivesse desaparecido.

— Uma cerca-fantasma! Na véspera do Samain! É a única noite do ano, débil mental, em que essas cercas não funcionam! Será que preciso explicar tudo? Uma cerca-fantasma, seu idiota, funciona porque usa as almas dos mortos para amedrontar os vivos, mas na véspera do Samain as almas dos mortos são libertadas para andar, e não podem ser controladas. Na véspera do Samain uma cerca-fantasma tem tanta utilidade para o mundo quanto a sua inteligência.

Recebi a censura calmamente.

— Só espero que não haja nuvens — falei, tentando acalmá-lo.

— Nuvens? Por que as nuvens me preocupariam? Ah, sei! Aquele imbecil do Gawain falou com você, e ele entende tudo errado. Se estiver nublado, Derfel, os Deuses ainda verão nosso sinal porque a visão deles, diferentemente da nossa, não é restrita por nuvens, mas se houver nuvens demais há probabilidade de chover — ele falou como alguém que explicasse uma coisa muito simples para uma criança pequena — e a chuva forte pode apagar todas as grandes fogueiras. Pronto, isso foi difícil para você deduzir sozinho, não foi? — Ele me encarou furioso, depois se virou para olhar os anéis de lenha. Apoiou-se no cajado preto, pensando na coisa gigantesca que tinha feito no cume do Mai Dun. Ficou quieto longo tempo, depois deu de ombros subitamente. — Você já pensou no que poderia ter acontecido se os cristãos tivessem sucesso em pôr Lancelot no trono? — Sua raiva tinha sumido, substituída por uma melancolia.

— Não, senhor.

— O ano 500 deles teria vindo e todos estariam esperando que aquele absurdo Deus pregado numa cruz viesse em toda a glória. — Merlin estava olhando para os círculos enquanto falava, mas agora se virou para me olhar. — E se ele não viesse? — perguntou, perplexo. — Imagine que todos os cristãos estivessem preparados, todos com as melhores roupas, todos lavados, esfregados e rezando, e nada acontecesse?

— No ano 501 não haveria mais cristãos.

Merlin balançou a cabeça.

— Duvido. O negócio dos sacerdotes é explicar o inexplicável. Homens como Sansum teriam inventado um motivo, e as pessoas acreditariam porque querem demais acreditar. As pessoas não desistem da esperança por causa do desapontamento, Derfel, elas só redobram a esperança. Como vocês são idiotas!

— Então o senhor está com medo de que nada aconteça na véspera do Samain? — perguntei com uma súbita pena dele.

— Claro que estou com medo, seu débil mental. Nimue não está. — Ele olhou para Nimue, que estava nos olhando carrancuda. — Você é tão cheia de certeza, minha pequenina, não é? — zombou Merlin. — Mas eu, Derfel, eu gostaria de que nada disso tivesse sido necessário. Nós nem sabemos o que deve acontecer quando acendermos as fogueiras. Talvez os Deuses venham, mas talvez se demorem, não é? — Ele me deu um olhar feroz. — Se nada acontecer, Derfel, não significa que nada aconteceu. Entende isso?

— Acho que sim, senhor.

— Duvido. Nem sei por que me incomodo em desperdiçar explicações com você! É o mesmo que discursar para um boi sobre os pontos mais complexos da retórica! Você é um homem absurdo. Pode ir agora. Já entregou Excalibur.

— Artur a quer de volta — falei, lembrando-me do recado de Artur.

— Tenho certeza de que sim, e talvez ele a tenha de volta quando Gawain terminar com ela. Ou talvez não. O que importa? Pare de me incomodar com bobagens, Derfel. E adeus. — Ele se afastou, de novo com raiva, mas parou depois de alguns passos para se virar e chamar Nimue. — Venha, garota!

— Vou me certificar de que Derfel vai embora — disse Nimue, e com essas palavras pegou meu cotovelo e me guiou para a muralha de terra interna.

— Nimue! — gritou Merlin.

Ela o ignorou, arrastando-me pela encosta coberta de grama até onde o caminho seguia ao longo da fortificação. Olhei para os complexos círculos de lenha.

— Vocês fizeram um trabalho enorme — falei sem jeito.

— E será tudo desperdiçado se não fizermos os rituais apropriados — disse Nimue em voz cortante. Merlin demonstrara raiva, mas sua raiva era principalmente fingida, e tinha chegado e sumido como um raio, mas a fúria de Nimue era profunda e violenta, e havia deixado tenso seu rosto branco e em forma de cunha. Ela nunca foi bonita, e a perda do olho dera ao rosto um ar temível, mas havia nela uma selvageria e uma inteligência que a tornava memorável, e agora, naquela alta fortificação batida pelo vento do oeste, ela parecia mais formidável do que nunca.

— Há algum perigo de que o ritual não seja feito adequadamente?

— Merlin é como você — disse ela, irada, ignorando minha pergunta. — Ele é emocional.

— Absurdo.

— E o que você sabe, Derfel? Você já teve de suportar os paroxismos dele? Já teve de discutir com ele? Já teve de tranquilizá-lo? Já teve de vê-lo cometer o maior erro de toda a história? — Ela cuspiu essas perguntas para mim. — Você precisa vê-lo desperdiçar todo esse esforço? — Ela apontou a mão magra para as fogueiras. — Você é um idiota — acrescentou, amarga. — Se Merlin peidar, você acha que é a sabedoria falando. Ele é um velho, Derfel, e não vai viver muito, e está perdendo o poder. E o poder, Derfel, vem de dentro. — Ela bateu com a mão entre os seios pequenos. Tinha parado no topo da fortificação e se virado para me olhar. Eu era um soldado forte, ela uma fatia minúscula de mulher, mas era mais poderosa do que eu. Sempre foi. Em Nimue corria uma paixão tão profunda, sombria e forte que quase nada podia enfrentá-la.

— Por que as emoções de Merlin ameaçam o ritual?

— Elas ameaçam, só isso! — disse Nimue, que em seguida se virou e foi andando.

— Diga.

— Nunca! — respondeu ela bruscamente. — Você é um idiota.

Fui andando atrás dela.

— Quem é Olwen, a Prateada?

— Uma garota escrava que compramos na Demétia. Ela foi capturada de Powys e nos custou mais de seis peças de ouro porque é muito bonita.

— É mesmo — falei, lembrando seu passo delicado pela noite silenciosa em Lindinis.

— Merlin também acha — disse Nimue, com escárnio. — Ele estremece ao vê-la, mas está velho demais e além disso temos de fingir que ela é virgem, por causa de Gawain. E ele acredita em nós! Mas aquele idiota acredita em tudo! Ele é um idiota.

— E vai se casar com Olwen quando isto tudo acabar?

Nimue gargalhou.

— Foi isso que prometemos ao idiota, mas assim que ele descobrir que ela nasceu escrava e não é um espírito, talvez mude de ideia. Então talvez ele a venda. Você gostaria de comprá-la? — Ela me lançou um olhar de lado.

— Não.

— Ainda é fiel a Ceinwyn? — perguntou zombeteira. — Como vai ela?

— Vai bem.

— E vem a Durnovária assistir às invocações?

— Não.

Nimue se virou para me lançar um olhar cheio de suspeita.

— Mas você vem?

— Vou assistir, sim.

— E Gwydre, você vai trazê-lo?

— Ele quer vir. Mas antes preciso pedir a permissão do pai.

— Diga a Artur que deve deixá-lo vir. Todas as crianças da Britânia deveriam assistir à invocação dos Deuses. Será uma visão para jamais esquecer, Derfel.

— Então vai acontecer? Apesar dos erros de Merlin?

— Vai acontecer — disse Nimue vingativamente. — Apesar de Merlin. Vai acontecer porque farei acontecer. Darei àquele velho o que ele quer, quer ele queira ou não. — Ela parou, virou-se e segurou minha mão esquerda espiando com o olho único a cicatriz na palma. Aquela cicatriz me ligava por juramento a ela, e senti que Nimue ia fazer alguma exigência, mas algum impulso de cautela a fez parar. Ela respirou fundo, me olhou e depois largou minha mão com a cicatriz. — Você pode encontrar seu caminho agora — falou num tom amargo, depois se afastou.

Desci o morro. As pessoas ainda se esforçavam subindo ao cume do Mai Dun com suas cargas de lenha. Durante nove horas, segundo Gawain, as fogueiras deveriam queimar. Nove horas para encher um céu com chamas e trazer os Deuses à terra. Ou talvez, se os rituais fossem feitos do modo errado, as fogueiras não trouxessem nada.

E dentro de três noites descobriríamos.

Ceinwyn gostaria de ter ido a Durnovária assistir à invocação dos Deuses, mas a véspera do Samain é a noite em que os mortos andam na terra, e ela queria ter certeza de que deixaríamos presentes para Dian, e achava que o lugar para deixar esses presentes era onde Dian tinha morrido, por isso levou nossas duas filhas vivas às ruínas do Salão de Ermid e ali, entre as cinzas do salão, pôs uma jarra de mel diluído, um pouco de pão com manteiga e um punhado de nozes cobertas de mel, das quais Dian tanto gostava. As irmãs de Dian puseram algumas nozes e ovos cozidos nas cinzas, depois todas se abrigaram numa cabana próxima, na floresta, guardada por meus lanceiros. Elas não viram Dian, porque na véspera do Samain os mortos nunca se mostram, mas ignorar a presença deles é convidar o infortúnio. De manhã, Ceinwyin me disse mais tarde, a comida tinha sumido e a jarra estava vazia.

Eu estava em Durnovária, onde Issa se juntou a mim com Gwydre. Artur dera permissão ao filho para assistir à invocação, e Gwydre se mostrava empolgado. Estava com onze anos, cheio de alegria, vida e curiosidade. Tinha a compleição esguia do pai, mas herdara a boa aparência de Guinevere, porque tinha o nariz comprido e os olhos ousados da mãe. Havia malícia nele, mas não maldade, e tanto Ceinwyn quanto eu ficaríamos felizes se a profecia de seu pai se realizasse e ele se casasse com Morwenna. Essa decisão só seria tomada dentro de dois ou três anos, e até então Gwydre moraria conosco. Ele queria ir ao cume do Mai Dun e ficou desapontado quando expliquei que ninguém tinha permissão de ficar lá além dos que realizariam as cerimônias. Até as pessoas que tinham construído as grandes fogueiras foram mandadas embora durante o dia. Elas, como as centenas de outros curiosos que tinham vindo de toda a Britânia, assistiriam às invocações dos campos abaixo da antiga fortaleza.

Artur chegou na manhã da véspera do Samain, e vi a alegria com que ele encontrou Gwydre. O garoto era sua única fonte de felicidade naqueles dias sombrios. O primo de Artur, Culhwch, chegou de Dunum com meia dúzia de lanceiros.

— Artur disse que eu não deveria vir — disse-me ele, rindo —, mas não perderia isso. — Culhwch foi mancando cumprimentar Galahad, que passara os últimos meses com Sagramor, guardando a fronteira contra os saxões de

Aelle, e apesar de ter obedecido às ordens de Artur, de ficar em seu posto, Sagramor tinha pedido a Galahad para ir à Durnovária e levar de volta às suas forças as notícias dos acontecimentos da noite. As grandes expectativas preocupavam Artur, que temia que seus seguidores sentissem um desapontamento terrível caso nada acontecesse.

As expectativas só aumentaram, porque naquela tarde o rei Cuneglas de Powys entrou na cidade e trouxe uma dúzia de homens, inclusive seu filho Perddel, que agora era um jovem acanhado tentando deixar crescer o primeiro bigode. Cuneglas me abraçou. Ele era irmão de Ceinwyn, e o homem mais decente e honesto que jamais viveu. Tinha encontrado Meurig de Gwent na viagem para o sul, e agora confirmou a relutância daquele monarca em lutar contra os saxões.

— Ele acredita que Deus vai protegê-lo — disse Cuneglas, sério.

— E nós também — falei, apontando da janela do palácio de Durnovária para as encostas do Mai Dun, cobertas de pessoas que esperavam estar perto de qualquer coisa que a noite importante poderia trazer. Muitas pessoas haviam tentado subir ao topo do morro, mas os lanceiros Escudos Pretos de Merlin as estavam mantendo à distância. No campo logo ao norte da fortaleza um corajoso grupo de cristãos rezava ruidosamente para que seu Deus mandasse chuva para derrotar os ritos pagãos, mas foram expulsos por uma multidão furiosa. Uma mulher cristã foi espancada até desacordar, e Artur mandou seus soldados para manter a paz.

— Então o que vai acontecer esta noite? — perguntou-me Cuneglas.

— Talvez nada, senhor rei.

— Vim tão longe para não ver nada? — rosnou Culhwch. Ele era um homem atarracado, belicoso, boquirroto, que eu contava entre os meus melhores amigos. Mancava desde que uma lâmina saxã tinha penetrado fundo em sua perna numa batalha contra os guerreiros de Aelle perto de Londres, mas não se incomodava com a cicatriz enorme do ferimento, e ainda dizia ser um lanceiro tão formidável como sempre. — E o que está fazendo aqui? — perguntou a Galahad.— Eu pensava que você era cristão.

— E sou.

— Então está rezando pela chuva, não é? — acusou Culhwch.

Estava chovendo enquanto falávamos, mas não passava de uma garoa fina que vinha do oeste. Algumas pessoas achavam que o tempo bom acompanharia a garoa, mas havia pessimistas prevendo um dilúvio.

— Se cair chuva pesada esta noite — disse Galahad, instigando Culhwch —, você admitirá que meu Deus é maior do que o seu?

— Eu corto a sua garganta — rosnou Culhwch, que jamais faria uma coisa dessas porque, como eu, era amigo de Galahad há muitos anos.

Cuneglas foi falar com Artur, Culhwch desapareceu para tentar descobrir se uma garota ruiva ainda se oferecia numa taverna no portão norte da Durnovária, enquanto Galahad e eu fomos andando com o pequeno Gwydre até a cidade. A atmosfera era alegre, na verdade era como se uma grande feira de outono tivesse enchido as ruas da Durnovária e se espalhado pelas campinas em volta. Mercadores tinham armado barracas, as tavernas estavam fazendo bons negócios, malabaristas fascinavam a multidão com suas habilidades e inúmeros bardos cantavam canções. Um urso amestrado subia e descia o morro da Durnovária abaixo da casa do bispo Emrys, ficando cada vez mais perigoso à medida que as pessoas lhe ofereciam tigelas de hidromel. Entrevi o bispo Sansum espiando a grande fera através de uma janela, mas quando me viu ele saltou para trás e fechou a janela.

— Durante quanto tempo ele ficará prisioneiro? — perguntou Galahad.

— Até que Artur o perdoe, coisa que ele fará, porque Artur sempre perdoa os inimigos.

— Que atitude cristã da parte dele!

— Que estupidez da parte dele! — falei, certificando-me de que Gwydre não ouvisse. Ele tinha ido olhar o urso. — Mas não consigo imaginar Artur perdoando seu meio-irmão. Eu o vi há alguns dias.

— Lancelot? — perguntou Galahad, parecendo surpreso. — Onde?

— Com Cerdic.

Galahad fez o sinal da cruz, sem perceber os olhares de desprezo que isso atraiu. Na Durnovária, como na maioria das cidades da Dumnonia, a maior parte das pessoas era cristã, mas hoje as ruas estavam apinhadas de pagãos do campo, muitos deles ansiosos para arranjar brigas com seus inimigos cristãos.

— Você acha que Lancelot lutará por Cerdic?

— Alguma vez ele luta? — respondi causticamente.

— Ele pode.

— Então, se ele lutar, será por Cerdic.

— Então rezo pela chance de matá-lo — disse Galahad, e de novo fez o sinal da cruz.

— Se o esquema de Merlin der certo não haverá guerra, só um morticínio comandado pelos Deuses.

Galahad sorriu.

— Seja honesto comigo, Derfel, isso vai funcionar?

— É o que estamos aqui para ver — falei, evasivo, e de repente percebi que devia haver uma grande quantidade de espiões saxões na cidade, que teriam vindo ver a mesma coisa. Esses homens provavelmente seriam seguidores de Lancelot, britânicos que poderiam se misturar à multidão expectante que inchava durante todo o dia. Se Merlin fracassasse, pensei, os saxões ganhariam coragem e as batalhas de primavera seriam muito mais difíceis.

A chuva começou a cair com mais força, chamei Gwydre e nós três corremos de volta para o palácio. Gwydre implorou ao pai permissão para assistir à invocação a partir dos campos perto das muralhas de terra de Mai Dun, mas Artur balançou a cabeça.

— Se chover assim, nada acontecerá mesmo. Você só vai pegar um resfriado, e aí... — ele parou abruptamente. Estava para dizer: "E aí sua mãe vai ficar furiosa comigo."

— Aí você vai passar o resfriado para Morwenna e Seren — falei —, e vou pegar delas, e vou passar ao seu pai, e então todo o exército vai estar espirrando quando os saxões chegarem.

Gwydre pensou nisso durante um segundo, decidiu que era absurdo e puxou a mão do pai.

— Por favor!

— Você pode assistir do salão de cima, com o resto de nós — insistiu Artur.

— Então posso ir de novo olhar o urso, pai? Ele está ficando bêbado, e vão colocar cachorros para brigar com ele. Fico na soleira de uma porta, para ficar seco. Eu prometo. Por favor, papai.

Artur deixou-o ir e mandei Issa para guardá-lo, depois Galahad e eu subimos ao salão superior do palácio. Um ano antes, quando Guinevere ainda visitava algumas vezes esse palácio, ele era elegante e limpo, mas agora estava malcuidado, cheio de poeira e abandonado. Era uma construção romana, e Guinevere tentara restaurá-lo ao esplendor antigo, mas então o lugar tinha sido saqueado pelas forças de Lancelot durante a rebelião e nada fora feito para reparar os danos. Os homens de Cuneglas tinham feito uma fogueira no piso do salão, e o calor das toras estava estalando os pequenos ladrilhos. O próprio Cuneglas estava parado junto à ampla janela de onde olhava pensativo por cima dos tetos de palha e telha de Durnovária, em direção às encostas do Mai Dun que estavam quase escondidas pelo véu de chuva.

— O tempo vai melhorar, não vai? — perguntou ele quando entramos.

— Provavelmente vai piorar — disse Galahad e, justo naquele momento, o estrondo de um trovão soou ao norte e a chuva aumentou perceptivelmente até estar ricocheteando dez ou quinze centímetros nos telhados. A lenha no cume do Mai Dun estaria ficando encharcada, mas até agora apenas as camadas externas estariam molhadas, e a madeira no coração das pilhas continuaria seca. Na verdade, aquela madeira de dentro ficaria seca durante mais de uma hora debaixo da chuva pesada, e a madeira seca no interior de uma fogueira logo tiraria a umidade das camadas externas, mas se a chuva persistisse durante a noite as fogueiras nunca se acenderiam direito.

— Pelo menos a chuva vai deixar os bêbados mais sóbrios — observou Galahad.

O bispo Emrys apareceu na porta do salão, com as saias de seu manto de padre encharcadas e lamacentas. Ele deu um olhar preocupado para os temíveis lanceiros pagãos de Cuneglas, depois se apressou para juntar-se a nós junto à janela.

— Artur está aí? — perguntou-me.

— Está em algum lugar no palácio — falei, depois apresentei Emrys ao rei Cuneglas, e acrescentei que o bispo era um dos nossos bons cristãos.

— Eu acho que todos nós somos bons, lorde Derfel — disse Emrys, curvando-se para o rei.

— Em minha opinião — falei —, os bons cristãos são os que não se rebelaram contra Artur.

— Aquilo foi uma rebelião? — perguntou Emrys. — Acho que foi uma loucura provocada pela esperança piedosa, e ouso dizer que o que Merlin está fazendo hoje é exatamente a mesma coisa. Suspeito de que ele ficará desapontado, assim como muitos dos meus pobres cristãos se desapontaram no ano passado. Mas no desapontamento desta noite o que pode acontecer? É por isso que estou aqui.

— O que acontecerá? — perguntou Cuneglas.

Emrys deu de ombros.

— Se os Deuses de Merlin não aparecerem, senhor rei, quem será o culpado? Os cristãos. E quem será trucidado pela multidão? Os cristãos. — Emrys fez o sinal da cruz. — Eu quero a promessa de Artur de que nos protegerá.

— Tenho certeza de que ele o fará de boa vontade — disse Galahad.

— Para o senhor, bispo — acrescentei —, ele fará. — Emrys tinha permanecido leal a Artur e era um bom homem, mesmo sendo tão cauteloso no conselho quanto pesado no corpo velho. Como eu, o bispo era membro do Conselho Real, o grupo que ostensivamente aconselhava Mordred, mas agora que nosso rei era prisioneiro em Lindinis o conselho raramente se reunia. Artur se encontrava em particular com os conselheiros, depois tomava suas decisões, mas as únicas decisões que realmente precisavam ser tomadas eram as que preparavam a Dumnonia para a invasão saxã, e todos nós estávamos contentes em deixar que Artur carregasse o fardo.

Um raio bifurcado cortou as nuvens cinzentas, e um instante depois o estalo de um trovão soou tão alto que todos nos encolhemos involuntariamente. A chuva, já forte, intensificou-se de súbito, batendo furiosamente nos tetos e criando riachos de água lamacenta nas ruas e becos de Durnovária. Poças se espalhavam no chão do salão.

— Talvez os Deuses não queiram ser invocados, não é? — observou Cuneglas, mal-humorado.

— Merlin diz que eles estão distantes — falei —, portanto, essa chuva não é obra deles.

— O que prova, sem dúvida, que há um Deus maior por trás da chuva — argumentou Emrys.

— A seu pedido? — indagou Cuneglas acidamente.

— Não rezei pela chuva, senhor rei. Na verdade, se for do seu agrado, posso rezar para que a chuva pare. — E com isso ele fechou os olhos, abriu os braços e levantou a cabeça em oração. A solenidade do momento foi um tanto estragada por uma gota de água da chuva que atravessou as telhas e caiu direto em sua testa tonsurada, mas ele terminou a oração e fez o sinal da cruz.

E milagrosamente, no momento em que a mão gorducha de Emrys tinha feito o sinal da cruz sobre seu manto sujo, a chuva começou a diminuir. Algumas rajadas ainda vieram fortes no vento oeste, mas o tamborilar no teto terminou abruptamente e o ar entre nossa alta janela e a crista do Mai Dun começou a se limpar. O morro ainda estava escuro sob as nuvens cinzentas, e nada havia para ser visto na antiga fortaleza, a não ser um punhado de lanceiros guardando as paredes de terra e, abaixo deles, alguns peregrinos que tinham se alojado o mais alto que ousavam na encosta do morro. Emrys não tinha certeza se deveria ficar satisfeito ou desanimado com a eficácia de sua oração, mas o resto de nós ficou impressionado, especialmente quando se abriu uma fenda nas nuvens do oeste e um raio de luz do sol surgiu inclinado, deixando verdes as encostas do Mai Dun.

Escravos nos trouxeram hidromel aquecido e carne de veado fria, mas eu não tinha apetite. Em vez disso olhava o dia afundar na tarde e as nuvens se esfarraparem. O céu estava clareando e o oeste se tornava uma grande fornalha em vermelho acima da distante Lyonesse. O sol ia se pondo na véspera do Samain e por toda a Britânia, e mesmo na cristã Irlanda, as pessoas deixavam comida e bebida para os mortos que cruzariam o golfo de Annwn sobre a ponte de espadas. Esta era a noite em que a procissão fantasmagórica dos corpos de sombra vinha visitar a terra onde tinham respirado, amado e morrido. Muitos tinham morrido no Mai Dun, e nesta noite o morro estaria cheio de suas fúrias; então, inevitavelmente, pensei no pequeno corpo de sombra de Dian vagueando entre as ruínas do salão de Ermid.

Artur veio ao salão e pensei em como ele ficava diferente sem Excalibur pendurada dentro de sua bainha com bordados em cruz. Ele grunhiu ao ver que a chuva tinha parado, depois ouviu o pedido do bispo Emrys.

— Meus lanceiros irão para as ruas — garantiu ao bispo — e desde que o seu pessoal não provoque os pagãos, eles estarão em segurança. — Artur pegou um chifre de hidromel com um escravo e em seguida se virou de novo para o bispo. — Eu queria mesmo vê-lo. — E em seguida contou ao bispo suas preocupações com relação ao rei Meurig de Gwent. — Se Gwent não lutar, os saxões estarão em número maior do que nós.

Emrys ficou pálido.

— Gwent não deixará a Dumnonia cair, sem dúvida!

— Gwnet foi subornado, bispo — falei e descrevi como Aelle permitira a entrada dos missionários de Meurig em seu território. — Enquanto achar que há uma chance de converter os saxões, Meurig não lutará contra eles.

— Devo me regozijar com a ideia de evangelizar os saxões — disse Emrys piedosamente.

— Não — alertei. — Assim que tiverem servido aos objetivos de Aelle, aqueles padres terão suas gargantas cortadas.

— E depois ele cortará as nossas — acrescentou Cuneglas, carrancudo. Ele e Artur tinham decidido fazer uma visita em conjunto ao rei de Gwent, e agora Artur insistiu em que Emrys se juntasse aos dois. — Meurig irá ouvi--lo, bispo, e se puder convencê-lo de que os cristãos da Dumnonia estão mais ameaçados pelos saxões do que por mim, talvez ele mude de ideia.

— Irei com prazer — disse Emrys. — Com muito prazer.

— E no mínimo o jovem Meurig precisará ser persuadido a deixar meu exército atravessar seu território — disse Cuneglas.

Artur ficou alarmado.

— Ele poderia recusar?

— É o que meus informantes dizem — confirmou Cuneglas, depois deu de ombros. — Mas se os saxões vierem, Artur, cruzarei o território dele, quer ele dê permissão ou não.

— Então haverá guerra entre Gwent e Powys — observou Artur, azedo —, o que só ajudará aos saxões. — E estremeceu. — Por que Tewdric abdicou do trono? — Tewdric era o pai de Meurig e, mesmo sendo cristão, sempre liderara seus homens contra os saxões, ao lado de Artur.

A última luz avermelhada no oeste se desbotou. Por alguns instantes, o mundo ficou suspenso entre luz e escuridão, e então o golfo nos engoliu. Ficamos parados na janela, sentindo o frio do vento úmido, e vimos as primeiras estrelas perfurarem os abismos nas nuvens. A lua crescente estava baixa sobre o mar do sul, onde sua luz surgia difusa nas bordas de uma nuvem que escondia as estrelas que formavam a cabeça da constelação da serpente. Era o anoitecer da véspera do Samain, e os mortos estavam vindo.

Algumas fogueiras iluminavam as casas de Durnovária, mas o campo mais além estava absolutamente negro, a não ser onde um raio de luar prateava um trecho de árvores na encosta de um monte distante. O Mai Dun não passava de uma sombra pairando na escuridão, um negror no coração negro da noite morta. A escuridão se aprofundou, mais estrelas apareceram e a lua voou louca entre as nuvens esfarrapadas. Agora os mortos estavam passando sobre a ponte de espadas, e estavam aqui entre nós, no palácio, nas ruas, em cada vale, cidade e lar da Britânia, enquanto nos campos de batalha, onde tantas almas tinham sido arrancadas de seus corpos terrenos, eles vagueavam em bandos densos como os de estorninhos. Dian estava sob as árvores do salão de Ermid, e os corpos de sombra ainda continuavam passando pela ponte de espadas para preencher a ilha da Britânia. Um dia, pensei, eu também viria nessa noite ver meus filhos, os filhos deles e os filhos de seus filhos. Por todo o tempo, pensei, minha alma vagaria pela terra em cada véspera de Samain.

O vento se acalmou. De novo a lua estava escondida por um grande ajuntamento de nuvens que pairava sobre a Armórica, mas acima de nós o céu estava mais claro. As estrelas, onde os Deuses viviam, chamejavam no vazio. Culhwch tinha voltado ao palácio e se juntou a nós na janela, onde nos apinhávamos para olhar a noite. Gwydre tinha voltado da cidade, mas depois de um tempo ficou chateado de olhar para uma escuridão úmida e foi ver seus amigos entre os lanceiros do palácio.

— Quando os ritos começam? — perguntou Artur.

— Ainda falta muito tempo — alertei. — As fogueiras devem queimar durante seis horas antes do início da cerimônia.

— Como Merlin conta as horas? — perguntou Cuneglas.

— Na cabeça, senhor rei — respondi.

Os mortos deslizavam entre nós. O vento tinha parado totalmente, e a imobilidade fazia os cães uivarem na cidade. As estrelas, emolduradas pelas nuvens com bordas de prata, pareciam ter um brilho que não era natural.

E então, subitamente, do escuro dentro do escuro áspero da noite, no amplo cume cercado do Mai Dun, a primeira fogueira se acendeu e teve início a invocação dos Deuses.

DURANTE UM MOMENTO AQUELA chama única saltou pura e brilhante sobre as fortificações do Mai Dun, então os fogos se espalharam até que toda a ampla tigela formada pelos barrancos gramados das muralhas da fortaleza estivesse cheia de uma luz fraca e enfumaçada. Imaginei homens jogando tochas nas altas cercas de lenha, depois correndo com a chama para carregar o fogo até a espiral do centro ou ao longo dos anéis externos. A princípio o fogo pegou lentamente, as chamas lutando contra a madeira molhada e sibilante que estava por cima, mas o calor gradualmente evaporou a umidade e o clarão se tornou cada vez maior, até que por fim o fogo tivesse tomado conta de todo aquele desenho e a luz surgisse gigantesca e triunfante na noite. A crista do morro era agora uma coroa de fogo, um tumulto de chamas sobre o qual a fumaça se tingia de vermelho subindo para o céu. As fogueiras produziam luz suficiente para lançar sombras tremulantes na Durnovária, onde as ruas estavam cheias de pessoas; algumas tinham até mesmo subido nos telhados para assistir à conflagração distante.

— Seis horas? — perguntou Culhwch, incrédulo.

— Foi o que Merlin me disse.

Culhwch cuspiu.

— Seis horas! Eu poderia voltar para a ruiva!

Mas ele não se mexeu. Na verdade, nenhum de nós se mexeu; em vez disso, olhamos aquela dança de chamas acima do morro. Era a pira funerária de toda a Britânia, o fim da história, a invocação dos Deuses, e ficamos olhando num silêncio tenso como se esperássemos ver a fumaça lívida se partir com a descida dos Deuses.

Foi Artur quem rompeu a tensão.

— Comida — falou carrancudo. — Se tivermos de esperar seis horas, é melhor comer.

Houve pouca conversa durante a refeição, e a maior parte do que foi dito tinha a ver com o rei Meurig de Gwent e a terrível possibilidade de que ele mantivesse seus lanceiros longe da guerra que viria. Se é que haveria guerra, eu continuava pensando, e constantemente olhava pela janela, para onde as chamas saltavam e a fumaça borbulhava. Tentei avaliar a passagem das horas, mas na verdade não imaginava se haviam se passado uma ou duas horas até que a refeição terminasse, e de novo estávamos parados junto à grande janela aberta, olhando para o Mai Dun, onde, pela primeira vez, os Tesouros da Britânia tinham sido reunidos. Lá estava o Cesto de Garanhir, que era um prato tecido com salgueiro, capaz de carregar um pão e alguns peixes, mas agora a trama estava tão estragada que qualquer mulher respeitável teria há muito tempo jogado o cesto no fogo. O Chifre de Bran Galed era um chifre de boi que estava preto pela idade e lascado nas bordas com acabamento de latão. A Carruagem de Modron tinha sido quebrada no correr dos anos e estava tão pequena que apenas uma criança poderia andar nela, na verdade, só se ela pudesse ser montada de novo. O Cabresto de Eiddyn era um cabresto de boi, feito de corda esfiapada e anéis de ferro enferrujado, que até mesmo o camponês mais pobre hesitaria em usar. A Faca de Laufrodedd era cega e com a lâmina larga, e tinha o cabo de madeira quebrado, enquanto a Pedra de Amolar de Tudwal era um objeto gasto que qualquer artesão teria vergonha de possuir. A Capa de Padarn estava puída e remendada, era a roupa de um mendigo, mas ainda em melhor estado do que o Manto de Rhegadd, que supostamente daria invisibilidade ao usuário, mas que agora mal passava de uma teia de aranha. O Prato de Rhygenydd era uma tigela rasa de madeira, rachada a ponto de ser impossível de usar, enquanto o Tabuleiro de Gwenddolau era um pedaço de madeira velha e empenada onde as marcas do jogo tinham desaparecido quase completamente. O Anel de Eluned parecia um anel de guerreiro comum, os círculos simples de metal que os lanceiros gostavam de fazer a partir das armas dos inimigos, mas todos nós tínhamos jogado fora anéis de guerreiro com aparência melhor do que o Anel de Eluned. Só dois dos Tesouros tinham algum valor intrínseco. Um era a Espada de Rhydderch, Excalibur, que havia sido forjada no Outro Mundo pelo próprio Gofannon, e o outro era o Caldeirão de Clyddno Eiddyn. Agora todos eles, tanto aqueles em mau estado quanto os esplêndidos, estavam cercados por fogo, sinalizando aos seus Deuses distantes.

O céu ainda estava clareando, mas algumas nuvens continuavam agrupadas no horizonte sul, onde, à medida que penetrávamos mais naquela noite dos mortos, raios começaram a tremular. Aqueles raios eram o primeiro sinal dos Deuses e, temendo-os, toquei o ferro do punho de Hywelbane. Mas os grandes clarões de luz estavam longe, muito longe, talvez acima do mar distante ou mesmo mais além, sobre a Armórica. Durante uma hora ou mais, os raios assolaram o horizonte sul, mas sempre em silêncio. Uma vez uma nuvem inteira pareceu se iluminar por dentro. Todos ficamos boquiabertos e o bispo Emrys fez o sinal da cruz.

Os raios distantes foram se acabando, deixando apenas o fogo feroz dentro das fortificações de Mai Dun. Era uma fogueira de sinalização destinada a atravessar o golfo de Annwn, um clarão para chegar ao escuro entre os mundos. O que os mortos estariam pensando?, perguntei-me. Haveria uma horda de almas-sombras reunindo-se em volta do Mai Dun para testemunhar a invocação dos Deuses? Imaginei os reflexos daquelas chamas tremulando nas lâminas de aço da ponte de espadas e talvez chegando ao próprio Outro Mundo, e confesso que fiquei com medo. Os raios tinham desaparecido e agora nada parecia estar acontecendo além da grande violência do fogo, mas acho que todos tínhamos consciência de que o mundo tremia na borda da mudança.

Então, em algum momento daquelas horas que passavam, veio o próximo sinal. Foi Galahad quem viu primeiro. Ele fez o sinal da cruz, olhou pela janela como se não pudesse acreditar no que via, depois apontou para acima da grande pluma de fumaça que lançava um véu sob as estrelas.

— Estão vendo? — perguntou ele e todos nos comprimimos na janela para olhar para cima.

E vi que as luzes do céu noturno tinham vindo.

Todos tínhamos visto essas luzes antes, mas não com frequência, mas a chegada nesta noite era certamente significativa. A princípio havia apenas uma névoa azul tremulante no escuro, mas pouco a pouco a névoa ficou mais forte e mais luminosa, e uma cortina vermelha de fogo se juntou ao azul, pairando como um tecido ondulado entre as estrelas. Merlin tinha me dito que aquelas luzes eram comuns no norte distante, mas estas estavam pairando no sul, e então, gloriosamente, abruptamente, todo o espaço sobre nossas cabeças foi coberto de cascatas azuis, prateadas e carmesins. Todos descemos ao pátio para ver melhor, e ali ficamos pasmos enquanto os céus luziam. Do pátio não podíamos ver mais as fogueiras do Mai Dun, mas sua luz preenchia o céu do sul, assim como as luzes mais estranhas se arqueavam gloriosamente acima de nossas cabeças.

— Acredita agora, bispo? — perguntou Culhwch.

Emrys parecia incapaz de falar, mas então estremeceu e tocou a cruz de madeira pendurada em seu pescoço.

— Nunca negamos a existência de outros poderes. Só achamos que nosso Deus é o único Deus verdadeiro.

— E os outros Deuses são o quê? — perguntou Cuneglas.

Emrys franziu a testa, a princípio incapaz de responder, mas a honestidade o fez falar:

— São poderes das trevas, senhor rei.

— Sem dúvida são poderes da luz — disse Artur, pasmo, porque até ele ficou impressionado. Artur, que preferiria que os Deuses nunca nos tocassem, estava vendo o poder deles no céu, e ficou cheio de espanto. — E o que acontece agora?

Ele tinha perguntado a mim, mas foi o bispo Emrys quem respondeu:

— Haverá morte, senhor.

— Morte? — perguntou Artur, sem saber se tinha ouvido corretamente.

Emrys tinha ido para baixo da arcada, como se temesse a força da magia que tremulava e fluía tão luminosa contra as estrelas.

— Todas as religiões usam a morte, senhor — disse com pedantismo. — Até a nossa acredita no sacrifício. Só que no cristianismo foi o Filho de Deus que morreu para que ninguém mais precisasse ser esfaqueado num altar, mas não consigo pensar numa religião que não use a morte como parte de seu mistério. Osíris foi morto. — De repente, ele percebeu que estava falando do culto a Ísis, a perdição da vida de Artur, e se apressou: — Mitra morreu também, e seu culto exige a morte de touros. Todos os nossos Deuses morrem, senhor, e todas as religiões, menos o cristianismo, recriam essas mortes como parte do culto.

— Nós, cristãos, ultrapassamos a morte e chegamos à vida — disse Galahad.

— Graças a Deus — concordou Emrys, fazendo o sinal da cruz. — Mas Merlin não. — As luzes no céu estavam mais fortes agora: grandes cortinas de cores através das quais, como fios numa tapeçaria, clarões de luz branca se retorciam e caíam. — A morte é a magia mais poderosa — disse o bispo, desaprovando. — Um Deus misericordioso não permitiria, e nosso Deus terminou isso com a morte de Seu próprio Filho.

— Merlin não usa a morte — disse Culhwch, irado.

— Usa — falei em voz baixa. — Antes de irmos pegar o Caldeirão, ele fez um sacrifício humano. Ele me contou.

— Quem? — perguntou Artur, incisivo.

— Não sei, senhor.

— Ele provavelmente estava inventando — replicou Culhwch, olhando para cima. — Merlin gosta de fazer isso.

— Ou mais provavelmente estava dizendo a verdade — replicou Emrys. — A religião antiga exigia muito sangue, e geralmente era humano. Sabemos muito pouco, claro, mas me lembro do velho Balise falando que os druidas gostavam de matar humanos. Geralmente eram prisioneiros. Alguns eram queimados vivos, outros lançados em poços da morte.

— E alguns escapavam — acrescentei em voz baixa, porque eu mesmo fora lançado no poço da morte de um druida quando era criança, e a fuga daquele horror de mortes e corpos partidos levara à minha adoção por parte de Merlin.

Emrys ignorou meu comentário.

— Em outras ocasiões, claro, um sacrifício mais valioso era exigido. Em Elmet e na Cornóvia ainda falam do sacrifício feito no Ano Negro.

— Que sacrifício foi esse? — perguntou Artur.

— Pode ser apenas uma lenda — disse Emrys —, porque aconteceu há muito tempo para que a lembrança seja exata. — O bispo estava falando do Ano Negro em que os romanos tinham capturado Ynys Mon e arrancado o coração da religião dos druidas, um evento sombrio que acontecera há mais de quatrocentos anos no nosso passado. — Mas as pessoas daquela região ainda falam do sacrifício do rei Cefydd. Faz muito tempo desde que ouvi a história, mas Balise sempre acreditou nela. Cefydd, claro, estava enfrentando o exército romano, e parecia provável que seria derrotado, de modo que sacrificou sua posse mais valiosa.

— E que foi o quê? — perguntou Artur. Ele tinha se esquecido das luzes no céu e estava olhando fixamente para o bispo.

— Seu filho, claro. Era sempre assim, senhor. Nosso Deus sacrificou Seu Filho, Jesus Cristo, e até mesmo pediu a Abraão que matasse Isaac, ainda que, é claro, Ele tenha chegado a hesitar nesse desejo. Mas os druidas persuadiram Cefydd a matar o filho. Não deu certo, claro. A história registra que os romanos mataram Cefydd e todo o seu exército, e em seguida destruíram os bosques dos druidas em Ynys Mon. — Senti que o bispo estava tentado a acrescentar alguns agradecimentos ao seu Deus por essa destruição, mas Emrys não era um Sansum, e teve tato suficiente para não verbalizar o agradecimento.

Artur foi até a arcada.

— O que está acontecendo no topo daquele morro, bispo? — perguntou em voz grave.

— Não sei dizer, senhor — disse Emrys, indignado.

— Mas você acha que há uma matança?

— Acho possível, senhor — disse Emrys, nervoso. — Acho até mesmo provável.

— Estarão matando quem? — perguntou Artur, e a aspereza em sua voz fez cada homem no pátio se virar da glória do céu para olhá-lo.

— Se é o antigo sacrifício, senhor, e o sacrifício supremo, deve ser o filho de um governante.

— Gawain, filho de Budic — falei em voz baixa. — E Mardoc.

— Mardoc? — Artur girou em minha direção.

— Um filho de Mordred — respondi, entendendo subitamente por que Merlin tinha me perguntado sobre Cywwyllog, e por que tinha levado a criança ao Mai Dun, e por que tinha tratado o menino tão bem. Por que eu não havia entendido antes? Agora parecia óbvio.

— Onde está Gwydre? — perguntou Artur subitamente.

Durante alguns segundos ninguém respondeu, então Galahad fez um gesto para a guarita.

— Ele estava com os lanceiros enquanto jantávamos.

Mas Gwydre não estava mais lá, nem no quarto onde Artur dormia quando ficava em Durnovária. Não foi encontrado em lugar nenhum, e ninguém se lembrava de tê-lo visto desde o anoitecer. Artur se esqueceu totalmente das luzes mágicas enquanto revirava o palácio, procurando dos porões até o pomar, mas sem encontrar sinal do filho. Eu estava pensando nas palavras que Nimue me dissera no Mai Dun, quando havia me encorajado a trazer Gwydre à Durnovária, e estava me lembrando da discussão dela com Merlin em Lindinis, sobre quem realmente reinava na Dumnonia, e não queria acreditar em minhas suspeitas, mas não podia ignorá-las.

— Senhor — puxei a manga de Artur. — Acho que ele foi levado ao morro. Não por Merlin, mas por Nimue.

— Ele não é filho de um rei — disse Emrys nervosamente.

— Gwydre é filho de um governante! — gritou Artur. — Alguém aqui nega isso? — Ninguém negou, e de repente ninguém ousava dizer uma palavra. Artur se virou para o palácio. — Hygwydd! Uma espada, lança, escudo, Llamrei! Depressa!

— Senhor! — interveio Culhwch.

— Quieto! — gritou Artur. Agora ele estava furioso, e foi em mim que descarregou a raiva porque eu o tinha encorajado a deixar Gwydre vir à Durnovária. — Você sabia o que ia acontecer? — perguntou.

— Claro que não, senhor. Ainda não sei. Acha que eu faria algum mal a Gwydre?

Artur me olhou, mal-encarado, depois se virou.

— Nenhum de vocês precisa vir — falou por sobre o ombro —, mas vou ao Mai Dun pegar meu filho. — Ele atravessou o pátio até onde Hygwydd, seu serviçal, estava segurando Llamrei enquanto um cavalariço punha a sela no animal.

Confesso que por alguns segundos não me mexi. Não queria me mexer. Queria que os Deuses viessem. Queria que todos os nossos problemas terminassem com o bater de grandes asas e o milagre de Beli Mawr pisando na terra. Queria a Britânia de Merlin.

E então me lembrei de Dian. Será que minha filha mais nova estava no pátio do palácio naquela noite? Sua alma devia estar na terra, porque era a véspera do Samain, e de repente havia lágrimas em meus olhos enquanto me lembrava da agonia de perder uma filha. Não poderia ficar no pátio do palácio da Durnovária enquanto Gwydre morria, nem enquanto Mardoc sofria. Não queria ir ao Mai Dun, mas sabia que não poderia encarar Ceinwyn se não fizesse nada para impedir a morte de uma criança, por isso acompanhei Artur e Galahad.

Culhwch tentou me impedir.

— Gwydre é filho de uma prostituta — rosnou ele, baixo demais para Artur ouvir.

Optei por não discutir a linhagem do filho de Artur.

— Se Artur for sozinho, ele vai ser morto. Há duas vintenas de Escudos Pretos naquele morro.

— E se formos nos tornaremos inimigos de Merlin — alertou Culhwch.

— E se não formos tornaremos Artur um inimigo.

Cuneglas veio para o meu lado e pôs a mão em meu ombro.

— E então?

— Vou com Artur — respondi. Eu não queria ir, mas não podia fazer outra coisa. — Issa! — gritei. — Um cavalo!

— Se você vai — resmungou Culhwch —, acho que terei de ir. Só para me garantir que você não seja machucado. — E, de repente, todos estávamos gritando e pedindo cavalos, armas e escudos.

Por que fomos?, pensei frequentemente naquela noite. Ainda posso ver as luzes tremulantes sacudindo as estrelas e sentir o cheiro da fumaça que vinha do cume do Mai Dun, e o grande peso da magia possuindo a Britânia, mas mesmo assim fomos. Sei que estava confuso naquela noite rasgada pelas chamas. Era impulsionado por um sentimentalismo por causa da morte de uma criança e pela lembrança de Dian, e pela minha culpa porque tinha encorajado Gwydre a estar na Durnovária. Mas acima de tudo havia meu afeto por Artur. E quanto ao meu afeto por Merlin e Nimue? Acho que nunca pensei que eles precisassem de mim, mas Artur precisava, e naquela noite em que a Britânia estava presa entre o fogo e a luz, fui encontrar seu filho.

Éramos doze. Artur, Galahad, Culhwch, Derfel e Issa eram os dumnonianos, os outros eram Cuneglas e seus seguidores. Hoje, quando a história ainda é contada, as crianças aprendem que Artur, Galahad e eu éramos os três destruidores da Britânia, mas éramos doze cavaleiros naquela noite dos mortos. Não tínhamos armadura, apenas os escudos, mas cada homem carregava uma lança e uma espada.

As pessoas se encolhiam para os cantos da rua iluminada pelas fogueiras enquanto íamos até o portão sul da Durnovária. O portão estava aberto, como era deixado em todas as vésperas de Samain para dar acesso aos mortos. Abaixamo-nos sob as traves do portão e depois galopamos para o sul e o oeste, entre campos cheios de pessoas que olhavam fascinadas para a mistura de chamas e fumaça que escorria do cume do morro.

Artur estabeleceu um ritmo aterrorizante, e eu me agarrava ao arção temendo ser jogado longe. Nossas capas adejavam, as bainhas das espadas subiam e desciam, e acima de nós os céus estavam cheios de fumaça e luz. Eu sentia o cheiro de madeira queimando e ouvia o estalar das chamas muito antes de chegarmos à encosta do morro.

Ninguém tentou nos impedir enquanto instigávamos os cavalos para cima. Só quando chegamos ao emaranhado complexo do labirinto do portão alguns lanceiros se opuseram. Artur conhecia a fortaleza — porque quando ele e Guinevere moravam na Durnovária os dois costumavam subir ao cume no verão — e nos guiou tranquilamente pela passagem tortuosa. E foi ali que três Escudos Pretos levantaram as lanças para nos fazer parar. Artur não hesitou. Bateu com os calcanhares, apontou a lança comprida e deixou Llamrei correr. Os Escudos Pretos saíram de lado, gritando impotentes enquanto os grandes cavalos passavam trovejando.

Agora a noite era toda feita de ruídos e luzes. O barulho era de um incêndio gigantesco e do estalar de árvores inteiras no coração das chamas famintas. A fumaça escondia as luzes do céu. Havia lanceiros gritando para nós do topo das paredes de terra, mas nenhum se opôs enquanto atravessávamos a parede interna e entrávamos no cume do Mai Dun.

E ali fomos parados, não por Escudos Pretos, mas por um jorro de calor escaldante. Vi Llamrei recuar e se afastar das chamas, vi Artur agarrado à crina da égua e vi os olhos do animal lampejarem com o reflexo vermelho do fogo. O calor era como mil fornalhas de ferreiro: um choque de ar escaldante que fez com que nos encolhêssemos e recuássemos. Eu não podia ver nada dentro das chamas, porque o centro do desenho de Merlin estava escondido pelas paredes de fogo. Artur esporeou Llamrei até onde eu estava.

— Por onde? — gritou ele.

Devo ter dado de ombros.

— Como Merlin entra? — perguntou Artur.

Tentei adivinhar.

— Pelo lado mais distante, senhor. — O templo ficava no lado leste do labirinto de fogo, e suspeitava de que uma passagem teria sido deixada através das espirais externas.

Artur puxou as rédeas e instigou Llamrei subindo a muralha interna até o caminho que seguia pela crista. Os Escudos Pretos se dispersaram, em vez de enfrentá-lo. Subimos o barranco atrás de Artur e, apesar de aterrorizados com o incêndio à direita, nossos cavalos seguiram Llamrei em meio às fagulhas e à fumaça. Num momento uma grande seção da fogueira desmoronou enquanto passávamos a galope, e minha égua se desviou daquele inferno para a face externa da muralha de terra. Por um segundo achei que ela ia cair no fosso e fiquei pendurado desesperadamente, fora da sela, com a mão direita emaranhada em sua crina, mas de algum modo ela recuperou o passo, voltou ao caminho e continuou galopando.

Assim que ultrapassamos a ponta norte dos grandes anéis de fogo, Artur se virou de novo para o platô no cume. Um carvão em brasa tinha pousado em sua capa branca e começou a chamuscar a lã. Cavalguei até o seu lado para apagar a chama.

— Onde? — gritou ele para mim.

— Ali, senhor — apontei para as espirais de fogo mais próximas do templo. Eu não podia ver qualquer abertura lá, mas à medida que chegávamos mais perto ficou evidente que houvera uma abertura que tinha sido fechada com lenha, mas agora essa linha nova estava empilhada quase tão densamente quanto o resto, e havia um espaço estreito onde o fogo, em vez de subir dois e meio ou três metros de altura, não era mais alto do que a cintura de um homem. Do outro lado daquela abertura baixa ficava o espaço aberto entre as espirais externas e internas, e naquele espaço pudemos ver mais Escudos Pretos esperando.

Artur foi com Llamrei até a abertura. Estava se inclinando à frente, falando com o animal, quase como se explicasse o que queria. A égua estava apavorada. Suas orelhas ficavam estremecendo e ela dava passos nervosos e curtos, mas não se afastou do fogo feroz de cada um dos lados da única passagem para o coração do incêndio no topo do morro. Artur a fez parar a alguns passos da abertura e a acalmou, ainda que a cabeça da égua ficasse balançando e seus olhos estivessem arregalados e brancos. Ele a deixou olhar para a abertura, depois deu um tapinha em seu pescoço, falou com ela de novo e a fez girar.

Trotou num círculo amplo, esporeou-a para o centro e depois esporeou de novo enquanto apontava para a abertura. Llamrei balançou a cabeça e pensei que iria refugar, depois ela pareceu se decidir e voou para as chamas. Cuneglas e Galahad foram atrás. Culhwch xingou por causa do risco que estávamos correndo, depois todos nós esporeamos os animais, indo atrás de Llamrei.

Artur se agachou sobre o pescoço da égua enquanto ela ia em direção ao fogo. Estava deixando Llamrei escolher o caminho, e ela diminuiu a velocidade de novo. Achei que a égua iria sair de lado, depois vi que estava se preparando para o salto entre as chamas. Eu estava gritando, tentando encobrir meu medo, depois Llamrei pulou e a perdi de vista enquanto o vento puxava uma capa de fumaça chamejante sobre a abertura. Galahad passou em seguida pelo espaço, mas o cavalo de Cuneglas refugou. Eu galopava a toda velocidade atrás de Culhwch, e o calor e o clamor do fogo preenchiam o ar ruidoso. Acho que eu meio que queria que minha montaria refugasse, mas ela continuou andando e fechei os olhos quando a chama e a fumaça me rodearam. Senti a égua subir, ouvi-a relinchar, depois caímos dentro do anel externo de chamas e senti um vasto alívio e quis gritar de triunfo.

Então uma lança rasgou minha capa logo atrás do ombro. Eu estava tão preocupado em sobreviver ao fogo que não tinha pensado no que nos esperava dentro do anel de chamas. Um Escudo Preto tinha me golpeado e errado, mas agora abandonou a lança e correu para me tirar da sela. Ele estava perto demais para que a lâmina de minha lança fosse útil, por isso simplesmente bati com o cabo na sua cabeça e esporeei a égua. O homem agarrou minha lança. Soltei-a, desembainhei Hywelbane e dei um golpe para trás. Vislumbrei Artur circulando com Llamrei e brandindo sua espada à esquerda e à direita, e agora fiz o mesmo. Galahad chutou o rosto de um homem, acertou outro com a lança e em seguida foi em frente. Culhwch tinha agarrado a crista do elmo de um Escudo Preto e estava arrastando o homem para o fogo. O homem tentou desesperadamente desamarrar a correia do queixo, depois gritou quando Culhwch lançou-o nas chamas antes de girar e ir embora.

Agora Issa estava passando pela abertura, assim como Cuneglas e seus seis seguidores. Os Escudos Pretos sobreviventes tinham fugido para o centro do labirinto de fogo e fomos atrás, trotando entre duas paredes de chamas. A espada emprestada, na mão de Artur, estava vermelha com a luz. Ele esporeou Llamrei, que começou a galopar, e os Escudos Pretos, sabendo que seriam apanhados, correram de lado e largaram as lanças para mostrar que não lutariam mais.

Tínhamos de cavalgar por metade do círculo para encontrar a entrada da espiral interna. A passagem entre as fogueiras internas e externas tinha uns bons trinta passos de largura, suficientemente ampla para que cavalgássemos sem ser assados vivos, mas o espaço dentro da passagem em espiral media menos de dez passos de largura, e aquelas eram as maiores fogueiras, as mais ferozes, e todos hesitamos na entrada. Ainda não podíamos ver nada do que acontecia dentro do círculo. Será que Merlin sabia que estávamos ali? E os Deuses? Olhei para cima, meio que esperando uma lança vingativa descendo do alto, mas havia apenas a cúpula retorcida da fumaça amortalhando o céu torturado pelo fogo e pela cascata de luz.

Assim entramos na última espiral. Cavalgávamos rapidamente, galopando numa curva fechada entre o rugido das chamas que saltavam. Nossas narinas se enchiam de fumaça enquanto as brasas chamuscavam o rosto, mas a cada volta chegávamos mais perto do centro do mistério.

O barulho das fogueiras obscureceu nossa chegada. Acho que Merlin e Nimue não faziam ideia de que seu ritual estava para ser encerrado, porque não nos viam. Em vez disso os guardas no centro do círculo nos viram primeiro e correram para se opor, mas Artur saiu das fogueiras como um demônio vestido de fumaça. Na verdade suas roupas arrastavam fumaça enquanto ele gritava um desafio e impelia Llamrei contra a parede de escudos feita apressadamente pelos Escudos Pretos. Rompeu a parede simplesmente com a velocidade e o peso, e fomos atrás, brandindo as espadas, enquanto o punhado de leais Escudos Pretos se espalhava.

Gwydre estava lá. E Gwydre vivia.

Estava seguro por dois Escudos Pretos, que, ao ver Artur, soltaram o menino. Nimue gritou para nós, lançando pragas sobre o anel central de cinco fogueiras, enquanto Gwydre corria soluçando para perto do pai. Artur se abaixou e, com o braço forte, levantou o filho para a sela. Depois se virou para olhar Merlin.

Merlin, com o rosto coberto de suor, encarou-nos calmamente. Estava na metade de uma escada encostada num cadafalso feito de dois troncos enterrados no chão e com um terceiro em cima, e esse cadafalso ficava bem no meio das cinco fogueiras que formavam o círculo central. O druida usava um manto branco e as mangas desse manto estavam vermelhas de sangue das mangas até os cotovelos. Em sua mão havia uma faca comprida, mas em seu rosto, juro, houve um momentâneo olhar de alívio absoluto.

O menino Mardoc vivia, mas não viveria por muito tempo. A criança já estava nua, a não ser por uma tira de pano amarrada na boca para silenciar seus gritos, e estava pendurada pelos tornozelos ao cadafalso. Perto dele, também pendurado pelos tornozelos, estava um corpo pálido e magro que parecia muito branco à luz das chamas, a não ser pela garganta que tinha sido cortada quase até a espinha. Todo o sangue tinha escorrido para o Caldeirão e ainda escorria e pingava das pontas vermelhas e lisas do cabelo comprido de Gawain. O cabelo era tão comprido que as tranças ensanguentadas caíam dentro da borda dourada do Caldeirão de prata de Clyddno Eiddyn, e foi só pelos cabelos compridos que eu soube que era Gawain pendurado ali, já que seu rosto bonito estava coberto de sangue, escondido pelo sangue, amortalhado de sangue.

Merlin, ainda com a faca comprida que tinha matado Gawain, pareceu pasmo com nossa chegada. Seu ar de alívio tinha desaparecido e agora eu não podia ler seu rosto, mas Nimue gritava para nós. Havia erguido a palma da mão esquerda, a que tinha a cicatriz gêmea à da minha palma esquerda.

— Mate Artur! — gritou ela para mim. — Derfel! Você é jurado a mim! Mate-o! Não podemos parar agora!

De repente, uma lâmina de espada brilhou perto da minha barba. Galahad a segurou, e Galahad sorriu gentilmente para mim.

— Não se mexa, meu amigo. — Ele conhecia o poder dos juramentos. Sabia também que eu não mataria Artur, mas estava tentando me poupar da vingança de Nimue. — Se Derfel se mover — gritou ele para Nimue —, corto a garganta dele.

— Corte! — gritou ela. — Esta é uma noite para a morte dos filhos dos reis!

— Não o meu — disse Artur.

— Você não é rei, Artur ap Uther — falou Merlin finalmente. — Você acha que eu mataria Gwydre?

— Então por que ele está aqui? — Artur tinha um braço em volta de Gwydre, enquanto com o outro segurava a espada avermelhada. — Por que ele está aqui? — perguntou de novo, com mais raiva.

Pela primeira vez Merlin não tinha o que dizer, e foi Nimue quem respondeu:

— Ele está aqui, Artur ap Uther — disse ela com um riso de desprezo —, porque a morte daquela criatura miserável pode não bastar. Ele é o filho de um rei, mas não o herdeiro legítimo.

— Então Gwydre teria morrido? — perguntou Artur.

— E voltado à vida! — disse Nimue com beligerância. Tinha de gritar para ser ouvida acima do troar das fogueiras. — Você não conhece o poder do Caldeirão? Ponha os mortos no Caldeirão de Clyddno Eiddyn e os mortos andam de novo, respiram de novo, vivem. — Ela se esgueirou na direção de Artur, com uma loucura no olho único. — Dê-me o garoto, Artur.

— Não. — Artur puxou a rédea de Llamrei e a égua saltou para longe de Nimue. Nimue se virou para Merlin. — Mate-o! — gritou ela, apontando para Mardoc. — Pelo menos podemos tentar com ele. Mate-o!

— Não! — gritei.

— Mate-o! — guinchou Nimue e então, quando Merlin não se mexeu, ela correu para o cadafalso. Merlin parecia incapaz de se mover, mas então Artur virou Llamrei de novo e afastou Nimue. Ele deixou a égua acertá-la e derrubá-la no chão.

— Deixe a criança viver — disse Artur a Merlin. Nimue estava esticando as garras para ele, mas ele a empurrou para o lado e, quando ela voltou, toda dentes e mãos em garra, ele girou a espada perto de sua cabeça e a ameaça a acalmou.

Merlin moveu a lâmina brilhante até perto da garganta de Mardoc. O druida parecia quase gentil, apesar das mangas encharcadas de sangue e da lâmina comprida na mão.

— Você acha, Artur ap Uther, que pode derrotar os saxões sem a ajuda dos Deuses?

Artur ignorou a pergunta.

— Corte a corda que prende o garoto.

Nimue se virou para ele.

— Você quer receber uma maldição, Artur?

— Já sou amaldiçoado — respondeu ele, amargo.

— Deixe o garoto morrer! — gritou Merlin da escada. — Ele não é nada para você, Artur. Um filho ilegítimo de um rei, um bastardo nascido de uma prostituta.

— E o que sou eu senão um filho ilegítimo de um rei, um bastardo nascido de uma prostituta? — gritou Artur.

— Ele deve morrer — disse Merlin com paciência — e sua morte trará os Deuses para nós. E quando os Deuses estiverem aqui, Artur, poremos o corpo dele no Caldeirão e deixaremos que o sopro da vida retorne.

Artur fez um gesto para o corpo horrendo e exangue de Gawain, seu sobrinho.

— E uma morte não basta?

— Uma morte nunca basta — disse Nimue. Ela tinha corrido em volta da égua de Artur até chegar ao cadafalso, onde agora segurava a cabeça de Mardoc para que Merlin lhe cortasse a garganta.

Artur aproximou Llamrei do cadafalso.

— E se os Deuses não vierem depois de duas mortes, Merlin, quantas mais?

— Quantas forem necessárias — respondeu Nimue.

— E a cada vez que a Britânia tiver problemas — disse Artur em voz alta, para que todos pudéssemos ouvir —, a cada vez que houver um inimigo, a cada vez que houver uma peste, a cada vez que homens e mulheres estiverem amedrontados, nós deveremos levar crianças ao cadafalso?

— Se os Deuses vierem — disse Merlin — não haverá mais peste, medo ou guerra.

— E eles virão?

— Eles estão vindo! — gritou Nimue. — Olhem! — E apontou para cima com a mão livre, e todos olhamos e vimos que as luzes no céu estavam se desbotando. Os azuis luminosos se reduziam até um roxo quase preto, os vermelhos estavam esfumaçados e vagos, e as estrelas recuperavam o brilho por trás das cortinas que iam morrendo. — Não! — uivou Nimue. — Não! — E o último grito saiu num lamento que pareceu durar para sempre.

Artur tinha levado Llamrei até o cadafalso.

— Vocês me chamam de *Amherawdr* da Britânia — disse a Merlin. — E um imperador deve governar ou deixar de ser imperador. E não governarei uma Britânia onde as crianças precisam ser mortas para salvar a vida dos adultos.

— Não seja absurdo! — protestou Merlin. — Puro sentimentalismo!

— Eu seria lembrado apenas como um homem, e já há sangue demais nas minhas mãos.

— Você será lembrado como traidor — cuspiu Nimue —, como destruidor, como covarde.

— Mas não pelos descendentes desta criança — disse Artur afavelmente. E com isso ele estendeu a mão e cortou com sua espada a corda que segurava os tornozelos de Mardoc. Nimue gritou quando o menino caiu, depois saltou para Artur de novo com as mãos em garra, mas Artur simplesmente lhe deu um golpe forte e rápido na cabeça usando a parte chata da espada, fazendo--a girar atordoada. A força do golpe pôde ser facilmente ouvida acima do estalar das chamas. Nimue cambaleou, com o queixo caído e o olho único desfocado. E em seguida despencou.

— Ele deveria ter feito isso com Guinevere — rosnou Culhwch para mim.

Galahad tinha saído do meu lado, desmontado, e agora desamarrou Mardoc. O menino começou a gritar imediatamente pela mãe.

— Nunca suportei crianças barulhentas — disse Merlin em voz baixa. Depois puxou a escada até apoiá-la junto à corda que segurava Gawain à trave. Subiu lentamente os degraus. — Não sei se os Deuses vieram ou não — falou enquanto subia. — Todos vocês esperavam demais, e talvez eles já estejam aqui. Quem sabe? Mas vamos terminar sem o sangue do filho de Mordred. — E com isso ele começou a cortar desajeitadamente a corda que segurava os tornozelos de Gawain. O corpo balançou enquanto ele cortava, de modo que o cabelo encharcado de sangue batia na borda do Caldeirão, mas então a corda se partiu e o cadáver caiu pesado no sangue, que esparrinhou manchando a borda do Caldeirão. Merlin desceu lentamente a escada, depois ordenou aos Escudos Pretos que assistiam ao confronto que pegassem os grandes cestos de vime cheios de sal, que estavam a alguns metros de distância. Os homens jogaram o sal no Caldeirão, pressionando-o com força em volta do corpo curvado e nu de Gawain.

— E agora? — perguntou Artur, embainhando a espada.

— Nada — disse Merlin. — Acabou.

— Excalibur? — perguntou Artur.

— Está na espiral mais ao sul. — Merlin apontou naquela direção. — Mas suspeito de que terá de esperar que as fogueiras terminem de queimar, antes de poder pegá-la.

— Não! — Nimue tinha se recuperado o suficiente para protestar. Ela cuspiu sangue do interior da bochecha que tinha sido cortada pelo golpe de Artur. — Os Tesouros são nossos!

— Os Tesouros foram reunidos e usados — disse Merlin, exausto. — Agora eles não são nada. Artur pode ter a espada de volta. Ele vai precisar. — Em seguida se virou e jogou sua faca longa na fogueira mais próxima, depois se virou para olhar enquanto os dois Escudos Pretos terminavam de encher o Caldeirão. O sal ficou cor-de-rosa enquanto cobria o corpo terrivelmente ferido de Gawain. — Na primavera os saxões virão, e então veremos se houve alguma magia esta noite.

Nimue gritou conosco. Chorava e falava em fúria, cuspia e xingava, prometeu a morte pelo ar, pelo fogo, pela terra e pelo mar. Merlin a ignorou, mas Nimue nunca pôde aceitar meias medidas, e naquela noite se tornou inimiga de Artur. Naquela noite começou a trabalhar nas maldições que dariam sua vingança contra os homens que tinham impedido os Deuses de virem ao Mai Dun. Ela nos chamou de destruidores da Britânia, e nos prometeu o horror.

Ficamos no morro a noite inteira. Os Deuses não vieram, e as fogueiras queimaram com tanta ferocidade que somente na tarde seguinte Artur recuperou Excalibur. Mardoc foi devolvido à sua mãe, e mais tarde ouvi dizer que ela morreu de febre naquele inverno.

Merlin e Nimue pegaram os outros Tesouros. Um carro de boi levou o Caldeirão com seu conteúdo medonho. Nimue foi na frente, e Merlin, como um velho obediente, seguiu-a. Eles levaram Anbarr, o cavalo totalmente preto de Gawain, e levaram o grande estandarte da Britânia, e nenhum de nós soube para onde foram, mas achamos que seria um lugar selvagem no oeste, onde as maldições de Nimue poderiam ser afiadas através das tempestades de inverno.

Antes que os saxões viessem.

É estranho, ao rever o passado, lembrar como Artur era odiado na época. No verão tinha partido as esperanças dos cristãos, e agora, no fim do outono, havia destruído os sonhos pagãos. Como sempre, ele parecia surpreso com a impopularidade.

— O que eu deveria fazer? — perguntou-me. — Deixar meu filho morrer?

— Cefydd deixou — falei sem ajudar muito.

— E Cefydd perdeu a batalha! — respondeu Artur incisivamente. Estávamos cavalgando para o norte. Eu estava indo para casa em Dun Caric, enquanto Artur, com Cuneglas e o bispo Emrys, viajava para encontrar o rei Meurig de Gwent. Aquela reunião era a única coisa que interessava a Artur. Ele jamais tinha confiado nos Deuses para salvar a Britânia dos saxões, mas admitia que oitocentos ou novecentos lanceiros treinados de Gwent poderiam pesar na balança. Naquele inverno sua cabeça estava fervilhando de números. A Dumnonia, admitia ele, podia levar a campo seiscentos lanceiros, dos quais quatrocentos tinham sido testados em batalha. Cuneglas traria mais quatrocentos, os irlandeses Escudos Pretos mais 150, e a esses podíamos acrescentar talvez uns cem homens sem senhores que poderiam vir da Armórica ou dos reinos do norte, atrás de pilhagem. — Digamos mil e duzentos homens — sugeria Artur, depois se preocupava dizendo um número maior ou menor segundo seu humor, mas se o humor estivesse otimista ele algumas vezes ousava acrescentar oitocentos homens de Gwent, o que nos daria um total de dois mil homens, mas talvez nem isso bastasse, dizia ele, porque os saxões provavelmente reuniriam um exército ainda maior. Aelle podia juntar pelo menos setecentas lanças, e ele era o mais fraco dos dois reis saxões. Estimávamos as lanças de Cerdic em mil, e chegavam boatos dizendo que Cerdic estava comprando lanceiros de Clóvis, o rei dos francos. Esses mercenários eram pagos em ouro, e tinham recebido promessa de mais ouro quando a vitória lhes desse o tesouro de Dumnonia. Nossos espiões também informavam que os saxões esperariam até depois da Festa de Eostre, seu festival da primavera, para dar aos novos barcos tempo de atravessar o mar. — Eles terão dois mil e quinhentos homens — avaliou Artur, e nós só teríamos mil e duzentos se Meurig não lutasse. Poderíamos convocar o *levy*, claro, mas nenhum *levy* resistiria a guerreiros adequadamente treinados, e o nosso *levy*, composto de velhos e meninos, enfrentaria o *fyrd* saxão.

— Então, sem os lanceiros de Gwent — falei sombrio —, estamos condenados.

Artur raramente sorria desde a traição de Guinevere, mas agora sorriu.

— Condenados? Quem diz isso?

— O senhor. Os números dizem.

— Você nunca lutou e venceu estando em menor número?

— Sim, senhor.

— Então por que não podemos vencer de novo?

— Só um tolo procura batalha contra um inimigo mais forte, senhor.

— Só um tolo procura batalha — disse ele vigorosamente. — Não quero lutar na primavera. São os saxões que querem lutar, e não temos escolha. Acredite, Derfel, eu não queria estar em menor número, e farei o possível para persuadir Meurig a lutar, mas se Gwent não marchar teremos de vencer os saxões sozinhos. E podemos vencer! Acredite nisso, Derfel!

— Eu acreditava nos Tesouros, senhor.

Ele deu um riso escarninho.

— Este é o Tesouro em que acredito — falou, batendo no punho de Excalibur. — Acredite na vitória, Derfel! Se marcharmos contra os saxões como homens derrotados, eles darão nossos ossos aos lobos. Mas se marcharmos como vitoriosos, vamos ouvi-los uivar.

Era uma bela bravata, mas era difícil acreditar em vitória. A Dumnonia estava coberta pelo desânimo. Tínhamos perdido nossos Deuses, e as pessoas diziam que foi Artur quem os expulsara. Ele não era apenas o inimigo do Deus cristão, agora era inimigo de todos os Deuses, e os homens diziam que os saxões eram sua punição. Até o clima pressagiava o desastre, já que, na manhã depois de eu me separar de Artur, começou a chover e parecia que aquela chuva não pararia jamais. Dia após dia chegavam nuvens baixas e cinzentas, um vento gélido, e a chuva insistente e forte. Tudo estava molhado. Nossas roupas, nossa cama, nossa lenha, os juncos do chão, as próprias paredes das casas pareciam pegajosas de umidade. Lanças se enferrujavam em seus suportes, o grão armazenado brotava ou mofava, e a chuva continuava chegando implacável do oeste. Ceinwyn e eu fizemos o máximo para lacrar o salão de Dun Caric. Seu irmão trouxera um presente de peles de lobo de Powys, e as usamos para cobrir as paredes de madeira, mas o próprio ar debaixo das traves do teto parecia encharcado. As fogueiras queimavam soturnas, dando de má vontade um calor fraco e enfumaçado que avermelhava os olhos. Nossas duas filhas ficaram rabugentas no início daquele inverno. Morwenna, a mais velha, que geralmente era a mais plácida e contente das crianças, ficou tão geniosa e egoísta que Ceinwyn lhe deu uma surra de cinto.

— Ela sente falta de Gwydre — disse-me Ceinwyn depois. Artur havia decretado que Gwydre não sairia de seu lado, por isso o menino tinha ido com o pai se encontrar com o rei Meurig. — Eles deveriam se casar no ano que vem — acrescentou Ceinwyn. — Isso iria curá-la.

— Se Artur deixar Gwydre se casar com ela — respondi, desanimado. — Ele não tem grande amor por nós ultimamente. — Eu quisera acompanhar Artur a Gwent, mas ele havia recusado peremptoriamente. Houvera um tempo em que eu me achava seu amigo mais íntimo, mas agora ele resmungava comigo, em vez de dar as boas-vindas. — Ele acha que arrisquei a vida de Gwydre.

— Não — discordou Ceinwyn. — Ele está distante com você desde a noite em que descobriu Guinevere.

— Por que isso mudaria as coisas?

— Porque você estava com ele, querido — disse Ceinwyn com paciência. — Com você ele não pode fingir que nada mudou. Você foi testemunha da vergonha de Artur. Ele o vê e se lembra dela. Além disso, tem ciúme.

— Ciúme?

Ela sorriu.

— Ele acha que você é feliz. Acha agora que, se tivesse se casado comigo, também seria feliz.

— Provavelmente seria.

— Ele até sugeriu isso — disse Ceinwyn descuidadamente.

— Sugeriu o quê? — reagi com brusquidão.

Ela me acalmou.

— Não foi a sério, Derfel. O pobre coitado precisa de apoio. Ele acha que, como uma mulher o rejeitou, todas as mulheres o rejeitariam, por isso me perguntou.

Eu toquei o punho de Hywelbane.

— Você nunca me disse.

— Por que deveria? Não havia o que contar. Ele fez uma pergunta muito desajeitada e eu disse que tinha jurado aos Deuses que ficaria junto de você. Contei com muita gentileza, e depois ele sentiu muita vergonha. Além disso, prometi que não iria contar a você e agora quebrei essa promessa, o que significa que devo ser punida pelos Deuses. — Ela deu de ombros, como a sugerir que a punição seria merecida e portanto aceita. — Ele precisa de uma esposa — acrescentou maliciosamente.

— Ou de uma mulher.

— Não. Ele não é um homem casual. Não pode se deitar com uma mulher e depois ir embora. Ele confunde desejo com amor. Quando Artur dá a alma, ele dá tudo, e não pode dar só um pouquinho de si.

Eu ainda estava com raiva.

— O que Artur acha que eu faria enquanto ele se casasse com você?

— Ele pensou que você governaria a Dumnonia como guardião de Mordred. Tinha uma ideia estranha de que eu iria com ele para Broceliande e que lá viveríamos como crianças sob o sol, e que você ficaria aqui e derrotaria os saxões. — Ela riu.

— Quando ele pediu isso?

— No dia em que ordenou que você fosse se encontrar com Aelle. Acho que pensou que eu fugiria com ele enquanto você estivesse longe.

— Ou esperava que Aelle me mataria — falei cheio de ressentimento, lembrando-me da promessa dos saxões, de matar qualquer emissário.

— Depois ele ficou com muita vergonha — garantiu Ceinwyn, séria. — E você não vai lhe dizer que contei. — Ela me fez prometer isso, e mantive a promessa. — Realmente não foi importante — acrescentou, encerrando a conversa. — Ele ficaria verdadeiramente chocado se eu tivesse dito sim. Ele pediu, Derfel, porque está sofrendo, e os homens que sofrem se comportam de modo desesperado. O que ele realmente quer é fugir com Guinevere, mas não pode, porque o orgulho não deixa, e sabe que precisamos dele para derrotar os saxões.

Nós precisávamos dos lanceiros de Meurig para fazer isso, mas não tivemos notícias das negociações de Artur com Gwent. Semanas se passaram e nenhuma certeza vinha do norte. Um padre que viajava vindo de Gwent nos disse que Artur, Meurig, Cuneglas e Emrys tinham conversado durante uma semana em Burrium, a capital de Gwent, mas o padre não sabia o que fora decidido. O padre era um homem pequeno e moreno, de vista fraca e barba rala que ele moldava com cera de abelha na forma de uma cruz. Tinha vindo a Dun Caric porque não havia igreja no pequeno povoado e ele queria estabelecer uma. Como muitos desses padres itinerantes, ele tinha um grupo de mulheres: três criaturas esquálidas que se juntavam protetoramente em volta. Ouvi falar de sua chegada quando ele começou a pregar do lado de fora da oficina de ferreiro, perto do riacho, e mandei Issa e um par de lanceiros parar com aquele absurdo e trazê-lo ao salão. Demos-lhe um mingau de grãos de cevada brotados, que ele comeu avidamente, enfiando a mistura quente na boca e depois sibilando e cuspindo porque a comida queimou sua língua. Restos de mingau se grudaram em sua barba de forma estranha. Suas mulheres se recusaram a comer enquanto ele não tivesse terminado.

— Eu só sei, senhor — disse ele respondendo às nossas perguntas impacientes —, que Artur agora viajou para o oeste.

— Para onde?

— Para a Demétia, senhor. Para se encontrar com Oengus Mac Airem.

— Por quê?

Ele deu de ombros.

— Não sei, senhor.

— O rei Meurig está fazendo preparativos para a guerra?

— Ele está preparado para defender seu território, senhor.

— E para defender a Dumnonia?

— Só se a Dumnonia reconhecer o Deus único, o Deus verdadeiro — disse o padre, fazendo o sinal da cruz com a colher de pau e chapiscando o manto sujo com o mingau de cevada. — O nosso rei é fervoroso pela cruz, e suas lanças não serão oferecidas a pagãos. — Ele olhou para o crânio de boi pregado em uma das nossas altas traves, e fez de novo o sinal da cruz.

— Se os saxões tomarem a Dumnonia — falei —, Gwent não estará muito atrás.

— Cristo protegerá Gwent — insistiu o padre. Ele deu a tigela a uma de suas mulheres, que raspou os poucos restos com um dedo sujo. — Cristo protegerá o senhor se o senhor se humilhar diante Dele. Se renunciar aos seus Deuses e for batizado terá a vitória no ano que vem.

— Então foi por isso que Lancelot não foi vitorioso no ano passado? — perguntou Ceinwyn.

O padre olhou para ela com o olho bom, enquanto o outro vagueava para as sombras.

— O rei Lancelot, senhor, não era o Escolhido. O rei Meurig é. Diz em nossas escrituras que um homem será escolhido, e parece que o rei Lancelot não era aquele homem.

— Escolhido para quê? — perguntou Ceinwyn.

O padre a encarou. Ela ainda era uma mulher muito bonita, dourada e calma, a estrela de Powys.

— Escolhido, senhora, para unir todos os povos da Britânia sob o Deus vivo. Saxões e britânicos, gwentianos e dumnonianos, irlandeses e pictos, todos cultuando o único Deus verdadeiro e todos vivendo em paz e amor.

— E se nós decidirmos não seguir o rei Meurig? — perguntou Ceinwyn.

— Então nosso Deus irá destruí-los.

— E esta é a mensagem que veio aqui pregar? — perguntei.

— Não posso fazer outra coisa, senhor. Recebi a ordem.

— De Meurig?

— De Deus.

— Mas sou o senhor da terra dos dois lados do riacho — falei — e de toda a terra ao sul até Caer Cadarn, e ao norte até Aquae Sulis, e você não pregará aqui sem minha permissão.

— Nenhum homem pode contrariar a palavra de Deus, senhor.

— Este pode — falei, desembainhando Hywelbane.

As mulheres sibilaram. O padre olhou para a espada, depois cuspiu no fogo.

— O senhor se arrisca à ira de Deus.

— Você se arrisca à minha ira. E se ao pôr do sol de amanhã ainda estiver na terra que governo, eu o entregarei como escravo para os meus escravos. Podem dormir com os animais esta noite, mas amanhã vocês vão embora.

Ele partiu de má vontade no dia seguinte e, como se para me punir, a primeira neve do inverno veio com sua partida. Essa neve tinha chegado cedo, prometendo uma estação fria. A princípio caiu misturada com chuva, mas ao anoitecer tinha se tornado uma neve densa que havia embranquecido a terra ao alvorecer. Durante a semana seguinte ficou mais frio. Agulhas de gelo pendiam dentro de nosso teto, e agora começava a luta pelo aquecimento durante o longo inverno. No povoado as pessoas dormiam com os animais, enquanto lutávamos no ar cortante com as lareiras que faziam os pingentes de gelo caírem da palha do teto. Pusemos o gado do inverno nos abrigos e matamos o resto, guardando a carne salgada como Merlin tinha guardado o corpo exangue de Gawain. Durante dois dias o povoado ecoou com os mugidos atormentados dos bois que eram arrastados para o machado. A neve estava manchada de vermelho e o ar fedia a sangue, sal e bosta. Dentro do salão as lareiras ardiam, mas aqueciam pouco. Estávamos com frio, tremíamos dentro de nossas peles e esperávamos em vão por um degelo. O riacho congelou, de modo que tínhamos de quebrar o gelo todos os dias para pegar água.

Ainda treinávamos nossos jovens lanceiros. Marchávamos com eles pela neve, endurecendo seus músculos para lutarem contra os saxões. Nos dias em que a neve caía com força e o vento redemoinhava os flocos sobre as baixas empenas dos casebres do povoado, eu mandava os homens fazerem seus escudos com tábuas de salgueiro cobertas de couro. Eu estava montando um bando de guerreiros, mas enquanto os observava trabalhar temia por eles, imaginando quantos viveriam para ver o sol de verão.

Uma mensagem de Artur chegou antes do solstício. Em Dun Caric estávamos ocupados preparando a grande festa que duraria toda a semana da morte do sol, quando o bispo Emrys chegou. Montava um cavalo com as patas envoltas em couro e estava acompanhado por uma escolta de seis lanceiros de Artur. O bispo nos disse que ficara em Gwent, discutindo com Meurig, enquanto Artur tinha ido à Demétia.

— O rei Meurig não se recusou absolutamente a nos ajudar — disse o bispo, tremendo junto ao fogo onde tinha aberto espaço empurrando dois dos nossos cachorros para o lado. Ele estendeu as mãos gorduchas e vermelhas para as chamas. — Mas temo que suas condições para ajudar sejam inaceitáveis. — Ele espirrou. — Cara senhora, a senhora é muito gentil — disse a Ceinwyn, que lhe trouxera um chifre de hidromel quente.

— Que condições? — perguntei.

Emrys balançou a cabeça, triste.

— Ele quer o trono da Dumnonia, senhor.

— Quer o quê? — explodi.

Emrys levantou uma das mãos gorduchas para aplacar minha raiva.

— Ele diz que Mordred não é feito para governar, que Artur não quer governar, e que a Dumnonia precisa de um rei cristão. Ele se oferece.

— Desgraçado — falei. — Desgraçadozinho traiçoeiro e covarde.

— Artur não pode aceitar, claro — disse Emrys. — Seu juramento a Uther garante isso. — Ele bebericou o hidromel e suspirou apreciando. — É tão bom estar quente de novo!

— Então, se não dermos o reino a Meurig — falei, furioso — ele não vai nos ajudar?

— É o que ele diz. Ele insiste em que Deus irá proteger Gwent e que, a não ser que o aclamemos como rei, devemos defender a Dumnonia sozinhos.

Fui até a porta do salão, empurrei a cortina de couro e olhei a neve que se empilhava alta nas pontas de nossa paliçada de madeira.

— O senhor falou com o pai dele? — perguntei a Emrys.

— Eu vi Tewdric. Fui com Agrícola, que lhe manda lembranças.

Agrícola tinha sido o comandante guerreiro do rei Tewdric, um grande guerreiro que lutava com armadura romana e ferocidade gélida. Mas agora estava velho e Tewdric, seu senhor, tinha abdicado do trono e raspado a cabeça numa tonsura de padre, entregando o poder ao filho.

— Agrícola está bem? — perguntei.

— Está velho, mas vigoroso. Ele concorda conosco, claro, mas... — Emrys deu de ombros. — Quando Tewdric abdicou do trono, abriu mão do poder. Diz que não pode mudar o pensamento do filho.

— Não quer — resmunguei, voltando à lareira.

— Provavelmente não — concordou Emrys. E suspirou. — Eu gosto de Tewdric, mas no momento ele está ocupado com outros problemas.

— Que problemas? — perguntei com veemência demais.

— Ele gostaria de saber se no céu nós comeremos como mortais, ou se seremos poupados da necessidade de nutrição terrena. Há uma crença, vocês devem entender, de que os anjos não comem, de que são poupados de todos os apetites grosseiros e mundanos, e o velho rei está tentando copiar esse modo de vida. Come muito pouco, na verdade alardeou que uma vez conseguiu ficar três semanas inteiras sem defecar e se sentiu muito mais santo depois disso. — Ceinwyn sorriu, mas não disse nada, e eu apenas encarei o bispo, incrédulo. Emrys terminou com o hidromel. — Tewdric afirma — acrescentou em dúvida — que vai passar fome até entrar em estado de graça. Confesso que não estou convencido, mas ele parece um homem muito piedoso. Todos nós deveríamos ser igualmente abençoados.

— O que Agrícola diz? — perguntei.

— Ele alardeia a frequência com que defeca. Perdão, senhora.

— Deve ter sido um encontro alegre para os dois homens — disse Ceinwyn secamente.

— Não teve uma utilidade imediata — admitiu Emrys. — Eu esperava persuadir Tewdric a mudar o pensamento do filho, mas infelizmente — ele deu de ombros — agora só podemos rezar.

— E manter as lanças afiadas — falei, desanimado.

— Isso também — concordou o bispo, que espirrou de novo e fez o sinal da cruz para anular o azar do espirro.

— Meurig deixará que os lanceiros de Powys atravessem suas terras?

— Cuneglas disse que, se Meurig recusasse, ele atravessaria assim mesmo.

Gemi. A última coisa de que precisávamos era um reino da Britânia lutando contra outro. Durante anos essas guerras haviam enfraquecido a Britânia e permitido que os saxões tomassem um vale depois do outro e uma cidade depois da outra, mas ultimamente eram os saxões que vinham lutando entre si, e éramos nós que tínhamos nos aproveitado de sua inimizade para lhes infligir derrotas; mas Cerdic e Aelle tinham aprendido a lição que Artur ensinara duramente aos britânicos, de que a vitória vinha com a unidade. Agora eram os saxões que estavam unidos e os britânicos se haviam dividido.

— Acho que Meurig deixará Cuneglas atravessar — disse Emrys — porque não quer guerra com ninguém. Ele só quer a paz.

— Todos queremos paz — falei —, mas se a Dumnonia cair, Gwent será o próximo país a sentir as lâminas dos saxões.

— Meurig insiste em que não, e está oferecendo abrigo a qualquer cristão dumnoniano que deseje evitar a guerra.

Isso era má notícia, porque significava que qualquer pessoa que não tivesse coragem para enfrentar Aelle e Cerdic só precisava afirmar a fé cristã para se refugiar no reino de Meurig.

— Ele realmente acredita que seu Deus irá protegê-lo? — perguntei a Emrys.

— Ele precisa, senhor, caso contrário, de que serve Deus? Mas Deus, claro, pode ter outras ideias. É muito difícil ler Sua mente. — Agora o bispo estava quente o bastante para se ariscar a tirar dos ombros a grande capa de pele de urso. Debaixo dela usava um gibão de pele de ovelha. Pôs a mão dentro do gibão e presumi que estivesse coçando por causa de um piolho, mas em vez disso ele pegou um pergaminho dobrado, amarrado com uma fita e lacrado com cera derretida. — Artur mandou isso para mim, da Demétia — disse ele, me oferecendo o pergaminho. — E disse que você deveria entregá-lo à princesa Guinevere.

— Claro — falei, pegando o pergaminho. Confesso que me senti tentado a quebrar o lacre e ler o documento, mas resisti. — O senhor sabe o que ele diz? — perguntei ao bispo.

— Infelizmente não, senhor — disse Emrys, mas sem me olhar, e desconfiei que o velho tinha rompido o lacre e sabia do conteúdo da carta, mas não queria admitir esse pequeno pecado. — Tenho certeza de que não é nada importante, mas Artur disse especialmente que ela deveria recebê-lo antes do solstício. Isto é, antes de ele voltar.

— Por que ele foi à Demétia? — perguntou Ceinwyn.

— Para se certificar de que os Escudos Pretos lutarão nesta primavera, acho — disse o bispo, mas detectei uma evasão em sua voz. Suspeitei de que a carta conteria o verdadeiro motivo da visita de Artur a Oengus Mac Airem, mas Emrys não podia revelar isso sem também admitir que tinha rompido o lacre.

Fui para Ynys Wydryn no dia seguinte. Não era longe, mas a jornada levou a maior parte da manhã porque em alguns lugares eu tinha de puxar meu cavalo e a mula através de nevascas. A mula estava carregando uma dúzia das peles que Cuneglas havia nos trazido, e elas se mostraram um presente bem-vindo porque o quarto de prisão de Guinevere, com suas paredes de tábuas, era cheio de rachaduras pelas quais o vento sibilava, gélido. Descobri-a agachada junto a uma lareira que queimava no centro do cômodo. Ela se levantou quando fui anunciado, depois mandou suas duas serviçais para as cozinhas.

— Estou tentada a me tornar uma cozinheira também — disse ela. — Pelo menos a cozinha é quente, mas infelizmente cheia de cristãos hipócritas. Eles não conseguem quebrar um ovo sem louvar ao seu Deus desgraçado. — Ela estremeceu e apertou a capa nos ombros magros. — Os romanos sabiam se manter quentes, mas acho que perdemos essa habilidade.

— Ceinwyn mandou isto para a senhora — falei, jogando as peles no chão.

— Agradeça a ela por mim — disse Guinevere e então, apesar do frio, abriu uma janela para que a luz do dia entrasse no cômodo. O fogo oscilou sob o sopro de ar gélido e fagulhas redemoinharam até as traves empretecidas. Guinevere vestia um manto grosso, de lã marrom. Estava pálida, mas aquele rosto altivo e de olhos verdes não tinha perdido nada de seu poder ou orgulho. — Eu esperava vê-lo antes — zombou ela.

— Tem sido uma estação difícil, senhora — falei, desculpando minha longa ausência.

— Quero saber o que aconteceu no Mai Dun, Derfel.

— Eu conto, senhora, mas primeiro tenho ordem de lhe entregar isto.

Peguei o pergaminho de Artur na bolsa em meu cinto e entreguei-lhe. Ela arrancou a fita, levantou o lacre de cera com uma unha e desdobrou o documento. Leu à luz refletida da neve através da janela. Vi seu rosto ficar tenso, mas ela não demonstrou outra reação. Pareceu ler a carta duas vezes, depois dobrou-a e jogou num baú de madeira.

— Então fale do Mai Dun — disse ela.

— O que a senhora já sabe?

— Sei o que Morgana opta por me contar, e o que aquela cadela escolhe é uma versão da verdade de seu Deus desgraçado. — Ela falava suficientemente alto para ser escutada por qualquer um que tentasse entreouvir nossa conversa.

— Duvido de que o Deus de Morgana tenha se desapontado com o que aconteceu — falei. Depois contei toda a história daquela véspera do Samain. Ela ficou em silêncio quando terminei, só olhando pela janela, para o pátio coberto de neve onde uma dúzia de peregrinos empedernidos se ajoelhava diante do espinheiro. Alimentei o fogo pegando lenha da pilha junto à parede.

— Então Nimue levou Gwydre para o cume?

— Ela mandou os Escudos Pretos pegarem-no. Na verdade, sequestrá-lo. Não foi difícil. A cidade estava cheia de estranhos e todo tipo de lanceiros entrava e saía do palácio. — Fiz uma pausa. — Mas duvido de que ele tenha corrido perigo verdadeiro em algum momento.

— Claro que correu! — disse ela rispidamente.

Sua veemência me deixou pasmo.

— A outra criança é que seria morta — protestei —, o filho de Mordred. Ele estava nu, pronto para a faca, mas Gwydre não.

— E quando a morte da outra criança não tivesse produzido nada, o que teria acontecido? Você acha que Merlin não teria pendurado Gwydre pelos calcanhares?

— Merlin não faria isso com o filho de Artur — falei, mas confesso que não havia convicção em minha voz.

— Mas Nimue faria. Nimue mataria todas as crianças da Britânia para trazer de volta os Deuses, e Merlin se sentiria tentado. Chegar tão perto — ela manteve o indicador e o polegar separados o equivalente à espessura de uma moeda — e apenas com a vida de Gwydre entre Merlin e a volta dos Deuses? Ah, acho que ele se sentiria tentado. — Ela foi até a lareira e abriu o manto para deixar o calor entrar nas dobras. Usava um vestido preto por baixo do manto e não tinha uma única joia à vista. Nem mesmo um anel. — Merlin poderia ter sentido uma pontada de culpa por matar Gwydre — disse ela em voz baixa —, mas não Nimue. Ela não vê diferença entre este mundo e o Outro Mundo, então o que lhe importa se uma criança viver ou morrer? Mas a criança que importa, Derfel, é o filho do governante. Para ganhar o que é mais precioso você precisa abrir mão do que é mais valioso, e o que é valioso na Dumnonia não é uma cria bastarda de Mordred. Artur governa aqui, não Mordred. Nimue queria Gwydre morto. Merlin sabia disso, só esperava que as mortes inferiores bastassem. Mas Nimue não se importa. Um dia, Derfel, ela vai juntar os Tesouros de novo, e nesse dia Gwydre terá o sangue derramado no Caldeirão.

— Não enquanto Artur viver.

— Não enquanto eu viver também! — proclamou ela ferozmente, e então, reconhecendo a impotência, deu de ombros. Virou-se de novo para a janela e deixou o manto marrom cair. — Eu não tenho sido uma boa mãe — falou inesperadamente. Eu não sabia o que dizer, por isso fiquei quieto. Nunca tinha sido íntimo de Guinevere, na verdade ela me tratava com a mesma mistura áspera de afeto e desprezo que poderia ter dedicado a um cão estúpido mas obediente, mas agora, talvez porque não tivesse com quem partilhar seus pensamentos, ofereceu-os a mim. — Eu nem gosto de ser mãe — admitiu. — Já aquelas mulheres — ela indicou as mulheres de Morgana, vestidas de branco, que corriam pela neve entre as construções do templo — todas cultuam a maternidade, mas são todas secas como palha. Choram por sua Maria e me dizem que só uma mãe conhece a verdadeira tristeza, mas quem quer conhecer isso? — Ela fez a pergunta com ferocidade. — É tudo um desperdício de vida! — Agora ela estava com raiva. — As vacas são boas mães e as ovelhas amamentam adequadamente, então que mérito existe na maternidade? Qualquer garota estúpida pode ser mãe! É para isso que a maioria delas serve! A maternidade não é uma realização, é uma inevitabilidade! — Percebi que Guinevere estava chorando apesar da raiva. — Mas era só isso que Artur queria que eu fosse! Uma vaca leiteira!

— Não, senhora.

Ela se virou furiosa para mim, com os olhos brilhantes de lágrimas.

— Você sabe mais do que eu sobre isso, Derfel?

— Ele tinha orgulho da senhora — falei sem jeito. — Ele adorava sua beleza.

— Ele poderia mandar fazer uma estátua minha, se era isso que queria! Uma estátua com dutos de leite, onde ele poderia grudar seus bebês!

— Ele a amava — protestei.

Guinevere me encarou e achei que estava prestes a irromper numa fúria total, mas em vez disso deu um sorriso triste.

— Ele me cultuava, Derfel — falou em voz cansada —, e isso não é o mesmo que ser amada. — Ela se sentou de repente, desmoronando num banco junto ao baú. — E ser cultuada, Derfel, é muito cansativo. Mas parece que agora ele encontrou uma nova deusa.

— Ele fez o quê, senhora?

— Você não sabia? — Ela pareceu surpresa, depois pegou a carta. — Aqui, leia.

Peguei o pergaminho. Não tinha data, no sobrescrito só havia Moridunum, mostrando que fora redigida na capital de Oengus Mac Airem. A carta tinha a letra sólida de Artur, e era tão fria quanto a neve que se acumulava tão densa no parapeito da janela.

"Deve saber, senhora", escrevera ele, "que estou renunciando da senhora como minha esposa e tomando Argante, filha de Oengus Mac Airem. Não renuncio a Gwydre, só à senhora".

Era só isso. Nem estava assinada.

— Você realmente não sabia? — perguntou Guinevere.

— Não, senhora — falei. Eu estava muito mais perplexo do que Guinevere. Tinha ouvido homens dizerem que Artur deveria tomar outra esposa, mas ele não me dissera nada e me senti ofendido por não ter confiado em mim. Senti-me ofendido e desapontado. — Eu não sabia — insisti.

— Alguém abriu a carta — disse Guinevere num tom divertidamente esquisito. — Dá para ver que deixaram uma mancha de sujeira na parte de baixo. Artur não faria isso. — Ela se recostou, de modo que os cabelos ruivos e encaracolados se esmagaram contra a parede. — Por que ele está se casando?

Dei de ombros.

— Um homem deve ser casado, senhora.

— Absurdo. Você não pensa mal de Galahad porque ele nunca se casou.

— Um homem precisa... — comecei, e então minha voz sumiu.

— Sei do que um homem precisa — disse Guinevere, divertida. — Mas por que Artur está se casando agora? Você acha que ele ama essa garota?

— Espero que sim, senhora.

Ela sorriu.

— Ele está se casando, Derfel, para provar que não me ama.

Acreditei, mas não ousei concordar.

— Tenho certeza de que é amor, senhora — falei em vez disso.

Ela riu.

— Quantos anos tem essa tal de Argante?

— Quinze? — especulei. — Talvez apenas quatorze?

Ela franziu a testa, pensando.

— Eu achava que ela estava destinada a se casar com Mordred.

— Eu também — respondi, porque me lembrava de Oengus oferecendo-a como noiva para o nosso rei.

— Mas por que Oengus casaria uma filha com um idiota manco como Mordred quando pode colocá-la na cama de Artur? Só quinze, você acha?

— No máximo.

— Ela é bonita?

— Nunca a vi, senhora, mas Oengus diz que sim.

— Os Uí Liatháin geram garotas bonitas — disse Guinevere. — A irmã dela era bonita?

— Isolda? Sim, de certo modo.

— Essa criança precisará ser bonita — disse Guinevere em tom divertido. — Caso contrário, Artur não olhará para ela. Todos os homens têm de invejá-lo. Isso ele exige de suas esposas. Elas devem ser lindas e, claro, muito mais bem-comportadas do que eu fui. — Ela riu e me olhou de lado. — Mas mesmo que ela seja bonita e bem-comportada não vai dar certo, Derfel.

— Não vai?

— Ah, tenho certeza de que a criança pode cuspir bebês para ele, se é o que ele quer, mas a não ser que ela seja inteligente, ele vai ficar muito entediado. — Guinevere se virou para olhar o fogo. — Por que acha que ele me escreveu contando?

— Porque acha que a senhora deve saber.

Ela riu e disse:

— Devo saber? O que me importa se ele se deita com alguma criança irlandesa? Não preciso saber, mas ele precisa me contar. — Ela me olhou de novo. — E vai querer saber como reagi, não é?

— Vai? — perguntei, um tanto confuso.

— Claro que vai. Então diga, Derfel, que eu ri. — Ela me olhou desafiadora, depois deu de ombros subitamente. — Não. Diga que lhe desejo toda a felicidade. Diga o que quiser, mas peça-lhe um favor. — Ela fez uma pausa e percebi como ela odiava pedir favores. — Não quero morrer sendo estuprada por uma horda de guerreiros saxões cheios de piolhos, Derfel. Quando Cerdic vier na próxima primavera, peça a Artur para mudar minha prisão para algum lugar mais seguro.

— Acho que a senhora estará segura aqui.

— Por que acha isso? — perguntou ela, incisiva.

Demorei um instante para juntar os pensamentos.

— Quando os saxões vierem, vão avançar pelo vale do Tâmisa. O objetivo deles é chegar ao mar de Severn, e aquela é a rota mais rápida.

Guinevere balançou a cabeça.

— O exército de Aelle virá pelo Tâmisa, Derfel, mas Cerdic atacará no sul e subirá para o norte para se encontrar com Aelle. Ele passará por aqui.

— Artur diz que não — insisti. — Ele acredita que os dois não confiam um no outro, por isso vão querer ficar juntos para se prevenir contra traições.

Guinevere descartou isso com outro movimento brusco de cabeça.

— Aelle e Cerdic não são idiotas, Derfel. Eles sabem que precisam confiar um no outro por tempo suficiente para vencer. Depois disso podem se estranhar, mas não antes. Quantos homens eles trarão?

— Pensamos em dois mil, talvez dois e quinhentos.

Ela assentiu.

— O primeiro ataque será no Tâmisa, e será suficientemente grande para vocês pensarem que é o ataque principal. E assim que Artur tiver juntado as forças para se opor a esse exército, Cerdic marchará no sul. Ele virá como louco, Derfel, e Artur terá de mandar homens para enfrentá-lo, e quando fizer isso Aelle atacará o resto.

— A não ser que Artur deixe Cerdic vir como um louco — falei, não acreditando em sua previsão sequer por um instante.

— Ele poderia fazer isso, mas se fizer, Ynys Wydryn estará nas mãos dos saxões, e não quero estar aqui quando isso acontecer. Se ele não me libertar, implore para que ele me prenda em Glevum.

Hesitei. Não via motivo para repassar seu pedido a Artur, mas queria ter certeza de que ela estava sendo sincera.

— Se Cerdic vier nesta direção, senhora, talvez traga amigos seus no exército.

Ela me lançou um olhar assassino. Sustentou-o por longo tempo antes de falar.

— Não tenho amigos em Lloegyr — disse por fim, gélida.

Hesitei, depois decidi ir mais fundo.

— Vi Cerdic há menos de dois meses, e Lancelot estava em sua companhia.

Eu nunca lhe havia mencionado o nome de Lancelot, e sua cabeça se sacudiu como se eu tivesse lhe dado um soco.

— O que está dizendo, Derfel? — perguntou ela em voz baixa.

— Estou dizendo, senhora, que Lancelot virá para cá na primavera. Estou sugerindo, senhora, que Cerdic fará dele o senhor desta terra.

Guinevere fechou os olhos e, por alguns segundos, não tive certeza se ela estava rindo ou chorando. Depois vi que era o riso que a fazia estremecer.

— Você é um idiota — falou, olhando-me de novo. — Está tentando me ajudar! Você acha que amo Lancelot?

— A senhora queria que ele fosse rei.

— O que isso tem a ver com amor? — perguntou ela, cheia de desprezo. — Eu queria que ele fosse rei porque ele é um homem fraco, e uma mulher só pode governar neste mundo através de um homem frágil. Artur não é fraco. — Ela respirou fundo. — Mas Lancelot é, e talvez ele governe aqui quando os saxões vierem, mas quem controlará Lancelot não serei eu, e sim Cerdic, e Cerdic, pelo que ouvi dizer, é qualquer coisa, menos fraco. — Ela se levantou, veio até mim e arrancou a carta das minhas mãos. Desdobrou-a, leu uma última vez e em seguida jogou o pergaminho no fogo. Ele ficou preto, encolheu-se e depois irrompeu em chamas. — Vá — disse ela, olhando para o fogo. — E diga a Artur que chorei ao saber da notícia. Se é isso que ele quer ouvir, então diga. Diga que chorei.

Deixei-a. Nos dias seguintes a neve derreteu, mas as chuvas voltaram e as árvores desnudas pingavam numa terra que parecia estar apodrecendo na umidade enevoada. O solstício se aproximava, mas o sol não aparecia. O mundo estava morrendo num desespero escuro e molhado. Eu esperava a volta de Artur, mas ele não me convocou. Levou sua nova esposa para Durnovária e ali comemorou o solstício. Se estava preocupado com o que Guinevere pensava de seu novo casamento, não me perguntou.

Demos a festa do solstício de inverno no salão de Dun Caric, e não havia uma pessoa presente que não suspeitasse de que seria a última. Fizemos as oferendas ao sol do meio do inverno, mas sabíamos que quando o sol voltasse a nascer ele não traria a vida para a terra, e sim a morte. Traria lanças saxãs, machados saxões e espadas saxãs. Nós rezamos, festejamos e tememos que estivéssemos condenados. E a chuva não parava.

PARTE 2
MYNYDD BADDON

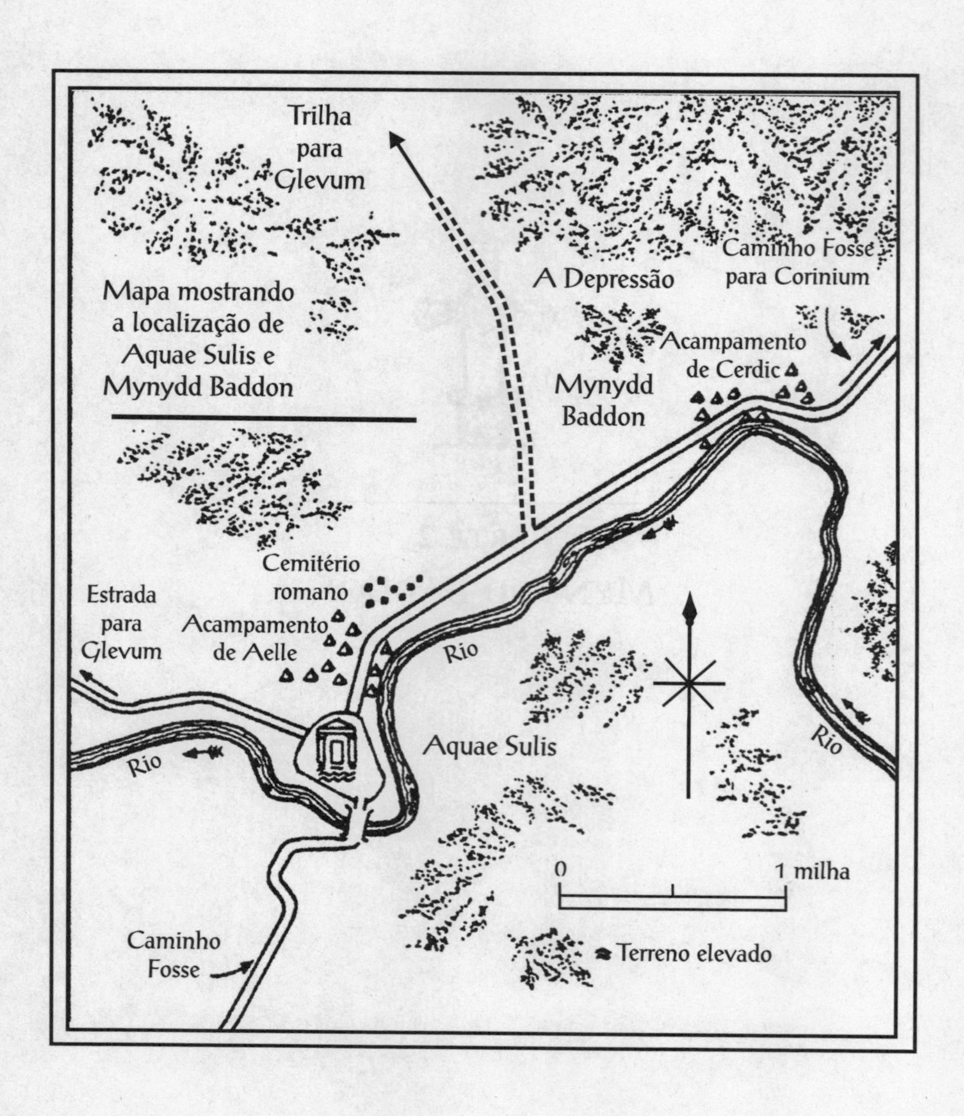

Trilha
para
Glevum
Mapa mostrando
a localização de
Aquae Sulis e
Mynydd Baddon
A Depressão
Caminho Fosse
para Corinium
Acampamento
de Cerdic
Mynydd
Baddon
Cemitério
romano
Estrada
para
Glevum
Acampamento
de Aelle
Rio
Rio
Aquae Sulis
Rio
0
1 milha
Terreno elevado
Caminho
Fosse

— QUEM? — PERGUNTOU IGRAINE assim que leu a primeira folha da última pilha de pergaminhos. Nos últimos meses ela aprendeu um pouco da língua saxã e está muito orgulhosa dessa realização, mas na verdade essa é uma língua bárbara, e muito menos sutil do que o britânico.

— Quem? — ecoei a pergunta.

— Quem foi a mulher que guiou a Britânia para a destruição? Foi Nimue, não foi?

— Se me der tempo para escrever a história, cara senhora, descobrirá.

— Eu sabia que você ia dizer isso. Nem sei por que perguntei. — Ela se sentou no banco da minha janela, com uma das mãos na barriga inchada e a cabeça inclinada de lado, como se estivesse escutando. Depois de um tempo, um olhar de deleite malicioso surgiu em seu rosto. — O bebê está chutando. Quer sentir?

Estremeci.

— Não.

— Por quê?

— Nunca me interessei por bebês.

Ela fez uma careta.

— Você vai adorar o meu, Derfel.

— Vou?

— Ele vai ser lindo!

— Como sabe que é um menino?

— Porque uma menina não consegue chutar assim. Olhe! — E minha rainha alisou o vestido azul sobre a barriga, e riu quando aquele domo esticado estremeceu. — Fale de Argante — disse ela, soltando o vestido.

— Pequena, morena, magra, bonita.

Igraine fez uma careta diante da precariedade de minha descrição.

— Ela era inteligente?

Pensei nisso.

— Ela era dissimulada, portanto sim, tinha uma espécie de inteligência, mas que nunca foi alimentada pela educação.

Minha rainha deu de ombros, com escárnio.

— A educação é tão importante assim?

— Acho que é. Sempre lamento não ter aprendido latim.

— Por quê?

— Porque boa parte da experiência da humanidade foi escrita nessa língua, senhora, e uma das coisas que uma educação nos dá é o acesso a todas as coisas que outras pessoas souberam, temeram, sonharam e alcançaram. Quando a gente está com problemas é útil descobrir alguém que esteve na mesma dificuldade. Isso explica coisas.

— Como o quê?

Dei de ombros.

— Eu me lembro de uma coisa que Guinevere me disse uma vez. Eu não sabia o que significava, porque foi em latim, mas ela traduziu e aquilo explicava Artur exatamente. E nunca esqueci.

— E o que era? Continue.

— *Odi at amo, excrucior* — citei lentamente as palavras estranhas.

— O que significa?

— Eu odeio e amo, isso dói. Um poeta escreveu esse verso, esqueci qual, mas Guinevere leu o poema e um dia, quando estávamos falando de Artur, ela citou o verso. Ela o entendia exatamente, veja bem.

— Argante o entendia?

— Ah, não.

— Ela sabia ler?

— Não sei. Não lembro. Provavelmente não.

— Como ela era?

— Tinha pele muito clara, porque se recusava a sair ao sol. Gostava da noite. E tinha cabelo muito preto, tão brilhante como as penas de um corvo.

— Você disse que ela era pequena e magra?

— Muito magra, e bem baixa, mas a coisa que mais lembro sobre Argante é que sorria muito raramente. Observava tudo e não deixava nada escapar, e sempre havia um ar calculista em seu rosto. As pessoas confundiam esse ar com inteligência, mas não era inteligência. Ela era meramente a mais nova de sete ou oito filhas, por isso vivia preocupada em ser deixada de fora. Ficava o tempo todo procurando a sua parte, e o tempo todo acreditava que não estava recebendo.

Igraine fez uma careta.

— Você faz com que ela pareça horrenda!

— Ela era cobiçosa, amarga e muito jovem, mas também era linda. Tinha uma delicadeza muito tocante. — Parei e suspirei. — Pobre Artur. Ele escolhia muito mal suas mulheres. A não ser Ailleann, claro, mas afinal de contas ele não a escolheu. Ela lhe foi dada como escrava.

— O que aconteceu com Ailleann?

— Morreu na Guerra Saxã.

— Mataram-na? — estremeceu Igraine.

— Morreu de peste. Foi uma morte muito normal.

Cristo!

Esse nome fica estranho na página, mas deixarei aí. Justamente quando Igraine e eu estávamos falando de Ailleann, o bispo Sansum entrou no cômodo. O santo não sabe ler, e como desaprovaria totalmente eu estar escrevendo esta história de Artur, Igraine e eu fingimos que estou fazendo um evangelho na língua saxã. Digo que ele não sabe ler, mas Sansum tem a capacidade de reconhecer algumas palavras, e Cristo é uma delas. Ele parece muito velho ultimamente. Quase todo o cabelo desapareceu, mas ainda tem dois tufos brancos como as orelhas de Lughtigern, o lorde camundongo. Ele sente dor quando urina, mas não admite submeter o corpo às mulheres sábias para a cura, porque afirma que todas são pagãs. Deus, segundo o santo, irá curá-lo, mas às vezes, que Deus me perdoe, rezo para que o santo esteja morrendo, porque então este pequeno mosteiro teria um novo bispo.

— Minha senhora está bem? — perguntou ele a Igraine depois de forçar a vista para este pergaminho.

— Obrigada, bispo, estou.

Sansum olhou em volta, procurando alguma coisa errada, mas não sei o que ele esperava encontrar. O cômodo é muito simples: um catre, uma mesa para escrever, um banco e um fogão. Ele gostaria de me criticar por acender um fogo, mas hoje é um dia de inverno muito ameno, e estou economizando o pouco combustível que o santo me permite ter. Espanou um pouquinho de poeira, decidiu não comentar sobre isso e espiou para Igraine.

— A sua hora deve estar muito próxima, senhora, não é?

— Menos de duas luas, pelo que falam, bispo — disse Igraine e fez o sinal da cruz de encontro ao vestido azul.

— A senhora deve saber, claro, que nossas preces ecoarão pelo céu em seu nome — disse Sansum, sem acreditar em sequer uma palavra.

— Reze também para que os saxões não estejam perto.

— Eles estão? — perguntou Sansum, alarmado.

— Meu marido ouviu dizer que eles estão preparados para atacar Ratae.

— Ratae fica longe — disse o bispo, sem dar importância.

— Um dia e meio? E se Ratae cair, que fortaleza existe entre nós e os saxões?

— Deus irá nos proteger — disse o bispo, inconscientemente ecoando a crença, há muito morta, do piedoso rei Meurig de Gwent —, assim como Deus protegerá a senhora na hora de seu sofrimento. — Ele ficou mais alguns minutos, mas não tinha realmente o que fazer com nenhum de nós dois. Ultimamente o santo está entediado. Ele carece de alguma maldade para fomentar. O irmão Maelgwyn, que era o mais forte de nós e realizava a maior parte do trabalho físico do mosteiro, morreu há algumas semanas e, com seu falecimento, o bispo perdeu um dos seus alvos prediletos para o escárnio. Ele tem pouco prazer em me atormentar porque suporto com paciência seu desprezo e, além disso, estou protegido por Igraine e seu marido.

Finalmente Sansum foi embora e Igraine fez uma careta para as costas dele.

— Fale, Derfel — disse ela quando o santo estava fora do alcance da audição —, o que devo fazer para o parto?

— Por que está perguntando a mim? — falei, perplexo. — Nada sei sobre dar à luz, graças a Deus! Nunca vi uma criança nascer, e não quero.

— Mas você sabe sobre as coisas antigas — disse ela, ansiosa —, é isso que quero dizer.

— As mulheres do seu *caer* saberão muito mais do que eu, mas sempre que Ceinwyn dava à luz nos certificávamos de haver ferro na cama, urina de mulher na soleira da porta, artemísia no fogo e, claro, tínhamos uma menina virgem pronta para levantar a criança da palha do nascimento. Mais importante que tudo — prossegui, sério —, não deve haver homens no cômodo. Nada traz tanto azar quanto ter um homem presente na hora do parto. — Toquei o prego que se projetava em minha mesa, para evitar a má sorte de sequer mencionar uma circunstância tão aziaga. Nós, cristãos, claro, não acreditamos que tocar o ferro afetará qualquer sina, seja ela boa ou má, mas mesmo assim a cabeça de prego em minha mesa está bastante polida, de tanto ser tocada. — É verdade o que disse sobre os saxões?

Igraine assentiu.

— Eles estão chegando mais perto, Derfel.

Esfreguei de novo a cabeça de prego.

— Então diga ao seu marido para ter lanças afiadas.

— Ele não precisa de aviso — retrucou ela em tom sombrio.

Imagino se algum dia a guerra vai terminar. Enquanto vivi, os britânicos lutaram contra os saxões, e mesmo tendo conseguido uma grande vitória sobre eles, nos anos depois dessa vitória tivemos mais terras perdidas e, junto com as terras, as histórias que eram ligadas aos morros e aos vales também se perderam. A história não é apenas uma narrativa dos feitos dos homens, mas é uma coisa ligada à terra. Chamamos um morro com o nome de um herói que morreu lá, ou damos a um rio o nome de uma princesa que fugiu junto às suas margens, e quando os nomes antigos desaparecem, as histórias se vão com eles, e os novos nomes não trazem lembranças do passado. Os saxões tomam nossa terra e nossa história. Espalham-se como um contágio, e não temos mais Artur para nos proteger. Artur, o flagelo dos saxões, senhor da Britânia e o homem que foi mais machucado pelo amor do que por espada ou lança. Como tenho saudades de Artur!

O solstício de inverno é quando rezávamos para que os Deuses não abandonassem a terra à grande escuridão. Nos mais negros dos invernos essas orações pareciam pedidos desesperados, e isso nunca foi mais verdadeiro do que no ano antes de os saxões atacarem, quando nosso mundo estava amortalhado sob uma concha de gelo e neve compactada. Para aqueles de nós que eram adeptos de Mitra o solstício tinha um significado duplo, porque também era a ocasião do nascimento de nosso Deus, e depois da grande festa de solstício em Dun Caric levei Issa para o oeste, até as cavernas onde realizávamos nossas cerimônias mais solenes, e ali o iniciei no culto a Mitra. Ele suportou com sucesso as provas e foi recebido naquele grupo de guerreiros de elite que guardavam os mistérios do Deus. Depois festejamos. Naquele ano matei o touro, primeiro cortando o tendão do jarrete do animal, para que ele não pudesse se mexer, depois golpeando com o machado, dentro da caverna baixa, para cortar sua coluna. Lembro que o touro tinha o fígado encolhido, o que foi visto como mau presságio, mas não havia bons presságios naquele inverno frio.

Quarenta homens compareceram aos rituais, apesar do inverno cortante. Artur, apesar de iniciado há muito, não compareceu, mas Sagramor e Culhwch tinham vindo de seus postos de fronteira para as cerimônias. No fim da festa, quando a maioria dos guerreiros dormia com os efeitos do hidromel, nós três nos recolhemos a um túnel comprido onde a fumaça não estava densa e onde pudemos conversar particularmente.

Tanto Sagramor quanto Culhwch tinham certeza de que os saxões atacariam diretamente pelo vale do Tâmisa.

— O que ouvi contar — disse Sagramor — é que eles estão enchendo Londres e Pontes com comida e suprimentos. — Ele parou para tirar com os dentes um pouco de carne de um osso. Fazia meses que eu não via Sagramor e achei sua companhia tranquilizadora; o númida era o mais forte e temível comandante guerreiro de Artur e sua capacidade se refletia no rosto estreito como um machado. Ele era o mais leal dos homens, um amigo sólido e um maravilhoso contador de histórias, mas acima de tudo era um guerreiro natural, capaz de ser mais esperto e lutar melhor do que qualquer inimigo. Os saxões tinham pavor de Sagramor, acreditando que ele era um demônio negro vindo do Outro Mundo deles. Ficávamos felizes por eles viverem num medo tão atordoante, e era um conforto saber que, mesmo em número inferior, tínhamos sua espada e seus lanceiros experientes do nosso lado.

— Cerdic não vai atacar no sul? — perguntei.

Culhwch balançou a cabeça.

— Ele não está demonstrando isso. Nada se mexe em Venta.

— Eles não confiam um no outro — disse Sagramor sobre Cerdic e Aelle. — Um não ousa deixar o outro fora das vistas. Cerdic teme que subornemos Aelle, e Aelle teme que Cerdic o trapaceie com os espólios, de modo que vão ficar mais próximos do que irmãos.

— Então o que Artur vai fazer? — perguntei.

— Esperávamos que você dissesse — respondeu Culhwch.

— Atualmente Artur não tem conversado comigo — falei, não me incomodando em esconder o azedume.

— Então somos dois — resmungou Culhwch.

— Três — disse Sagramor. — Ele me procura, faz perguntas, participa dos ataques e depois vai embora. Não diz nada.

— Esperemos que ele esteja pensando — falei.

— Está ocupado demais com a nova esposa, provavelmente — sugeriu Culhwch azedamente.

— Você a conheceu? — perguntei.

— É um bichinho irlandês — disse ele sem dar importância — com garras. — Culhwch contou que tinha visitado Artur e sua nova esposa no caminho para a reunião de Mitra. — Ela é bastante bonita — falou de má vontade. — Se você pegasse a escrava dela, provavelmente desejaria que ela ficasse na sua cozinha durante um tempo. Bom, eu desejaria. Você não, Derfel. — Culhwch costumava me provocar pela lealdade a Ceinwyn, ainda que minha fidelidade não fosse muito incomum. Sagramor tinha tomado como esposa uma saxã capturada e, como eu, era famoso pela lealdade à mulher. — De que adianta um touro que só serve a uma vaca? — perguntou Culhwch, mas nenhum de nós respondeu à provocação.

— Artur está com medo — disse Sagramor. Ele fez uma pausa, juntando os pensamentos. O númida falava bem a língua britânica, ainda que com um sotaque terrível, mas esta não era a sua língua natural, e ele frequentemente falava devagar para se certificar de que estava expressando suas ideias exatas. — Ele desafiou os Deuses, e não somente no Mai Dun e sim tomando o poder de Mordred. Os cristãos o odeiam, e agora os pagãos dizem que ele é seu inimigo. Vocês percebem como isso o deixa solitário?

— O problema com Artur é que ele não acredita nos Deuses — disse Cullhwch.

— Artur acredita em si mesmo — disse Sagramor — e quando Guinevere o traiu, ele levou um golpe no coração. Sente vergonha. Perdeu boa parte do orgulho, e é um homem orgulhoso. Acha que todos rimos dele, por isso fica distante de nós.

— Eu não rio dele — protestei.

— Eu sim — disse Culhwch, fazendo uma careta quando esticou a perna ferida. — Desgraçado estúpido. Deveria ter batido com o cinto da espada nas costas de Guinevere algumas vezes. Isso teria ensinado uma lição àquela vaca.

— Agora ele teme a derrota — disse Sagramor, tranquilamente ignorando a opinião previsível de Culhwch. — Afinal de contas, o que ele é, senão um soldado? Artur gosta de pensar que é um homem bom, que governa porque é um líder natural, mas é a espada que o levou ao poder. Dentro da alma ele sabe disso, e se perder esta guerra perde a coisa que mais lhe importa: sua reputação. Ele será lembrado como o usurpador que não foi suficientemente bom para manter o que usurpou. Ele se aterroriza com uma segunda derrota por causa da reputação.

— Talvez Argante possa curar a primeira derrota — falei.

— Duvido — disse Sagramor. — Galahad me disse que Artur não queria realmente se casar com ela.

— Então por que se casou? — perguntei, carrancudo.

Sagramor deu de ombros.

— Para desagradar Guinevere? Para agradar Oengus? Para nos mostrar que não precisa de Guinevere?

— Para se enroscar com uma garota bonita? — sugeriu Culhwch.

— Se é que ele faz isso — disse Sagramor.

Culhwch olhou para o númida, num choque aparente.

— Claro que faz — disse Culhwch.

Sagramor balançou a cabeça.

— Ouvi dizer que não. Só boatos, claro, e o boato é menos digno de confiança quando fala de um homem com sua mulher. Mas acho que essa princesa é jovem demais para o gosto de Artur.

— Elas nunca são jovens demais — resmungou Culhwch. Sagramor apenas deu de ombros. Ele era muito mais sutil do que Culhwch, o que lhe dava um entendimento muito maior sobre Artur, que gostava de parecer muito reto, mas cuja alma na verdade era tão complicada quanto as curvas sinuosas e os dragões recurvados que decoravam a lâmina de Excalibur.

Separamo-nos de manhã, com as lâminas das lanças e das espadas ainda vermelhas do sangue do touro sacrificado. Issa estava empolgado. Há alguns anos ele havia sido um garoto do campo, mas agora era um adepto de Mitra e logo, pelo que me disse, seria pai, já que Scarach, sua mulher, estava grávida. Cheio de confiança pela iniciação em Mitra, de repente Issa tinha certeza de que podíamos vencer os saxões sem a ajuda de Gwent, mas eu não tinha essa crença. Eu podia não gostar de Guinevere, mas nunca a achei uma tola, e estava preocupado com sua previsão de que Cerdic atacaria no sul. A alternativa fazia sentido, claro; Cerdic e Aelle eram aliados relutantes e gostariam de ficar de olho um no outro. Um ataque avassalador ao longo do Tâmisa seria o caminho mais rápido para chegar ao mar de Severn e rachar os reinos britânicos em duas partes. E por que os saxões sacrificariam a vantagem numérica dividindo suas forças em dois exércitos menores que Artur poderia derrotar um depois do outro? Mas se Artur esperasse apenas um ataque, e só se guardasse contra esse ataque, as vantagens de uma investida no sul eram gigantescas. Enquanto Artur estivesse embolado com um exército saxão no vale do Tâmisa, o outro poderia dar a volta em seu flanco direito e chegar ao Severn quase sem oposição. Mas Issa não estava preocupado com essas coisas. Só se imaginava na parede de escudos onde, enobrecido pela aceitação de Mitra, cortaria saxões como um agricultor colhia feno.

O tempo continuou frio depois da época do solstício. Um dia após outro amanhecia gelado e pálido, com o sol parecendo pouco mais do que um disco avermelhado pairando baixo nas nuvens do sul. Lobos penetravam nas fazendas, caçando as ovelhas que tínhamos prendido nos currais temporários, e num dia glorioso pegamos seis das grandes feras cinzentas, garantindo assim seis novas caudas para os elmos dos meus guerreiros. Meus homens começaram a usar essas caudas no topo dos elmos nas profundas selvas da Armórica, onde havíamos lutado contra os francos. E como os tínhamos assediado como animais de rapina, eles nos chamavam de lobos, e tomamos o insulto como elogio. Éramos os Caudas de lobos, ainda que nossos escudos, em vez de ostentar uma máscara de lobo, fossem pintados com uma estrela de cinco pontas como um tributo a Ceinwyn.

Ceinwyn ainda insistia em que não fugiria para Powys na primavera. Morwenna e Seren podiam ir, dizia, mas ela permaneceria. Fiquei com raiva dessa decisão.

— Então as meninas podem perder a mãe e o pai ao mesmo tempo? — perguntei.

— Se for isso que os Deuses decretarem, sim — disse ela placidamente, depois deu de ombros. — Posso estar sendo egoísta, mas é o que quero.

— Quer morrer? Isso é egoísmo?

— Não quero estar tão longe, Derfel. Você sabe como é estar num país distante quando seu homem está lutando? A gente espera com terror. Teme cada mensageiro. Ouve cada boato. Desta vez vou ficar.

— Para me dar mais uma preocupação?

— Que homem arrogante você é — disse ela calmamente. — Acha que não sei cuidar de mim?

— Esse anelzinho não irá mantê-la a salvo dos saxões — falei, apontando para a lasca de ágata em seu dedo.

— Então eu mesma me manterei a salvo. Não se preocupe, Derfel, não estarei incomodando você e não me permitirei ser tomada em cativeiro.

No dia seguinte, os primeiros cordeiros nasceram num aprisco sob o morro de Dun Caric. Era muito cedo para esses nascimentos, mas tomei como bom sinal dos Deuses. Antes que Ceinwyn pudesse proibir, o primeiro cordeiro nascido foi sacrificado para garantir que o resto da temporada fosse boa. A pele ensanguentada do animalzinho foi pregada num salgueiro ao lado do riacho e debaixo dela, no dia seguinte, um acônito floresceu, suas pequenas pétalas amarelas sendo o primeiro clarão de cor na virada do ano. Naquele dia também vi três martins-pescadores adejando perto das margens geladas do riacho. A vida estava se agitando. De madrugada, após os galos nos acordarem, de novo podíamos ouvir as canções de tordos, papos-roxos, cotovias, garriças e pardais.

Artur mandou nos chamar duas semanas depois do nascimento daqueles primeiros cordeiros. A neve havia derretido, e seu mensageiro pelejara pelas estradas lamacentas para trazer a convocação que exigia nossa presença no palácio de Lindinis. Deveríamos estar lá para a festa de Imbolc, a primeira festividade depois do solstício e que é dedicada à Deusa da fertilidade. Na festa de Imbolc empurramos cordeiros recém-nascidos através de aros em chamas e depois — quando acham que ninguém está olhando — as meninas saltam através dos aros incendiados e tocam com os dedos as cinzas dos fogos de Imbolc, para depois passar o pó cinzento entre as coxas. Uma criança nascida em novembro é chamada de filha de Imbolc, e tem a cinza como mãe e o fogo como pai. Ceinwyn e eu chegamos na tarde da véspera da festa de Imbolc, enquanto o sol invernal lançava sombras compridas sobre a grama pálida. Os lanceiros de Artur rodeavam o palácio, guardando-o contra a hostilidade mal-humorada das pessoas que se lembravam de Merlin invocando magicamente a garota brilhante no pátio.

Para minha surpresa, descobri que o pátio estava preparado para a festa de Imbolc. Artur nunca havia se importado com essas coisas, deixando as observações mais religiosas para Guinevere, e ela nunca havia comemorado os grosseiros festivais campestres como Imbolc; mas agora um grande aro de palha trançada estava pronto para as chamas no centro do pátio, enquanto alguns cordeiros recém-nascidos estavam presos junto das mães num pequeno cercado temporário. Culhwch nos recebeu, dando um olhar maroto para o aro.

— Uma chance de ter outro bebê — falou a Ceinwyn.

— Por que outro motivo eu estaria aqui? — respondeu ela, dando-lhe um beijo. — E quantos você tem agora?

— Vinte e um — disse ele, orgulhoso.

— De quantas mães?

— Dez. — Ele riu, depois deu um tapa nas minhas costas. — Nós receberemos as ordens amanhã.

— Nós?

— Você, eu, Sagramor, Galahad, Lanval, Balin, Morfans... — Culhwch deu de ombros. — Todo mundo.

— Argante está aqui? — perguntei.

— Quem você acha que aprontou o aro? Isso tudo é ideia dela. Ela trouxe um druida da Demétia, e antes de comermos esta noite temos de cultuar Nantosuelta.

— Quem? — perguntou Ceinwyn.

— Uma Deusa — disse Culhwch sem dar importância. Havia tantos Deuses e Deusas que era impossível para qualquer um que não fosse druida saber todos os nomes, e nem Ceinwyn nem eu tínhamos ouvido falar de Nantosuelta.

Também não vimos Artur ou Argante até depois de escurecer, quando Hygwydd, o serviçal de Artur, nos convocou a todos para o pátio iluminado com tochas embebidas em piche, acesas em seus suportes de ferro. Lembrei-me da noite de Merlin naquele lugar, e da multidão espantada que levantava seus aleijados e bebês doentes para Olwen, a Prateada. Agora uma assembleia de lordes e suas esposas esperava sem jeito de cada lado do aro trançado, enquanto num tablado na extremidade oeste do pátio havia três cadeiras cobertas de tecido branco. Um druida estava ao lado do aro e presumi que fosse o feiticeiro que Argante tinha mandado vir do reino de seu pai. Era um homem baixo, atarracado, com barba preta revolta onde estavam trançados tufos de pelo de raposa e pequenos punhados de ossos.

— Ele se chama Fergal — disse-me Galahad — e odeia os cristãos. Passou a tarde inteira lançando feitiços contra mim, depois Sagramor apareceu e Fergal quase desmaiou de horror. Ele pensou que fosse Crom Dubh que tivesse chegado pessoalmente. — Galahad riu.

Sagramor realmente poderia ter sido aquele Deus escuro, porque estava vestido de couro preto e tinha uma espada com bainha preta pendurada na cintura. Viera a Lindinis com sua grande e plácida esposa saxã, Malla, e os dois estavam separados do resto de nós no lado mais distante do pátio. Sagramor cultuava Mitra, mas tinha pouco tempo para os Deuses britânicos, ao passo que Malla ainda cultuava Woden, Eostre, Thunor, Fir e Seaxnet: todas divindades saxãs.

Todos os líderes de Artur estavam ali, mas enquanto esperava por ele pensei nos homens que faltavam. Cei, que havia crescido com Artur na distante Gwynedd, tinha morrido em Isca da Dumnonia durante a rebelião de Lancelot. Foi assassinado por cristãos. Agravain, que durante anos fora o comandante dos cavaleiros de Artur, morrera durante o inverno, derrubado por uma febre. Balin tinha assumido as tarefas de Agravain e trouxera três esposas para Lindinis, junto com uma tribo de pequenas crianças atarracadas que olhavam horrorizadas para Morfans, o homem mais feio da Britânia, cujo rosto agora era tão familiar para o resto de nós que não percebíamos mais seu lábio leporino, o bócio no pescoço ou o maxilar torto. A não ser por Gwydre, que ainda era menino, eu provavelmente era o homem mais novo ali, e essa percepção me chocou. Precisávamos de novos comandantes guerreiros, e naquele momento decidi que daria a Issa seu próprio bando de homens assim que terminasse a guerra com os saxões. Se Issa vivesse. Se eu vivesse.

Galahad estava cuidando de Gwydre e os dois vieram ficar com Ceinwyn e comigo. Galahad sempre fora um homem bonito, mas agora, chegando à idade madura, essa boa aparência assumia uma nova dignidade. Seu cabelo tinha se transformado do ouro luminoso em cinzento, e agora ele usava uma pequena barba pontuda. Sempre fôramos íntimos, mas naquele inverno difícil ele provavelmente esteve mais próximo de Artur do que todo mundo. Galahad não estivera presente no palácio do mar para ver a vergonha dele, e isso, junto com sua calma simpatia, o tornava aceitável para Artur. Ceinwyn, mantendo a voz baixa para que Gwydre não ouvisse, perguntou-lhe como Artur estava.

— Gostaria de saber — disse Galahad.

— Sem dúvida está feliz — observou Ceinwyn.

— Por quê?

— Com uma nova esposa...

Galahad sorriu.

— Quando um homem faz uma jornada, cara senhora, e tem o cavalo roubado no meio do caminho, ele frequentemente compra um substituto muito apressadamente.

— E depois disso não o monta, é o que ouvi? — intervim brutalmente.

— Ouviu isso, Derfel? — respondeu Galahad, sem confirmar nem negar o boato. Ele sorriu. — O casamento é um enorme mistério para mim — acrescentou vagamente.

O próprio Galahad nunca tinha se casado. Na verdade nunca havia se estabelecido num lugar desde que Ynys Trebes, seu lar, caíra diante dos francos. Desde então estava na Dumnonia, e vira uma geração de crianças crescerem até ficar adultas, mas ainda parecia um visitante. Tinha aposentos no palácio da Durnovária, mas mantinha pouca mobília e escasso conforto. Viajava fazendo serviços para Artur, percorrendo toda a Britânia para resolver problemas com outros reinos, ou então cavalgando com Sagramor em ataques na fronteira saxã, e parecia mais feliz quando estava assim ocupado. Algumas vezes eu suspeitava de que ele era apaixonado por Guinevere, mas Ceinwyn sempre zombou desse pensamento. Segundo ela, Galahad estava apaixonado pela perfeição, e era exigente demais para amar uma mulher real. Ele amava a ideia das mulheres, segundo Ceinwyn, mas não podia suportar a realidade da doença, do sangue e da dor. Não mostrava nojo dessas coisas na batalha, mas isso, segundo Ceinwyn, era porque na batalha eram os homens que sangravam e que eram falíveis, e Galahad nunca havia idealizado os homens, só as mulheres. E talvez ela estivesse certa. Eu só sabia que às vezes meu amigo devia estar solitário, mas ele nunca reclamava.

— Artur tem muito orgulho de Argante — disse ele em tom ameno, mas sugerindo que havia deixado algo sem dizer.

— Entretanto ela não é nenhuma Guinevere? — sugeri.

— Ela certamente não é uma Guinevere — concordou Galahad, grato por eu ter verbalizado o pensamento —, mas de certa forma não é muito diferente dela.

— De que forma? — perguntou Ceinwyn.

— Ela tem ambições — disse Galahad de modo dúbio. — Acha que Artur deveria entregar a Silúria ao pai dela.

— A Silúria não é para ser entregue! — falei.

— Não — concordou Galahad —, mas Argante acha que ele deve conquistá-la.

Cuspi. Para conquistar a Silúria, Artur teria de lutar com Gwent e até com Powys, os dois países que governavam o território em conjunto.

— Louca — falei.

— Ambiciosa, ainda que pouco realista — corrigiu Galahad.

— Você gosta de Argante? — perguntou Ceinwyn diretamente.

Ele foi poupado da resposta porque a porta do palácio se abriu de súbito e finalmente Artur apareceu. Estava vestido com o branco costumeiro e seu rosto, que tinha ficado tão magro nos últimos meses, parecia subitamente velho. Esse era um destino cruel, porque ao seu braço, vestida de ouro, estava a nova esposa, e aquela nova esposa era pouco mais do que uma criança.

Foi a primeira vez que vi Argante, a princesa dos Uí Liatháin e irmã de Isolda, e de muitas maneiras se parecia com a malfadada Isolda. Argante era uma criatura frágil situada entre a menina e a mulher, e naquela noite da véspera da festa de Imbolc ela parecia mais perto da infância do que da vida adulta, porque estava envolta num grande manto de tecido rígido que sem dúvida já pertencera a Guinevere. Decerto que o manto era grande demais para Argante, que caminhava desajeitadamente nas dobras douradas. Lembrei-me de ter visto sua irmã cheia de joias e de ter pensado que Isolda parecia uma criança enfeitada com o ouro da mãe, e Argante dava a mesma impressão de estar fantasiada para uma peça e, como uma criança que fingia ser adulta, portava-se com uma solenidade concentrada para desafiar a falta inata de dignidade. Usava os cabelos pretos e brilhantes numa trança comprida enrolada na cabeça, presa com um broche de azeviche, da mesma cor dos temidos escudos dos guerreiros de seu pai, e o estilo adulto se ajustava mal ao rosto jovem, assim como o pesado torque de ouro no pescoço parecia grosso demais para a garganta esguia. Artur a levou até o tablado e ali a deixou com uma reverência na cadeira da esquerda — e duvido que tenha havido uma única alma no pátio, fosse hóspede, druida ou guarda, que não pensasse que pareciam pai e filha. Houve uma pausa assim que Argante se sentou. Foi um momento incômodo, como se uma parte do ritual tivesse sido esquecida e uma cerimônia solene corresse o perigo de se tornar ridícula, mas então houve um movimento na porta, um riso contido e Mordred apareceu.

Nosso rei veio mancando com o pé torto, um sorriso maroto no rosto. Como Argante, ele estava representando um papel, mas, diferentemente dela, era um ator a contragosto. Sabia que cada homem no pátio era homem de Artur e que todos o odiavam. E que, enquanto fingiam aceitá-lo como rei, ele vivia apenas porque aqueles homens permitiam. Subiu ao tablado. Artur fez uma reverência e todos repetimos. Mordred, com o cabelo espetado tão indomável como sempre e a barba formando uma franja feia no rosto redondo, fez um pequeno movimento de cabeça e em seguida sentou-se na cadeira do centro. Argante lhe deu um olhar surpreendentemente amigável, Artur ocupou a última cadeira e ali eles ficaram, o imperador, o rei e a noiva-criança.

Eu não conseguia deixar de pensar que Guinevere faria tudo aquilo muito melhor. Teria hidromel quente para beber, mais fogueiras para aquecer e música para abafar os silêncios desajeitados, mas nesta noite ninguém parecia saber o que deveria acontecer, até que Argante sibilou para o druida de seu pai. Fergal olhou em volta, nervoso, depois atravessou o pátio e pegou uma das tochas nos suportes. Usou-a para acender o aro, depois murmurou encantamentos incompreensíveis enquanto as chamas tomavam a palha.

Escravos carregaram os cinco cordeiros recém-nascidos para fora do curral. As ovelhas chamavam dolorosamente os filhotes que se retorciam nos braços dos escravos. Fergal esperou até que o aro formasse um círculo de fogo completo, depois ordenou que os cordeiros fossem empurrados por entre as chamas. A confusão se seguiu. Sem ter ideia de que a fertilidade da Dumnonia dependia de sua obediência, os cordeiros se espalharam em todas as direções, menos na da fogueira, e os filhos de Balin juntaram-se alegres na caçada barulhenta e só conseguiram aumentar a confusão, mas finalmente, um a um, os animaizinhos foram recolhidos e conduzidos na direção do aro, e com o tempo todos os cinco foram persuadidos a pular pelo círculo de fogo, mas nesse momento a pretendida solenidade no pátio tinha sido despedaçada. Argante, que sem dúvida estava acostumada a ver essas cerimônias muito mais bem-realizadas na sua nativa Demétia, franzia a testa, mas o resto de nós ria e conversava. Fergal restaurou a dignidade da noite emitindo subitamente um berro feroz que nos imobilizou a todos. O druida estava parado com a cabeça jogada para trás, de modo a olhar para as nuvens. Na mão direita havia uma larga faca de sílex e, na esquerda, lutando desamparado, um cordeiro.

— Ah, não! — protestou Ceinwyn e em seguida se virou. Gwydre fez uma careta e pus um braço em seu ombro.

Fergal gritou seu desafio para a noite, depois levantou o cordeiro e a faca acima da cabeça. Gritou de novo, depois trucidou o cordeiro, golpeando e rasgando seu corpinho com a faca cega e desajeitada. O cordeiro se debatia cada vez mais fraco, e balia para a mãe que o chamava impotente, e o tempo todo o sangue jorrava de seus pelos para o rosto erguido de Fergal e para sua barba revolta, trançada com ossos e pelo de raposa.

— Fico muito feliz por não morar na Demétia — murmurou Galahad em meu ouvido.

Olhei para Artur enquanto esse sacrifício extraordinário era feito, e vi um ar de absoluta repulsa em seu rosto. Então ele viu que eu o estava olhando e seu rosto se enrijeceu. Argante, com a boca aberta ansiosa, estava inclinada à frente, olhando o druida. Mordred estava rindo.

O cordeiro morreu, e Fergal, para horror de todos nós, começou a dançar no pátio, sacudindo o cadáver e gritando orações. Pingos de sangue caíam em cima de nós. Joguei minha capa em cima de Ceinwyn enquanto o druida, com o rosto cheio de riachos de sangue, passava dançando. Artur claramente não tinha ideia de que esse assassinato bárbaro fora arranjado. Sem dúvida pensava que sua nova esposa havia planejado alguma cerimônia decorosa para preceder a festa, mas o rito havia se transformado numa orgia de sangue. Todos os cinco cordeiros foram trucidados, e quando a última garganta foi cortada pela negra faca de sílex, Fergal recuou e fez um gesto para o aro.

— Nantosuelta espera vocês — gritou para nós. — Aqui está ela! Venham para ela! — Sem dúvida ele esperava alguma reação, mas nenhum de nós se mexeu. Sagramor olhou para a lua e Culhwch caçou um piolho na barba. Pequenas chamas tremulavam no aro, e fiapos de palha incendiada flutuavam até onde os cadáveres sangrentos estavam nas pedras do pátio, e ainda nenhum de nós se mexia. — Venham para Nantosuelta! — gritou Fergal, rouco.

Então Argante se levantou. Deixou cair o manto rígido e dourado revelando um vestido simples, de lã azul, que a fazia parecer mais infantil do que nunca. Tinha quadris estreitos, de menino, mãos pequenas e um rosto delicado, tão branco quanto a lã dos carneiros antes que a faca negra tirasse suas pequenas vidas. Fergal gritou para ela:

— Venha, venha para Nantosuelta, Nantosuelta chama você, venha para Nantosuelta — e ele continuou entoando, convocando Argante para a sua Deusa. Argante, agora quase em transe, se adiantou lentamente, cada passo um esforço separado, de modo que ela se movia e parava, movia-se e parava, enquanto o druida a incitava. — Venha para Nantosuelta. Nantosuelta chama você. Venha para Nantosuelta. — Os olhos de Argante estavam fechados. Para ela, pelo menos, aquele era um momento espantoso, mas acho que todos estávamos embaraçados. Artur se mostrava pasmo, e não era de espantar, porque parecia que ele apenas havia trocado Ísis por Nantosuelta, e Mordred, que um dia tivera Argante prometida como noiva, olhava com o rosto ansioso enquanto a garota se adiantava arrastando os pés. — Venha para Nantosuelta. Nantosuelta chama você — chamava Fergal, só que agora sua voz tinha subido a um fingimento de grito feminino.

Argante chegou ao aro e, enquanto o calor das últimas chamas tocava seu rosto, ela abriu os olhos e quase pareceu surpresa ao se ver ao lado do fogo da Deusa. Olhou para Fergal, depois passou rapidamente pelo anel fumegante. Deu um sorriso de triunfo e Fergal bateu palmas para ela, convidando-nos a aplaudir também. Educadamente fizemos isso, ainda que nossas palmas sem entusiasmo tenham cessado assim que Argante se agachou junto aos cordeiros mortos. Todos ficamos em silêncio enquanto ela mergulhava um dedo delicado num dos ferimentos da faca. Ela tirou o dedo e o ergueu para que todos pudéssemos ver o sangue grosso na ponta. Depois se virou para que Artur visse. Encarou-o enquanto abria a boca, mostrando dentes pequenos e brancos, depois lentamente pôs o dedo entre os dentes e fechou os lábios em volta. Chupou-o até limpar. Vi que Gwydre estava olhando incrédulo para a madrasta. Argante não era muito mais velha do que ele. Ceinwyn estremeceu, sua mão agarrando a minha firmemente.

Argante ainda não tinha terminado. Virou-se, com o dedo de novo com sangue, e o enfiou nas brasas quentes do aro. Depois, ainda agachada, enfiou a mão debaixo da bainha do vestido azul, transferindo o sangue e as cinzas para as coxas. Estava garantindo que teria bebês. Estava usando o poder de Nantosuelta para começar sua dinastia, e todos éramos testemunhas dessa ambição. Seus olhos se reviraram de novo, quase em êxtase, depois, subitamente, o ritual estava terminado. Ela se levantou, de novo com a mão visível, e chamou Artur. Sorriu pela primeira vez naquela noite e vi que ela era linda, mas de uma beleza cortante, tão dura a seu modo quanto a de Guinevere, mas sem os cabelos emaranhados e brilhantes de Guinevere para suavizá-la.

Ela chamou Artur de novo, porque parecia que o ritual exigia que ele também passasse pelo aro. Por um segundo ele hesitou, depois olhou para Gwydre e, incapaz de suportar mais a superstição, levantou-se e balançou a cabeça.

— Vamos comer — falou asperamente, depois suavizou o convite peremptório rindo para os convidados; mas naquele momento olhei para Argante e vi um olhar de fúria absoluta em seu rosto pálido. Durante um segundo pensei que ela gritaria com Artur. Seu corpo pequeno estava tenso, rígido, os punhos trincados. Mas Fergal, o único além de mim que parecia ter notado sua raiva, sussurrou em seu ouvido e ela estremeceu enquanto a fúria passava. Artur não tinha notado nada. — Tragam as tochas — ordenou aos guardas, e as chamas foram carregadas para dentro do palácio, iluminando o salão de festas. — Venham — gritou Artur para o resto de nós e, agradecidamente, nos dirigimos às portas do palácio. Argante hesitou, mas de novo Fergal sussurrou e ela obedeceu ao chamado de Artur. O druida ficou ao lado do aro fumegante.

Ceinwyn e eu fomos os últimos convidados a deixar o pátio. Algum impulso tinha me contido, e toquei o braço dela e puxei-a para a sombra da arcada, de onde vimos que mais uma pessoa permanecera no pátio. Agora, quando o lugar parecia vazio e restavam apenas as ovelhas balindo e o druida encharcado em sangue, essa pessoa saiu das sombras. Era Mordred. Ele passou mancando pelo tablado, atravessou o pátio e parou junto ao aro. Por um instante, ele e o druida se encararam, depois Mordred fez um gesto desajeitado com a mão, como se pedisse permissão para atravessar os restos do círculo de fogo. Fergal hesitou, depois assentiu abruptamente. Mordred baixou a cabeça e passou pelo aro. Parou do outro lado e molhou o dedo com sangue, mas não esperei para ver o que ele fez. Puxei Ceinwyn para o palácio, onde as chamas enfumaçadas iluminavam as grandes pinturas murais de Deuses romanos e caçadas romanas.

— Se servirem cordeiro — disse Ceinwyn —, eu me recuso a comer.

Artur serviu salmão, javali e veado. Uma harpista tocou. Mordred, sem que percebessem sua chegada tardia, ocupou o lugar na mesa principal onde sentou-se com um sorriso maroto no rosto grosseiro. Não falou com ninguém e ninguém falou com ele, mas às vezes olhava para a pálida e magra Argante, a única pessoa no salão que parecia não sentir prazer com a festa. Eu a vi captar o olhar de Mordred uma vez e eles deram de ombros exasperadamente, como a sugerir que desprezavam o resto de nós, mas, a não ser por esse único olhar, ela meramente ficou mal-humorada e Artur sentiu-se embaraçado pela esposa, enquanto o resto de nós fingia não notar. Mordred, claro, adorou a rabugice dela.

Na manhã seguinte fomos caçar. Éramos doze, todos homens. Ceinwyn gostava de caçar, mas Artur tinha pedido que ela passasse a manhã com Argante, e Ceinwyn concordara com relutância.

Fomos para a floresta no oeste, ainda que sem muita esperança, já que Mordred costumava caçar entre aquelas árvores e o mestre de caça duvidava que encontrássemos animais. Os cães veadeiros de Guinevere, agora sob os cuidados de Artur, saltavam entre os troncos pretos e conseguiram assustar uma corça que nos fez dar um belo galope pela floresta, mas o mestre de caça chamou os cães de volta quando viu que ela estava grávida. Artur e eu tínhamos cavalgado tangenciando a caçada, pensando em cortar o caminho da presa na borda da floresta, mas puxamos as rédeas quando ouvimos as trompas. Artur olhou em volta, como se esperasse encontrar mais companhia, depois resmungou quando viu que eu estava sozinho com ele.

— Negócio estranho ontem à noite — falou sem jeito. — Mas as mulheres gostam dessas coisas — acrescentou, como se não desse importância.

— Ceinwyn não gosta.

Ele me lançou um olhar cortante. Devia estar imaginando se ela havia me contado sobre a proposta de casamento, mas meu rosto não traía coisa alguma, e ele deve ter decidido que Ceinwyn não tinha falado.

— Não — disse ele. E hesitou de novo, depois deu uma gargalhada sem jeito. — Argante acha que eu deveria ter atravessado as chamas como um modo de marcar meu casamento, mas eu lhe disse que não preciso de cordeiros mortos para me dizer que estou casado.

— Não tive a chance de parabenizá-lo pelo casamento — falei formalmente —, então permita-me fazer isso agora. Ela é uma moça linda.

Isso o agradou.

— É mesmo — disse e ficou ruborizado. — Mas não passa de uma criança.

— Culhwch diz que elas devem ser tomadas jovens, senhor — falei tranquilamente.

Ele ignorou minha leviandade.

— Eu não pretendia me casar — falou em voz baixa e fiquei quieto. Artur não estava me encarando, olhava por sobre os campos sem cultivo. — Mas um homem deve ser casado — falou com firmeza, como se tentasse se convencer.

— De fato.

— E Oengus ficou entusiasmado. Na primavera, Derfel, ele trará seu exército. E os Escudos Pretos são bons lutadores.

— Não poderiam ser melhores, senhor — falei, mas refleti que Oengus teria trazido seus guerreiros quer Artur tivesse se casado com Argante ou não. O que Oengus realmente queria, claro, era a aliança de Artur contra Cuneglas e Powys, cujas terras os lanceiros de Oengus viviam atacando, mas sem dúvida o ardiloso rei irlandês tinha sugerido a Artur que o casamento garantiria a chegada dos Escudos Pretos à campanha da primavera. Com certeza o casamento fora arranjado às pressas, e agora, com igual certeza, Artur estava arrependido.

— Ela quer filhos, claro — disse Artur, ainda pensando nos rituais horrendos que tinham ensanguentado o pátio de Lindinis.

— O senhor não quer?

— Ainda não — disse ele peremptoriamente. — É melhor esperar, acho, até que acabe o problema com os saxões.

— Por falar nisso, eu tenho um pedido de *lady* Guinevere. — Artur me lançou outro olhar incisivo, mas ficou quieto. — Guinevere teme ficar vulnerável se os saxões atacarem no sul. Ela implora que o senhor mude sua prisão para um local mais seguro.

Artur se inclinou à frente, para acariciar a orelha de seu cavalo. Eu tinha esperado que ficasse raivoso com a menção a Guinevere, mas ele não mostrou irritação.

— Os saxões podem atacar no sul — disse em tom afável. — Na verdade, espero que façam isso, porque irão dividir suas forças e poderemos pegar uma parte de cada vez. Mas o perigo maior, Derfel, é se fizerem um único ataque ao longo do Tâmisa. E preciso planejar para o perigo maior, e não para o menor.

— Mas sem dúvida não seria prudente transferir o que for valioso do sul da Dumnonia?

Ele se virou para me olhar. Sua expressão era zombeteira, como se me desprezasse por demonstrar simpatia por Guinevere.

— Ela é valiosa, Derfel? — Não falei nada e Artur se virou para o outro lado, olhando por sobre os campos pálidos onde tordos e melros caçavam minhocas no mato baixo. — Será que devo matá-la? — perguntou subitamente.

— Matar Guinevere? — respondi, chocado com a sugestão, depois decidi que Argante provavelmente estava por trás das suas palavras. Ela devia se ressentir por Guinevere ainda estar viva depois de ter cometido uma ofensa pela qual sua irmã tinha morrido. — A decisão não é minha, senhor, mas se era a morte que ela merecia, isso não deveria ter sido dado há meses? Não agora.

Ele fez uma careta diante do conselho.

— O que os saxões farão com ela? — perguntou.

— Guinevere acha que irão estuprá-la. Suspeito de que a colocarão num trono.

Ele se virou sombrio para a paisagem pálida. Sabia que eu estava falando do trono de Lancelot, e estava imaginando o embaraço de ver seu inimigo mortal no trono da Dumnonia com Guinevere ao lado, e Cerdic mantendo o poder. Era um pensamento insuportável.

— Se ela correr qualquer risco de ser capturada — falou asperamente —, você irá matá-la.

Eu mal podia acreditar no que tinha ouvido. Encarei-o, mas ele se recusou a me fitar nos olhos.

— Sem dúvida é mais simples levá-la para um lugar seguro, não é? Ela não pode ir para Glevum?

— Já tenho o bastante com que me preocupar sem perder tempo pensando na segurança de traidores — disse ele rispidamente. Durante alguns momentos seu rosto pareceu mais furioso do que eu já vira, mas então ele balançou a cabeça e suspirou. — Sabe quem invejo?

— Diga, senhor.

— Tewdric.

Eu ri.

— Tewdric! O senhor quer ser um monge constipado?

— Ele é feliz — disse Artur com firmeza. — Ele encontrou a vida que sempre desejou. Não quero a tonsura e não me importo com o Deus dele, mas mesmo assim o invejo. — Artur fez uma careta. — Eu me desgasto me preparando para uma guerra em que ninguém além de mim acredita que possamos vencer, e não a quero. Nem um pouco! Mordred deveria ser rei, juramos torná-lo rei, e se vencermos os saxões, Derfel, eu o deixarei governar. — Ele falava desafiadoramente, e não acreditei. — Tudo que sempre quis era uma casa, um pouco de terra, algumas cabeças de gado, plantar segundo as estações, lenha para queimar, uma forja para trabalhar o ferro, um riacho para pegar água. Isso é demais? — Ele raramente cedia à autopiedade, e simplesmente deixei sua raiva se esgotar. Frequentemente ele havia expressado esse sonho de um lar dentro de uma paliçada, escondido do mundo por florestas densas e amplos campos, e cheio de sua gente, mas agora, com Cerdic e Aelle juntando as lanças, ele devia saber que era um sonho desesperançado. — Não posso sustentar a Dumnonia para sempre, e quando tivermos vencido os saxões pode ser a hora de deixar outros homens cuidarem de Mordred. Quanto a mim, vou acompanhar Tewdric até a felicidade. — Ele puxou as rédeas. — Não posso pensar em Guinevere agora, mas se ela estiver correndo perigo, cuide disso. — E com essa ordem curta ele bateu os calcanhares e impeliu o animal para longe.

Fiquei onde estava. Sentia-me perplexo, mas se tivesse pensado em sua ordem para além da repulsa que eu sentia, certamente saberia o que estava em sua mente. Ele sabia que eu não mataria Guinevere, e portanto sabia que ela estava em segurança, mas ao me dar a ordem áspera Artur não tinha precisado trair qualquer afeto por ela. *Odi at amo, excrucior.*

Não matamos nada naquela manhã.

À tarde os guerreiros se reuniram no salão de festas. Mordred estava lá, encurvado na cadeira que servia como seu trono. Não tinha com o que contribuir, já que era um rei sem reino, mas Artur lhe concedeu uma cortesia adequada. Na verdade Artur começou dizendo que, quando os saxões chegassem, Mordred cavalgaria com ele, e que todo o exército lutaria sob o estandarte do dragão vermelho de Mordred. Mordred assentiu. O que mais poderia fazer? De fato, e todos sabíamos, Artur não estava oferecendo a Mordred uma chance de redimir sua reputação em batalha, e sim garantindo que ele não tramasse alguma coisa. A melhor chance de Mordred recuperar o poder era se aliar com nossos inimigos se oferecendo como um rei fantoche para Cerdic, mas em vez disso ele seria prisioneiro dos empedernidos guerreiros de Artur.

Em seguida Artur confirmou que o rei Meurig de Gwent não lutaria. Essa notícia, ainda que não fosse surpresa, foi recebida com um rosnado de ódio. Artur silenciou o protesto. Segundo ele, Meurig estava convencido de que a guerra vindoura não era uma batalha de Gwent, mas o rei ainda não dera a permissão para Cuneglas trazer o exército de Powys pela terra de Gwent, e para Oengus marchar seus Escudos Pretos através de seu reino. Artur nada disse sobre a ambição de Meurig de governar a Dumnonia, talvez porque soubesse que esse anúncio só nos tornaria mais furiosos com o rei de Gwent, e Artur ainda tinha alguma esperança de mudar a ideia de Meurig, por isso não quis provocar mais ódio entre nós e Gwent. As forças de Powys e da Demétia, segundo Artur, iriam se encontrar em Corinium, porque essa cidade romana cercada de muros seria a base de Artur e o local onde todos os nossos suprimentos seriam concentrados.

— Começaremos a mandar suprimentos para Corinium amanhã — disse ele. — Quero a cidade atulhada de comida, porque é lá que lutaremos nossa batalha. — Ele fez uma pausa. — Uma vasta batalha, com todas as forças deles contra cada homem que pudermos juntar.

— Um sítio? — perguntou Culhwch, surpreso.

— Não — disse Artur. E explicou que em vez disso pretendia usar Corinium como isca. Os saxões ouviriam dizer que a cidade estava cheia de carne salgada, peixe seco e grãos, e, como qualquer grande horda em marcha, estariam com pouca comida e seriam atraídos para Corinium como uma raposa para um lago de patos, e ali Artur planejava destruí-los. — Eles irão sitiar a cidade e Morfans irá defendê-la. — Morfans, que já fora alertado dessa tarefa, assentiu. — Mas o resto de nós estaremos nos morros ao norte da cidade. Cerdic saberá que terá de nos destruir, e interromperá o cerco para fazer isso. Então lutaremos com ele no terreno que escolhermos.

Todo o plano dependia de os dois exércitos saxões avançarem pelo vale do Tâmisa, e todos os sinais indicavam que essa era de fato sua intenção. Eles estavam reunindo suprimentos em Londres e Pontes, e não faziam qualquer preparativo na fronteira sul. Culhwch, que guardava essa fronteira, fizera ataques penetrando fundo em Lloegyr e nos disse que não tinha encontrado nenhuma concentração de lanceiros, nem qualquer indicação de que Cerdic estivesse estocando grãos ou carne em Venta ou qualquer das cidades de fronteira. Tudo, segundo Artur, apontava para um ataque único, brutal e avassalador ao longo do Tâmisa, em direção ao litoral do mar de Severn, com a batalha decisiva sendo lutada em algum ponto perto de Corinium. Os homens de Sagramor já tinham construído grandes fogueiras de alerta nos topos dos morros de cada lado do vale do Tâmisa, e mais fogueiras ainda estavam sendo feitas nos morros que se espalhavam ao sul e ao oeste entrando na Dumnonia, e quando víssemos a fumaça daquelas fogueiras deveríamos todos marchar para os nossos lugares.

— Isso só vai acontecer depois da festa de Beltain — disse Artur. Ele tinha espiões tanto no salão de Aelle quanto no de Cerdic, e todos haviam informado que os saxões esperariam até a festa de sua Deusa Eostre, que seria celebrada uma semana depois de Beltain. Os saxões queriam a bênção da Deusa, explicou Artur, e queriam dar tempo para os barcos da nova estação chegarem do outro lado do mar, com os cascos cheios de lutadores ainda mais famintos.

Mas depois da festa de Eostre, disse ele, os saxões avançariam e ele deixaria que entrassem fundo em Dumnonia sem uma batalha, mas planejava incomodá-los o tempo todo. Sagramor, com seus lanceiros endurecidos pelas batalhas, recuaria diante da horda saxã e ofereceria toda a resistência possível que não implicasse uma parede de escudos, enquanto Artur reunia o exército aliado em Corinium.

Culhwch e eu tínhamos ordens diferentes. Nossa tarefa era defender os morros ao sul do vale do Tâmisa. Não poderíamos ter esperança de derrotar qualquer avanço decidido dos saxões que viessem para o sul através daqueles morros, mas Artur não esperava um ataque assim. Os saxões, disse ele repetidamente, continuariam marchando para o oeste, sempre para o oeste ao longo do Tâmisa, mas deveriam mandar grupos de ataque para os morros do sul, em busca de grãos e gado. Nossa tarefa era impedir esses grupos, forçando-os assim a ir para o norte. Isso levaria os saxões para o outro lado da fronteira de Gwent, talvez incitando Meurig a uma declaração de guerra. O pensamento não verbalizado nessa esperança, ainda que cada um de nós naquele salão enfumaçado entendesse mesmo assim, era que, sem os bem-treinados lanceiros de Gwent, a grande batalha perto de Corinium seria realmente uma coisa desesperada.

— Então lutem duro com eles — disse Artur a Culhwch e a mim. — Matem os que estiverem procurando comida, apavorem-nos, mas não sejam apanhados em batalha. Assediem, assustem, mas assim que eles estiverem a um dia de marcha de Corinium, deixem-nos em paz. Simplesmente marchem para se juntarem a mim.

Ele precisaria de cada lança que pudesse reunir para aquela grande batalha perto de Corinium, e Artur parecia ter certeza de que podíamos vencer, desde que nossas forças estivessem em terreno elevado.

De certa forma era um bom plano. Os saxões seriam atraídos para o interior da Dumnonia e ali forçados a atacar subindo um morro íngreme. Mas o plano dependia de o inimigo fazer exatamente o que Artur queria e Cerdic, pensei, não era um homem obediente. Mas Artur parecia ter bastante confiança, o que pelo menos era um consolo.

Fomos todos para casa. Eu me tornei impopular revistando todas as casas do distrito e confiscando grãos, carne salgada e peixe seco. Deixamos suprimentos suficientes para manter o povo vivo, mas mandamos o resto para Corinium, onde alimentaria o exército de Artur. Era um negócio desagradável, porque os camponeses temem a fome quase tanto quanto temem lanceiros inimigos, e éramos forçados a procurar esconderijos e ignorar os gritos das mulheres que nos acusavam de tirania. Mas melhor eles sofrerem nossas buscas, falei-lhes, do que os ataques saxões.

Também nos preparávamos para a batalha. Peguei meu equipamento de guerra e meus escravos passaram óleo no gibão de couro, poliram a cota de malha, pentearam a cauda de lobo do elmo e repintaram a estrela branca do meu escudo pesado. O novo ano veio com a primeira canção dos melros. Tordos gritavam dos altos galhos dos lariços atrás do salão de Dun Caric, e pagávamos às crianças do povoado para correr com panelas e paus nos pomares de maçãs para assustar os dom-fafes que roubavam as flores minúsculas. Pardais faziam ninhos e o riacho brilhava com os salmões que retornavam. Os crepúsculos ficavam barulhentos com bandos de lavandiscas. Dentro de algumas semanas surgiriam as flores das avelãs, as violetas nas florestas e os cones tocados de ouro nos salgueiros. Lebres dançavam nos campos onde os cordeiros brincavam. Em março houve um enxame de sapos e temi pelo que isso significaria, mas Merlin não estava ali para eu lhe perguntar, já que havia desaparecido com Nimue e tudo indicava que teríamos de lutar sem sua ajuda. Cotovias cantavam, e as pegas predadoras caçavam ovos recém-postos nos arbustos que ainda não tinham cobertura de folhagem.

As folhas chegaram finalmente, e com elas a notícia dos primeiros guerreiros chegando de Powys. Eram poucos, porque Cuneglas não queria exaurir os suprimentos de comida que estavam sendo acumulados em Corinium, mas sua chegada deu a promessa do exército maior que Cuneglas traria para o sul depois da festa de Beltain. Nossos bezerros nasceram, a manteiga foi preparada e Ceinwyn se ocupou limpando o salão depois do longo inverno enfumaçado.

Foram dias estranhos e agridoces, porque havia a promessa de guerra numa nova primavera que era subitamente gloriosa com céus encharcados de sol e campinas cobertas de flores. Os cristãos pregam sobre "os últimos dias", querendo falar dos tempos anteriores ao fim do mundo, e talvez as pessoas os sintam como nós sentíamos aquela primavera amena e linda.

Havia uma qualidade irreal na vida cotidiana, que tornava especial qualquer tarefa. Talvez aquela fosse a última vez em que queimaríamos a palha de nossas camas do inverno, e talvez fosse a última vez em que tiraríamos um bezerro ensanguentado do útero da mãe e o colocaríamos no mundo. Tudo era especial, porque tudo estava ameaçado.

Também sabíamos que a próxima festa de Beltain poderia ser a última que conheceríamos como uma família, por isso tentamos torná-la memorável. Beltain comemora a vida do ano novo, e na véspera da festa deixamos todos os fogos morrerem em Dun Caric. Os fogos da cozinha, que tinham queimado durante todo o inverno, ficaram sem ser alimentados o dia inteiro, e à noite não passavam de brasas. Nós as retiramos, varremos os fogões e então pusemos lenha nova, enquanto num morro a leste do povoado montamos duas grandes pilhas de madeira, uma delas perto da árvore sagrada que Pyrlig, nosso bardo, tinha escolhido. Era uma jovem aveleira que havíamos cortado e levamos cerimonialmente pelo povoado, atravessando o riacho e subindo o morro. A árvore estava cheia de pedaços de pano pendurados, e todas as casas, como o próprio salão, enfeitadas com novos ramos de avelã.

Naquela noite, por toda a Britânia, os fogos estavam mortos. Na véspera de Beltain a escuridão reina. A festa foi feita em nosso salão, mas não havia fogo para cozinhar nem chama para iluminar as altas traves. Não havia luz em lugar algum, a não ser nas cidades cristãs onde as pessoas avivavam os fogos para desafiar os Deuses, mas no campo tudo estava escuro. No crepúsculo tínhamos subido o morro, uma massa de aldeãos e lanceiros guiando cabeças de gado e ovelhas que foram postos em cercados de barro. Crianças brincavam, mas, assim que a grande escuridão pairou, as menores caíram no sono e ficaram deitadas na grama, enquanto o resto de nós se reunia perto das fogueiras ainda não acesas, e ali cantamos o Lamento de Annwn.

Então, na parte mais escura da noite, fizemos a fogueira do ano novo. Pyrlig criou a chama esfregando dois gravetos enquanto Issa jogava aparas de lariço na fagulha que gerou um minúsculo fio de fumaça. Os dois se curvaram sobre a chama minúscula, sopraram-na, puseram mais aparas, e finalmente uma chama forte saltou, e todos começamos a canção de Belenos enquanto Pyrlig levava o novo fogo para os dois montes de lenha. As crianças adormecidas acordaram e correram para encontrar os pais enquanto as fogueiras de Beltain saltavam altas e luminosas.

Um cabrito foi sacrificado assim que as fogueiras estavam acesas. Ceinwyn, como sempre, se virou para outro lado quando a garganta do animal era cortada e Pyrlig espalhava o sangue no capim. Ele jogou o cadáver do cabrito no fogo onde a aveleira sagrada estava queimando, depois os aldeãos pegaram o gado e as ovelhas e os fizeram passar entre as duas grandes fogueiras. Penduramos colares de palha trançada no pescoço das vacas e depois assistimos à dança das moças entre as fogueiras para trazer a bênção dos Deuses aos seus úteros. Elas tinham dançado através do fogo na festa de Imbolc, mas sempre faziam isso de novo em Beltain. Esse foi o primeiro ano em que Morwenna teve idade para dançar entre as fogueiras, e senti uma pontada de tristeza olhando minha filha girar e saltar. Ela parecia tão feliz! Estava pensando em casamento e sonhando com bebês, mas dentro de semanas, pensei, poderia estar morta ou escravizada. Esse pensamento me encheu de uma fúria gigantesca. Dei as costas às nossas fogueiras e me espantei ao ver as chamas brilhantes de outras fogueiras de Beltain queimando à distância. Por toda a Dumnonia as fogueiras ardiam para receber o ano recém-chegado.

Meus lanceiros tinham trazido dois caldeirões gigantescos ao topo do morro e enchemos seu bojo com madeira acesa, depois descemos correndo o morro com os dois potes chamejantes. Assim que chegamos ao povoado o novo fogo foi distribuído, cada cabana pegando uma chama e levando-a à lenha que esperava nos fogões. Fomos finalmente ao salão e ali levamos o fogo novo às cozinhas. Já era quase madrugada, e os aldeãos se apinharam na paliçada para assistir ao sol nascente. No instante em que o primeiro raio de luz apareceu no horizonte leste, cantamos a canção do nascimento de Lugh: um jubiloso e dançante hino de alegria. Viramo-nos para o leste enquanto cantávamos as boas-vindas ao sol, e logo acima do horizonte podíamos ver o fio escuro da fumaça de Beltain subindo para o céu cada vez mais claro.

A preparação da comida teve início assim que os fogões esquentaram. Eu tinha planejado uma festa enorme para o povoado, pensando que esse poderia ser nosso último dia de felicidade por longo tempo. O povo comum raramente comia carne, mas naquele Beltain tínhamos cinco veados, dois javalis, três porcos e seis ovelhas para assar; tínhamos barris de hidromel recém-preparado e dez cestos de pães assados nos fogos da antiga estação. Havia queijo, nozes com mel e bolos de aveia com a cruz de Beltain queimada na crosta. Dentro de cerca de uma semana os saxões viriam, de modo que essa era a ocasião para dar uma festa que poderia ajudar nosso povo a passar os horrores vindouros.

Os aldeãos fizeram jogos enquanto a carne era preparada. Houve corridas a pé pela rua, lutas e uma competição para quem levantava o maior peso. As garotas trançavam flores nos cabelos e, muito antes de a festa começar, vi os casais se afastando. Comemos à tarde e, enquanto festejávamos, os poetas recitavam e os bardos do povoado cantavam, e o sucesso de suas composições era julgado pela quantidade de aplausos gerada. Distribuí ouro a todos os bardos e poetas, mesmo os piores, e havia muitos desses. A maioria dos poetas eram jovens que, ruborizados, declamavam versos canhestros dedicados às namoradas, e as meninas olhavam tímidas enquanto os aldeãos zombavam, riam e depois exigiam que cada garota recompensasse o poeta com um beijo, e se o beijo fosse rápido demais o casal era posto cara a cara e obrigado a beijar direito. Os poemas ficaram nitidamente melhores à medida que bebíamos mais.

Bebi demais. Na verdade todos festejamos bem e bebemos ainda melhor. Num determinado ponto, o fazendeiro mais rico me desafiou para uma luta, e a multidão exigiu que eu aceitasse, e assim, já meio bêbado, grudei as mãos no corpo do fazendeiro e ele fez o mesmo comigo, e eu pude sentir o cheiro de hidromel azedo em seu hálito, tal como ele, sem dúvida, o podia sentir no meu. Ele empurrava, eu empurrava de volta, e nenhum de nós conseguia mover o outro, por isso ficamos ali, grudados cabeça a cabeça como cervos numa disputa, enquanto a multidão zombava de nossa exibição lamentável. No final o derrubei, mas só porque ele estava mais bêbado do que eu. E bebi ainda mais, talvez tentando apagar o futuro.

Ao anoitecer estava me sentindo enjoado. Fui até a plataforma de luta que tínhamos montado na paliçada ao leste, ali me encostei na parede e olhei o horizonte que escurecia. Dois fios de fumaça subiam do morro onde tínhamos feito as fogueiras do ano novo, mas para minha mente atordoada pelo hidromel parecia haver pelo menos uma dúzia de piras fumegantes. Ceinwyn subiu à plataforma e riu de minha cara lamentável.

— Você está bêbado — disse ela.

— Estou mesmo.

— Vai dormir feito um porco — falou acusadoramente —, e roncar feito um porco.

— É Beltain — falei em desculpa e apontei a mão para os distantes fiapos de fumaça.

Ela se encostou no parapeito ao meu lado. Tinha flores de abrunheiro tecidas nos cabelos dourados e parecia linda como sempre.

— Precisamos falar com Artur sobre Gwydre — disse ela.

— Casar-se com Morwenna? — perguntei, depois parei para juntar os pensamentos. — Artur parece inamistoso ultimamente — consegui dizer por fim — e talvez esteja pensando em casar Gwydre com outra menina, não é?

— Talvez sim — disse Ceinwyn calmamente. — E nesse caso precisamos arranjar alguém para Morwenna.

— Quem?

— É exatamente isso que quero que você pense quando estiver sóbrio. Quem sabe um dos garotos do Culhwch? — Ela olhou para as sombras noturnas ao pé da encosta, e pôde ver um casal ocupado entre as folhas. — Aquela é Morfudd — falou.

— Quem?

— Morfudd, a menina da queijaria. Outro bebê vindo, acho. Realmente está na hora de ela se casar. — Ceinwyn suspirou e olhou o horizonte. Ficou em silêncio um longo tempo, depois franziu a testa. — Não acha que este ano há mais fogueiras do que no ano passado? — perguntou enfim.

Olhei obedientemente para o horizonte, mas com toda a honestidade não podia distinguir entre uma trilha de fumaça e outra.

— É possível — falei evasivamente.

Ela continuou franzindo a testa.

— Ou talvez não sejam fogueiras de Beltain.

— Claro que são! — falei com a certeza de um bêbado.

— E sim fogueiras de alerta.

Demorou alguns instantes até que o significado de suas palavras se assentasse, e de repente não me senti nem um pouco bêbado. Sentia-me enjoado, mas não bêbado. Olhei para o leste. Uma quantidade de plumas de fumaça manchava o céu, mas duas eram muito mais densas do que as outras, densas demais para ser os restos de fogueiras acesas na noite anterior e deixadas para morrer de madrugada.

E de repente, enjoativamente, eu soube que eram as fogueiras de alerta. Os saxões não tinham esperado até depois de sua festa de Eostre, tinham vindo durante Beltain. Sabiam que estávamos preparando fogueiras de alerta, mas também sabiam que as fogueiras de Beltain seriam acesas nos morros por toda a Dumnonia e deviam ter adivinhado que não perceberíamos os alertas em meio aos fogos rituais. Haviam nos enganado. Nós tínhamos festejado, tínhamos bebido até a insensibilidade, e o tempo todo os saxões estavam atacando.

E a Dumnonia estava em guerra.

EU ERA O LÍDER DE SETENTA guerreiros experientes, mas também comandava 110 jovens que treinei durante o inverno. Esses 180 homens constituíam quase um terço de todos os lanceiros da Dumnonia, mas apenas dezesseis estavam prontos para marchar ao amanhecer. O resto continuava bêbado ou então sofrendo tanto que ignorou meus xingamentos e socos. Issa e eu arrastamos os que estavam em pior estado até o riacho e os jogamos na água gelada, mas não adiantou muito. Só pude esperar enquanto, hora a hora, mais homens recuperavam a consciência. Uma vintena de saxões sóbrios poderia ter devastado Dun Caric naquela manhã.

As fogueiras de alerta ainda queimavam para nos dizer que os saxões vinham, e senti uma culpa terrível por ter fracassado tanto com Artur. Mais tarde fiquei sabendo que praticamente todos os guerreiros da Dumnonia estavam igualmente insensíveis naquela manhã, ainda que os cento e vinte homens de Sagramor tivessem ficado sóbrios e recuado obedientemente diante do avanço dos exércitos saxões. Mas o resto de nós cambaleava, vomitava, tentava recuperar o fôlego e engolia água como cães.

Ao meio-dia a maior parte dos meus homens estava de pé, mas nem todos, e apenas uns poucos se encontravam prontos para marchar. Minha armadura, o escudo e as lanças de guerra estavam num cavalo de carga, enquanto dez mulas levavam os cestos de comida que Ceinwyn ocupara-se em encher durante toda a manhã. Ela esperaria em Dun Caric — pela vitória ou, mais provavelmente, por uma mensagem dizendo para fugir.

Então, alguns instantes antes do meio-dia, tudo mudou.

Um cavaleiro veio do sul num cavalo suado. Era o filho mais velho de Culhwch, Einion, e tinha se esforçado e ao animal até quase a exaustão na tentativa frenética de nos alcançar. Ele meio que caiu da sela.

— Senhor — ofegou ele, depois cambaleou, equilibrou-se e fez uma reverência rápida. Por alguns instantes ficou sem fôlego para falar, e depois as palavras saíram numa agitação frenética, mas ele estivera tão ansioso para dar a mensagem e tinha antecipado tanto o drama do momento que praticamente não conseguiu fazer qualquer sentido, mas entendi que ele vinha do sul e que os saxões estavam marchando lá.

Levei-o a um banco ao lado do salão e o fiz sentar-se.

— Bem-vindo a Dun Caric, Einion ap Culhwch — falei muito formalmente —, e diga tudo aquilo de novo.

Então Guinevere estivera certa: os saxões tinham marchado no sul. Tinham vindo da terra de Cerdic, além de Venta, e já estavam bem no interior da Dumnonia. Dunum, nossa fortaleza perto do litoral, tinha caído no alvorecer de ontem. Culhwch havia abandonado a fortaleza para não deixar seus cem homens ser dominados, e agora estava recuando diante do inimigo. Einion, um jovem com a mesma compleição atarracada do pai, me olhou cheio de pasmo.

— Simplesmente eles eram muitos, senhor.

Os saxões tinham nos enganado. Primeiro nos haviam convencido de que não pretendiam nada no sul, depois atacaram durante nossa noite de festa, quando sabiam que confundiríamos as fogueiras distantes com as chamas de Beltain, e agora estavam soltos no nosso flanco sul. Aelle, imaginei, estaria vindo pelo Tâmisa enquanto as tropas de Cerdic assolavam livres junto ao litoral. Einion não tinha certeza de que o próprio Cerdic liderava o ataque no sul, porque não vira o estandarte do rei saxão com o crânio de lobo pintado de vermelho e com a pele de um cadáver pendurada, mas vira a bandeira de Lancelot, a águia do mar com o peixe nas garras. Culhwch achava que Lancelot estaria liderando seus próprios seguidores e mais duas ou três centenas de saxões.

— Onde eles estavam quando você partiu? — perguntei a Einion.

— Ainda a sul de Sorviodunum, senhor.

— E o seu pai?

— Estava na cidade, senhor, mas não ousa ficar lá e cair numa armadilha. Então Culhwch preferiria entregar a fortaleza de Sorviodunum a ficar preso.

— Ele quer que eu me junte a ele?

Einion balançou a cabeça.

— Ele mandou a notícia a Durnovária, senhor, dizendo para as pessoas de lá virem para o norte. Ele acha que o senhor deve protegê-las e levá-las a Corinium.

— Quem está em Durnovária?

— A princesa Argante, senhor.

Xinguei baixinho. A nova mulher de Artur não poderia simplesmente ser abandonada, e agora entendi o que Culhwch estava sugerindo. Ele sabia que Lancelot não poderia ser detido, por isso queria que eu resgatasse quem fosse valioso dentro da Durnovária e recuasse para o norte em direção a Corinium, enquanto Culhwch fazia o máximo para diminuir a velocidade do avanço inimigo. Era uma estratégia desesperadamente improvisada, e no fim teríamos cedido a maior parte da Dumnonia às forças inimigas. Mas ainda havia a chance de podermos todos nos juntar em Corinium e lutar a batalha de Artur, ainda que ao resgatar Argante eu abandonasse os planos de Artur, de assediar os saxões nos morros ao sul do Tâmisa. Isso era uma pena, mas a guerra raramente acontece segundo os planos.

— Artur sabe? — perguntei a Einion.

— Meu irmão está indo até ele — garantiu Einion, o que significava que Artur ainda não teria recebido a notícia. Seria fim de tarde antes que o irmão de Einion chegasse a Corinium, onde Artur tinha passado a festa de Beltain. Enquanto isso Culhwch se encontrava perdido em algum lugar ao sul da grande planície e o exército de Lancelot estava... onde? Aelle presumivelmente ainda marchava para o oeste, e talvez Cerdic estivesse com ele, o que significava que Lancelot poderia continuar ao longo da costa e capturar Durnovária ou então se virar para o norte e seguir Culhwch em direção a Caer Cadarn e Dun Caric. Mas de qualquer modo, refleti, esta paisagem estaria coberta por um enxame de lanceiros saxões dentro de três ou quatro dias.

Dei um cavalo descansado a Einion e o mandei para o norte com uma mensagem para Artur, dizendo que eu levaria Argante a Corinium, mas sugerindo que ele poderia mandar cavaleiros a Aquae Sulis para nos encontrar e depois levá-la para o norte. Em seguida, mandei Issa e cinquenta dos meus homens em melhores condições para Durnovária. Ordenei que marchassem rapidamente e sem carregar peso, levando apenas as armas, e alertei Issa de que ele talvez encontrasse Argante e os outros fugitivos de Durnovária vindo para o norte pela estrada. Issa deveria trazer todos a Dun Caric.

— Com sorte — falei —, você estará aqui amanhã ao anoitecer.

Ceinwyn fez seus preparativos para partir. Esta não era a primeira vez em que fugia da guerra, e sabia muito bem que ela e nossas filhas só poderiam levar o que conseguissem carregar. Todo o resto deveria ser abandonado, e assim dois lanceiros cavaram uma caverna na encosta do morro de Dun Caric e ali ela escondeu nosso ouro e nossa prata, depois os dois homens encheram o buraco e o disfarçaram com turfa. Os aldeãos estavam fazendo o mesmo com panelas, pás, pedras de amolar, rocas, peneiras, tudo que fosse pesado demais para carregar e valioso demais para ser perdido. Por toda a Dumnonia essas coisas valiosas estavam sendo enterradas.

Havia pouca coisa que eu pudesse fazer em Dun Caric além de esperar a volta de Issa, por isso cavalguei para o sul até Caer Cadarn e Lindinis. Mantínhamos uma pequena guarnição em Caer Cadarn, não por motivos militares, mas porque o morro era o nosso lugar real, por isso merecia guarda. Essa guarnição era composta por uma vintena de homens velhos, na maioria aleijados, e dos vinte apenas seis seriam realmente úteis na parede de escudos, mas ordenei que todos fossem para o norte até Dun Caric, depois virei a égua para o oeste, em direção a Lindinis.

Mordred tinha pressentido as notícias terríveis. Os boatos passam numa velocidade inimaginável no campo e, ainda que nenhum mensageiro tivesse chegado ao palácio, mesmo assim ele adivinhou minha missão. Fiz uma reverência e depois requisitei educadamente que ele estivesse pronto para deixar o palácio dentro de uma hora.

— Ah, isso é impossível! — disse ele, o rosto redondo traindo o deleite diante do caos que ameaçava a Dumnonia. Mordred sempre se deleitou com o infortúnio.

— Impossível, senhor rei?

Ele fez um gesto indicando sua sala do trono, cheia de mobília romana, boa parte lascada ou com os engastes faltando, mas ainda luxuosa e bela.

— Tenho coisas a guardar — disse ele. — Pessoas a ver. Amanhã, talvez.

— O senhor vai para o norte, para Corinium, dentro de uma hora, senhor rei — falei asperamente. Era importante tirar Mordred do caminho dos saxões, e era por isso que eu tinha vindo, em vez de ir para o sul ao encontro de Argante. Se Mordred ficasse ele sem dúvida seria utilizado por Aelle e Cerdic, e Mordred sabia disso. Por um momento ele pareceu que ia discutir, depois ordenou que eu saísse da sala e gritou para um escravo preparar sua armadura. Procurei Lanval, o velho lanceiro que Artur tinha encarregado da guarda do rei. — Pegue todos os cavalos dos estábulos — falei a Lanval — e escolte o desgraçadozinho até Corinium. Entregue-o a Artur pessoalmente.

Mordred partiu em uma hora. Partiu vestindo sua armadura e com seu estandarte tremulando. Quase ordenei que ele enrolasse o estandarte, porque a visão do dragão apenas provocaria mais rumores no campo, mas talvez não fosse uma coisa ruim espalhar o alarme, porque as pessoas precisavam de tempo para se preparar e esconder seus valores. Vi os cavalos do rei partirem pelo portão e irem para o norte, depois voltei ao palácio onde o administrador, um lanceiro aleijado chamado Dyrrig, gritava para os escravos juntarem os tesouros do palácio. Castiçais, potes e caldeirões estavam sendo carregados para o jardim dos fundos para ser escondidos num poço seco, enquanto os cobertores, lençóis e roupas eram empilhados em carroças para ser escondidos nas florestas próximas.

— A mobília pode ficar — disse Dyrrig azedamente. — Que os saxões façam bom proveito.

Caminhei pelas salas do palácio e tentei imaginar os saxões festejando entre as colunas, despedaçando as cadeiras frágeis e os mosaicos delicados. Quem viveria aqui?, imaginei. Cerdic? Lancelot? Se fosse alguém, certamente seria Lancelot, porque os saxões pareciam não gostar do luxo romano. Eles deixavam lugares como Lindinis apodrecendo e construíam seus salões de madeira e palha em algum local próximo.

Demorei-me na sala do trono, tentando imaginá-la coberta com os espelhos que Lancelot tanto amava. Ele existia num mundo de metal polido, de modo que pudesse sempre admirar sua beleza. Ou talvez Cerdic destruiria o palácio para mostrar que o velho mundo da Britânia estava terminado e que o novo reino brutal dos saxões tinha começado. Foi um momento melancólico em que cedi à autopiedade, e que foi interrompido quando Dyrrig entrou no salão arrastando a perna aleijada.

— Eu salvo a mobília se o senhor quiser — disse ele de má vontade.

— Não.

Dyrrig puxou um cobertor de cima de uma cadeira.

— O desgraçado deixou três garotas aqui, e uma delas está grávida. Acho que terei de dar ouro a elas. Ele não quis. Epa, o que é isso? — Dyrrig tinha parado atrás da cadeira esculpida que servia como trono de Mordred e cheguei perto e vi que havia um buraco no chão. — Isso não estava aqui ontem.

Ajoelhei-me e descobri que toda uma seção do piso de mosaico tinha sido levantada. Aquele trecho ficava na beira da sala, onde cachos de uvas formavam uma borda para a imagem central mostrando um Deus reclinado servido por ninfas, com todo um cacho de uvas cuidadosamente levantado da borda. Vi que os pequenos ladrilhos tinham sido colados num pedaço de couro cortado com a forma das uvas, e debaixo havia uma camada de estreitos tijolos romanos que agora se espalhavam sob a cadeira. Era um esconderijo deliberado, dando acesso aos dutos de aquecimento que passavam debaixo do piso.

Alguma coisa brilhava no fundo da câmara de aquecimento. Inclinei-me tateando em meio à poeira e ao entulho, peguei dois pequenos botões de ouro, uma tira de couro e o que, com uma careta, vi que era cocô de rato. Limpei as mãos e entreguei um dos botões a Dyrrig. O outro, que examinei, mostrava um rosto barbudo, beligerante e coberto por um elmo. Era um trabalho grosseiro, mas poderoso na intensidade do olhar.

— Feito pelos saxões — falei.

— Este também — disse Dyrrig e vi que seu botão era quase idêntico ao meu. Olhei de novo na câmara de aquecimento, mas não pude ver mais botões ou moedas. Certamente Mordred tinha escondido ouro ali, mas os camundongos haviam mordiscado a sacola de couro, de modo que quando ele a levantou dois botões tinham caído.

— Então por que Mordred tem ouro saxão? — perguntei.

— Diga o senhor — respondeu Dyrrig, cuspindo no buraco.

Cuidadosamente, encostei os tijolos romanos nos baixos arcos de pedra que suportavam o piso, depois pus no lugar os ladrilhos presos em couro. Eu podia adivinhar por que Mordred tinha ouro, e não gostava da resposta. Mordred estivera presente quando Artur revelou os planos de campanha contra os saxões, e era por isso, pensei, que os saxões puderam nos pegar desprevenidos. Eles sabiam que iríamos concentrar as forças no Tâmisa, de modo que o tempo todo tinham nos deixado acreditar que era dali que vinha o ataque, e Cerdic montara lenta e secretamente suas forças no sul. Mordred tinha nos traído. Eu não podia ter certeza, porque dois botões de ouro não constituíam prova, mas tudo fazia sentido lamentavelmente. Mordred queria o poder de volta, e mesmo não ganhando todo aquele poder de Cerdic ele certamente teria a vingança que desejava contra Artur.

— Como os saxões podem ter conseguido falar com Mordred? — perguntei a Dyrrig.

— Simples, senhor. Sempre houve visitantes aqui. Mercadores, bardos, malabaristas, garotas.

— Deveríamos ter cortado a garganta dele — falei amargo, guardando o botão no bolso.

— Por que não o fizeram?

— Porque ele é neto de Uther — falei —, e Artur nunca permitiria. — Artur fizera um juramento de proteger Mordred, o que o atrelava por toda a vida. Além disso Mordred era nosso rei verdadeiro, nele corria o sangue de todos os reis, remontando ao próprio Beli Mawr, e apesar de Mordred ser podre, seu sangue era sagrado, e assim Artur o mantinha vivo. — A tarefa de Mordred é produzir um herdeiro com uma esposa adequada, mas assim que nos der um novo rei ele receberá o conselho de usar uma gola de ferro.

— Não é de espantar que ele não se case. E o que acontecerá se nunca se casar? E se não houver herdeiro?

— É uma boa pergunta, mas vamos derrotar os saxões antes de nos preocuparmos com a resposta.

Deixei Dyrrig disfarçando o velho buraco do poço com arbustos. Eu poderia ter voltado direto para Dun Caric, porque tinha cuidado das necessidades mais urgentes do momento: Issa estava a caminho para escoltar Argante até a segurança, Mordred seguira em segurança para o norte, mas eu ainda tinha uma questão inacabada, por isso cavalguei para o norte pelo Caminho Fosse, que seguia ao lado dos grandes pântanos e lagos que bordejavam Ynys Wydryn. Os pássaros cantavam alto em meio aos juncos enquanto os martins de asas em forma de foice se ocupavam carregando os bicos cheios de lama para fazer os ninhos novos debaixo das nossas empenas. Cucos gritavam dos salgueiros e bétulas à beira do pântano. O sol brilhava sobre a Dumnonia, os carvalhos tinham novas folhas verdes e as campinas a oeste estavam cheias de prímulas e margaridas. Eu não ia muito rápido, deixei minha égua seguir à vontade até que, alguns quilômetros ao norte de Lindinis, virei para o oeste entrando na ponte de terra que ia em direção a Ynys Wydryn. Até então estivera servindo aos interesses de Artur garantindo a segurança de Argante e levando Mordred para longe, mas agora me arriscava ao seu desprazer. Ou talvez estivesse fazendo exatamente o que ele sempre quisera.

Fui ao templo do Espinheiro Sagrado, onde encontrei Morgana preparando-se para ir embora. Ela não ouvira notícias definitivas, mas os boatos tinham feito seu trabalho e a irmã de Artur sabia que Ynys Wydryn estava ameaçada. Falei o pouco que sabia e, depois de ouvir essas poucas notícias, ela me espiou por baixo da máscara dourada.

— Então onde está o meu marido? — perguntou asperamente.

— Não sei, senhora. — Pelo que eu soubesse, Sansum continuava sendo prisioneiro na casa do bispo Emrys na Durnovária.

— Você não sabe — disse Morgana rispidamente — e não se importa!

— Na verdade, senhora, não. Mas presumo que ele fugirá para o norte, como todo mundo.

— Diga-lhe que fomos para a Silúria. Para Isca. — Morgana, naturalmente, estava bem-preparada para a emergência. Estivera guardando os tesouros do templo antecipando a invasão saxã, e havia barqueiros prontos para levar esses tesouros e as mulheres cristãs através dos lagos de Ynys Wydryn até a costa, onde outros barcos esperavam para transportá-las para o norte, atravessando o mar de Severn até a Silúria. — Diga a Artur que estou rezando por ele, ainda que não mereça minhas preces. E diga que estou com a prostituta dele em segurança.

— Não, senhora — falei, porque era esse o motivo de eu ter vindo a Ynys Wydryn. Até hoje não tenho certeza exata de por que não deixei Guinevere ir com Morgana, mas acho que os Deuses me guiaram. Ou então, no redemoinho de confusão enquanto os saxões despedaçavam nossas preparações cuidadosas, eu quisesse dar um último presente a Guinevere. Nunca tínhamos sido amigos, mas na mente eu a associava aos bons tempos, e ainda que sua tolice tivesse trazido o mal, eu vira como Artur estava rançoso desde o eclipse de Guinevere. Ou talvez eu soubesse que nesse tempo terrível precisaríamos de cada alma forte que pudéssemos reunir, e havia poucas almas tão fortes quanto a princesa Guinevere de Henis-Wyren.

— Ela vem comigo! — insistiu Morgana.

— Recebi ordens de Artur — insisti e isso resolveu a questão, ainda que, na verdade, as ordens fossem terríveis e vagas. Se Guinevere estivesse correndo perigo, dissera-me Artur, eu deveria pegá-la ou talvez matá-la, mas tinha decidido levá-la e, em vez de mandá-la para local seguro atravessando o Severn, iria levá-la ainda mais para perto do perigo.

— É como ver um rebanho de vacas ameaçadas por lobos — disse Guinevere quando cheguei ao seu quarto. Ela estava parada na janela, de onde podia ver as mulheres de Morgana correndo de um lado para o outro entre as construções e os barcos que esperavam junto à paliçada oeste do templo. — O que está acontecendo, Derfel?

— A senhora estava certa. Os saxões estão atacando no sul. — Decidi não dizer que era Lancelot quem liderava esse ataque.

— Acha que eles virão até aqui?

— Não sei. Só sei que não podemos defender lugar nenhum, a não ser aquele em que Artur estiver, e ele está em Corinium.

— Em outras palavras — disse ela com um sorriso —, tudo está em confusão. — Guinevere riu, sentindo uma oportunidade nessa confusão. Estava vestida com as roupas maltrapilhas de sempre, mas o sol brilhava pela janela aberta, dando ao seu esplêndido cabelo ruivo uma aura dourada. — Então, o que Artur quer comigo?

A morte? Não, decidi, ele nunca quisera isso realmente. O que ele queria era o que sua alma orgulhosa não o deixaria tomar por si mesmo.

— Apenas recebi a ordem de pegá-la, senhora.

— Para ir aonde, Derfel?

— A senhora pode atravessar o Severn com Morgana ou vir comigo. Estou levando pessoas para Corinium, e ouso dizer que de lá a senhora pode continuar viajando até Glevum. Lá estará segura.

Ela saiu de perto da janela e se sentou numa cadeira perto do fogão vazio.

— Pessoas — disse ela, tirando a palavra de minha frase. — Que pessoas, Derfel?

Fiquei ruborizado.

— Argante. Ceinwyn, claro.

Guinevere gargalhou.

— Gostaria de conhecer Argante. Você acha que ela gostaria de me conhecer?

— Duvido, senhora.

— Eu também. Imagino que ela me preferiria morta. Então posso viajar com você até Corinium ou ir para Silúria com as vacas cristãs? Acho que já ouvi hinos cristãos suficientes para o resto da minha vida. Além disso, a aventura maior está em Corinium, não acha?

— Temo que sim, senhora.

— Teme? Ah, não tema, Derfel. — Ela riu com uma felicidade hilariante. — Vocês todos se esquecem de como Artur é bom quando nada vai bem. Será uma alegria observá-lo. Então, quando partimos?

— Agora. Ou assim que a senhora estiver pronta.

— Estou pronta — disse ela, feliz. — Estou pronta há um ano para deixar este lugar.

— Seus serviçais?

— Sempre há outros serviçais. Vamos?

Eu só tinha um cavalo e assim, por educação, o cedi a ela e caminhei ao lado enquanto deixávamos o templo. Raramente vi um rosto tão radiante quanto o de Guinevere naquele dia. Durante meses ela estivera trancada dentro dos muros de Ynys Wydryn, e de repente montava uma égua ao ar livre, entre as bétulas com folhas novas e sob um céu não limitado pela paliçada de Morgana. Subimos até a ponte de terra do outro lado do Tor, e assim que estávamos naquele terreno elevado e despido, ela gargalhou e me lançou um olhar malicioso.

— O que me impediria de cavalgar para longe, Derfel?

— Absolutamente nada, senhora.

Ela gritou como uma menina e bateu os calcanhares, depois bateu de novo para forçar a égua num galope. O vento agitou seus cabelos ruivos enquanto ela galopava livre sobre o capim. Gritava de pura alegria, levando o animal num amplo círculo ao meu redor. Suas saias eram sopradas para trás, mas ela não se importava, simplesmente esporeou o animal de novo e girou e girou até que a égua estava bufando e ela sem fôlego. Só então parou e desceu da sela.

— Estou assada! — disse cheia de felicidade.

— A senhora monta bem.

— Eu sonhava em montar de novo. Em caçar de novo. Tanta coisa! — Ela ajeitou a saia, depois me lançou um olhar divertido. — O que exatamente Artur ordenou que você fizesse comigo?

Hesitei.

— Ele não foi específico, senhora.

— Que me matasse?

— Não, senhora! — repliquei, parecendo chocado. Eu puxava a égua pelas rédeas e Guinevere andava ao meu lado.

— Ele certamente não me quer nas mãos de Cerdic — falou com mordacidade. — Eu seria um embaraço grande demais! Suspeito de que Artur flertou com a ideia de cortar minha garganta. Argante deve ter desejado isso. Eu certamente desejaria, se fosse ela. Estava pensando nisso enquanto cavalgava em volta de você. Pensei: e se Derfel tiver ordens para me matar? Será que devo continuar cavalgando? Então decidi que você provavelmente não me mataria, mesmo que tivesse ordens. Ele mandaria Culhwch, se me quisesse morta. — De repente, ela grunhiu e dobrou os joelhos para imitar o passo manco de Culhwch. — Culhwch cortaria minha garganta sem pensar duas vezes. — Ela riu, com o novo ânimo irrepreensível. — Quer dizer que Artur não foi específico?

— Não, senhora.

— Então realmente, Derfel, isto é ideia sua? — Ela acenou para o campo em volta.

— Sim, senhora — confessei.

— Espero que Artur ache que você fez a coisa certa. Do contrário, vai estar encrencado.

— Já estou encrencado, senhora. A velha amizade parece morta.

Ela devia ter notado o desânimo em minha voz, porque de repente passou o braço pelo meu.

— Pobre Derfel. Acho que ele está com vergonha, não é?

Fiquei embaraçado.

— Sim, senhora.

— Fui muito má — disse ela numa voz pesarosa. — Pobre Artur. Mas sabe o que vai restaurá-lo? E a amizade de vocês?

— Gostaria de saber, senhora.

Ela tirou o braço do meu.

— Fazer picadinho dos saxões, Derfel, é isso que vai trazer Artur de volta. A vitória! Dê a vitória a Artur e ele nos dará sua antiga alma de volta.

— Os saxões já estão a meio caminho da vitória, senhora.

Contei-lhe o que sabia: os saxões atacavam livres no leste e no sul, nossas forças estavam espalhadas e nossa única esperança era juntar o exército antes que os saxões chegassem a Corinium, onde o pequeno bando de guerreiros de Artur, com duzentos lanceiros, esperava sozinho. Presumi que Sagramor estivesse recuando em direção a Artur, que Culhwch estivesse vindo do sul, e que eu iria para o norte assim que Issa voltasse com Argante. Sem dúvida Cuneglas marcharia do norte e Oengus Mac Airem viria correndo do oeste assim que soubesse da notícia, mas se os saxões chegassem primeiro a Corinium, toda a esperança teria ido embora. Havia muito pouca esperança mesmo que vencêssemos a corrida, porque sem os lanceiros de Gwent estaríamos em número tão inferior que apenas um milagre nos salvaria.

— Absurdo! — disse Guinevere quando terminei de explicar a situação. — Artur nem começou a lutar! Nós vamos vencer, Derfel, vamos vencer! — E com essa declaração desafiadora ela gargalhou. Esquecendo-se de sua preciosa dignidade, dançou alguns passos na beira da trilha. Tudo parecia condenado, mas Guinevere estava subitamente livre, cheia de luz, e jamais gostei tanto dela quanto naquele momento. De súbito, pela primeira vez desde que vira as fogueiras de alerta no entardecer de Beltain, senti um jorro de esperança.

A esperança se desbotou muito rápido, porque em Dun Caric havia apenas o caos e o mistério. Issa não voltara, e o pequeno povoado abaixo do salão estava cheio de refugiados que fugiam dos boatos, ainda que nenhum tivesse visto realmente um saxão. Os refugiados traziam suas vacas, ovelhas, cabras e porcos, e todos tinham convergido para Dun Caric porque meus lanceiros ofereciam uma ilusão de segurança. Usei meus serviçais e escravos para iniciar novos boatos, dizendo que Artur iria recuar para o oeste até a região que fazia fronteira com Kernow, e que eu tinha decidido pegar os rebanhos dos refugiados para usar como ração para meus homens. Esses falsos boatos bastaram para induzir a maioria das famílias a seguir em direção à distante fronteira de Kernow. Elas estariam em segurança nos grandes urzais e ao fugir para o oeste seus animais não bloqueariam as estradas para Corinium. Se eu simplesmente tivesse ordenado que fossem para Kernow, elas desconfiariam e iriam postergar, para ter certeza de que eu não as estava enganando.

Ao anoitecer, Issa não estava conosco. Eu ainda não me sentia preocupado demais, porque a estrada para a Durnovária era longa e sem dúvida estava apinhada de refugiados. Fizemos uma refeição no salão e Pyrlig cantou a canção da grande vitória de Uther sobre os saxões em Caer Idern. Quando a canção terminou e eu tinha jogado uma moeda de ouro para Pyrlig, observei que um dia tinha ouvido Cynyr de Gwent cantar aquela canção. Pyrlig ficou impressionado.

— Cynyr foi o maior de todos os bardos — disse ele, ansioso —, mas alguns dizem que Amairgin de Gwynedd era melhor. Gostaria de ter ouvido os dois.

— Meu irmão diz que há um bardo ainda maior em Powys agora — disse Ceinwyn. — E é apenas um jovem.

— Quem? — perguntou Pyrlig, não recebendo bem um rival.

— O nome dele é Taliesin.

— Taliesin! — Guinevere repetiu o nome, gostando. Significava "testa brilhante".

— Nunca ouvi falar nele — disse Pyrlig, tenso.

— Quando tivermos vencido os saxões — falei —, vamos pedir uma canção da vitória a esse Taliesin. E a você também, Pyrlig — acrescentei rapidamente.

— Uma vez ouvi Amairgin cantar — disse Guinevere.

— Ouviu, senhora? — perguntou Pyrlig, de novo impressionado.

— Eu era só uma criança, mas lembro que ele conseguia soltar um rugido oco. Era muito assustador. Os olhos dele se arregalavam, ele engolia o ar e depois mugia como um touro.

— Ah, o velho estilo — disse Pyrlig, desconsiderando. — Atualmente, senhora, nós procuramos mais as harmonias das palavras do que o mero volume de som.

— Você deveria buscar as duas coisas — disse Guinevere incisivamente. — Não tenho dúvida de que esse Taliesin domina tanto o velho estilo quanto a habilidade na métrica, mas como é possível manter uma plateia fascinada se tudo que você oferece é ritmo inteligente? Você precisa fazer o sangue dela gelar, deve fazê-la gritar, deve fazê-la rir!

— Qualquer homem pode fazer barulho, senhora — disse Pyrlig, defendendo seu trabalho —, mas é necessário um artesão hábil para imbuir as palavras com harmonia.

— E logo as únicas pessoas que poderão entender as complexidades da harmonia serão os outros artesãos hábeis — argumentou Guinevere. — E aí vocês se tornam ainda mais inteligentes num esforço para impressionar seus colegas poetas, mas se esquecem de que ninguém fora da profissão tem a mínima ideia do que vocês estão fazendo. Os bardos cantam para os bardos enquanto o resto de nós fica imaginando que barulho é aquele. Sua tarefa, Pyrlig, é manter vivas as histórias das pessoas, e para fazer isso não podem ser refinados demais.

— A senhora não desejaria que fôssemos vulgares! — disse Pyrlig e, num protesto, tocou as cordas de crina de sua harpa.

— Eu gostaria que vocês fossem vulgares com os vulgares e inteligentes com os inteligentes, e as duas coisas ao mesmo tempo, veja bem. Mas se só puderem ser inteligentes, negarão ao povo as histórias dele, e se só puderem ser vulgares, nenhum lorde irá lhes lançar ouro.

— A não ser os lordes vulgares — interveio Ceinwyn maliciosamente.

Guinevere olhou para mim e vi que ela estava para me insultar. Então, reconheceu o próprio impulso e explodiu em gargalhadas.

— Se eu tivesse ouro, Pyrlig — falou em vez disso —, o recompensaria, porque você canta lindamente, mas infelizmente não tenho.

— Seu elogio é recompensa que basta, senhora — disse Pyrlig.

A presença de Guinevere tinha agitado meus lanceiros, e durante toda a tarde vi pequenos grupos de homens vindo olhá-la cheios de espanto. Ela os ignorava. Ceinwyn a havia recebido sem demonstrar qualquer perplexidade, e Guinevere fora inteligente em se mostrar gentil com minhas filhas, de modo que agora Morwenna e Seren dormiam no chão ao seu lado. Elas, como meus lanceiros, tinham se fascinado com a mulher alta e ruiva cuja reputação era tão espantosa quanto sua aparência. E Guinevere sentia-se simplesmente feliz em estar ali. Não tínhamos mesas e cadeiras em nosso salão, apenas o chão coberto de junco e tapetes de lã, mas ela se sentou ao lado do fogo e sem esforço dominou o ambiente. Havia uma ferocidade em seus olhos que intimidava, sua cascata de cabelos vermelhos e emaranhados a tornava impressionante, e sua alegria em estar livre era contagiante.

— Quanto tempo ela continuará livre? — perguntou-me Ceinwyn naquela noite. Tínhamos dado nossa câmara particular para Guinevere, e estávamos no salão com o resto de nosso povo.

— Não sei.

— Então o que você sabe?

— Vamos esperar Issa, depois vamos para o norte.

— Para Corinium?

— Vou para Corinium, mas mandarei você e as famílias para Glevum. Lá vai estar suficientemente perto da luta e, se acontecer o pior, pode ir para o norte até Gwent.

Comecei a ficar agitado no dia seguinte porque Issa não aparecia. Em minha mente estávamos disputando uma corrida contra os saxões em direção a Corinium, e quanto mais me atrasava, mais provavelmente perderia a corrida. Se os saxões pudessem pegar cada um dos nossos bandos de guerreiros separadamente, a Dumnonia cairia como uma árvore podre e meu bando, que era um dos mais fortes do país, estava parado em Dun Caric porque Issa e Argante não tinham aparecido.

Ao meio-dia a urgência era ainda maior, porque foi então que vi as primeiras manchas distantes de fumaça contra o céu do leste e do sul. Ninguém comentou as tiras altas e finas, e todos sabíamos que estávamos vendo palha de telhados sendo queimada. Os saxões destruíam tudo enquanto progrediam, e estavam suficientemente perto para que víssemos sua fumaça.

Mandei um cavaleiro rumo sul para tentar encontrar Issa, enquanto o resto de nós caminhava os três quilômetros pelo campo até o Caminho Fosse, a grande estrada romana que Issa deveria estar usando. Eu planejava esperar por ele, depois continuar pelo Caminho Fosse até Aquae Sulis, cerca de quarenta quilômetros para o norte, e depois para Corinium, cinquenta quilômetros mais adiante. Noventa quilômetros de estrada. Três dias de esforço longo e duro.

Esperamos num campo cheio de montes feitos por toupeiras ao lado da estrada. Eu estava com cem lanceiros e pelo menos um número igual de mulheres, crianças, escravos e serviçais. Tínhamos cavalos, mulas e cães, todos esperando. Seren, Morwenna e as outras crianças colhiam campânulas azuis num bosque próximo, enquanto eu andava de um lado para o outro sobre as pedras partidas da estrada. Refugiados passavam constantemente, mas nenhum deles, nem mesmo os que tinham vindo de Durnovária, trazia notícias da princesa Argante. Um padre pensou ter visto Issa e seus homens chegarem àquela cidade, porque vira a estrela de cinco pontas no escudo de alguns lanceiros, mas não sabia se ainda estavam lá ou se haviam partido. A única coisa de que todos os refugiados tinham certeza era que os saxões estavam perto da Durnovária, mas ninguém vira um lanceiro saxão. Meramente tinham ouvido os boatos que ficavam ainda mais loucos à medida que as horas passavam. Diziam que Artur estava morto, ou então que tinha fugido para Theged, enquanto Cerdic teria cavalos que soltavam fogo pelas ventas e machados mágicos capazes de partir ferro como se fosse pano.

Guinevere tinha apanhando um arco emprestado com um dos meus caçadores e estava lançando flechas contra um olmo morto ao lado da estrada. Ela atirava bem, pondo flecha após flecha na madeira podre, mas quando elogiei sua habilidade ela fez uma careta.

— Estou sem prática — falou. — Eu era capaz de derrubar um cervo na corrida, a cem passos de distância, e agora duvido de que conseguisse derrubar um parado a cinquenta passos. — Ela arrancou as flechas da árvore. — Mas acho que poderia acertar um saxão, se tivesse a chance. — Guinevere devolveu o arco ao meu caçador, que fez uma reverência e se afastou. — Se os saxões estiverem perto da Durnovária — perguntou — o que eles vão fazer em seguida?

— Virão direto por esta estrada.

— Não vão mais para o oeste?

— Eles sabem dos nossos planos — falei mal-humorado e contei dos botões de ouro com os rostos barbudos que tinha encontrado nos alojamentos de Mordred. — Aelle está vindo para Corinium enquanto os outros podem assolar o sul. E estamos parados aqui por causa de Argante.

— Deixe-a apodrecer — disse Guinevere selvagemente, depois deu de ombros. — Eu sei que você não pode. Ele a ama?

— Não sei, senhora.

— Claro que sabe — disse Guinevere com rispidez. — Artur adora fingir que é dominado pela sabedoria, mas anseia ser governado pela paixão. Ele viraria o mundo de cabeça para baixo pelo amor.

— Ele não andou virando-o de cabeça para baixo ultimamente — comentei.

— Mas virou por minha causa — disse ela em voz baixa, e não sem um leve orgulho. — Então, aonde você vai?

Eu tinha andado até a minha égua, que pastava entre os montes feitos pelas toupeiras.

— Vou para o sul.

— Faça isso — disse Guinevere — e nos arriscamos a perdê-lo também.

Ela estava certa, eu sabia, mas a frustração começava e ferver dentro de mim. Por que Issa não enviara uma mensagem? Tinha levado cinquenta dos meus melhores guerreiros, e eles estavam perdidos. Xinguei o dia desperdiçado, dei um sopapo num garoto que pulava fingindo ser lanceiro e chutei um arbusto de espinhos.

— Poderíamos ir para o norte — sugeriu Ceinwyn calmamente, indicando as mulheres e as crianças.

— Não. Devemos ficar juntos. — Olhei para o sul, mas não havia coisa alguma na estrada além de mais refugiados lamentáveis indo para o norte. Na maioria eram famílias com uma vaca preciosa e talvez um bezerro, mas muitos dos novos bezerros desta estação estavam pequenos demais para andar. Alguns, abandonados junto à estrada, chamavam pelas mães num lamento de dar pena. Outros refugiados eram mercadores tentando vender suas mercadorias. Um homem tinha um carro de boi cheio de cestos com greda de pisoeiro, outro tinha peles, alguns tinham potes. Olhavam-nos furiosos enquanto passavam, culpando-nos por não ter impedido os saxões antes.

Seren e Morwenna, entediadas com a tentativa de eliminar as campânulas do campo, tinham encontrado um ninho de filhotes de lebre sob umas faias e madressilvas na borda da floresta. Empolgadas, chamaram Guinevere para ver, depois, cheias de animação, acariciaram os pequenos corpos peludos que tremiam sob seu toque. Ceinwyn as observava.

— Ela conquistou as meninas — falou comigo.

— E conquistou meus lanceiros também. — E era verdade. Fazia apenas alguns meses que meus homens tinham xingado Guinevere de prostituta, e agora a olhavam cheios de adoração. Ela se decidira a encantá-los, e quando decidia ser encantadora Guinevere era capaz de ofuscar. — Artur terá grande dificuldade para trancafiá-la depois disso.

— E provavelmente por isso ele queria que ela fosse solta — observou Ceinwyn. — Ele certamente não a desejava morta.

— Argante deseja.

— Tenho certeza de que sim — concordou Ceinwyn, depois olhou para o sul junto comigo, mas ainda não havia sinal de qualquer lanceiro na estrada comprida e reta.

Ao crepúsculo, Issa finalmente chegou. Veio com seus cinquenta lanceiros, com os trinta homens que tinham sido os guardas do palácio da Durnovária, com os doze Escudos Pretos que eram os soldados pessoais de Argante e com pelo menos duzentos outros refugiados. Pior, tinha trazido seis carroças de boi, e foram aqueles veículos pesados que causaram o atraso. A maior velocidade de um carro de bois carregado é mais lenta do que o passo de um homem velho, e Issa tinha levado as carroças por todo o caminho, em seu passo de lesma.

— O que deu em você? — gritei para ele. — Não é hora de ficar arrastando carroças!

— Sei disso, senhor — disse ele, infeliz.

— Você ficou maluco? — Eu estava furioso. Tinha cavalgado para encontrá-lo, e agora girei minha égua. — Você desperdiçou horas! — gritei.

— Não tive escolha.

— Você tem uma lança! — rosnei. — Isso lhe dá o direito de escolher o que quer.

Ele apenas deu de ombros e fez um gesto para a princesa Argante, que viajava em cima da carroça principal. Os quatro bois da carroça, com os flancos sangrando dos aguilhões que os haviam impelido o dia inteiro, pararam na estrada com as cabeças baixas.

— As carroças não passam daqui! — gritei para ela. — Ou a senhora anda ou cavalga!

— Não! — insistiu Argante.

Desmontei da égua e segui pela linha de carroças. Uma tinha apenas as estatuetas romanas que haviam enfeitado o pátio do palácio da Durnovária, outra estava cheia de mantos e vestidos, e uma terceira estava apinhada de panelas, potes e candelabros de bronze.

— Tirem-nas da estrada — gritei furioso.

— Não! — Argante havia pulado de seu alto poleiro e agora correu na minha direção. — Artur ordenou que eu trouxesse.

— Artur, senhora — virei-me para ela, contendo a fúria —, não precisa de estátuas!

— Elas vão conosco — gritou Argante. — Caso contrário, fico aqui!

— Então fique, senhora — falei selvagemente. — Saiam da estrada — gritei para os condutores das carroças. — Andem! Fora da estrada, agora! — Eu tinha desembainhado Hywelbane e enfiei a lâmina no boi mais próximo para impelir o animal para a beira do caminho.

— Não vão! — gritou Argante para os condutores. Ela puxou o chifre de um dos bois. — Não vou deixar isso para os inimigos — gritou para mim.

Guinevere olhava da beira da estrada. Havia um ar de fria diversão em seu rosto, o que não era de espantar, porque Argante se comportava como uma criança mimada. O druida de Argante, Fergal, tinha corrido para ajudar a princesa, protestando que todos os seus caldeirões e ingredientes mágicos estavam numa das carroças.

— E o tesouro — acrescentou como um pensamento de última hora.

— Que tesouro? — perguntei.

— O tesouro de Artur — disse Argante com sarcasmo, como se ao revelar a existência do ouro vencesse a disputa. — Ele o quer em Corinium. — Ela foi até a segunda carroça, levantou alguns dos mantos pesados e bateu numa caixa de madeira escondida debaixo. — O ouro da Dumnonia! Você o entregaria aos saxões?

— Prefiro entregá-lo do que entregar a senhora e a mim — repliquei e em seguida golpeei com Hywelbane, cortando os arreios dos bois. Argante gritou, jurando que eu seria punido, que estava roubando seus tesouros, mas apenas cortei o arreio seguinte e gritei para os condutores soltarem os animais. — Ouça, senhora, temos de ir mais rápido do que os bois podem andar. — Apontei para a fumaça distante. — Aquilo é coisa dos saxões! Eles chegarão aqui dentro de algumas horas.

— Não podemos deixar as carroças! — gritou ela. Havia lágrimas em seus olhos. Ela podia ser a filha de um rei, mas crescera com poucas posses, e agora, casada com o governante da Dumnonia, era rica e não conseguia abandonar essas novas riquezas. — Não tirem esses arreios! — gritou para os condutores, que, confusos, hesitaram. Cortei outra correia de couro e Argante começou a me bater com os punhos, dizendo que eu era ladrão e seu inimigo.

Empurrei-a gentilmente, mas ela não queria se afastar e eu não ousava ser muito bruto. Agora ela estava tendo um ataque de fúria, xingando e me batendo com as mãos pequenas. Tentei empurrá-la para longe de novo, mas ela apenas cuspiu em mim, bateu de novo, depois gritou para sua guarda dos Escudos Pretos, para virem em sua ajuda.

Aqueles doze homens hesitaram, mas eram guerreiros de seu pai e jurados ao serviço de Argante, por isso vieram com as lanças apontadas. Meus homens correram imediatamente em minha defesa. Os Escudos Pretos estavam em número terrivelmente menor, mas não recuaram, e seu druida saltava na frente deles, com a barba trançada com pelos de raposa se sacudindo e os pequenos ossos amarrados nos cabelos ressoando, dizendo aos Escudos Pretos que eles estavam abençoados e que suas almas iriam para uma recompensa dourada.

— Matem-no! — gritou Argante para a sua guarda, apontando para mim. — Matem-no agora!

— Basta! — exclamou Guinevere incisivamente. Ela foi até o centro da estrada e olhou imperiosamente para os Escudos Pretos. — Não sejam idiotas, baixem suas lanças. Se quiserem morrer, levem alguns saxões junto, e não dumnonianos. — Em seguida se virou para Argante. — Venha aqui, criança — falou e puxou a garota para si, usando um canto de seu manto maltrapilho para enxugar as lágrimas de Argante. — Você fez muito bem em tentar salvar o tesouro, mas Derfel também está certo. Se não corrermos, os saxões vão nos alcançar. — E se virou para mim. — Não há chance de podermos levar o ouro?

— Nenhuma — respondi, peremptório, e não existia mesmo. Ainda que eu tivesse posto lanceiros para puxar as carroças, iríamos demorar demais.

— O ouro é meu! — gritou Argante.

— Agora pertence aos saxões — falei e gritei para Issa tirar as carroças da estrada e libertar os bois.

Argante gritou um último protesto, mas Guinevere a segurou e abraçou.

— A gente não vira princesa mostrando raiva em público — murmurou Guinevere com meiguice. — Seja misteriosa, minha cara, e nunca deixe os homens saberem o que você está pensando. Seu poder está nas sombras, mas à luz do sol os homens sempre vão dominá-la.

Argante não tinha ideia de quem era aquela mulher alta e bonita, mas deixou que Guinevere a reconfortasse enquanto Issa e seus homens arrastavam as carroças para a beira do capim. Deixei as mulheres pegarem as capas e os vestidos que quisessem, mas abandonamos os caldeirões, tripés e castiçais. Porém Issa descobriu um dos estandartes de guerra de Artur, um gigantesco pedaço de linho branco decorado com um grande urso preto bordado em lã, que guardamos para que não caísse na mão dos saxões, mas não podíamos levar o ouro. Em vez disso, levamos as caixas dos tesouros para uma vala num campo próximo e jogamos as moedas na água fétida, esperando que os saxões nunca as descobrissem.

Argante soluçava ao ver o ouro ser jogado na água preta.

— O ouro é meu! — protestou uma última vez.

— E um dia já foi meu, criança — disse Guinevere muito calmamente —, e sobrevivi à perda, assim como você sobreviverá.

Argante se afastou abruptamente para olhar a mulher alta.

— Seu?

— Eu não disse o meu nome, criança? — perguntou Guinevere com uma zombaria delicada. — Sou a princesa Guinevere.

Argante apenas gritou, depois saiu correndo pela estrada até onde estavam seus Escudos Pretos. Resmunguei, embainhei Hywelbane e depois esperei até o resto do ouro ser escondido. Guinevere tinha achado uma de suas antigas capas, uma cascata de lã dourada enfeitada com pele de urso, e havia descartado a vestimenta velha e feia que usara na prisão.

— Ouro dela! — falou comigo, raivosa.

— Parece que tenho mais alguém como inimigo — comentei, olhando para Argante, que conversava com seu druida, sem dúvida insistindo para que ele lançasse uma praga contra mim.

— Se compartilhamos um inimigo, Derfel — disse Guinevere com um sorriso —, isso nos torna finalmente aliados. Gosto disso.

— Obrigado, senhora — respondi e refleti que não eram apenas minhas filhas e meus lanceiros que estavam sendo enfeitiçados.

As últimas peças de ouro foram jogadas na vala, meus homens voltaram à estrada e pegaram suas lanças e os escudos. O sol flamejava sobre o mar de Severn, preenchendo o oeste com um brilho carmesim enquanto, finalmente, partíamos para a guerra no norte.

Tínhamos percorrido apenas alguns quilômetros quando a escuridão nos fez sair da estrada para procurar abrigo, mas pelo menos tínhamos chegado aos morros ao norte de Ynys Wydryn. Paramos naquela noite num salão abandonado onde fizemos uma refeição pobre com pão duro e peixe seco. Argante sentou-se separada do resto de nós, protegida por seu druida e seus guardas. Apesar de Ceinwyn ter tentado atraí-la para nossa conversa, ela se recusou a ser tentada, por isso a deixamos com seu mau humor.

Depois da refeição, fui com Ceinwyn e Guinevere até o topo de uma pequena colina atrás do salão onde ficavam dois morros funerários do povo antigo. Pedi perdão aos mortos e subi ao topo de um dos morros, onde Ceinwyn e Guinevere se juntaram a mim. Nós três olhamos para o sul. O vale abaixo estava belo e branco, as macieiras com flores cor de lua, mas não vimos nada no horizonte além do brilho maligno dos incêndios.

— Os saxões se movem depressa — falei com amargura.

Guinevere apertou a capa contra os ombros.

— Onde está Merlin? — perguntou.

— Desapareceu.

Tinha havido notícias de que Merlin estava na Irlanda, ou então nas regiões selvagens do norte, ou talvez nas vastidões de Gwynedd, enquanto outra história afirmava que estava morto e que Nimue havia cortado uma montanha inteira de árvores para fazer sua pira funerária. Eram apenas boatos, falei comigo mesmo, só boatos.

— Ninguém sabe onde Merlin está — disse Ceinwyn em voz baixa —, mas sem dúvida ele sabe onde estamos.

— Rezo para que sim — disse Guinevere com fervor e me perguntei para que Deus ou Deusa ela rezava agora. Ainda para Ísis? Ou teria revertido aos Deuses da Britânia? E talvez, estremeci ao pensamento, esses Deuses tivessem finalmente nos abandonado. Sua pira funerária teriam sido as chamas de Mai Dun, e sua vingança eram os bandos de guerreiros que agora assolavam a Dumnonia.

Marchamos de novo ao alvorecer. O céu tinha se nublado durante a noite, e uma chuva fina começou às primeiras luzes. O Caminho Fosse estava cheio de refugiados e, mesmo eu tendo posto uma vintena de guerreiros armados à nossa frente, com ordens para tirar da frente todos os carros de bois e todos os rebanhos, nosso progresso ainda era lamentavelmente lento. Muitas das crianças não conseguiam nos acompanhar e precisavam ser levadas nos animais de carga que transportavam nossas lanças, armaduras e a comida, ou então postas nos ombros dos lanceiros mais jovens. Argante montava minha égua, enquanto Guinevere e Ceinwyn caminhavam e se revezavam contando histórias para as crianças. A chuva começou a ficar mais forte, varrendo os morros em grandes cortinas cinzentas e descendo pelas valas rasas de cada lado da estrada romana.

Eu esperava chegar a Aquae Sulis ao meio-dia, mas já era o meio da tarde antes que nosso grupo enlameado e cansado chegasse ao vale onde ficava a cidade. O rio estava cheio, e uma massa de destroços flutuantes tinha ficado presa nos pilares da ponte romana, formando uma represa que inundara os campos nas duas margens do rio acima da ponte. Um dos deveres do magistrado da cidade era manter a ponte livre desse entulho, mas essa tarefa tinha sido ignorada, assim como ele havia ignorado a manutenção da muralha da cidade. Essa muralha ficava a apenas cem passos ao norte da ponte, e como Aquae Sulis não era uma cidade fortificada, a muralha nunca fora formidável, mas agora praticamente não servia como obstáculo. Trechos inteiros da paliçada de madeira acima da fortificação de terra e pedras tinham sido arrancados para fazer lenha ou para construir, enquanto a fortificação em si havia se erodido tanto que os saxões poderiam atravessar a muralha da cidade sem diminuir o passo. Aqui e ali eu podia ver homens frenéticos tentando reparar trechos da paliçada, mas seriam necessários quinhentos homens durante um mês inteiro para reconstruir essas defesas.

Passamos pelo belo portão sul e vi que, apesar de a cidade não ter a energia para preservar suas fortificações nem a mão de obra para impedir que a ponte se engasgasse com destroços, alguém havia arranjado tempo para mutilar a bela máscara da deusa romana Minerva, que um dia enfeitara o arco do portão. Onde estivera o rosto havia agora uma massa grosseira de pedras marteladas onde uma cruz tosca tinha sido gravada.

— Esta é uma cidade cristã? — perguntou-me Ceinwyn.

— Praticamente todas as cidades são — respondeu Guinevere por mim.

Também era uma cidade bonita. Ou tinha sido, mas no correr dos anos os telhados de cerâmica haviam caído e foram substituídos por uma palha grossa, e algumas casas haviam desmoronado e agora não passavam de pilhas de tijolos e pedra, mas mesmo assim as ruas eram pavimentadas, e os altos pilares e o frontão luxuosamente esculpido do magnífico templo de Minerva ainda se erguia acima dos tetos precários. Minha vanguarda forçou caminho brutalmente através das ruas apinhadas para chegar ao templo, que ficava numa elevação com degraus no coração da cidade. Os romanos haviam construído uma muralha interna em volta daquele templo central, uma muralha que abarcava o templo de Minerva e a casa de banhos que trouxera à cidade sua fama e prosperidade. Os romanos haviam posto telhado na terma, que era alimentada por uma fonte quente mágica, mas algumas telhas tinham caído e fiapos de vapor agora subiam dos buracos como se fossem fumaça. O templo em si, sem suas calhas de chumbo, estava manchado de água da chuva e líquen, enquanto o reboco pintado dentro do alto pórtico tinha se soltado e escurecido; mas apesar da decadência ainda era possível ficar no amplo pátio pavimentado e imaginar um mundo em que os homens podiam construir esses lugares sem medo de lanças vindo do leste bárbaro.

O magistrado da cidade, um homem agitado, nervoso e de meia-idade chamado Cildydd, que usava toga romana para marcar sua autoridade, veio correndo do templo para me receber. Eu o conhecia da época da rebelião, quando, apesar de cristão, ele fugira dos fanáticos enlouquecidos que haviam tomado os templos de Aquae Sulis. Fora restaurado à magistratura depois da rebelião, mas eu achava que sua autoridade era pouca. Ele carregava um pedaço de ardósia onde fizera uma quantidade de marcas, evidentemente o número do *levy* que estava reunido dentro da área do templo.

— Os reparos estão sendo feitos! — disse-me Cildydd sem qualquer outra cortesia. — Tenho homens cortando madeira para as muralhas. Ou tinha. A enchente é um problema, é mesmo, mas se a chuva parar... — Ele deixou a frase incompleta.

— A enchente?

— Quando o rio sobe, senhor, a água volta pelos esgotos romanos. Já está na parte baixa da cidade. E temo que não seja só água. O cheiro, entende? — Ele fungou delicadamente.

— O problema — falei — é que os arcos da ponte estão cheios de entulho. Era sua tarefa mantê-los livres. Também era sua tarefa preservar as muralhas. — Sua boca se abriu e se fechou sem dizer palavra. Ele levantou a ardósia, como se para mostrar eficiência, depois apenas piscou desamparado. — Não que isso importe agora — continuei. — A cidade não pode ser defendida.

— Não pode ser defendida! — protestou Cildydd. — Não pode ser defendida! Ela deve ser defendida! Não podemos simplesmente abandonar a cidade!

— Se os saxões vierem — falei brutalmente —, vocês não terão escolha.

— Mas devemos defendê-la, senhor.

— Com o quê?

— Seus homens, senhor — disse ele, fazendo um gesto para os meus lanceiros que tinham se refugiado da chuva sob o alto pórtico do templo.

— Na melhor das hipóteses — respondi —, podemos guarnecer quatrocentos metros da muralha, ou do que restou dela. E quem defende o resto?

— O *levy*, claro. — Cildydd balançou a ardósia na direção do grupo lamentável de homens que esperavam ao lado da casa de banhos. Poucos tinham armas, e um número ainda menor possuía qualquer armadura.

— Você já viu os saxões atacarem? — perguntei a Cildydd. — Primeiro eles mandam grandes cães de guerra e vêm atrás com machados de quase um metro de comprimento e lanças em cabos de dois metros e meio. Eles vêm bêbados, enlouquecidos, e não querem nada além de mulheres e do ouro dentro da cidade. Quanto tempo você acha que o seu *levy* pode agüentar?

Cildydd piscou.

— Nós simplesmente não podemos desistir — falou debilmente.

— O seu *levy* tem alguma arma de verdade? — perguntei, indicando os homens de aparência melancólica esperando na chuva. Dois ou três dos sessenta tinham lanças, pude ver uma antiga espada romana, e a maioria do resto tinha machados ou enxadões, mas alguns nem mesmo possuíam essas armas grosseiras, apenas seguravam estacas endurecidas no fogo, que tinham sido afiadas com pontas pretas.

— Estamos procurando na cidade, senhor. Deve haver lanças.

— Com ou sem lanças — falei brutalmente —, se vocês lutarem aqui serão todos mortos.

Cildydd me olhou boquiaberto.

— Então o que fazemos? — perguntou enfim.

— Vão para Glevum.

— Mas a cidade! — Ele ficou pálido. — Há mercadores, ourives, igrejas, tesouros. — Sua voz se esvaiu enquanto ele imaginava a enormidade da queda da cidade, mas essa queda, se os saxões viessem, era inevitável. Aquae Sulis não era uma cidade com guarnição, apenas um lugar belo que ficava numa reentrância entre morros. Cildydd piscou na chuva. — Glevum — falou em voz soturna. — E o senhor nos escoltará até lá?

Balancei a cabeça.

— Estou indo para Corinium, mas vocês vão para Glevum. — Eu me senti meio tentado a mandar Argante, Guinevere, Ceinwyn e as famílias com ele, mas não confiava em Cildydd para protegê-las. Decidi que era melhor levar eu mesmo as mulheres e as famílias para o norte, depois mandá-las com uma pequena escolta de Corinium para Glevum.

Mas pelo menos Argante foi tirada das minhas mãos, já que quando eu estava brutalmente destruindo as parcas esperanças de Cildydd uma tropa de cavaleiros com armaduras entrou no pátio do templo. Eram homens de Artur, levando seu estandarte do urso, e vinham liderados por Balin, que estava xingando o bando de refugiados. Ele pareceu aliviado ao me ver, depois ficou perplexo ao ver Guinevere.

— Você trouxe a princesa errada, Derfel? — perguntou ao desmontar do cavalo.

— Argante está dentro do templo — falei, virando a cabeça na direção do grande prédio onde Argante se refugiara da chuva. Durante o dia inteiro ela não tinha falado comigo.

— Estou aqui para levá-la a Artur. — Balin era um homem direto, barbudo, com a tatuagem de um urso na testa e uma cicatriz branca e serrilhada na bochecha direita. Pedi-lhe notícias e ele contou o pouco que sabia, e nada era bom. — Os desgraçados estão vindo pelo Tâmisa, achamos que estão a apenas três dias de marcha de Corinium, e ainda não há sinal de Cuneglas ou de Oengus. É o caos, Derfel, é isso que é, o caos. — Ele estremeceu de repente. — Que fedor é esse?

— Os esgotos estão refluindo.

— Por toda a Dumnonia — disse ele, carrancudo. — Preciso me apressar. Artur quer sua mulher em Corinium anteontem.

— Você tem ordens para mim? — gritei enquanto ele ia em direção aos degraus do templo.

— Vá para Corinium! E depressa! E mande toda a comida que puder! — Ele gritou a última ordem enquanto desaparecia pelas grandes portas de bronze do templo. Tinha trazido seis cavalos de reserva, o bastante para levar Argante, suas criadas e o druida Fergal, o que significava que os doze homens da escolta dos Escudos Pretos de Argante foram deixados comigo. Senti que eles ficaram tão satisfeitos quanto eu por se livrarem de sua princesa.

Balin partiu para o norte ao fim da tarde. Eu também queria estar na estrada, mas as crianças estavam cansadas, a chuva era incessante e Ceinwyn me persuadiu de que faríamos um tempo melhor se todos descansássemos esta noite sob os telhados de Aquae Sulis e marchássemos descansados de manhã. Pus guardas na casa de banhos e deixei as mulheres e as crianças entrarem no grande poço de água quente, depois mandei Issa e vinte homens pela cidade, procurando armas para equipar o *levy*. Depois disso mandei chamar Cildydd e perguntei quanta comida restava na cidade.

— Praticamente nenhuma, senhor! — insistiu ele, dizendo que já havia mandado dezesseis carroças de grãos, carne seca e peixe salgado para o norte.

— Você revistou as casas das pessoas? As igrejas?

— Só os silos da cidade, senhor.

— Então vamos fazer uma busca adequada — sugeri e, ao crepúsculo, tínhamos recolhido mais sete carroças cheias de preciosos suprimentos.

Mandei as carroças para o norte naquela noite mesmo, apesar da hora tardia. Os carros de bois são lentos, e era melhor que começassem a jornada ao crepúsculo do que esperar pela manhã.

Issa esperava por mim no pátio do templo. Sua busca pela cidade tinha rendido sete espadas velhas e uma dúzia de lanças de caçar javalis, enquanto os homens de Cildydd haviam encontrado mais quinze lanças, oito delas partidas, mas Issa também tinha novidades.

— Dizem que há armas escondidas no templo, senhor.

— Quem diz?

Issa fez um gesto para um jovem barbudo, que usava um ensanguentado avental de açougueiro.

— Ele falou que uma quantidade de lanças foi escondida no templo depois da rebelião, mas o padre nega.

— Onde está o padre?

— Dentro, senhor. Ele me disse para sair quando o interroguei.

Subi correndo a escada do templo e passei pelas grandes portas. Aquele já fora um templo dedicado a Minerva e Sulis, a primeira Deusa romana e a segunda Deusa britânica, mas as divindades pagãs tinham sido expulsas e o Deus cristão instalado. Quando eu estivera pela última vez no templo havia uma grande estátua de bronze de Minerva cercada por lamparinas de óleo, mas a estátua fora destruída durante a rebelião cristã e agora apenas a cabeça oca da Deusa permanecia, empalada num poste para ficar como um troféu atrás do altar cristão.

O padre me desafiou.

— Esta é uma casa de Deus! — rugiu ele. Estava celebrando um mistério em seu altar, rodeado por mulheres que choravam, mas interrompeu a cerimônia para me encarar. Era jovem, cheio de paixão, um daqueles padres que haviam criado problemas na Dumnonia e a quem Artur permitira viver, de modo que a amargura da rebelião fracassada não se infeccionasse. Mas esse padre certamente não tinha perdido nada de seu fervor insurgente. — Uma casa de Deus! — gritou de novo. — E você a profana com espada e lança!

Você entraria com suas armas no salão de seu senhor? Então por que trazê--las para a casa de meu Senhor?

— Dentro de uma semana ela será um templo de Thunor, e eles estarão sacrificando seus filhos aí onde você está. Existem lanças aqui?

— Nenhuma! — disse ele em tom desafiador. As mulheres gritaram e se encolheram enquanto eu subia os degraus do altar. O padre apontou uma cruz para mim. — Em nome de Deus, e em nome de Seu Filho sagrado, e em nome do Espírito Santo. Não! — Esse último grito foi porque eu tinha desembainhado Hywelbane e a usei para tirar a cruz de sua mão. O pedaço de madeira deslizou pelo piso de mármore do templo enquanto eu enfiava a lâmina em sua barba emaranhada.

— Derrubarei este lugar pedra a pedra para encontrar as lanças — ameacei — e enterrarei sua carcaça miserável debaixo do entulho. Bem, onde elas estão?

Seu desafio desmoronou. As lanças, que ele vinha guardando com esperança de outra campanha para colocar um cristão no trono da Dumnonia, estavam escondidas numa cripta atrás do altar. A entrada da cripta era escondida, porque era o lugar onde antigamente se escondiam os tesouros doados pelas pessoas que buscavam o poder curativo de Sulis, mas o padre apavorado nos mostrou como levantar a laje de mármore para revelar um poço atulhado de ouro e armas. Deixamos o ouro, mas levamos as lanças para o *levy* de Cildydd. Eu duvidava de que os sessenta homens fossem de alguma utilidade verdadeira na batalha, mas pelo menos um homem armado com uma lança se parecia com um guerreiro e, à distância, poderiam fazer os saxões pararem. Eu disse ao *levy* que se preparasse para marchar de manhã, e para levar o máximo de comida que pudesse encontrar.

Dormimos aquela noite no templo. Tirei os enfeites cristãos do altar e coloquei a cabeça de Minerva entre duas lamparinas de óleo para que ela nos guardasse durante a noite. A chuva pingava do teto e empoçava no mármore, mas em algum momento da madrugada ela parou e a alvorada trouxe um céu que ia se limpando, e um novo vento frio do leste.

Deixamos a cidade antes de o sol se levantar. Somente quarenta homens do *levy* da cidade marchavam conosco, já que o resto tinha desaparecido na noite, mas era melhor ter quarenta homens dispostos do que sessenta aliados incertos. Nossa estrada estava livre de refugiados agora, porque eu tinha espalhado a notícia de que a segurança não estava em Corinium, e sim em Glevum, e assim era a estrada do oeste que estava atulhada de gado e pessoas. Nossa rota nos levou para o leste, em direção ao sol nascente, ao longo do Caminho Fosse, que aqui seguia reto como uma lança entre túmulos romanos. Guinevere traduzia as inscrições, maravilhando-se porque ali estavam enterrados homens nascidos na Grécia, no Egito ou na própria Roma. Eram veteranos das legiões, que tinham tomado esposas britânicas e se estabelecido perto das fontes curativas de Aquae Sulis, e suas lápides cobertas de líquen algumas vezes agradeciam a Minerva ou a Sulis pelo dom dos anos. Depois de uma hora deixamos as tumbas para trás e o vale se estreitou enquanto os morros íngremes ao norte da estrada chegavam mais perto das campinas do rio; logo, eu sabia, a estrada iria se virar abruptamente para o norte, subindo os morros entre Aquae Sulis e Corinium.

Foi quando chegamos à parte estreita do vale que os condutores dos carros de bois voltaram correndo. Haviam deixado Aquae Sulis na véspera, mas as carroças lentas não tinham ido além da curva para o norte da estrada, e agora, ao alvorecer, tinham abandonado as sete cargas de comida preciosa.

— Saxões! — gritou um homem correndo para nós. — Há saxões!

— Idiota — murmurei, depois gritei para Issa deter os homens que fugiam. Eu tinha deixado Guinevere montar minha égua, mas agora ela desmontou e subi desajeitadamente no dorso do animal e esporeei.

A estrada virava para o norte oitocentos metros à frente. Os bois e suas carroças tinham sido abandonados logo na curva, e passei por elas para espiar morro acima. Por um momento não pude ver nada, depois um grupo de cavaleiros apareceu ao lado de algumas árvores na crista. Estavam a oitocentos metros, delineados contra o céu que ia clareando. Não pude identificar detalhes de seus escudos, mas achei que fossem britânicos e não saxões, porque nosso inimigo não usava muitos cavaleiros.

Instiguei a égua morro acima. Nenhum dos cavaleiros se mexeu. Apenas me olharam, mas então, à minha direita, mais homens apareceram na crista do morro. Esses eram lanceiros, e acima deles estava um estandarte que me disse o pior.

O estandarte era um crânio com algo pendurado que parecia um trapo. Lembrei-me do estandarte de Aelle, com o crânio de lobo e uma pele humana pendurada. Os homens eram saxões e estavam barrando a estrada. Não havia muitos lanceiros à vista, talvez uma dúzia de cavaleiros e cinquenta ou sessenta homens a pé, mas se encontravam no terreno elevado e eu não sabia quantos mais estariam escondidos atrás da crista. Parei a égua e olhei os lanceiros, dessa vez vendo o brilho da luz do sol nas largas lâminas de machados que alguns carregavam. Só podiam ser saxões. Mas de onde tinham vindo? Balin me dissera que tanto Cerdic quanto Aelle estavam avançando ao longo do Tâmisa, portanto parecia provável que esses homens tivessem vindo do amplo vale do rio para o sul, mas talvez fossem alguns dos lanceiros de Cerdic que serviam a Lancelot. Não que realmente importasse quem eram; tudo que importava era que nosso caminho estava bloqueado. Mais inimigos apareceram, com as lanças espetando o horizonte ao longo de toda a crista.

Virei a égua e vi Issa trazendo meus lanceiros mais experientes passando pelo bloqueio na curva da estrada.

— Saxões! — gritei para ele. — Formem uma parede de escudos aqui!

Issa olhou para os lanceiros distantes.

— Vamos lutar com eles aqui, senhor?

— Não. — Eu não ousaria lutar num lugar tão ruim. Seríamos forçados a batalhar morro acima, e ficaríamos sempre preocupados com nossas famílias atrás.

— Então vamos pegar a estrada para Glevum?

Balancei a cabeça. A estrada para Glevum estava atulhada de refugiados, e se eu fosse o comandante saxão não desejaria nada além de perseguir um inimigo em menor número ao longo daquela estrada. Não poderíamos marchar ao largo dele, porque estaríamos obstruídos por refugiados, e ele acharia simples atravessar em meio àquelas pessoas em pânico para nos levar a morte. Era possível, até mesmo provável, que os saxões não fizessem qualquer perseguição, que em vez disso ficassem tentados a saquear a cidade, mas era um risco que eu não ousava correr. Olhei para o morro comprido e vi um número ainda maior de inimigos vindo para a crista iluminada pelo sol. Era impossível contá-los, mas não era um bando de guerreiros pequeno. Meus homens estavam formando uma parede de escudos, mas eu sabia que não poderia lutar ali. Os saxões tinham mais homens e estavam no terreno elevado. Lutar aqui seria morrer.

Girei na sela. A oitocentos metros, logo ao norte do Caminho Fosse, havia uma das fortalezas do povo antigo e sua antiga muralha de terra — muito erodida agora — ficava na crista de um morro íngreme. Apontei para a fortificação coberta de grama.

— Nós vamos para lá.

— Para lá, senhor? — Issa estava perplexo.

— Se tentarmos escapar deles, eles vão nos seguir. Nossas crianças não podem ir depressa, e finalmente os desgraçados vão nos pegar. Seremos forçados a formar uma parede de escudos, colocar nossas famílias no centro, e o último de nós a morrer ouvirá a primeira mulher gritando. Melhor ir a um lugar onde eles hesitarão em atacar. No fim, eles terão de escolher. Ou nos deixam em paz e vão para o norte, e nesse caso vamos atrás, ou então lutam, e aí estaremos no topo de um morro, com chance de vencer. Uma chance melhor — acrescentei —, porque Culhwch virá por este caminho. Dentro de um ou dois dias podemos até mesmo estar em número maior do que eles.

— Então abandonamos Artur? — perguntou Issa, chocado com o pensamento.

— Manteremos um bando de guerreiros saxões longe de Corinium — falei. Mas não me sentia feliz com a opção, porque Issa estava certo. Eu ia abandonar Artur, mas não ousava arriscar a vida de Ceinwyn e de minhas filhas. Toda a cuidadosa campanha que Artur tinha tramado estava destruída. Culhwch estava separado em algum lugar ao sul, eu estava preso em Aquae Sulis, enquanto Cuneglas e Oengus Mac Airem ainda se encontravam a muitos quilômetros de distância.

Voltei para pegar minha armadura e as armas. Não tinha tempo para colocar o peitoral, mas pus o elmo com cauda de lobo, encontrei minha lança mais pesada e peguei o escudo. Dei a égua de volta a Guinevere e disse a ela para levar as famílias morro acima, depois ordenei aos homens do *levy* e aos meus lanceiros mais novos para dar a volta nas sete carroças de comida e seguirem para a fortaleza.

— Não me importa como vocês farão isso — falei —, mas quero aquela comida longe do inimigo. Puxem as carroças se for preciso! — Eu podia ter abandonado as carroças de Argante, mas na guerra uma carroça cheia de comida é muito mais preciosa do que ouro, e eu estava decidido a manter aqueles suprimentos longe do inimigo. Se necessário, queimaria as carroças e seu conteúdo, mas por enquanto tentaria salvar a comida.

Voltei para Issa e ocupei meu lugar no centro da parede de escudos. As fileiras inimigas estavam engrossando, e eu esperava que fizessem uma carga louca morro abaixo a qualquer minuto. Eles estavam em maior número, mas mesmo assim não vieram, e cada momento em que hesitavam era um momento extra para nossas famílias e as preciosas cargas de comida chegarem ao cume da colina. Eu olhava constantemente para trás, vigiando o progresso das carroças, e quando eles estavam na metade da encosta íngreme, ordenei que meus lanceiros voltassem.

O recuo incitou os saxões a avançar. Eles gritaram um desafio e vieram rápido morro abaixo, mas tinham deixado o ataque para muito tarde. Meus homens voltaram pela estrada e atravessaram um vau raso onde um riacho rolava dos morros em direção ao rio. Agora tínhamos o terreno mais elevado, porque estávamos recuando morro acima em direção à fortaleza em sua encosta íngreme. Meus homens mantinham a fileira reta, mantinham os escudos se sobrepondo e tinham firmes as lanças compridas, e essa evidência de seu treinamento fez a perseguição saxã parar a cinquenta metros de distância. Eles se contentaram em gritar desafios e insultos, enquanto um de seus feiticeiros nus, com o cabelo espetado à custa de bosta de vaca, dançava para nos lançar pragas. Chamou-nos de porcos, covardes e cabras. Ele nos xingou, e eu os contei. Havia 170 homens em sua parede, e mais ainda os que não tinham descido o morro. Eu os contei e os líderes saxões se mantiveram nos cavalos atrás da parede de escudos e nos contaram. Agora eu podia ver seu estandarte claramente, e era o estandarte de Cerdic, com o crânio de lobo e a pele de um cadáver, mas o próprio Cerdic não estava ali. Este devia ser um de seus bandos de guerreiros vindos do Tâmisa para o sul. O bando de guerreiros era muito mais numeroso do que nós, mas seus líderes eram espertos demais para atacar. Sabiam que poderiam nos vencer, mas também sabiam do preço mortal que setenta guerreiros experientes cobrariam de suas fileiras. Para eles bastava terem nos afastado da estrada.

Recuamos lentamente morro acima. Os saxões nos vigiavam, mas só o feiticeiro nos seguiu, e depois de um tempo perdeu o interesse. Ele cuspiu para nós e se virou. Zombamos tremendamente da timidez do inimigo, mas na verdade eu estava sentindo um alívio gigantesco por não terem atacado.

Demoramos uma hora para levar as sete carroças de preciosa comida por cima da antiga muralha de terra e entrar no topo suavemente convexo do morro. Caminhei por aquele platô curvo e descobri que era uma maravilhosa posição defensiva. O cume formava um triângulo, e em cada um dos três lados o terreno descia íngreme, de modo que qualquer atacante seria forçado a subir até os dentes de nossas lanças. Eu esperava que a inclinação daquela encosta impedisse o ataque do bando saxão, e dentro de um ou dois dias o inimigo iria embora e estaríamos livres para seguir para o norte até Corinium. Chegaríamos tarde e sem dúvida Artur estaria com raiva de mim, mas por enquanto mantive segura essa parte do exército da Dumnonia. Éramos mais de duzentos lanceiros e protegíamos uma multidão de mulheres e crianças, sete carroças e duas princesas, e nosso refúgio era o topo de uma colina acima de um profundo vale ribeirinho. Encontrei um dos membros do *levy* e perguntei o nome do morro.

— Tem o mesmo nome da cidade, senhor — disse ele, aparentemente achando curioso eu querer saber.

— Aquae Sulis? — perguntei.

— Não, senhor! O nome antigo! O nome antes de os romanos virem.

— Baddon — falei.

— E este é o Mynydd Baddon, senhor.

O Monte Baddon. Com o tempo os poetas fariam esse nome ressoar por toda a Britânia. Ele seria cantado em um milhar de salões e poria fogo no sangue de crianças ainda não nascidas, mas por enquanto não significava nada para mim. Era apenas um morro conveniente, uma fortaleza com muralhas de terra, e o lugar onde, involuntariamente, eu tinha plantado meus dois estandartes no chão. Um mostrava a estrela de Ceinwyn, e o outro, que tínhamos encontrado e resgatado das carroças de Argante, era o do urso de Artur.

Assim, à luz da manhã, tremulando no vento seco, o urso e a estrela desafiavam os saxões.

No Mynydd Baddon.

Os saxões estavam cautelosos. Não tinham atacado quando nos viram pela primeira vez, e agora que estávamos seguros no cume do Mynydd Baddon se contentaram em se acomodar na base sul do morro e simplesmente vigiar. Na tarde, um grande contingente de seus lanceiros foi até Aquae Sulis, onde deve ter descoberto uma cidade quase deserta. Eu esperava ver o fogo e a fumaça da palha dos telhados se queimando, mas nada disso apareceu, e ao crepúsculo os lanceiros voltaram da cidade carregados com a pilhagem. As sombras do anoitecer escureceram o vale do rio e, enquanto nós no cume do Mynydd Baddon ainda estávamos nos últimos raios da luz do dia, as fogueiras dos acampamentos inimigos pontilhavam a escuridão lá embaixo.

Um número ainda maior de fogueiras aparecia nos morros ao norte. O Mynydd Baddon fica como uma ilha à parte daqueles morros, separada deles por uma depressão comprida e coberta de grama. Eu mais ou menos pensara que poderíamos atravessar aquele vale alto à noite, subir a encosta do outro lado e abrir caminho pelos morros em direção a Corinium; assim, antes do anoitecer, mandei Issa e vinte homens reconhecerem a rota, mas ele retornaram dizendo que havia sentinelas saxãs a cavalo, em todo o morro do outro lado da depressão. Eu ainda me inclinava a tentar fugir para o norte, mas sabia que os cavaleiros saxões nos veriam e que ao amanhecer teríamos todo o bando de guerreiros em nossos calcanhares. Preocupei-me com a opção até bem tarde da noite, depois escolhi o menor de dois males: ficaríamos no Mynydd Baddon.

Para os saxões devíamos ter parecido um exército formidável. Agora eu comandava 268 homens e o inimigo não saberia que menos de cem eram lanceiros de primeira. Quarenta dos restantes eram o *levy* da cidade, 36 eram guerreiros endurecidos que tinham guardado Caer Cadarn ou o palácio da Durnovária, mas a maioria dessas três dúzias compunha-se de homens velhos e lentos, enquanto 110 eram jovens que não tinham sentido o gosto de sangue. Meus setenta lanceiros experientes e os doze Escudos Pretos de Argante figuravam entre os melhores guerreiros da Britânia, e ainda que eu não duvidasse de que os 36 veteranos seriam úteis e que os jovens poderiam se mostrar formidáveis, ainda era uma força lamentavelmente pequena para proteger nossas 140 mulheres e as 79 crianças. Mas pelo menos tínhamos comida e água suficiente, porque possuíamos as sete preciosas carroças e havia três fontes nos flancos do Mynydd Baddon.

Ao anoitecer daquele primeiro dia tínhamos contado o inimigo. Havia cerca de 360 saxões no vale e pelo menos mais oitenta nas terras ao norte. Era um número suficiente de lanceiros para nos manter presos no Mynydd Baddon, mas provavelmente não era o bastante para nos atacar. Cada um dos três lados lisos e sem árvores do cume tinha trezentos passos de comprimento, formando um total grande demais para que nosso pequeno número defendesse, mas se o inimigo atacasse nós o veríamos de longe e teríamos tempo de mover lanceiros para enfrentar o ataque. Eu sabia que se eles fizessem dois ou três ataques simultâneos eu ainda poderia me sustentar, porque os saxões teriam uma encosta terrivelmente íngreme para subir e meus homens estariam descansados. Mas se o número do inimigo aumentasse, eu sabia que seria derrotado. Minhas orações eram para que aqueles saxões não passassem de um forte bando em busca de pilhagem e que, assim que tivessem tirado toda a comida que pudessem de Aquae Sulis e do vale do rio, eles voltassem ao norte para se juntar de novo a Aelle e Cerdic.

A alvorada seguinte mostrou que os saxões continuavam no vale, onde a fumaça de suas fogueiras se misturava com a névoa do rio. À medida que a névoa se esgarçou, vimos que eles estavam cortando árvores para fazer cabanas; evidência deprimente de que pretendiam ficar. Meus homens também estavam ocupados nas encostas do morro, derrubando os pequenos pilriteiros e as bétulas jovens que poderiam dar cobertura contra um ataque do inimigo. Eles arrastaram os arbustos e as pequenas árvores para o cume e os empilharam como uma paliçada rudimentar sobre os restos da muralha de terra do povo antigo. Eu tinha outros cinquenta homens na crista do morro ao norte da depressão, onde estavam cortando lenha que levamos de volta para o monte num dos carros de bois do qual tínhamos retirado a comida. Esses homens trouxeram de volta madeira suficiente para fazer uma cabana comprida, ainda que a nossa, diferentemente da dos saxões, não passasse de uma estrutura precária com madeira unindo quatro das carroças e grosseiramente coberta de galhos. Mas tinha tamanho suficiente para abrigar as mulheres e as crianças.

Durante a primeira noite eu tinha mandado dois dos meus lanceiros para o norte. Ambos eram moleques espertos escolhidos entre os jovens que não tinham provado sangue e ordenei que cada um deles tentasse chegar a Corinium e contar nossas dificuldades a Artur. Eu duvidava de que ele pudesse nos ajudar, mas pelo menos saberia o que tinha acontecido. Durante todo o dia seguinte morri de medo de ver aqueles dois garotos de novo, temendo vê-los ser arrastados como prisioneiros atrás de um cavaleiro saxão, mas eles desapareceram. Ambos, como eu soube mais tarde, sobreviveram para alcançar Corinium.

Os saxões construíram seus abrigos e nós empilhamos mais espinheiros e arbustos sobre a muralha rasa. Nenhum dos inimigos chegou perto e não descemos para desafiá-los. Dividi o cume em seções e designei uma tropa de lanceiros para cada uma. Os setenta guerreiros experientes, os melhores de meu pequeno exército, guardavam o ângulo das muralhas de terra que davam para o sul, a direção do inimigo. Dividi meus rapazes em duas tropas, uma em cada flanco dos homens experientes, depois dei a defesa do lado norte do morro para os doze Escudos Pretos apoiados pelo *levy* e pelos guardas de Caer Cadarn e Durnovária. O líder dos Escudos Pretos era um sujeito enorme e cheio de cicatrizes chamado Niall, veterano de cem ataques contra colheitas, cujos dedos eram grossos de tantos anéis de guerreiro, e Niall ergueu seu próprio estandarte improvisado na muralha norte. Não passava de uma jovem bétula sem os galhos, enfiada no chão e com um trapo de capa preta voando na ponta, mas havia algo de selvagem e satisfatoriamente desafiador naquela esfarrapada bandeira irlandesa.

Eu ainda tinha esperanças de escapar. Os saxões podiam estar fazendo abrigos no vale do rio, mas o alto terreno do norte continuava me tentando, e naquela segunda tarde montei em minha égua e atravessei a depressão de terra entre o estandarte de Niall e a crista oposta. Eachern, um guerreiro experiente que eu pusera no comando de um dos bandos de jovens que cortavam madeira naquela crista, veio até o lado de minha égua. Ele viu que eu estava olhando para o urzal despido e adivinhou o que havia em minha mente. Ele cuspiu.

— Os desgraçados estão lá, estão mesmo — falou.

— Tem certeza?

— Eles vêm e vão, senhor. Sempre a cavalo. — Eachern tinha um machado na mão direita e o apontou para oeste, onde um vale corria do norte para o oeste ao lado do urzal. Árvores cresciam densas no pequeno vale, mas tudo que podíamos ver delas eram as copas cheias de folhas. — Há uma estrada no meio daquelas árvores — disse Eachern. — E é lá que eles estão espreitando.

— A estrada deve ir para Glevum.

— Vai primeiro até os saxões, senhor. Os desgraçados estão lá, estão mesmo. Ouvi os machados deles.

O que significava, pensei, que a trilha no vale estava bloqueada com árvores caídas. Eu continuava tentado. Se destruíssemos a comida e deixássemos para trás tudo que pudesse retardar nossa marcha, poderíamos romper esse círculo de saxões e chegar ao exército de Artur. Durante todo o dia minha consciência estivera me cutucando como um aguilhão, porque meu dever claro era estar com Artur, e quanto mais tempo eu ficasse preso no Mynydd Baddon, mais difícil era a tarefa dele. Imaginei se poderíamos atravessar as urzes à noite. Haveria uma meia-lua, o bastante para iluminar o caminho, e, se nos movêssemos rapidamente, sem dúvida ultrapassaríamos o grosso do bando saxão. Poderíamos ser incomodados por um punhado de cavaleiros saxões, mas meus lanceiros poderiam lidar com eles. Mas o que haveria do outro lado do urzal? Terreno montanhoso, com certeza, e sem dúvida cortado por rios inchados pelas chuvas recentes. Eu precisava de uma estrada, precisava de vaus e pontes, precisava de velocidade, do contrário as crianças ficariam para trás, os lanceiros iriam diminuir o passo para protegê-las e subitamente os saxões estariam em cima de nós como lobos caçando um rebanho de ovelhas. Eu podia me imaginar escapando do Mynydd Baddon, mas não via como atravessaríamos os quilômetros entre o lugar onde estávamos e Corinium sem cairmos presa das lâminas inimigas.

No crepúsculo, a decisão foi tirada de minhas mãos. Eu ainda pensava numa corrida para o norte e esperava que, se deixássemos nossas fogueiras acesas, poderíamos enganar o inimigo fazendo-o pensar que continuávamos no cume do Mynydd Baddon. Mas no crepúsculo daquele segundo dia chegaram mais saxões. Vinham do nordeste, da direção de Corinium, e uma centena deles foi para o urzal que eu esperava atravessar, depois vieram para o sul para afastar das árvores os meus lenhadores, fazendo-os atravessar a depressão e subir de novo o Mynydd Baddon. Agora estávamos realmente numa armadilha.

À noite, sentei-me com Ceinwyn junto de uma fogueira.

— Isso me faz lembrar daquela noite em Ynys Mon.

— Eu estava pensando nisso — disse ela.

Foi a noite em que encontráramos o Caldeirão de Clyddno Eiddyn e tínhamos subido num amontoado de rochas, cercados pelas forças de Diwrnach. Nenhum de nós esperava sobreviver, mas então Merlin tinha despertado dos mortos e zombado de mim. "Estamos rodeados, é?", perguntara ele. "Estamos em número menor, é?" Concordei com as duas proposições e Merlin sorriu. "E você se diz um comandante de guerreiros!"

— Você nos deixou numa encrenca — disse Ceinwyn, citando Merlin, e riu da lembrança. Depois suspirou. — Se não estivéssemos com você — prosseguiu, indicando as mulheres e crianças junto às fogueiras —, o que faria?

— Iria para o norte. Lutar uma batalha lá. — E virei a cabeça para as fogueiras saxãs acesas no terreno alto do outro lado da reentrância. — Depois continuaria marchando para o norte. — Eu não tinha realmente certeza de que teria feito isso, porque significaria abandonar cada homem ferido na batalha pela crista, mas o resto de nós, sem o estorvo de mulheres e crianças, sem dúvida poderia ter ido mais rápido do que a perseguição dos saxões.

— E se você pedir aos saxões para dar livre passagem às mulheres e crianças? — perguntou Ceinwyn em voz baixa.

— Eles dirão que sim, e tão logo vocês estiverem fora do alcance de nossas lanças irão pegá-las, estuprá-las, matá-las e escravizar as crianças.

— Então não é mesmo uma boa ideia?

— Não mesmo.

Ela encostou a cabeça no meu ombro, tentando não perturbar Seren, que estava dormindo com a cabeça no colo da mãe.

— E quanto tempo poderemos nos sustentar?

— Eu poderia morrer de velhice no Mynydd Baddon, desde que eles não mandem mais de quatrocentos homens para nos atacar.

— E eles farão isso?

— Provavelmente não — menti e Ceinwyn soube que era mentira. Claro que eles mandariam mais de quatrocentos homens. Na guerra, aprendi, o inimigo geralmente fará aquilo que você mais teme, e esse inimigo certamente mandaria cada lanceiro que tivesse.

Ceinwyn ficou quieta um tempo. Cães latiram em meio aos distantes acampamentos saxões; o som vinha claro na noite silenciosa. Nossos cães começaram a responder, e a pequena Seren se remexeu no sono. Ceinwyn acariciou o cabelo da filha.

— E se Artur está em Corinium — perguntou ela suavemente —, por que os saxões estão vindo para cá?

— Não sei.

— Você acha que eles acabarão indo para o norte, se juntar ao exército principal?

Eu tinha pensado nisso, mas a chegada de mais saxões me deixara em dúvida. Agora suspeitava de que estávamos diante de um grande bando de guerreiros inimigos que estivera tentando marchar para o sul ao largo de Corinium, penetrando fundo nos morros para surgir de novo em Glevum, e assim ameaçar a retaguarda de Artur. Eu não podia pensar em outro motivo para tantos saxões estarem no vale de Aquae Sulis, mas isso não explicava por que não continuavam marchando. Em vez disso faziam abrigos, o que sugeria que desejavam nos sitiar. E nesse caso, pensei, talvez estivéssemos prestando serviço a Artur ficando aqui. Estávamos mantendo um grande número de seus inimigos longe de Corinium, ainda que, se nossa avaliação das forças inimigas estivesse certa, os saxões tivessem homens em número mais do que suficiente para derrotar Artur e a mim.

Ceinwyn e eu ficamos quietos. Os doze Escudos Pretos tinham começado a cantar, e quando a canção terminou meus homens responderam com o canto de guerra de Illtydd. Pyrlig, meu bardo, acompanhou o canto com sua harpa. Ele havia encontrado um peitoral de couro e se armou com escudo e lança, mas o equipamento de guerra parecia estranho em seu corpo magro. Eu esperava que ele nunca tivesse de abandonar sua harpa e usar a lança, porque então toda esperança estaria perdida. Imaginei os saxões num enxame subindo o morro, uivando de deleite ao encontrar tantas mulheres e crianças, depois afastei o pensamento horrível. Tínhamos de ficar vivos, tínhamos de sustentar nossas muralhas, tínhamos de vencer.

Na manhã seguinte, sob um céu de nuvens cinzentas através do qual um vento refrescante trouxe retalhos de chuva do oeste, vesti meu equipamento de guerra. Era pesado, e eu deliberadamente não o tinha usado até agora, mas a chegada dos reforços saxões havia me convencido de que teríamos de lutar, e assim, para dar ânimo aos homens, escolhi usar minha melhor armadura. Primeiro, sobre a camisa de linho e os calções de lã pus uma túnica de couro que ia até os joelhos. O couro era suficientemente grosso para barrar um golpe lateral de espada, mas não uma ponta de lança. Sobre a túnica pus a preciosa cota de pesada malha romana que meus escravos tinham polido a ponto de os pequenos elos parecerem brilhar. A cota de malha era enfeitada com elos de ouro na bainha, nas mangas e no pescoço. Era uma cota cara, uma das mais ricas da Britânia, e muito bem-forjada para suportar praticamente qualquer golpe de espada. Minhas botas até o joelho tinham tiras de bronze costuradas, para desviar os golpes de lança que vêm por baixo numa parede de escudos, e eu usava luvas até o cotovelo, com placas de ferro para proteger os antebraços. Meu elmo era decorado com dragões de prata que subiam até o cume dourado onde era fixada a cauda de lobo. O elmo descia até os ouvidos, tinha uma aba de malha para proteger a nuca e peças laterais de prata que podiam ser viradas sobre o rosto, para que o inimigo não visse um homem e sim um matador coberto de metal com duas sombras pretas no lugar dos olhos. Era a rica armadura de um grande comandante guerreiro, destinada a amedrontar o inimigo. Pus o cinto de Hywelbane em volta da malha, amarrei uma capa no pescoço e sopesei minha mais pesada lança de guerra. Então, vestido assim para a batalha e com o escudo pendurado às costas, caminhei pelas muralhas do Mynydd Baddon para que todos os meus homens e todos os meus inimigos me vissem e soubessem que um lorde guerreiro esperava pela luta. Terminei meu circuito no pico sul de nossas defesas e ali, bem acima do inimigo, levantei as abas de malha e couro para mijar morro abaixo, na direção dos saxões.

Eu não sabia que Guinevere estava perto, só o soube quando ela riu, e aquele riso estragou bastante meu gesto, pois fiquei embaraçado. Ela descartou minhas desculpas.

— Você está ótimo, Derfel.

Abri as laterais do elmo.

— Eu esperava nunca mais usar essas coisas, senhora.

— Você fala como Artur — disse ela em tom maroto, depois foi para trás de mim, admirar as tiras de prata martelada que formavam a estrela de Ceinwyn no escudo. — Jamais entendi — observou ela, voltando-se para me encarar — por que você se veste como um criador de porcos na maior parte do tempo, mas fica tão esplêndido para a guerra.

— Não pareço um criador de porcos — protestei.

— Não os meus, porque não admito gente suja perto de mim, mesmo que estejam cuidando de suínos, por isso sempre me certifico de que tenham roupas decentes.

— Tomei banho ano passado — insisti.

— Faz tão pouco tempo assim! — disse ela, fingindo estar impressionada. Estava segurando seu arco de caça e tinha um carcás de flechas nas costas. — Se eles vierem, pretendo mandar a alma de alguns para o Outro Mundo.

— Se eles vierem — falei, sabendo que viriam —, a senhora só verá elmos e escudos e vai desperdiçar as flechas. Espere até eles levantarem a cabeça para lutar contra nossa parede de escudos, depois mire nos olhos.

— Não vou desperdiçar flechas, Derfel — prometeu, séria.

A primeira ameaça veio do norte, onde os saxões recém-chegados formaram uma parede de escudos em meio às árvores acima da depressão que separava o Mynydd Baddon do terreno elevado. Nossa fonte mais copiosa estava naquela depressão, e talvez os saxões pretendessem impedir que a usássemos, porque logo depois do meio-dia sua parede de escudos desceu para o pequeno vale. Niall os vigiava de nossa muralha de terra.

— Oitenta homens — disse-me ele.

Eu trouxe Issa e cinquenta de meus homens para a muralha do norte, um número de lanceiros mais do que suficiente para enfrentar oitenta saxões lutando para subir o morro, mas logo se tornou óbvio que os saxões não pretendiam atacar, e sim nos atrair para a depressão onde poderiam lutar em termos mais iguais. E sem dúvida, assim que tivéssemos descido, mais saxões viriam das árvores altas para nos emboscar.

— Fiquem aqui — falei aos meus homens —, não desçam! Vocês ficam!

Os saxões zombavam de nós. Alguns conheciam palavras na língua britânica, o suficiente para nos chamar de covardes, mulheres ou vermes. Algumas vezes um pequeno grupo subia a metade de nossa encosta para nos provocar a romper as fileiras e correr morro abaixo, mas Niall, Issa e eu mantínhamos os homens calmos. Um feiticeiro saxão veio arrastando os pés pela encosta molhada, em pequenas corridas nervosas, lançando feitiços. Estava nu por baixo de uma capa de pele de lobo e tinha o cabelo levantado numa ponta única, com o uso de bosta de vaca. Gritou suas maldições em voz aguda, uivou suas palavras de feitiço e depois lançou um punhado de pequenos ossos contra nossos escudos, mas nenhum de nós se moveu. O feiticeiro cuspiu três vezes, depois desceu correndo até a depressão, onde um chefe saxão tentou provocar um de nós para um combate singular. Era um homem corpulento com uma juba emaranhada e suja, que descia até abaixo de um luxuoso colar de ouro. Sua barba era trançada com fitas pretas, o peitoral era de ferro, as grevas decoradas com bronze romano, e o escudo era pintado com a máscara de um lobo rosnando. O elmo tinha chifres de touro aos quais ele havia amarrado uma massa de fitas pretas. Tinha tiras de pele com pelos pretos amarradas na parte superior dos braços e das coxas, levava um grande machado de lâmina dupla, e do cinto pendia uma espada comprida e uma das facas curtas, de lâmina larga, chamadas de *seax*, a arma que dava seu nome aos saxões. Durante um tempo exigiu que o próprio Artur descesse para lutar com ele, e quando se cansou disso me desafiou, chamando-me de covarde, de escravo com coração de galinha e filho de uma prostituta leprosa. Falava em sua própria língua, o que significava que nenhum de meus homens soube o que ele dizia. Simplesmente deixei suas palavras passarem ao largo, no vento.

Então, no meio da tarde, quando a chuva tinha parado e os saxões estavam entediados da tentativa de nos atrair para a batalha, eles trouxeram até a depressão três crianças capturadas. Eram crianças muito pequenas, não teriam mais de cinco ou seis anos, e foram seguradas com *seaxs* junto à garganta.

— Desçam — gritou o chefe grandalhão —, ou elas morrem!

Issa olhou para mim.

— Deixe-me ir, senhor — implorou.

— Esta muralha é minha — insistiu Niall, o líder dos Escudos Pretos. — Eu vou retalhar o desgraçado.

— A colina é minha — falei. Era mais do que apenas a minha colina, também era meu dever travar o primeiro combate singular de uma batalha. Um rei podia deixar seu campeão lutar, mas um comandante guerreiro não devia mandar homens aonde ele próprio não fosse, por isso fechei as laterais do elmo, toquei com a mão enluvada os ossos de porco no punho de Hywelbane e depois apertei a cota de malha para sentir o pequeno calombo formado pelo broche de Ceinwyn. Assim reconfortado, passei por nossa grosseira paliçada de madeira e cheguei na borda da encosta. — Você e eu! — gritei para o alto saxão em sua língua. — Pela vida delas. — E apontei a lança para as três crianças.

Os saxões rugiram em aprovação, porque finalmente iam trazer um britânico para baixo do morro. Eles recuaram, levando as crianças, deixando a depressão para seu campeão e para mim. O saxão corpulento sopesou o grande machado na mão esquerda, depois cuspiu nos ranúnculos.

— Você fala bem nossa língua, porco — elogiou.

— É uma língua de porcos — respondi.

Ele jogou para o alto o machado, que girou com a lâmina refletindo a luz fraca do sol que tentava romper as nuvens. O machado era comprido, e a cabeça de lâmina dupla era pesada, mas ele o pegou facilmente pelo cabo. A maioria dos homens acharia difícil brandir uma arma tão pesada mesmo por um tempo curto, quanto mais atirá-la e pegar, mas esse saxão fazia isso parecer fácil.

— Artur não ousou vir lutar comigo — falou —, então, em vez disso, vou matar o serviçal dele.

Sua referência a Artur me deixou perplexo, mas não era meu serviço desiludir o inimigo se ele achava que Artur estava no Mynydd Baddon.

— Artur tem coisas melhores a fazer do que matar insetos. Por isso me pediu para trucidar você, depois enterrar seu cadáver gordo com os pés apontando para o sul, de modo que por todo o tempo você vai vaguear solitário e sofrendo, sem conseguir encontrar o seu Outro Mundo.

Ele cuspiu.

— Você guincha como um porco manco.

Esses insultos eram um ritual, assim como o combate singular. Artur desaprovava ambos, acreditando que os insultos eram um desperdício de fôlego e o combate singular um desperdício de energia, mas eu não tinha objeção a lutar contra um campeão inimigo. Esse combate servia a um propósito, porque, se eu matasse esse homem, minhas tropas ficariam tremendamente animadas e os saxões veriam um presságio terrível em sua morte. O risco era perder a luta, mas naquela época eu era um homem confiante. O saxão era um palmo mais alto do que eu, e muito mais largo nos ombros, mas eu duvidava que fosse rápido. Ele parecia um homem que contava com a força para vencer, enquanto eu me orgulhava de ser esperto, além de forte. Ele olhou para nossa muralha de terra que agora estava apinhada de homens e mulheres. Eu não podia ver Ceinwyn, mas Guinevere aparecia alta e marcante entre os homens armados.

— Aquela é a sua prostituta? — perguntou o saxão, apontando o machado para ela. — Esta noite ela será minha, seu verme. — Deu dois passos para perto de mim, de modo a ficar a apenas doze passos de distância, depois jogou de novo o grande machado para o ar. Seus homens gritavam para ele da encosta no norte, enquanto meus homens lançavam encorajamentos roucos da fortificação.

— Se você estiver apavorado — falei —, posso lhe dar tempo para esvaziar as tripas.

— Vou esvaziá-las no seu cadáver. — Ele cuspiu em minha direção. Imaginei se deveria derrubá-lo com a lança ou com Hywelbane, então decidi que a lança seria mais rápida desde que ele não aparasse a lâmina. Estava claro que o sujeito iria atacar logo, porque tinha começado a girar o machado em curvas rápidas e intricadas que eram atordoantes de se olhar. Desconfiei que sua intenção fosse me atacar com aquela lâmina que parecia turva, derrubar minha lança com seu escudo e depois enterrar o machado no meu pescoço.
— Meu nome é Wulfger — disse ele formalmente. — Chefe da tribo Sarnaed do povo de Cerdic, e esta terra será minha.

Tirei o braço esquerdo das alças do escudo, transferi o escudo para o braço direito e sopesei a lança na mão esquerda. Não passei as alças do escudo no braço direito, apenas segurei com força o suporte de madeira. Wulfger dos Sarnaed era canhoto, o que significava que seu machado atacaria do meu lado desguarnecido se eu tivesse mantido o escudo no braço original. Nem de longe eu era tão bom com uma lança na mão esquerda, mas tinha uma ideia que poderia terminar com a luta rapidamente.

— Meu nome — respondi formalmente — é Derfel, filho de Aelle, rei dos aenglos. E sou o homem que pôs a cicatriz no rosto de Liofa.

Minha bazófia se destinava a inquietá-lo, e talvez tenha inquietado, mas ele deu pouco sinal. Em vez disso, com um rugido súbito, atacou, seus homens soltando gritos ensurdecedores. O machado de Wulfger assobiava no ar, seu escudo estava pronto para desviar minha lança e ele atacava como um touro, mas então joguei meu escudo no seu rosto. Joguei-o de lado, de modo que foi girando para ele como um pesado disco de madeira com aro de metal.

A visão súbita do escudo pesado voando para o seu rosto forçou-o a levantar o próprio escudo e parar com o giro violento de seu machado. Ouvi meu escudo bater no dele, mas eu já estava com um joelho apoiado no chão, com a lança baixa e apontada para cima. Wulfger dos Sarnaed tinha desviado meu escudo facilmente, mas não pôde conter o próprio ímpeto à frente. Também não conseguiu baixar o escudo a tempo, por isso correu direto para aquela lâmina comprida, pesada e malignamente afiada. Eu tinha apontado para sua barriga, para um lugar logo abaixo do peitoral de ferro, onde a única proteção era um grosso gibão de couro, e minha lança atravessou aquele couro como uma agulha furando tecido. Levantei-me enquanto a lâmina afundava através de couro, pele, músculo e carne para se enterrar no baixo-ventre de Wulfger. Fiquei de pé e girei o cabo, rugindo meu desafio agora que vi a lâmina do machado hesitar. Forcei de novo, com a lança ainda dentro de sua barriga, e girei a lâmina em forma de folha uma segunda vez. Wulfger dos Sarnaed abriu a boca me encarando, e vi o horror chegar aos seus olhos. Ele tentou levantar o machado, mas só havia uma dor terrível em sua barriga e uma fraqueza que liquefazia suas pernas, e então ele cambaleou, ofegou e caiu de joelhos.

Larguei a lança e recuei enquanto desembainhava Hywelbane.

— Esta terra é nossa, Wulfger dos Sarnaed — falei suficientemente alto para que seus homens ouvissem —, e continua sendo nossa. — Girei a lâmina uma vez, mas com tanta força que ela cortou o emaranhado de cabelos bem na nuca e atravessou sua coluna.

Ele caiu. Morto num piscar de olhos.

Agarrei o cabo da lança, pus uma das botas na barriga de Wulfger e arranquei a lâmina relutante. Depois me inclinei e arranquei o crânio de lobo de seu elmo. Segurei o osso amarelado na direção de nossos inimigos, depois joguei-o no chão e o despedacei com o pé. Soltei o colar de ouro do morto, depois peguei seu escudo, o machado e a faca, e acenei com esses troféus na direção de seus homens, que ficaram olhando em silêncio. Meus homens estavam dançando e uivando de alegria. Por fim, me curvei e soltei suas pesadas grevas de bronze, decoradas com a imagem de meu Deus, Mitra.

Levantei-me com o butim.

— Mandem as crianças! — gritei para os saxões.

— Venha pegá-las! — gritou um homem de volta. Depois, com um gesto rápido, cortou a garganta de uma criança. As outras duas gritaram, depois também foram mortas e os saxões cuspiram em seus pequenos corpos. Por um instante, pensei que meus homens iriam perder o controle e descer atacando, mas Issa e Niall os mantiveram na fortificação. Cuspi no corpo de Wulfger, zombei do inimigo traiçoeiro e levei meus troféus de volta para o morro.

Dei o escudo de Wulfger a um dos membros do *levy*, a faca a Niall e o machado a Issa.

— Não o use em batalha — falei —, mas você pode cortar lenha com ele.

Levei o colar de ouro para Ceinwyn, mas ela balançou a cabeça.

— Não gosto do ouro dos mortos — falou. Ela estava aninhando nossas filhas, e pude ver que as três tinham chorado. Ceinwyn não era mulher de demonstrar as emoções. Tinha aprendido na infância que poderia ter o afeto de seu temível pai mantendo uma natureza luminosa, e de algum modo esse hábito de alegria tinha se entranhado em sua alma, mas agora ela não conseguiu esconder a perturbação. — Você poderia ter morrido! — falou.

Eu não tinha o que dizer, por isso apenas me agachei perto dela, arranquei um punhado de grama e limpei o sangue da lâmina de Hywelbane. Ceinwyn franziu a testa para mim. — Eles mataram aquelas crianças?

— Sim.

— Quem eram elas?

Dei de ombros.

— Quem sabe? Crianças capturadas em algum ataque.

Ceinwyn suspirou e acariciou os cabelos louros de Morwenna.

— Você tinha de lutar?

— Você preferiria que eu mandasse Issa?

— Não — admitiu ela.

— Então sim, eu tinha de lutar — retruquei. Na verdade havia gostado da luta. Só um idiota deseja a guerra, mas assim que a guerra começa ela não pode ser lutada com meia vontade. Nem pode ser lutada com arrependimento, mas deve ser levada com uma alegria terrível em derrotar o inimigo, e é essa alegria selvagem que inspira nossos bardos a escrever suas maiores canções de amor e de guerra. Nós, guerreiros, nos vestíamos para a batalha como nos enfeitávamos para o amor: fazíamo-nos belos, usávamos nosso ouro, púnhamos cristas nos elmos engastados de prata, andávamos empertigados, cantávamos vantagem, e quando as lâminas assassinas chegavam perto sentíamos como se o sangue dos Deuses corresse em nossas veias. O homem deve amar a paz, mas se não puder lutar de todo o coração não terá paz.

— O que teríamos feito se você morresse? — perguntou Ceinwyn, olhando enquanto eu prendia as excelentes grevas de Wulfger sobre minhas botas.

— Teriam me queimado, meu amor, e mandado minha alma para junto de Dian. — Beijei-a, depois levei o colar de ouro para Guinevere, que ficou deliciada com o presente, e mesmo não gostando dos grosseiros trabalhos saxões, pôs o colar no pescoço.

— Gostei daquela luta — disse ela, ajeitando as placas de ouro. — Você precisa me ensinar um pouco de saxão, Derfel.

— Claro.

— Insultos. Eu quero feri-los. — Ela gargalhou. — Insultos pesados, Derfel, os mais pesados que você conhecer.

E haveria muitos saxões para Guinevere insultar, porque um número ainda maior de lanceiros inimigos estava chegando ao vale. Meus homens no ângulo sul gritaram para me alertar, e fui até a muralha de terra embaixo de nossos dois estandartes e vi duas compridas fileiras de lanceiros serpenteando pelos morros do leste, descendo até as campinas do rio.

— Eles começaram a chegar há pouco — disse Eachern — e agora não acabam mais.

Não acabavam mesmo. Isso não era um bando de guerreiros que vinham lutar, e sim um exército, uma horda, todo um povo em marcha. Homens, mulheres, animais e crianças, todos se derramando dos morros do leste para o vale de Aquae Sulis. Os lanceiros marchavam em suas longas colunas, e entre as colunas havia rebanhos de bois e ovelhas e um número incontável de mulheres e crianças. Cavaleiros seguiam nos flancos, e mais cavaleiros se agrupavam junto aos dois estandartes que marcavam a chegada dos reis saxões. Isso não era um exército, e sim dois, as forças combinadas de Aelle e Cerdic, e em vez de enfrentar Artur no vale do Tâmisa eles tinham vindo para cá, para mim, e suas lâminas eram tão numerosas quanto as estrelas do grande cinturão no céu.

Fiquei olhando sua chegada durante uma hora. Eachern estava certo. Eles não acabavam mais. Toquei os ossos no punho de Hywelbane e soube, com mais certeza do que nunca, que estávamos condenados.

Naquela noite as luzes das fogueiras saxãs pareciam uma constelação caída no vale de Aquae Sulis; um clarão de fogos que chegava até longe no sul e se aprofundava no oeste, mostrando até onde ia o acampamento inimigo seguindo a linha do rio. Ainda havia mais fogueiras nos morros do leste, enquanto a retaguarda da horda saxã acampava em terreno elevado, mas ao alvorecer vimos esses homens descendo o vale abaixo de nós.

Era uma manhã feia, mas o dia prometia ser quente. Ao alvorecer, enquanto o vale ainda estava escuro, a fumaça das fogueiras saxãs se misturava à névoa do rio, fazendo parecer que o Mynydd Baddon era uma grande embarcação ensolarada à deriva num sinistro mar cinzento. Eu havia dormido mal, porque uma das mulheres dera à luz durante a noite e seus gritos tinham me assombrado. A criança nasceu morta e Ceinwyn me disse que o parto só deveria ter acontecido dentro de três ou quatro meses.

— Eles acham que é um mau presságio — acrescentou em voz soturna.

E provavelmente era mesmo, refleti, mas não ousava admitir. Em vez disso, tentei parecer confiante.

— Os Deuses não vão nos abandonar.

— Foi Terfa — disse Ceinwyn, falando o nome da mulher que tinha torturado a noite com seus gritos. — Seria o primeiro filho. Era um menino. Muito pequenino. — Ela hesitou, depois deu um sorriso triste. — Há um temor, Derfel, de que os Deuses tenham nos abandonado no Samain.

Ela só estava dizendo o que eu próprio temia, mas de novo não ousei admitir.

— Você acredita nisso? — perguntei.

— Não quero acreditar. — Ela pensou durante alguns segundos e ia dizer mais alguma coisa, quando um grito vindo da muralha sul nos interrompeu. Não me mexi e o grito veio de novo. Ceinwyn tocou meu braço. — Vá — disse ela.

Corri até a muralha sul e encontrei Issa, que tinha ficado de sentinela no último turno da noite, olhando para as sombras enfumaçadas do vale.

— Cerca de uma dúzia dos desgraçados — disse ele.

— Onde?

— Está vendo aqueles arbustos? — Ele apontou para a encosta desnuda onde um arbusto com flores brancas de pilriteiro marcava o fim da colina e o início da terra cultivada do vale. — Eles estão lá. Nós os vimos atravessando o campo de trigo.

— Eles só estão nos vigiando — respondi em tom azedo, irritado por ele ter me chamado para longe de Ceinwyn por uma coisa tão pequena.

— Não sei, senhor. Havia alguma coisa estranha neles. Ali! — Issa apontou de novo e vi um grupo de lanceiros atravessar a cerca de arbustos. Eles se agacharam do lado de cá da cerca e parecia que estavam olhando para trás, e não para nós. Esperaram alguns minutos, depois subitamente correram para nós. — Desertores? — perguntou Issa. — Certamente não!

E realmente parecia estranho alguém desertar daquele vasto exército saxão para se juntar ao nosso bando sitiado, mas Issa estava certo, porque quando os onze homens estavam a meio caminho da encosta eles viraram ostensivamente os escudos de cabeça para baixo. Finalmente as sentinelas saxãs tinham visto os traidores e uns vinte lanceiros inimigos agora perseguiam os fugitivos, mas os onze homens estavam muito longe deles e podiam nos alcançar em segurança.

— Tragam-nos a mim quando chegarem — falei a Issa, depois voltei para o centro do cume, onde vesti minha cota de malha e prendi Hywelbane à cintura. — Desertores — falei a Ceinwyn.

Issa trouxe os onze homens. Reconheci primeiro os escudos, porque mostravam a águia-do-mar de Lancelot, com o peixe nas garras, e depois reconheci Bors, primo e campeão de Lancelot. Ele sorriu nervoso ao me ver, depois dei um riso aberto e ele relaxou.

— Lorde Derfel — cumprimentou ele. Seu rosto largo estava vermelho devido à subida, e seu corpanzil se esforçava para recuperar o fôlego.

— Lorde Bors — falei formalmente, depois o abracei.

— Se eu tiver de morrer — disse ele — prefiro morrer do meu lado. — Em seguida, disse o nome de seus lanceiros, todos britânicos que tinham estado a serviço de Lancelot e se ressentiam de ser forçados a usar suas lanças a favor dos saxões. Curvaram-se diante de Ceinwyn, depois sentaram-se enquanto pão, hidromel e carne salgada eram trazidos para eles. Disseram que Lancelot marchara para o norte indo juntar-se a Aelle e Cerdic, e agora todas as forças saxãs estavam unidas no vale abaixo de nós. — Mais de dois mil homens, é o que eles dizem.

— Tenho menos de trezentos.

Bors fez uma careta.

— Mas Artur está aqui, não está?

Balancei a cabeça.

— Não.

Bors me encarou, a boca aberta cheia de comida.

— Não está aqui? — disse finalmente.

— Pelo que sei, está em algum lugar no norte.

Bors engoliu o bocado de comida e depois xingou baixinho.

— Então quem está aqui?

— Só eu. — Fiz um gesto indicando o morro. — E o que você pode ver.

Ele ergueu um chifre de hidromel e bebeu sofregamente.

— Então admito que vamos morrer — falou, soturno.

Bors havia pensado que Artur estava no Mynydd Baddon. De fato, segundo ele, Cerdic e Aelle acreditavam que Artur estava no morro, e por isso tinham marchado para o sul do Tâmisa, vindo até Aquae Sulis. Os saxões que haviam nos levado a esse refúgio tinham visto o estandarte de Artur na crista do Mynydd Baddon, e enviado a notícia de sua presença para os reis saxões, que tinham estado procurando Artur na parte superior do Tâmisa.

— Os desgraçados sabem quais são os planos de vocês — alertou Bors. — E sabem que Artur queria lutar perto de Corinium, mas não puderam encontrá-lo lá. E é isso que eles querem, Derfel, querem encontrar Artur antes que Cuneglas o alcance. Eles sabem que, se matarem Artur, o resto da Britânia perderá o ânimo.

Mas Artur, o inteligente Artur, enganara Cerdic e Aelle, e então os reis saxões tinham ouvido dizer que o estandarte do urso estava tremulando num morro perto de Aquae Sulis, por isso tinham voltado sua enorme força para o sul e despachado ordens para que as forças de Lancelot se juntassem a eles.

— Tem alguma notícia de Culhwch? — perguntei.

— Ele está em algum lugar por lá — disse Bors vagamente, acenando para o sul. — Não o encontramos. — De repente, ele se enrijeceu e olhei em volta e vi Guinevere nos observando. Ela havia abandonado seu vestido da prisão e usava um gibão de couro, calções de lã e botas de cano longo: roupas de homem, como as que usava para caçar. Mais tarde descobri que tinha encontrado as roupas em Aquae Sulis e, mesmo sendo de baixa qualidade, de algum modo conseguiu imbuí-las de elegância. Estava com o colar de ouro saxão no pescoço, um carcás de flechas nas costas, o arco de caça na mão e uma faca curta na cintura.

— Lorde Bors — ela cumprimentou gelidamente o campeão de seu antigo amante.

— Senhora. — Bors se levantou e fez uma reverência desajeitada.

Guinevere olhou para o escudo dele, que ainda mostrava a insígnia de Lancelot, depois levantou uma sobrancelha.

— Você também se entediou com ele?

— Sou britânico, senhora — disse Bors, rígido.

— E um britânico corajoso — concordou ela calorosamente. — Acho que temos sorte de tê-lo aqui. — Suas palavras eram precisamente corretas e Bors, que estivera embaraçado com o encontro, pareceu timidamente satisfeito. Murmurou alguma coisa sobre estar feliz em ver Guinevere, mas não era um homem que fazia elogios com elegância, e ruborizou-se ao falar. — Posso presumir que o seu antigo senhor está com os saxões?

— Está, senhora.

— Então rezo para que chegue ao alcance de meu arco.

— Talvez isso não aconteça, senhora — disse Bors, porque sabia da relutância de Lancelot em se colocar em perigo —, mas a senhora terá um número suficiente de saxões para matar antes que o dia termine. Mais do que o bastante.

E estava certo, porque abaixo de nós, onde o resto da névoa do rio era afastado pelo sol, a horda saxã se reunia. Cerdic e Aelle, ainda acreditando que seu maior inimigo estava preso no Mynydd Baddon, planejavam um ataque avassalador. Não seria um ataque sutil, porque nenhum lanceiro estava sendo levado para nos tomar pelo flanco. Seria um golpe simples, grosseiro, que viria com força devastadora subindo a face sul do Mynydd Baddon. Centenas de guerreiros eram reunidos para o ataque, e suas lanças muito juntas brilhavam às primeiras luzes.

— Quantos eles são? — perguntou-me Guinevere.

— Muitos, senhora.

— Metade do exército deles — disse Bors, e explicou a ela que os reis saxões acreditavam que Artur e seus melhores homens estavam presos no topo do morro.

— Então ele os enganou? — perguntou Guinevere, não sem uma nota de orgulho.

— Ah, nós os enganamos — falei sombrio, indicando o estandarte de Artur que se agitava intermitentemente na brisa fraca.

— Então teremos de derrotá-los — respondeu Guinevere rapidamente, ainda que eu não soubesse como. Desde que me vira cercado pelos homens de Diwrnach em Ynys Mon nunca me sentira tão impotente, mas naquela noite triste Merlin era meu aliado, e sua magia nos fizera sair da armadilha. Agora eu não tinha magia ao meu lado e não conseguia prever nada além da perdição.

Durante toda a manhã vi os guerreiros saxões se reunindo em meio ao trigal e observei enquanto seus feiticeiros dançavam ao longo das linhas e os chefes arengavam para os lanceiros. Os homens na linha de frente saxã mostravam-se bastante firmes, já que eram guerreiros treinados que tinham feito juramento aos seus senhores, mas o resto daquela vasta multidão devia ser o equivalente ao nosso *levy*, ou *fyrd*, como chamavam os saxões, e esses homens ficavam indo e vindo. Alguns iam até o rio, outros voltavam aos campos, e da altura em que estávamos era como tentar ver pastores tentando juntar um vasto rebanho; assim que uma parte do exército ficava arrumada, outra se partia e tudo precisava recomeçar, e o tempo todo os tambores saxões troavam. Eles estavam usando grandes troncos ocos nos quais batiam com porretes de madeira, de modo que as batidas do coração da morte ecoavam da encosta coberta de árvores no lado mais distante do vale. Os saxões deviam estar bebendo cerveja, juntando a coragem necessária para vir contra nossas lanças. Alguns dos meus homens engoliam hidromel. Eu desencorajava isso, mas impedir um soldado de beber era como impedir um cão de latir, e muitos dos meus homens precisavam do fogo que o hidromel põe na barriga, já que sabiam contar tanto quanto eu. Mil homens vinham para lutar contra menos de trezentos.

Bors tinha pedido para ficar com seus homens no centro de nossa linha, e concordei. Esperava que ele morresse rapidamente, cortado por um machado ou uma lança, porque se fosse capturado vivo sua morte seria longa e horrível. Ele e seus homens tinham descascado os escudos até chegar à madeira nua, e agora estavam bebendo hidromel, e eu não os culpava.

Issa estava sóbrio.

— Eles vão nos envolver, senhor — falou preocupado.

— Vão mesmo — concordei e desejei poder dizer algo mais útil, mas na verdade estava transfixado pelos preparativos do inimigo, e impotente para saber o que faria com relação ao ataque. Não duvidava de que meus homens poderiam lutar contra os melhores lanceiros saxões, mas só tinha lanceiros suficientes para fazer uma parede de escudos com cem passos de largura, e o ataque saxão, quando viesse, teria três vezes esse tamanho. Lutaríamos no centro, mataríamos, e o inimigo viria pelos flancos para capturar o cume do morro e nos trucidar por trás.

Issa fez uma careta. Seu elmo com cauda de lobo tinha sido meu, e ele havia engastado um desenho com estrelas de prata. Sua mulher grávida, Scarach, havia encontrado algumas verbenas que cresciam perto das fontes, e Issa usava um ramo no elmo, esperando que o livrasse do mal. Ofereceu-me um pouco da planta, mas recusei.

— Fique com ela.

— O que vamos fazer, senhor?

— Não podemos fugir. — Eu pensava em fazer uma corrida desesperada para o norte, mas havia saxões para além da depressão daquele lado, e teríamos de lutar morro acima, em direção às lanças deles. Tínhamos pouca chance de fazer isso, e uma chance muito maior de ficarmos presos na depressão entre dois inimigos em terreno mais elevado. — Temos de vencê-los aqui — falei, disfarçando minha convicção de que não poderíamos vencê-los de modo algum. Eu poderia lutar contra quatrocentos homens, talvez até seiscentos, mas não contra os mil saxões que agora se preparavam ao pé da encosta.

— Se tivéssemos um druida — falou Issa, depois deixou o pensamento no ar, mas sabia exatamente o que o incomodava. Estava pensando que não era bom entrar em batalha sem orações. Os cristãos nas nossas fileiras estavam rezando de braços abertos, numa imitação da morte de seu Deus, e tinham me dito que não precisavam de um padre para interceder por eles, mas nós, pagãos, gostávamos de ter as maldições de um druida chovendo sobre o inimigo antes de uma luta. Mas não tínhamos druida, e a ausência não apenas nos negava o poder de suas maldições, mas sugeria que a partir desse dia teríamos de lutar sem nossos Deuses, porque esses Deuses tinham fugido enojados com os rituais interrompidos em Mai Dun.

Chamei Pyrlig e ordenei que xingasse o inimigo. Ele ficou pálido.

— Mas eu sou um bardo, senhor, e não um druida — protestou.

— Você iniciou o treinamento de druida?

— Todos os bardos fazem isso, senhor, mas nunca aprendi os mistérios.

— Os saxões não sabem disso. Desça o morro, pule numa perna e xingue as almas imundas deles até a esterqueira de Annwn.

Pyrlig fez o melhor que pôde, mas não conseguia manter o equilíbrio e senti que havia mais medo do que vitupérios em seus xingamentos. Vendo-os, os saxões mandaram seis de seus feiticeiros para contrapor a magia. Os feiticeiros nus, com o cabelo cheio de pequenos feitiços pendurados e enrijecidos em pontas grotescas com o uso de bosta de vaca, subiram atabalhoadamente a encosta para cuspir e xingar contra Pyrlig, que, vendo a aproximação deles, recuou nervosamente. Um dos feiticeiros saxões tinha um fêmur humano que usou para caçar Pyrlig, fazendo-o subir ainda mais a encosta. E quando viu o óbvio terror de nosso bardo, o saxão sacudiu o corpo em gestos obscenos. Os feiticeiros inimigos chegaram ainda mais perto, de modo que pudemos ouvir suas vozes esganiçadas acima do trovejar dos tambores no vale.

— O que eles estão dizendo? — Guinevere tinha vindo para perto de mim.

— Estão usando feitiços, senhora. Estão invocando seus Deuses para nos encher de medo e transformar nossas pernas em água. — Ouvi de novo os cantos. — Imploram para que nossos olhos sejam cegados, que nossas lanças se partam e nossas espadas fiquem rombudas. — O homem com o osso de coxa viu Guinevere e se virou para ela, e xingou uma fiada de obscenidades.

— O que ele está dizendo agora? — perguntou ela.

— A senhora não quer saber.

— Quero sim, Derfel, eu quero.

— Então não quero lhe dizer.

Ela gargalhou. O feiticeiro, agora a apenas trinta passos de nós, sacudiu o ventre tatuado na direção dela e balançou a cabeça, revirou os olhos e gritou que ela era uma feiticeira maldita e prometeu que seu útero secaria até virar uma crosta, e que seus seios iriam ficar azedos como fel, e então houve um *tóin* abrupto junto ao meu ouvido e o feiticeiro ficou subitamente silencioso. Uma flecha tinha penetrado em sua goela, atravessando direto, de modo que metade se projetava da nuca e o cabo com a pena aparecia debaixo do queixo. O homem encarou Guinevere, gorgolejou, e em seguida o osso caiu de sua mão. Ele segurou a flecha, ainda olhando para ela, depois estremeceu e caiu de súbito.

— É considerado azar matar os magos do inimigo — falei, numa reprovação suave.

— Agora não — disse Guinevere vingativamente. — Agora não. — Ela pegou outra flecha no carcás e ajeitou na corda, mas os outros cinco feiticeiros tinham visto o destino de seu colega e estavam disparando morro abaixo, fora do alcance. Estavam gritando furiosos enquanto iam, protestando contra nossa má-fé. Tinham direito de protestar, e temi que a morte do feiticeiro só enchesse os atacantes de uma fúria gelada. Guinevere tirou a flecha do arco. — Então o que eles vão fazer, Derfel?

— Dentro de alguns minutos aquela massa de homens virá morro acima. Dá para ver como eles virão. — Apontei para a formação saxã que ainda estava sendo empurrada e arrebanhada para entrar na linha. — Cem homens na primeira fila, e nove ou dez homens em cada coluna para empurrar esses homens da frente contra nossas lanças. Podemos enfrentar aqueles cem homens, senhora, mas nossas colunas terão apenas dois ou três homens cada, e não poderemos empurrá-los de novo morro abaixo. Vamos pará-los durante um tempo, e as paredes de escudos vão se travar, mas não iremos pressioná-los para trás, e quando eles virem que todos os nossos homens estão travados na linha de luta, mandarão as fileiras de retaguarda pelos lados, para nos pegar por trás.

Seus olhos verdes me encararam, com um ar ligeiramente zombeteiro no rosto. Ela era a única mulher que já conheci que podia me encarar direto nos olhos, e sempre achei inquietante seu jeito de me olhar assim, olho no olho. Guinevere tinha a capacidade de fazer os homens se sentirem idiotas, ainda que naquele dia, enquanto os tambores saxões batiam e a grande horda se preparava para subir em direção às nossas lâminas, ela só me desejasse o sucesso.

— Você quer dizer que estamos perdidos? — perguntou em tom despreocupado.

— Estou dizendo, senhora, que não sei se podemos ganhar. — Eu estava imaginando se deveria fazer o inesperado e formar meus homens numa cunha que atacaria morro abaixo e cortaria fundo a massa de saxões. Era possível que um ataque assim os surpreendesse ou até causasse pânico, mas o perigo era que meus homens fossem rodeados por inimigos na encosta, e, quando o último de nós estivesse morto, os saxões subiriam ao cume para tomar nossas famílias indefesas.

Guinevere pendurou o arco no ombro.

— Podemos vencer — disse cheia de confiança. — Podemos vencer facilmente. — Por um momento, não a levei a sério. — Posso rasgar a coragem deles — disse ela, com mais intensidade.

Olhei-a e vi a alegria feroz em seu rosto. Se ela fosse fazer algum homem de idiota naquele dia, seria Cerdic e Aelle, não a mim.

— Como podemos vencer? — perguntei.

Um olhar malicioso surgiu em seu rosto.

— Você confia em mim, Derfel?

— Confio, senhora.

— Então me dê vinte homens bons.

Hesitei. Eu fora forçado a deixar alguns lanceiros na muralha do norte, para nos guardar contra um ataque que atravessasse a depressão, e não podia perder vinte dos que restavam virados para o sul; mas mesmo que tivesse mais duzentos lanceiros eu sabia que perderia esta batalha no topo da colina, por isso assenti.

— Vou lhe dar vinte homens do *levy*, e a senhora me dê a vitória. — Guinevere sorriu e foi andando. Gritei para Issa encontrar vinte homens jovens e mandá-los com ela. — Ela vai nos dar a vitória! — falei alto com ele, o bastante para meus homens ouvirem, e eles, sentindo a esperança num dia em que não havia nenhuma, sorriram e gargalharam.

Mas a vitória, pensei, precisaria de um milagre, ou então da chegada de aliados. Onde estava Culhwch? Durante todo o dia eu tinha esperado ver suas tropas no sul, mas não houvera sinal dele, então decidi que devia ter feito um amplo desvio em volta de Aquae Sulis numa tentativa de se juntar a Artur. Eu não conseguia pensar em outras tropas que pudessem vir em nossa ajuda, mas na verdade, mesmo que Culhwch tivesse se reunido a mim, seus números não fariam os nossos crescerem o bastante para suportar o ataque saxão.

Agora esse ataque estava próximo. Os feiticeiros tinham feito seu serviço, e um grupo de cavaleiros saxões deixou as fileiras e esporeou morro acima. Gritei pedindo minha égua, mandei Issa fazer apoio com as mãos para eu montar e cavalguei encosta abaixo para encontrar os enviados inimigos. Bors poderia ter me acompanhado, porque era um lorde, mas não queria encarar os homens dos quais tinha acabado de desertar, por isso fui sozinho.

Nove saxões e três britânicos se aproximaram. Um dos britânicos era Lancelot, belo como sempre em sua armadura de escamas brancas que ofuscavam ao sol. O elmo era prateado e tinha na crista um par de asas de cisne que se agitavam à brisa suave. Seus dois companheiros eram Amhar e Loholt, que marchavam contra o pai sob o estandarte de Cerdic, com o crânio de lobo e a pele humana pendurada, e o do meu pai, o grande crânio de touro manchado de sangue novo em honra a esta nova guerra. Cerdic e Aelle também subiram o morro, e com eles havia meia dúzia de chefes saxões; todos homens grandes, com mantos de pele e bigodes que iam até o cinto da espada. O último saxão era um intérprete, e ele, como os outros saxões, montava mal, assim como eu. Apenas Lancelot e os gêmeos eram bons cavaleiros.

Encontramo-nos na metade do morro. Nenhum dos cavalos gostava da encosta e todos se agitavam, nervosos. Cerdic fez um muxoxo para a nossa fortaleza de terra. Ele podia ver os dois estandartes lá, e um formigamento de pontas de lanças acima da barricada precária, mas nada além. Aelle assentiu sério para mim enquanto Lancelot evitava meu olhar.

— Onde está Artur? — perguntou Cerdic finalmente. Seus olhos claros me espiavam de sob um elmo com borda de ouro enfeitado grotescamente com a mão de um cadáver na crista. Sem dúvida, pensei, era uma mão britânica. O troféu tinha sido defumado, de modo que a pele estava escurecida e os dedos pareciam garras.

— Artur está despreocupado, senhor rei. Ele me encarregou de espancar vocês enquanto planeja como removerá o fedor de sua imundície da Britânia. — O intérprete murmurou no ouvido de Lancelot.

— Artur está aqui? — exigiu saber Cerdic. A convenção determinava que os líderes dos exércitos conferenciassem antes da batalha, e Cerdic recebera minha presença como um insulto. Ele havia esperado que Artur viesse encontrá-lo, e não algum subalterno.

— Ele está aqui, senhor — falei enigmaticamente — e em toda parte. Merlin o transporta através das nuvens.

Cerdic cuspiu. Estava usando uma armadura tosca, sem qualquer enfeite além da mão horrenda no elmo com borda de ouro. Aelle vestia sua pele preta usual, tinha ouro nos pulsos e no pescoço, e um único chifre de touro se projetando da frente do elmo. Ele era o mais velho, mas Cerdic, como sempre, assumia a liderança. Seu rosto inteligente e contraído lançou-me um olhar de menosprezo.

— Seria melhor se vocês descessem o morro e largassem as armas na estrada — falou. — Mataremos alguns de vocês como tributo aos nossos Deuses e levaremos o resto como escravos, mas você deve nos entregar a mulher que matou nosso feiticeiro. Ela nós mataremos.

— Ela matou o feiticeiro sob minhas ordens — eu disse. — Em troca da barba de Merlin. — Tinha sido Cerdic quem cortara uma mecha da barba de Merlin, um insulto que eu não pretendia perdoar.

— Então mataremos você — disse Cerdic.

— Liofa tentou fazer isso uma vez — repliquei, aguilhoando-o. — E ontem Wulfger dos Sarnaed tentou arrancar minha alma, mas foi ele quem voltou para a pocilga dos seus ancestrais.

Aelle interveio.

— Não vamos matá-lo, Derfel, não se você se render. — Cerdic começou a protestar, mas Aelle o silenciou com um gesto abrupto de sua mão direita mutilada. — Não vamos matá-lo — insistiu. — Você deu o anel à sua mulher?

— Ela o usa agora, senhor rei — fiz um gesto para o alto do morro.

— Ela está aqui? — Ele pareceu surpreso.

— Com as suas netas.

— Deixe-me vê-las — exigiu Aelle. Cerdic protestou de novo. Ele estava aqui para nos preparar para o morticínio, não para testemunhar uma feliz reunião familiar, mas Aelle ignorou o protesto de seu aliado.

— Eu gostaria de vê-las uma vez — falou, por isso me virei e gritei para cima do morro.

Ceinwyn apareceu um instante depois, com Morwenna numa das mãos e Seren na outra. Elas hesitaram acima da muralha de terra, depois desceram delicadamente pela encosta coberta de grama. Ceinwyn estava vestida com simplicidade num vestido de linho, mas seu cabelo brilhava dourado ao sol de primavera e pensei, como sempre, que sua beleza era mágica. Senti um nó na garganta e lágrimas nos olhos quando ela veio descendo tão leve. Seren parecia nervosa, mas Morwenna tinha um olhar desafiador. Elas pararam junto de meu cavalo e olharam os reis saxões. Ceinwyn e Lancelot se entreolharam e Ceinwyn cuspiu deliberadamente na grama, para evitar o mal da presença dele.

Cerdic fingiu desinteresse, mas Aelle desceu desajeitadamente de sua gasta sela de couro.

— Diga que estou feliz em vê-las — pediu ele — e diga-me o nome das meninas.

— A mais velha se chama Morwenna, a mais nova é Seren. Significa estrela. — Olhei para minhas filhas. — Este rei — falei-lhes em britânico — é o seu avô.

Aelle enfiou a mão no manto preto e pegou duas moedas de ouro. Deu uma a cada uma das garotas, depois olhou mudamente para Ceinwyn. Ela entendeu o que ele queria e, soltando as mãos das filhas, deixou-se ser abraçada. Ele devia estar fedendo, porque sua capa de pele era gordurosa e cheia de sujeira, mas ela não deu sinal disso. Depois de beijar Ceinwyn, ele deu um passo atrás, levou a mão dela aos lábios e sorriu ao ver a pequena lasca de ágata azul-esverdeada no anel de ouro.

— Diga que pouparei a vida dela, Derfel.

Eu disse, e ela sorriu.

— Diga que seria melhor se ele voltasse para a sua terra — disse Ceinwyn — e que ficaríamos muito felizes em visitá-lo lá.

Aelle sorriu quando isso foi traduzido, mas Cerdic apenas fez cara de desprezo.

— Esta terra é nossa! — insistiu ele e seu cavalo raspou o chão com as patas enquanto ele falava. Minhas filhas recuaram de seu veneno.

— Diga-lhes para irem — rosnou Aelle para mim — porque precisamos falar de guerra. — Em seguida, olhou-as subindo o morro. — Você tem o gosto de seu pai pelas mulheres bonitas.

— E um gosto britânico pelo suicídio — interveio Cerdic rispidamente. — Sua vida lhe foi prometida, mas só se você descer do morro agora e largar as armas na estrada.

— Irei colocá-las na estrada, senhor rei, com o seu corpo atravessado por elas.

— Você mia como um gato — disse Cerdic com desprezo. Depois olhou para além de mim e sua expressão ficou mais séria. Virei-me e vi que agora Guinevere estava de pé sobre a muralha de terra. Destacava-se alta, com as pernas longas em suas roupas de caçador, coroada com uma massa de cabelos ruivos e o arco atravessado nos ombros, parecendo alguma Deusa da guerra. Cerdic deve tê-la reconhecido como a mulher que tinha matado seu feiticeiro. — Quem é ela? — perguntou em tom feroz.

— Pergunte ao seu cachorrinho — respondi, fazendo um gesto para Lancelot. Então, quando suspeitei de que o intérprete não havia traduzido minhas palavras com precisão, falei-as de novo em língua britânica. Lancelot me ignorou.

— Guinevere — disse Amhar ao intérprete de Cerdic —, e ela é a prostituta de meu pai — acrescentou com um riso escarninho.

Eu já havia chamado Guinevere de coisa pior, mas não tinha paciência para ouvir o escárnio de Amhar. Eu nunca sentira qualquer afeto por Guinevere, ela era arrogante demais, voluntariosa demais, mas nos últimos dias começara a admirá-la, e de repente me ouvi cuspindo insultos para Amhar. Não lembro agora do que falei, só que a raiva deu um tom maligno a minha voz. Devo tê-lo chamado de verme, de traiçoeiro imundo, criatura sem honra, um garoto que seria cortado pela espada de um homem antes do fim do dia. Cuspi na direção dele, xinguei-o e o impeli morro abaixo junto com o irmão, debaixo de insultos. Depois me virei para Lancelot.

— Seu primo Bors manda lembranças e promete arrancar sua barriga pela garganta. E é melhor rezar para que ele faça isso, porque, se eu o pegar, farei sua alma gemer.

Lancelot cuspiu, mas não se incomodou em responder. Cerdic observara o confronto, achando divertido.

— Você tem uma hora para vir se humilhar diante de mim — disse, terminando a conferência. — E se não fizer isso, iremos matá-lo. — Ele virou o cavalo e desceu o morro. Lancelot e os outros foram atrás, deixando apenas Aelle parado junto ao seu animal.

Ele me ofereceu um meio sorriso, quase uma careta.

— Parece que teremos de lutar, filho.

— Parece que sim.

— Artur realmente não está aqui?

— Foi por isso que veio, senhor rei? — disse, sem responder de fato.

— Se matarmos Artur a guerra estará vencida.

— Precisarão me matar primeiro, pai.

— Acha que eu não faria isso? — perguntou ele asperamente, depois estendeu a mão aleijada. Apertei-a brevemente, a seguir fiquei olhando enquanto ele puxava o cavalo encosta abaixo.

Issa recebeu minha volta com um olhar interrogativo.

— Vencemos a batalha das palavras — falei, sério.

— É um começo, senhor — disse ele, animado.

— Mas eles vão terminá-la — concluí em voz baixa e me virei para olhar os reis inimigos voltando para os seus homens. Os tambores continuavam batendo. Os últimos saxões tinham finalmente sido juntados na densa massa de homens que subiria para nos trucidar, mas a não ser que Guinevere fosse realmente uma Deusa da guerra, eu não sabia como poderíamos vencê-los.

A princípio o avanço saxão foi desajeitado, porque as cercas de arbustos que separavam os pequenos campos ao pé da colina rompiam seu alinhamento cuidadoso. O sol baixava no oeste, porque esse ataque tinha demorado o dia inteiro para ser preparado, mas agora estava vindo, e podíamos ouvir as trombetas de chifre de carneiro soltando seu desafio rouco enquanto os lanceiros inimigos atravessavam os arbustos e cruzavam os pequenos campos plantados.

Meus homens começaram a cantar. Sempre cantávamos antes da batalha, e nesse dia, como acontecia antes das maiores batalhas, cantamos a Canção de Guerra de Beli Mawr. Como aquele hino terrível é capaz de comover os homens! Fala de morte, de sangue no trigal, de corpos partidos até os ossos, e de inimigos levados como gado para o matadouro. Fala das botas de Beli Mawr esmagando montanhas e alardeia as viúvas feitas por sua espada. Cada verso termina num uivo triunfante, e não pude deixar de chorar pelo desafio dos cantores.

Eu desmontara para ocupar meu lugar na primeira fila perto de Bors, que estava sob nossos dois estandartes. As laterais do meu elmo estavam fechadas, o escudo preso com força no braço esquerdo e a lança de guerra pesando na mão direita. À minha volta as vozes fortes cresciam, mas eu não cantava porque tinha o coração muito cheio de premonições. Sabia o que estava para acontecer. Durante um tempo lutaríamos na parede de escudos, mas então os saxões atravessariam a frágil barricada de espinheiros nos dois flancos e suas lanças viriam por trás, e seríamos cortados um a um, e o inimigo provocaria os agonizantes. Os últimos de nós a morrer veriam as primeiras mulheres sendo estupradas, mas nada podíamos fazer para impedi-lo, de modo que aqueles lanceiros cantavam e alguns homens dançavam a dança da espada no topo da muralha onde não havia barricada de espinheiros. Tínhamos deixado o centro da muralha livre de espinhos, na leve esperança de que isso pudesse tentar o inimigo a vir para as nossas lanças e não tentasse nos flanquear.

Os saxões atravessaram a última cerca-viva e começaram a longa subida pela encosta vazia. Seus melhores homens estavam na fila da frente e vi como os escudos estavam travados uns nos outros, como as lanças formavam uma imagem densa e como os machados brilhavam. Não havia sinal dos homens de Lancelot; parecia que essa matança seria deixada apenas para os saxões. Feiticeiros vinham na frente, trombetas de chifres de carneiro os instigavam, e acima deles vinham os crânios ensanguentados dos estandartes dos reis.

Alguns da primeira fila tinham cães de guerra em coleiras, que seriam soltos a poucos metros de nossa formação. Meu pai estava naquela primeira fila, enquanto Cerdic vinha a cavalo atrás da massa de saxões.

Vinham muito devagar. O morro era íngreme, as armaduras pesadas, e eles não sentiam pressa para esta matança. Sabiam que seria um negócio feio, ainda que de vida curta. Viriam numa parede trancada, e assim que chegassem à muralha nossos escudos iriam se chocar e eles tentariam nos empurrar para trás. Seus machados brilhariam sobre a borda dos escudos, as lanças golpeariam e sangrariam. Haveria grunhidos, uivos e gritos, e homens uivando e homens morrendo, mas o inimigo era em maior número e por fim nos flanquearia, e assim meus caudas de lobo iriam morrer.

Mas agora meus caudas de lobo cantavam tentando abafar o som áspero das trombetas e a batida incessante dos tambores de troncos. Os saxões chegavam mais perto. Agora podíamos ver as insígnias em seus escudos redondos; máscaras de lobos dos homens de Cerdic, touros de Aelle, e entre eles os escudos de seus comandantes guerreiros: falcões, águias e um cavalo erguendo as patas. Os cães forçavam as coleiras, ansiosos para abrir buracos em nossa parede. Os feiticeiros gritavam contra nós. Um deles sacudiu um punhado de ossos, enquanto outro ficava de quatro como um cão e uivava suas pragas.

Eu esperava no ângulo sul da muralha de terra que se projetava como a proa de um barco acima do vale. Era ali, no centro, que os primeiros saxões atacariam. Eu tinha brincado com a ideia de deixá-los vir e então, no último momento, recuar depressa para formar um anel em volta de nossas mulheres. Mas ao recuar eu cederia o topo liso do morro como meu campo de batalha e desistiria da vantagem do terreno mais elevado. Melhor deixar meus homens matarem o maior número possível de inimigos antes de sermos dominados.

Tentei não pensar em Ceinwyn. Eu não lhe dera um beijo de despedida, nem em minhas filhas, e talvez elas fossem viver. Talvez, em meio ao horror, algum lanceiro de Aelle reconhecesse o pequeno anel e as levasse em segurança para o seu rei.

Meus homens começaram a bater as lanças nos escudos. Ainda não tinham necessidade de travar os escudos. Isso poderia esperar até o último momento. Os saxões olhavam morro acima enquanto o barulho estrondeava em seus ouvidos. Nenhum deles correu à frente para atirar uma lança — o morro era íngreme demais para isso —, mas um de seus cães de guerra partiu a coleira e veio correndo depressa pela grama. Eirrlyn, que era um dos meus dois caçadores, atravessou-o com uma flecha e o cão começou a ganir e a correr em círculos com a flecha se projetando da barriga. Os dois caçadores começaram a atirar nos outros cães, e os saxões puxaram os animais de volta, para trás da proteção de seus escudos. Os feiticeiros foram para os flancos, sabendo que a batalha estava para começar. A flecha de um caçador bateu no escudo de um lanceiro, depois outra ricocheteou num elmo. Agora não faltava muito. Cem passos. Lambi os lábios secos, pisquei para tirar o suor dos olhos e olhei para os ferozes rostos barbudos abaixo. O inimigo estava gritando, mas não me lembro de ter ouvido o som de suas vozes. Só lembro do som das trombetas, da batida dos tambores, de suas botas na grama, o ruído fraco das bainhas nas armaduras e o estalar dos escudos se tocando.

— Abram caminho! — A voz de Guinevere soou atrás de nós, e estava cheia de alegria. — Abram caminho! — gritou ela de novo.

Virei-me e vi que seus vinte homens estavam empurrando duas das carroças de comida para a muralha. Os carros de boi eram veículos grandes e desajeitados, com rodas de madeira maciça, e Guinevere havia acrescentado duas armas ao peso deles. Tinha retirado as varas da frente das carroças e posto lanças no lugar e as carroças propriamente ditas, em vez de comida, agora carregavam fogueiras de arbustos incendiados. Ela havia transformado as carroças em dois enormes bólidos flamejantes que planejava lançar morro abaixo, contra as fileiras compactas do inimigo, e atrás das carroças, ansiosa para assistir ao caos, vinha uma empolgada multidão de mulheres e crianças.

— Mexam-se! — gritei para os meus homens. — Mexam-se!

Eles pararam de cantar e se separaram rapidamente, deixando sem defesa todo o centro da fortificação. Agora os saxões estavam a apenas setenta ou oitenta passos e, vendo nossa parede de escudos se dividir, sentiram cheiro de vitória e apressaram o passo.

Guinevere gritou para seus homens se apressarem, e mais lanceiros correram para pôr o peso atrás das carroças enfumaçadas.

— Andem! — gritava ela. — Andem! — E eles grunhiam fazendo força enquanto as carroças começavam a vir mais depressa. — Andem! Andem! Andem! — gritava Guinevere e mais homens ainda se comprimiram atrás das carroças para forçar os veículos desajeitados em direção à terra compactada da antiga muralha. Por um instante achei que aquela pequena elevação iria nos derrotar, porque as duas carroças diminuíram a velocidade e pararam ali, e sua fumaça densa envolvia nossos homens engasgados, mas Guinevere gritou de novo para os lanceiros e eles trincaram os dentes fazendo um último esforço gigantesco para levar as carroças por cima do muro de terra.

— Empurrem! — gritava Guinevere. — Empurrem! — As carroças hesitaram na muralha, depois começaram a se inclinar para a frente enquanto os homens empurravam. — Agora! — gritou Guinevere e, de repente, não havia nada para segurar as carroças, apenas uma íngreme encosta de grama na frente e um inimigo abaixo. Os homens que tinham empurrado se afastaram exaustos, enquanto os dois veículos flamejantes começavam a rolar pelo morro.

A princípio as carroças desceram lentamente, mas logo se aceleraram e começaram a se sacudir no terreno irregular, de modo que os galhos incendiados voavam por sobre as laterais. A encosta ficou mais íngreme, e agora os dois grandes bólidos estavam descendo; enormes pesos de madeira e fogo que trovejavam para a perplexa formação dos saxões.

Os saxões não tiveram chance. Suas fileiras estavam compactadas demais para que os homens escapassem das carroças, que estavam bem-apontadas, trovejando em meio a fumaça e chamas e indo para o próprio coração do ataque inimigo.

— Fechar! — gritei para os meus homens. — Formem a parede! Formem a parede!

Voltamos correndo para a posição assim que as carroças chegaram ao alvo. A linha inimiga tinha parado e alguns homens tentavam se separar, mas não havia escapatória para os que estavam no caminho direto das carroças. Ouvi um grito enquanto as longas lanças fixas na frente dos veículos penetravam na massa de homens, depois uma das carroças levantou a frente com as rodas batendo nos corpos caídos, mas mesmo assim ela continuou, queimando e quebrando homens no caminho. Um escudo se partiu ao meio, esmagado por uma roda. A segunda carroça se desviou ao bater na linha saxã. Por um instante ficou sobre duas rodas, depois virou de lado, derramando um monte de fogo nas fileiras saxãs. Onde houvera uma massa sólida e disciplinada havia apenas o caos, o medo e o pânico. Até mesmo onde as fileiras não tinham sido golpeadas pelas carroças havia caos, porque o impacto dos dois veículos fizera as cuidadosas fileiras estremecer e se partir.

— Ataquem! — gritei. — Venham!

Soltei um grito de guerra e pulei da muralha. Não tinha pretendido seguir as carroças morro abaixo, mas a destruição que elas haviam causado era tão grande, e o horror do inimigo tão evidente, que estava na hora de aumentar esse horror.

Gritávamos correndo morro abaixo. Era um grito de vitória, calculado para causar terror num inimigo já meio derrotado. Os saxões ainda eram em número maior do que nós, mas estavam sem fôlego, e chegamos como fúrias vingativas das alturas. Deixei minha lança na barriga de um homem, soltei Hywelbane da bainha e golpeei de um lado e do outro como se estivesse cortando feno. Não há cálculo numa luta assim, nem tática, apenas um deleite crescente em dominar os inimigos, em matar, em ver o medo nos olhos deles e ver suas fileiras de retaguarda correndo para longe. Eu estava fazendo um barulho louco, adorando a matança, e ao lado meus caudas de lobos cortavam, estocavam e zombavam de um inimigo que deveria estar dançando sobre nossos cadáveres.

Eles ainda poderiam ter nos derrotado, porque seu número era grande demais, mas é difícil lutar numa parede de escudos rompida e subindo um morro, além de nosso ataque súbito ter derrubado seu ânimo. Ademais, muitos saxões estavam bêbados. Um homem bêbado luta bem na vitória, mas na derrota entra em pânico rapidamente, e ainda que Cerdic tentasse mantê-los na batalha, os lanceiros se apavoraram e correram. Alguns dos meus jovens sentiram-se tentados a descer mais o morro, e um punhado cedeu à tentação e foi longe demais, pagando pela temeridade, mas gritei para os outros ficarem onde estavam. A maioria dos inimigos escapou, mas tínhamos vencido, e para provar isso ficamos de pé sobre o sangue dos saxões, e nossa encosta estava coberta de seus mortos, seus feridos e suas armas. A carroça virada queimava na colina, com um saxão preso embaixo, gritando sob o peso, enquanto a outra continuava descendo até se chocar contra uma cerca-viva no pé do morro.

Algumas das nossas mulheres desceram para pilhar os mortos e matar os feridos. Nem Aelle nem Cerdic estavam entre esses saxões deixados no morro, mas havia um grande chefe cheio de ouro, que usava uma espada com punho decorado em ouro numa bainha de couro preto macio bordado com fios de prata cruzados; peguei o cinto e a espada do morto e levei para Guinevere lá em cima. Ajoelhei-me diante dela, coisa que nunca tinha feito.

— A vitória foi sua, senhora, toda sua. — E ofereci a espada.

Ela prendeu-a na cintura, depois me levantou.

— Obrigada, Derfel.

— É uma boa espada — falei.

— Não estou agradecendo pela espada, mas sim por confiar em mim. Eu sempre soube que era capaz de lutar.

— Melhor do que eu, senhora — falei, pesaroso. Por que é que eu não tinha pensado em usar as carroças?

— Melhor do que eles! — disse Guinevere, indicando os saxões derrotados. E sorriu. — E amanhã faremos tudo de novo.

Os saxões não voltaram naquela tarde. Foi um crepúsculo lindo, suave e luminoso. Minhas sentinelas andavam sobre a muralha enquanto as fogueiras saxãs luziam nas sombras que se espalhavam embaixo. Comemos, e depois da refeição conversei com Scarach, a mulher de Issa. Ela recrutou outras mulheres e encontraram algumas agulhas, facas e fio. Eu lhes dera algumas capas que havia recolhido dos saxões mortos, e as mulheres trabalharam durante o crepúsculo, depois noite adentro, à luz de nossas fogueiras.

De modo que na manhã seguinte, quando Guinevere acordou, havia três estandartes na muralha sul do Mynydd Baddon. Havia o urso de Artur e a estrela de Ceinwyn, mas no meio, no lugar de honra devido a um comandante guerreiro, estava uma bandeira mostrando o distintivo de Guinevere, o cervo coroado pela lua. O vento da madrugada a fez tremular, ela viu o distintivo e vi seu sorriso.

Enquanto abaixo de nós os saxões juntavam as lanças de novo.

Os TAMBORES COMEÇARAM ao alvorecer e, dentro de uma hora, cinco feiticeiros tinham aparecido abaixo da encosta do Mynydd Baddon. Hoje parecia que Cerdic e Aelle estavam decididos a extrair vingança pela humilhação.

Corvos rasgavam mais de cinquenta cadáveres saxões que ainda estavam na encosta, perto dos restos calcinados da carroça. Alguns dos meus homens queriam arrastar aqueles mortos para o parapeito, e lá fazer uma horrenda exposição de corpos para receber o novo ataque saxão, mas proibi. Logo, eu sabia, nossos cadáveres estariam à disposição dos saxões e, se violássemos seus mortos, também seríamos violados.

Logo se tornou claro que dessa vez os saxões não se arriscariam a um assalto que poderia ser transformado em caos por uma carroça desabalada. Em vez disso estavam preparando cerca de vinte colunas que subiriam o morro pelo sul, pelo leste e pelo oeste. Cada grupo de atacantes teria apenas setenta ou oitenta homens, mas juntos os pequenos ataques poderiam nos dominar. Talvez pudéssemos lutar contra três ou quatro colunas, mas as outras passariam facilmente pelas muralhas, de modo que havia pouco a fazer além de rezar, cantar, comer e — para os que precisavam — beber. Prometemos uma boa morte uns aos outros, querendo dizer que lutaríamos até o final e cantaríamos enquanto pudéssemos, mas acho que todos sabíamos que o fim não seria uma canção de desafio, e sim um tumulto de humilhação, dor e terror. Seria ainda pior para as mulheres.

— Será que devo me render? — perguntei a Ceinwyn.

Ela ficou espantada.

— Não sou eu quem deve dizer.

— Não tenho feito nada sem o seu conselho.

— Na guerra eu não tenho conselho para você, apenas, talvez, deva perguntar o que acontecerá com as mulheres se você não se render.

— Serão estupradas, escravizadas ou então dadas como esposas para os homens que precisarem.

— E se você se render?

— Praticamente a mesma coisa — admiti. — Só que o estupro será menos urgente.

Ela sorriu.

— Então você não precisa do meu conselho. Vá lutar, Derfel, e se eu não o vir até o Outro Mundo, saiba que você cruza a ponte de espadas com o meu amor.

Abracei-a, depois beijei minhas filhas e voltei para a proa que se projetava da muralha sul, para ver os saxões começando a subir o morro. Este ataque nem de longe estava demorando tanto quanto o primeiro, porque aquele precisara de que a massa de homens fosse organizada e encorajada, enquanto hoje os inimigos não careciam de motivação. Vinham em busca de vingança, e vinham em grupos tão pequenos que, mesmo que empurrássemos uma carroça morro abaixo, eles poderiam facilmente se desviar dela. Não se apressavam, mas não precisavam se apressar.

Eu dividira meus homens em dez grupos, cada um responsável por duas colunas de saxões, mas duvidava de que até mesmo os melhores de meus lanceiros suportariam mais de três ou quatro minutos. Mais provavelmente, pensei, meus homens correriam para proteger suas mulheres assim que o inimigo tentasse flanqueá-los, e então a luta descambaria numa matança unilateral em nossa cabana improvisada e nas fogueiras ao redor. Então que seja, pensei, e caminhei entre meus homens agradecendo por seus serviços e encorajando-os a matar o máximo de saxões que pudessem. Lembrei-lhes de que os inimigos que matassem na batalha seriam seus serviçais no Outro Mundo.

— Então matem-nos e deixem que seus sobreviventes se lembrem desta luta com horror.

Alguns começaram a cantar a Canção da Morte de Werlinna, uma música lenta e melancólica entoada junto das fogueiras funerárias dos guerreiros. Cantei com eles, olhando os saxões que chegavam mais perto. E como estava cantando, e porque meu elmo apertava os ouvidos, não ouvi Niall, dos Escudos Pretos, me chamar da borda mais distante do morro.

Somente quando ouvi as mulheres gritando de alegria é que me virei. Ainda assim não vi nada incomum, mas então, acima do som dos tambores saxões, escutei o som agudo e alto de uma trompa.

Eu tinha ouvido antes o chamado daquela trompa. Ouvi pela primeira vez quando era um jovem lanceiro e Artur chegou a cavalo para salvar minha vida. E agora ele vinha de novo.

Tinha vindo a cavalo com seus homens, e Niall gritara para mim quando aqueles cavaleiros com armaduras pesadas atravessaram os saxões no morro do outro lado da depressão e desceram galopando a encosta. As mulheres no Mynydd Baddon estavam correndo às muralhas de terra para olhá-lo, porque Artur não subiu até o cume, e sim guiou seus homens ao redor da encosta superior do morro. Estava com a armadura de escamas polidas, usava o elmo incrustado de ouro e carregava o escudo de prata martelada. Seu grande estandarte de guerra estava desdobrado, com o urso preto adejando nítido num campo de linho tão branco quanto as penas de ganso no elmo. Sua capa branca se estendia do ombro, e havia um pendente de fita branca amarrado na base da longa lâmina da espada. Cada saxão nas encostas mais baixas do Mynydd Baddon sabia quem ele era, e sabia o que aqueles cavalos pesados podiam fazer em suas pequenas colunas. Artur só trouxera quarenta homens, porque a maioria dos seus grandes cavalos de guerra tinham sido roubados por Lancelot no ano anterior, mas quarenta homens com armaduras pesadas sobre quarenta cavalos podiam rasgar uma infantaria, lançando-a no horror.

Artur puxou as rédeas abaixo do ângulo sul da fortificação. O vento era fraco, de modo que o estandarte de Guinevere não era visível, a não ser como uma bandeira irreconhecível pendendo do mastro improvisado. Ele me procurou e finalmente reconheceu meu elmo e a armadura.

— Tenho duzentos lanceiros cerca de um quilômetro e meio atrás! — gritou para mim.

— Bom, senhor! — gritei de volta. — E bem-vindo!

— Podemos nos sustentar até que os lanceiros venham! — gritou ele e em seguida acenou para seus homens. Artur não desceu o morro; ficou cavalgando ao redor das encostas superiores do Mynydd Baddon, como se desafiasse os saxões a subir e enfrentá-lo.

Mas a visão dos cavalos bastou para fazê-los parar, porque nenhum saxão queria ser o primeiro a subir no caminho daquelas lanças galopantes. Se todo o inimigo tivesse vindo junto, poderia facilmente ter dominado os homens de Artur, mas a curva do morro significava que a maioria dos saxões ficava invisível para os outros, e cada grupo deve ter esperado que o outro ousasse atacar os cavaleiros antes, e assim todos ficaram para trás. De vez em quando um bando de homens mais corajosos tentava subir, mas sempre que os cavaleiros de Artur chegavam à sua vista eles voltavam nervosamente morro abaixo. O próprio Cerdic veio instigar os homens logo abaixo do ângulo sul, mas quando os guerreiros de Artur se viraram para encará-los aqueles saxões hesitaram. Tinham esperado uma batalha fácil contra um pequeno número de lanceiros e não estavam prontos para enfrentar a cavalaria. Não morro acima, e não a cavalaria de Artur. Outros guerreiros a cavalo talvez não os amedrontassem, mas eles conheciam o significado daquela capa branca, das plumas de ganso e do escudo que brilhava como o próprio sol. Significava que a morte tinha vindo para eles, e ninguém estava disposto a subir na direção dela.

Meia hora depois, a infantaria de Artur chegou à depressão. Os saxões que tinham sustentado o morro ao norte da depressão fugiram à chegada dos nossos reforços, e aqueles lanceiros cansados subiram até as muralhas de terra sob nossos gritos ensurdecedores. Os saxões ouviram os gritos e viram as novas lanças aparecendo acima da antiga muralha, e isso terminou com suas ambições durante o resto do dia. As colunas foram embora, e o Mynydd Baddon ficou livre por mais um giro do sol.

Artur retirou o elmo enquanto esporeava a cansada Llamrei até nossos estandartes. Um vento soprou, ele olhou para cima e viu o cervo coroado pela lua tremulando ao lado de seu urso, mas o sorriso largo no rosto não se alterou. Tampouco ele disse alguma coisa sobre o estandarte quando desmontou de Llamrei. Devia saber que Guinevere estava comigo, porque Balin a vira em Aquae Sulis, e os dois homens que eu mandara com mensagens deviam ter lhe contado, mas ele fingiu não saber de nada. Em vez disso, como nos velhos tempos, e como se nenhuma frieza tivesse surgido entre nós, me abraçou.

Toda a sua melancolia havia desaparecido. Existia vida de novo em seu rosto, uma verve que se espalhou entre meus homens apinhados à sua volta para ouvir as novidades, ainda que primeiro ele exigisse saber as nossas. Artur tinha cavalgado entre os saxões mortos na encosta e queria saber como e quando eles haviam morrido. Meus homens, de modo perdoável, exageraram o número dos atacantes do dia anterior. Artur gargalhou ao saber como havíamos empurrado duas carroças chamejantes encosta abaixo.

— Bem feito, Derfel — disse ele — bem feito.

— Não fui eu, senhor, e sim ela. — E apontei na direção do estandarte de Guinevere. — Foi tudo feito por ela, senhor. Eu estava preparado para morrer, mas ela tinha outras ideias.

— Ela sempre tem — disse ele em voz baixa, mas não perguntou mais nada. A própria Guinevere não estava à vista, e Artur não perguntou onde ela estava. Viu Bors e insistiu em abraçá-lo e em saber de suas notícias, e só então subiu na muralha de terra e olhou para os acampamentos saxões. Ficou ali durante longo tempo, mostrando-se para um inimigo desanimado, mas depois de um tempo chamou Bors e a mim.

— Nunca planejei lutar com eles aqui — falou —, mas é um lugar muito bom. Na verdade é melhor do que a maioria. Eles estão todos aqui? — perguntou a Bors.

De novo Bors estivera bebendo na antecipação do ataque dos saxões, mas se esforçou ao máximo para parecer sóbrio.

— Todos, senhor. Talvez menos a guarnição de Caer Ambra. Que deveria estar perseguindo Culhwch. — Bors apontou a barba na direção do morro ao leste, onde ainda mais saxões desciam para se juntar ao acampamento. — Talvez sejam eles, senhor, não é? Ou quem sabe são só grupos que foram pilhar.

— A guarnição de Caer Ambra não encontrou Culhwch — disse Artur —, porque recebi uma mensagem dele ontem. Culhwch não está longe, e Cuneglas também não. Dentro de dois dias teremos mais quinhentos homens aqui, e eles só estarão nos superando em dois para um. — Artur gargalhou. — Bem feito, Derfel!

— Bem feito? — perguntei com alguma surpresa. Eu tinha esperado a desaprovação de Artur por ter ficado preso tão longe de Corinium.

— Tínhamos de lutar com eles em algum lugar, e você o escolheu bem. Temos o terreno elevado. — Ele falava alto, querendo espalhar a confiança entre meus homens. — Eu teria chegado aqui antes, só que não havia certeza de que Cerdic havia engolido a isca.

— Isca, senhor? — Eu estava confuso.

— Você, Derfel, você. — Ele riu e pulou da muralha. — Na guerra tudo é acidental, não é? E por acidente você encontrou um lugar onde podemos derrotá-los.

— Quer dizer que eles vão se esgotar subindo o morro?

— Os saxões não serão tão idiotas — disse ele, cheio de animação. — Não, acho que teremos de descer e lutar com eles no vale.

— Com o quê? — perguntei amargo, porque até mesmo com as tropas de Cuneglas estaríamos em número terrivelmente menor.

— Com cada homem que tivermos — disse Artur, cheio de confiança. — Mas sem mulheres, acho. Está na hora de levarmos nossas famílias para algum lugar mais seguro.

Nossas mulheres e crianças não foram para longe; havia um povoado uma hora ao norte, e a maioria encontrou abrigo lá. Enquanto elas deixavam o Mynydd Baddon, mais lanceiros de Artur chegavam do norte. Esses eram os homens que Artur estivera reunindo perto de Corinium, e estavam entre os melhores da Britânia. Sagramor veio com seus guerreiros endurecidos e, como Artur, foi para o ângulo sul do Mynydd Baddon, de onde podia observar o inimigo e para que eles pudessem olhar para cima e ver sua figura esguia, de armadura preta, silhuetada contra o céu. Um sorriso raro veio ao seu rosto.

— O excesso de confiança os transforma em idiotas — falou, cheio de escárnio. — Eles se jogaram numa armadilha em terreno baixo e agora não vão se mexer.

— Não vão?

— Assim que um saxão constrói um abrigo ele não gosta de marchar de novo. Cerdic levará uma semana ou mais para arrancá-los daquele vale.

De fato os saxões e suas famílias tinham se estabelecido confortavelmente, e agora o vale do rio parecia ter dois povoados de pequenas cabanas cobertas de palha. Um desses povoados ficava perto de Aquae Sulis, ao passo que o outro ficava uns três quilômetros a leste, onde o vale do rio fazia uma volta brusca para o sul. Os homens de Cerdic estavam naquelas cabanas do leste, e os lanceiros de Aelle aquartelados na cidade ou então nos abrigos recém-construídos do lado de fora. Eu tinha ficado surpreso ao ver que os saxões tinham usado a cidade como abrigo, em vez de apenas incendiá-la, mas a cada alvorecer uma procissão de homens saía dos portões, deixando para trás a visão aconchegante de fumaça das cozinhas subindo dos tetos de palha e telhas de Aquae Sulis. A invasão inicial dos saxões fora rápida, mas agora seu ímpeto tinha desaparecido.

— E por que dividiram o exército em dois? — perguntou-me Sagramor, olhando incrédulo para a grande divisão entre o acampamento de Aelle e as cabanas de Cerdic.

— Para só nos deixar um lugar aonde ir, direto para lá. — Apontei para o vale. — Onde ficaríamos presos entre eles.

— E onde podemos mantê-los divididos — observou Sagramor cheio de felicidade. — E dentro de alguns dias eles terão doença lá embaixo.

A doença sempre se espalha quando um exército se acomoda num lugar. Foi uma peste assim que impediu a última invasão de Cerdic à Dumnonia, e uma doença ferozmente contagiosa tinha enfraquecido nosso exército quando marchamos para Londres.

Eu temia que uma doença dessas pudesse nos enfraquecer agora, mas por algum motivo fomos poupados, talvez porque nosso número ainda fosse pequeno, ou talvez porque Artur espalhou seu exército ao longo dos quase cinco quilômetros da elevada crista que corria atrás do Mynydd Baddon. Eu e meus homens permanecemos no monte, mas os lanceiros recém-chegados sustentaram a linha das colinas do norte. Nos dois primeiros dias depois da chegada de Artur o inimigo ainda poderia ter capturado aquelas colinas, porque os cumes tinham guarnições pequenas, mas os cavaleiros de Artur ficavam continuamente à vista, e Artur mantinha lanceiros movendo-se entre as árvores da crista para sugerir que seu número era maior do que era realmente. Os saxões observavam, mas não atacaram, e então, no terceiro dia depois da chegada de Artur, Cuneglas e seus homens chegaram de Powys e pudemos guarnecer toda a longa crista com piquetes fortes que poderiam convocar ajuda se algum ataque saxão os ameaçasse. Ainda estávamos em número muito inferior, mas mantivemos o terreno elevado e agora tínhamos as lanças para defendê-lo.

Os saxões deveriam ter deixado o vale. Poderiam ter marchado até o Severn e sitiado Glevum, e seríamos forçados a abandonar o terreno elevado e ir atrás, mas Sagramor estava certo; homens que se estabeleceram confortavelmente relutam em se locomover, de modo que Cerdic e Aelle permaneceram teimosamente no vale do rio, onde acreditavam que estavam nos sitiando, quando em verdade nós os sitiávamos. Eles finalmente fizeram alguns ataques morro acima, mas nenhum chegou longe. Os saxões subiam os morros parecendo enxames, mas quando uma fileira de escudos aparecia na crista, pronta para enfrentá-los, e uma tropa dos pesados cavaleiros de Artur surgia no flanco com lanças apontadas, seu ardor desaparecia e eles voltavam para os povoados, e cada fracasso saxão apenas aumentava nossa confiança.

Essa confiança estava tão elevada que, depois da chegada do exército de Cuneglas, Artur se sentiu capaz de nos deixar. A princípio fiquei atônito, porque ele não ofereceu explicação além de que tinha uma tarefa importante a um dia de cavalgada em direção ao norte. Acho que minha perplexidade deve ter ficado clara, porque ele pôs a mão no meu ombro.

— Ainda não vencemos — disse ele.

— Eu sei, senhor.

— Mas quando vencermos, Derfel, quero que esta vitória seja avassaladora. Nenhuma outra ambição me tiraria daqui. — Ele sorriu. — Confia em mim?

— Claro, senhor.

Ele deixou Cuneglas no comando de nosso exército, mas com ordens estritas para não atacarmos o vale. Os saxões deveriam ficar imaginando que tinham nos encurralado, e para ajudar nesse logro um punhado de voluntários que fingiram ser desertores correram para os acampamentos saxões com a notícia de que nossos homens se mostravam tão desanimados que alguns estavam fugindo em vez de encarar a luta, e que nossos líderes disputavam furiosamente se ficariam e enfrentariam um ataque saxão ou se correriam para o norte, para implorar abrigo em Gwent.

— Ainda não sei se vejo um final para isso — admitiu Cuneglas um dia depois da saída de Artur. — Estamos suficientemente fortes para mantê-los longe do terreno elevado, mas não o suficiente para descer ao vale e derrotá-los.

— Então talvez Artur tenha ido procurar ajuda, não é, senhor rei?

— Que ajuda?

— Quem sabe Culhwch? — sugeri, ainda que isso fosse improvável, porque supostamente Culhwch se encontrava a leste dos saxões e Artur seguia para o norte. — Ou Oengus Mac Airem? — acrescentei. O rei da Demétia havia prometido seu exército dos Escudos Pretos, mas aqueles irlandeses ainda não tinham vindo.

— Talvez Oengus — concordou Cuneglas —, mas nem mesmo com os Escudos Pretos teríamos homens suficientes para derrotar aqueles desgraçados. — Ele assentiu em direção ao vale. — Nós precisamos dos lanceiros de Gwent para fazer isso.

— E Meurig não vai marchar.

— Meurig não vai marchar — concordou Cuneglas — mas há alguns homens em Gwent que vão. Eles ainda se lembram do vale do Lugg. — Cuneglas me deu um sorriso torto, porque naquela ocasião ele era nosso inimigo, e os homens de Gwent, nossos aliados, recearam marchar contra o inimigo liderado pelo pai de Cuneglas. Alguns em Gwent ainda se sentiam envergonhados daquele fracasso, uma vergonha tornada pior porque Artur vencera sem a ajuda deles, e eu achava possível que, se Meurig permitisse, Artur poderia liderar alguns daqueles voluntários para o sul até Aquae Sulis; mas ainda não via como ele poderia reunir homens suficientes para permitir que descêssemos até aquele ninho de saxões e trucidá-los.

— Quem sabe ele foi encontrar Merlin? — perguntou Guinevere.

Guinevere recusara-se a partir com as outras mulheres e crianças, insistindo em que veria toda a batalha até a vitória ou a derrota. Pensei que Artur poderia exigir que ela partisse, mas toda vez que Artur subira ao topo da colina Guinevere tinha se escondido, geralmente na cabana tosca que tínhamos feito no platô, e só reapareceu depois da partida de Artur. Por certo Artur sabia que ela havia permanecido no Mynydd Baddon, pois observara atentamente nossas mulheres se retirando e devia ter notado que ela não estava com as outras, mas não disse nada. Tampouco Guinevere mencionou Artur quando surgiu, mas sorria sempre que via que ele deixara seu estandarte na muralha. Originalmente eu a encorajara a ir embora, mas ela tinha zombado de minha sugestão, e nenhum de meus homens queria que ela partisse. Atribuíam sua sobrevivência a ela, e com razão, e a recompensa deles foi equipá-la para a batalha. Tinham tomado uma fina camisa de malha de ferro de um rico cadáver saxão e, assim que o sangue foi lavado dos elos, tinham-na presenteado a Guinevere. Pintaram seu símbolo num escudo capturado e um dos meus homens até mesmo entregou seu valioso elmo com cauda de lobo, de modo que agora ela estava vestida como o resto dos meus lanceiros, ainda que, sendo Guinevere, conseguisse fazer com que o equipamento de guerra parecesse perturbadoramente sedutor. Ela havia se tornado nosso talismã, uma heroína para todos os meus homens.

— Ninguém sabe onde Merlin está — falei, respondendo à sua sugestão.

— Houve um boato de que ele estaria na Demétia — disse Cuneglas —, de modo que talvez ele venha com Oengus, não é?

— Mas o seu druida veio? — perguntou Guinevere a Cuneglas.

— Malaine está aqui, e ele sabe soltar pragas muito bem. Não como Merlin, talvez, mas bastante bem.

— E quanto a Taliesin? — perguntou Guinevere.

Cuneglas não mostrou surpresa por ela ter ouvido falar do jovem bardo, porque, sem dúvida, a fama de Taliesin se espalhava rapidamente.

— Foi procurar Merlin.

— E ele é bom mesmo?

— Verdade. Com seu canto ele pode atrair as águias do céu e os salmões dos lagos.

— Rezo para que possamos ouvi-lo em breve — disse Guinevere, e de fato aqueles dias estranhos na colina ensolarada pareciam mais adequados a cantar do que a lutar. A primavera se tornara bela, o verão não estava distante, e nos deitávamos na grama quente e olhávamos o inimigo que parecia golpeado por súbita impotência. Eles tentaram alguns ataques fúteis morro acima, mas não fizeram uma tentativa real de deixar o vale. Mais tarde soubemos que estavam discutindo. Aelle quisera juntar todos os lanceiros saxões e entrar nos morros ao norte, dividindo assim nosso exército em duas partes que poderiam ser destruídas separadamente. Mas Cerdic preferia esperar até que nossa comida se esgotasse e a confiança diminuísse. Mas essa era uma esperança vã, porque tínhamos comida suficiente e nossa confiança crescia diariamente. Eram os saxões que estavam com fome, porque a cavalaria ligeira de Artur assediava os grupos que saíam para pilhar, e portanto era a confiança saxã que se reduzia, porque depois de uma semana vimos montes de terra fresca aparecer nas campinas perto de suas cabanas, e soubemos que o inimigo cavava sepulturas para os seus mortos. A doença que transforma as entranhas em líquido e rouba a força dos homens tinha vindo para o inimigo, e os saxões enfraqueciam dia a dia. As mulheres punham armadilhas para peixe no rio, tentando conseguir comida para os filhos, os homens cavavam sepulturas, e nós deitávamos ao sol e falávamos de bardos.

Artur voltou um dia depois de as primeiras sepulturas saxãs serem cavadas. Esporeou seu cavalo, atravessando a depressão, e subiu a encosta norte do Mynydd Baddon, o que levou Guinevere a pôr o novo elmo e se agachar em meio a um grupo dos meus homens. Seu cabelo ruivo se projetava de sob o elmo como um estandarte, mas Artur fingiu não ver. Eu tinha ido encontrá-lo e, na metade do cume do morro, parei e o olhei perplexo.

Seu escudo era um círculo de tábuas de salgueiro coberto de couro, e sobre o couro havia uma fina folha de prata polida que brilhava com o reflexo da luz do sol, mas agora havia um novo símbolo no escudo. Era a cruz; uma cruz vermelha, feita de tiras de tecido que tinham sido coladas na prata. A cruz cristã. Ele viu minha perplexidade e riu.

— Gosta, Derfel?

— O senhor virou cristão? — Minha voz saiu pasma.

— Todos nós viramos cristãos — disse ele. — Você também. Esquentem uma lâmina de espada e queimem uma cruz em seus escudos.

Cuspi para evitar o mal.

— O senhor quer que façamos isso?

— Você me ouviu, Derfel — disse ele, depois desmontou de Llamrei e foi até a muralha do sul, de onde podia olhar para o inimigo. — Eles ainda estão aqui. Bom.

Cuneglas tinha se juntado a mim e entreouvido as palavras anteriores de Artur.

— O senhor quer que ponhamos uma cruz nos escudos? — perguntou.

— Não posso lhe exigir nada, senhor rei. Mas se puser uma cruz em seu escudo e nos dos seus homens, eu agradeceria.

— Por quê? — perguntou Cuneglas ferozmente. Ele era famoso por sua oposição à nova religião.

— Porque a cruz é o preço que pagamos pelo exército de Gwent — disse ele, ainda olhando para o inimigo.

Cuneglas encarou Artur como se mal ousasse acreditar no que ouvia.

— Meurig vem? — perguntei.

— Não — disse Artur, virando-se para nós. — Meurig não. O rei Tewdric vem. O bom Tewdric.

Tewdric era pai de Meurig, era o rei que havia desistido do trono para virar monge, e Artur tinha ido até Gwent fazer um pedido ao velho.

— Eu sabia que era possível — disse-me Artur — porque Galahad e eu estivemos conversando com Tewdric durante todo o inverno. — A princípio, segundo Artur, o velho rei estivera relutante em abrir mão de sua vida piedosa e cheia de privações, mas outros homens em Gwent tinham somado suas vozes às de Artur e Galahad e, depois de noites rezando em sua pequena capela, Tewdric declarou com relutância que tomaria o trono temporariamente de volta e lideraria o exército de Gwent em direção ao sul. Meurig combatera a decisão, que, com todo o direito, ele via como uma censura e uma humilhação, mas o exército de Gwent dera apoio ao velho rei, que agora estava marchando para o sul. — Houve um preço — admitiu Artur. — Tive de me ajoelhar para o Deus deles e prometer que imputaria a vitória a Ele, mas eu imputaria a vitória a qualquer Deus que Tewdric desejasse, desde que ele trouxesse seus lanceiros.

— E o resto do preço? — perguntou Cuneglas habilmente.

Artur franziu a testa.

— Eles querem que você deixe os missionários de Meurig entrarem em Powys.

— Só isso? — perguntou Cuneglas.

— Posso ter dado a impressão de que você iria recebê-los bem. Sinto muito, senhor rei. A exigência só me foi feita há dois dias e foi ideia de Meurig, e a honra de Meurig precisava ser salva. — Cuneglas fez uma careta. Ele fizera o máximo para manter o cristianismo fora de seu país, achando que Powys não precisava da irritação que sempre seguia a nova fé, mas não protestou contra Artur. Deve ter decidido que era melhor ter cristãos do que saxões em Powys.

— Foi só isso que o senhor prometeu a Tewdric? — perguntei a Artur cheio de suspeitas. Estava me lembrando da exigência de Meurig, de receber o trono da Dumnonia, e do desejo de Artur de se livrar dessa responsabilidade.

— Esses tratados sempre têm detalhes com os quais não vale a pena se incomodar — respondeu Artur como se não desse importância —, mas prometi libertar Sansum. Agora ele é o bispo da Dumnonia! E conselheiro real de novo. Tewdric insistiu nisso. A cada vez que derrubo o nosso bom bispo ele se levanta de novo. — Artur gargalhou.

— Foi só isso que o senhor prometeu? — perguntei de novo, ainda cheio de suspeitas.

— Prometi o bastante para garantir que Gwent marche em nossa ajuda, Derfel — disse Artur com firmeza —, e eles prometeram estar aqui dentro de dois dias com seiscentos lanceiros de primeira. Até Agrícola decidiu que não está velho demais para lutar. Lembra-se de Agrícola, Derfel?

— Claro que lembro, senhor. — Agrícola, o antigo comandante guerreiro de Tewdric, já devia estar bem velho, mas ainda era um dos guerreiros mais famosos da Britânia.

— Todos eles estão vindo de Glevum. — Artur apontou para oeste, onde a estrada de Glevum aparecia no vale do rio. — E quando chegarem vou me juntar a eles com meus homens e juntos vamos atacar direto pelo vale. — Artur estava de pé sobre a muralha, de onde olhava o vale profundo, mas em sua mente não via os campos, as estradas e as plantações agitadas pelo vento, nem as sepulturas de pedra do cemitério romano. O que via era toda a batalha se desenrolando diante dos olhos. — A princípio os saxões ficarão confusos, mas por fim haverá uma massa de inimigos correndo pela estrada. — Apontou para o Caminho Fosse, imediatamente abaixo do Mynydd Baddon. — E o senhor, senhor rei — curvou a cabeça para Cuneglas —, e você, Derfel — saltou da baixa muralha de terra e cutucou minha barriga com um dedo —, vão atacá-los pelo flanco. Descendo direto o morro e entrando nos escudos deles! Nós vamos nos ligar com vocês — ele curvou a mão para mostrar como suas tropas iriam se curvar ao longo do flanco norte dos saxões — e então vamos esmagá-los contra o rio.

Artur viria do oeste e nós atacaríamos do norte.

— E eles vão escapar para o leste — falei azedamente.

Artur balançou a cabeça.

— Culhwch vai marchar para o norte amanhã para se encontrar com os Escudos Pretos de Oengus Mac Airem, e eles estão vindo de Corinium agora mesmo. — Artur estava deliciado consigo mesmo, o que não era de espantar, pois se tudo desse certo cercaríamos o inimigo e em seguida iríamos trucidá-lo. Mas o plano não deixava de ter riscos. Achei que, assim que os homens de Tewdric chegassem e os Escudos Pretos de Oengus se juntassem a nós, nosso número não seria muito menor do que o dos saxões, mas Artur estava propondo dividir nosso exército em três partes, e se os saxões mantivessem a cabeça eles poderiam destruir cada parte separadamente. Mas se entrassem em pânico e se nossos ataques fossem duros e furiosos, e se eles ficassem confundidos pelo barulho, pela poeira e pelo horror, poderíamos simplesmente tangê-los como gado para o matadouro. — Dois dias — disse Artur —, só dois dias. Rezemos para que os saxões não ouçam falar disso e rezemos para que fiquem onde estão. — Artur mandou trazer Llamrei, olhou para o lanceiro de cabelos ruivos e depois foi se juntar a Sagramor na crista do outro lado da depressão.

Na noite anterior à batalha gravamos cruzes a fogo nos escudos. Era um pequeno preço a pagar pela vitória, ainda que eu soubesse que não era todo o preço. Esse seria pago em sangue.

— Acho — falei a Guinevere naquela noite — que seria melhor a senhora ficar aqui em cima amanhã.

Nós dois estávamos compartilhando um chifre de hidromel. Eu tinha descoberto que ela gostava de conversar tarde da noite, e adquirira o hábito de me sentar junto dela antes de dormir. Agora Guinevere riu de minha sugestão de ficar no Mynydd Baddon enquanto descíamos para lutar.

— Sempre achei que você era um homem sem graça, Derfel. Sem graça, sem banho e lerdo. Agora comecei a gostar de você, então, por favor, não me faça pensar que eu estava certa o tempo todo.

— Senhora — implorei —, a parede de escudos não é lugar para uma mulher.

— Nem a prisão, Derfel. Além disso, você acha que pode vencer sem mim? — Guinevere estava sentada na abertura da cabana que tínhamos feito com as carroças e as árvores. Ela recebera toda uma extremidade da cabana para usar como alojamento, e naquela noite me convidara para dividir um jantar de carne tostada cortada do flanco de um dos bois que tinham puxado as carroças até o cume do Mynydd Baddon. Agora nossa fogueira estava morrendo, soltando fumaça na direção das estrelas brilhantes que se espalhavam em arco sobre o mundo. A foice da lua estava baixa sobre as colinas ao sul, delineando as sentinelas que caminhavam sobre nossa muralha de terra. — Quero ver isso até o fim — disse ela, com os olhos luminosos na sombra. — Há anos não desfruto tanto de alguma coisa, Derfel, há anos.

— O que acontecerá no vale amanhã, senhora, não será desfrutável. Será uma coisa feia.

— Eu sei. — Ela fez uma pausa. — Mas os seus homens acham que lhes trago a vitória. Irá negar-lhes minha presença quando o trabalho estiver sendo difícil?

— Não, senhora — cedi. — Mas fique em segurança, eu imploro.

Ela sorriu da veemência de minhas palavras.

— Isso é uma oração pela minha sobrevivência, Derfel, ou medo de que Artur fique com raiva de você se algo acontecer comigo?

Hesitei.

— Acho que ele pode ficar com raiva, senhora.

Guinevere saboreou a resposta durante um tempo.

— Ele perguntou por mim? — inquiriu finalmente.

— Não — falei com sinceridade. — Nem uma vez.

Ela ficou olhando para os restos da fogueira.

— Talvez ele esteja apaixonado por Argante.

— Duvido de que Artur ao menos suporte a visão dela. — Uma semana antes jamais seria tão franco, mas agora Guinevere e eu estávamos muito mais próximos. — Ela é jovem demais para ele, e nem de longe tem inteligência suficiente.

Ela me olhou, mostrando um desafio nos olhos com o brilho da fogueira.

— Inteligente. Eu costumava me achar inteligente. Mas todos vocês me acham uma idiota, não é?

— Não, senhora.

— Você sempre foi um mau mentiroso, Derfel. Por isso nunca foi um cortesão. Para ser bom cortesão você precisa mentir com um sorriso. — Ela olhou para o fogo. Ficou quieta durante longo tempo e, quando falou de novo, a zombaria gentil tinha desaparecido. Talvez fosse a proximidade da batalha que a levou a uma camada de sinceridade que eu nunca ouvira de sua parte. — Fui uma idiota — falou baixo, tão baixo que tive de me inclinar para ouvir acima dos estalos da fogueira e da melodia das canções de meus homens. — Agora digo a mim mesma que foi uma espécie de loucura, mas não creio que fosse. Não passava de ambição. — Ela ficou quieta de novo, olhando as pequenas chamas tremulantes. — Eu queria ser uma esposa de César.

— A senhora era.

Ela balançou a cabeça.

— Artur não é um César. Ele não é um tirano, mas acho que eu queria que ele fosse um tirano, alguém como Gorfyddyd. — Gorfyddyd era o pai de Ceinwyn e Cuneglas, um brutal rei de Powys, inimigo de Artur, e, se os boatos fossem verdadeiros, amante de Guinevere. Ela devia estar pensando naquele boato, porque subitamente me desafiou com um olhar direto. — Alguma vez eu lhe disse que ele tentou me estuprar?

— Sim, senhora.

— Não foi verdade. — Ela falava em tom opaco. — Ele não tentou simplesmente, ele me estuprou. Ou eu disse a mim mesma que foi estupro. — Suas palavras vinham em espasmos curtos, como se a verdade fosse algo muito difícil de admitir. — Mas talvez não fosse estupro. Eu queria ouro, honra, posição. — Ela estava brincando com a bainha de seu gibão, tirando pequenos fiapos de linho da trama esgarçada. Fiquei sem jeito, mas não interrompi, porque sabia que ela queria falar. — Mas não consegui isso. Ele sabia exatamente o que eu queria, mas sabia ainda mais o que queria para si mesmo, e nunca pretendeu pagar meu preço. Em vez disso me fez noiva de Valerin. Sabe o que eu ia fazer com Valerin? — Seus olhos me desafiaram de novo, e dessa vez o brilho neles não era apenas do fogo, mas uma película de lágrimas.

— Não, senhora.

— Eu ia torná-lo rei de Powys — disse ela vingativamente. — Eu ia usar Valerin para me vingar de Gorfyddyd. Poderia ter feito isso, mas então conheci Artur.

— No vale do Lugg — falei cautelosamente — matei Valerin.

— Sei disso.

— E havia um anel no dedo dele, senhora, com o seu distintivo nele.

Ela me encarou. Sabia que anel era.

— E tinha uma cruz de amante? — perguntou em voz baixa.

— Sim, senhora — falei e toquei o meu anel de amante, igual ao de Ceinwyn. Muitas pessoas usavam anéis de amantes com uma cruz gravada, mas não eram muitas que tinham anéis com cruzes feitas de ouro tirado do Caldeirão de Clyddno Eiddyn, como Ceinwyn e eu.

— O que fez com o anel?

— Joguei no rio.

— Contou a alguém?

— Só a Ceinwyn. E Issa também sabe, porque achou o anel e o trouxe para mim.

— E não contou a Artur?

— Não.

Ela sorriu.

— Acho que você foi um amigo melhor do que eu imaginava, Derfel.

— De Artur, senhora. Eu estava protegendo-o, e não à senhora.

— Imagino que sim. — Ela olhou de novo para o fogo. — Quando tudo isso terminar tentarei dar a Artur o que ele quer.

— A senhora mesma?

Minha sugestão pareceu surpreendê-la.

— Ele quer isso?

— Ele a ama. Ele pode não perguntar pela senhora, mas a procura sempre que vem aqui. Procurou-a até mesmo quando a senhora estava em Ynys Wydryn. Ele nunca falou da senhora comigo, mas quase gastou os ouvidos de Ceinwyn.

Guinevere fez uma careta.

— Você sabe como o amor pode empanturrar, Derfel? Não quero ser cultuada. Não quero que cada desejo meu seja realizado. Quero sentir que há alguma coisa mordendo de volta. — Ela falava com veemência e abri a boca para defender Artur, mas Guinevere fez um gesto para me silenciar. — Eu sei, Derfel, agora não tenho direito de querer nada. Serei boa, prometo. — Ela sorriu. — Você sabe por que Artur está me ignorando agora?

— Não, senhora.

— Porque não quer me encarar enquanto não tiver a vitória.

Achei que ela estava provavelmente certa, mas Artur não tinha demonstrado qualquer sinal explícito de afeto, por isso achei melhor dar um pequeno alerta.

— Talvez a vitória não seja satisfação suficiente para ele.

Guinevere balançou a cabeça.

— Eu o conheço melhor do que você, Derfel. Conheço tão bem que posso descrevê-lo em uma palavra.

Tentei pensar em que palavra seria. Corajoso? Certamente, mas isso deixava de lado sua atenção e dedicação. Imaginei se dedicado seria uma palavra melhor, mas isso não descrevia sua inquietude. Bom? Ele certamente era bom, mas essa palavra simples obscurecia a raiva que poderia torná-lo imprevisível.

— Qual é a palavra, senhora?

— Solitário — disse Guinevere e me lembrei de que Sagramor, na caverna de Mitra, havia usado exatamente essa palavra. — Ele é solitário, como eu. Então vamos lhe dar a vitória, e talvez ele não fique solitário de novo.

— Que os Deuses a mantenham em segurança, senhora.

— A Deusa, acho — disse ela e notou o ar de horror em meu rosto. Ela riu. — Não Ísis, Derfel, não Ísis. — Fora o culto de Ísis que tinha levado Guinevere à cama de Lancelot e ao sofrimento de Artur. — Acho que esta noite vou rezar a Sulis. Ela parece mais adequada.

— Juntarei minhas orações às suas, senhora.

Ela estendeu a mão para me fazer esperar.

— Nós vamos vencer, Derfel — falou com seriedade. — Vamos vencer, e tudo vai mudar.

Tínhamos dito isso com muita frequência, e nada jamais era assim. Mas agora, no Mynydd Baddon, tentaríamos de novo.

Acionamos nossa armadilha num dia tão lindo que fazia o coração doer. Além disso, prometia ser um dia longo, porque as noites estavam ficando cada vez mais curtas e a comprida luz da tarde se demorava profunda até as horas das sombras.

Na noite anterior à batalha Artur havia retirado suas tropas de todos os morros atrás do Mynydd Baddon. Ordenou que esses homens deixassem as fogueiras dos acampamentos acesas, para que os saxões achassem que eles ainda estavam lá, depois os levou para o oeste, para se juntar aos homens de Gwent que se aproximavam pela estrada de Glevum. Os guerreiros de Cuneglas também deixaram os morros, mas vieram ao cume do Mynydd Baddon, onde esperaram junto com meus homens.

Malaine, o principal druida de Powys, circulou entre os lanceiros durante a noite. Distribuiu verbenas, pedras de elfo e raspas de visgo seco. Os cristãos se reuniram e rezaram juntos, mas percebi que muitos aceitavam os presentes do druida. Rezei junto à muralha de terra, implorando uma grande vitória a Mitra, e depois disso tentei dormir, mas o Mynydd Baddon estava inquieto com o murmúrio das vozes e o som monótono de pedras em aço.

Eu já havia amolado minha lança e pus um gume novo em Hywelbane. Nunca deixei um serviçal afiar minhas armas antes da batalha; fazia isso pessoalmente e tão obsessivamente quanto todos os meus homens. Assim que me certifiquei de que as armas estavam o mais afiadas possível, deitei-me perto do abrigo de Guinevere. Queria dormir, mas não conseguia afastar o medo de ficar numa parede de escudos. Tentava perceber presságios, temendo ver uma coruja, e rezei de novo. Devo ter dormido finalmente, mas foi um sono abalado por sonhos. Fazia muito tempo desde que eu havia lutado numa parede de escudos, e mais tempo ainda desde que rompera uma parede inimiga.

Acordei com frio, cedo e tremendo. O orvalho estava denso. Os homens grunhiam e tossiam, mijavam e gemiam. O morro fedia, porque mesmo tendo cavado latrinas, não havia um riacho para levar a sujeira para longe.

— O cheiro e o som de homens — disse a voz irônica de Guinevere da sombra de seu abrigo.

— A senhora dormiu? — perguntei.

— Um pouco. — Ela se arrastou para fora do galho baixo que servia como teto e porta. — Está frio.

— Logo vai esquentar.

Ela se agachou ao meu lado, envolta em sua capa. O cabelo estava desgrenhado e os olhos inchados do sono.

— Em que pensa durante uma batalha?

— Em ficar vivo, matar, vencer.

— Isso aí é hidromel? — perguntou ela, apontando para um chifre na minha mão.

— Água, senhora. O hidromel faz os homens ficarem lentos na batalha.

Ela pegou a água comigo, jogou um pouco nos olhos e bebeu o resto. Estava nervosa, mas eu sabia que nunca poderia persuadi-la a ficar no morro.

— E Artur, o que ele pensa na batalha?

Sorri.

— Na paz que se segue à luta, senhora. Ele acredita que cada batalha será a última.

— Mas das batalhas — disse ela em voz sonhadora — não haverá fim.

— Provavelmente nunca. Mas nesta batalha, senhora, fique perto de mim. Muito perto.

— Sim, lorde Derfel — disse ela em tom zombeteiro, depois me ofuscou com um sorriso. — E obrigada, Derfel.

Estávamos com as armaduras quando o sol flamejou por trás dos morros do leste para tocar de carmim as nuvens esgarçadas e lançar uma sombra profunda no vale dos saxões. A sombra se afinou e se encolheu enquanto o sol subia. Fiapos de névoa se enrolavam sobre o rio, adensando a fumaça das fogueiras entre as quais o inimigo se movia com uma energia incomum.

— Alguma coisa está sendo preparada lá embaixo — disse-me Cuneglas.

— Será que eles sabem que nós estamos indo?

— O que tornaria a vida mais difícil — disse Cuneglas carrancudo, mas se os saxões tinham sabido dos nossos planos, não demonstravam qualquer preparativo evidente. Nenhuma parede de escudos estava formada diante do Mynydd Baddon, e nenhuma tropa marchava para o oeste em direção à estrada de Glevum. Em vez disso, enquanto o sol subia o bastante para dissipar a névoa das margens do rio, parecia que enfim haviam decidido abandonar o local totalmente, e que estavam se preparando para marchar, mas era difícil dizer se planejavam ir para o oeste, o norte ou o sul, porque a primeira tarefa foi pegar as carroças, os cavalos de carga, os rebanhos. De nossa altura aquilo parecia um ninho de formigas chutado num caos, mas gradualmente alguma ordem emergiu. Os homens de Aelle juntaram a bagagem perto do portão norte de Aquae Sulis, ao passo que os de Cerdic organizavam sua marcha ao lado do acampamento junto à margem do rio. Um punhado de cabanas estava queimando, e sem dúvida eles planejavam incendiar os dois acampamentos antes de partir. Os primeiros homens a seguirem foi uma tropa de cavaleiros com armaduras leves que passou por Aquae Sulis, pegando a estrada de Glevum.

— Uma pena — disse Cuneglas em voz baixa. Os cavaleiros iam verificar a rota que os saxões esperavam tomar, e estavam indo direto para o ataque de surpresa de Artur.

Esperamos. Não desceríamos o morro enquanto a força de Artur não estivesse bem à vista, e então teríamos de descer rapidamente para preencher o vazio entre os homens de Aelle e as tropas de Cerdic. Aelle teria de enfrentar a fúria de Artur enquanto meus lanceiros e as tropas de Cuneglas impediriam Cerdic de ajudar o aliado. Certamente estaríamos em menor número, mas Artur esperava ser capaz de romper os homens de Aelle e trazer suas tropas em nossa ajuda. Olhei à esquerda, esperando uma visão dos homens de Oengus no Caminho Fosse, mas aquela estrada distante continuava vazia. Se os Escudos Pretos não viessem, Cuneglas e eu estaríamos presos entre as duas metades do exército saxão. Olhei para meus homens, percebendo seu nervosismo. Eles não podiam ver o vale, porque eu insistira em que ficassem escondidos até lançarmos o ataque pelo flanco. Alguns estavam de olhos fechados, alguns cristãos se ajoelhavam com os braços estendidos enquanto outros homens passavam pedras de amolar em lâminas de lanças que já pareciam navalhas. Malaine, o druida, entoava um feitiço de proteção, Pyrlig rezava e Guinevere me olhava arregalada, como se pudesse entender, pela minha expressão, o que estava acontecendo.

Os batedores saxões tinham desaparecido no oeste, mas agora voltaram galopando subitamente. A poeira subia dos cascos de seus cavalos. A velocidade bastava para nos dizer que tinham visto Artur. E logo, pensei, aquele emaranhado de preparativos saxões iria se transformar numa parede de escudos e lanças. Agarrei o cabo comprido de minha lança, fechei os olhos e mandei uma oração através do azul, até onde Bel e Mitra estariam ouvindo.

— Olhe! — exclamou Cuneglas enquanto eu estava rezando. Abri os olhos e vi o ataque de Artur preenchendo a extremidade oeste do vale. O sol brilhava nos rostos deles e se refletia em centenas de lâminas nuas e elmos polidos. Ao sul, ao lado do rio, os cavaleiros de Artur esporeavam os animais para capturar a ponte sul de Aquae Sulis, enquanto as tropas de Gwent marchavam numa grande fileira pelo centro do vale. Os homens de Tewdric usavam equipamento romano: peitorais de bronze, capas vermelhas e elmos com plumas, de modo que do cume do Mynydd Baddon eles pareciam falanges de carmim e ouro sob uma quantidade de estandartes que mostravam, em vez do touro preto de Gwent, cruzes cristãs vermelhas. Ao norte estavam os lanceiros de Artur, liderados por Sagramor sob seu vasto estandarte preto num mastro encimado por um crânio saxão. Até hoje posso fechar os olhos e ver aquele exército avançando, o vento agitando os estandartes acima das fileiras organizadas, o pó subindo da estrada e as plantações pisoteadas onde eles haviam passado.

Enquanto à frente deles era o pânico e o caos. Saxões corriam para pegar armaduras, salvar as esposas, procurar os chefes ou se juntar em grupos que lentamente tentavam formar a primeira parede de escudos perto do acampamento nas proximidades de Aquae Sulis, mas era uma parede precária, fina e maldisposta. Vi um cavaleiro sinalizar para que ela recuasse. À nossa esquerda eu podia ver que os homens de Cerdic eram mais rápidos em formar suas fileiras, mas ainda estavam a mais de três quilômetros das tropas de Artur que vinham avançando, o que significava que os homens de Aelle teriam de enfrentar o grosso do ataque. Atrás desse ataque, maltrapilho e escuro à distância, nosso *levy* avançava com foices, machados, enxadões e porretes.

Vi o estandarte de Aelle erguido entre as sepulturas do cemitério romano e vi seus lanceiros correrem para se juntar sob o crânio sangrento. Os saxões já haviam abandonado Aquae Sulis, o acampamento do oeste e a bagagem que tinha sido juntada fora da cidade. Talvez esperassem que os homens de Artur parassem para saquear as carroças e os cavalos de carga, mas Artur tinha visto esse perigo, por isso guiou seus homens bem ao norte do muro da cidade. Lanceiros de Gwent haviam guarnecido a ponte, deixando os cavaleiros com armaduras pesadas livres para cavalgar atrás daquela fileira de ouro e carmim. Tudo parecia acontecer devagar demais. Do Mynydd Baddon tínhamos uma visão privilegiada, e pudemos ver os últimos saxões fugindo por cima da muralha desmoronada de Aquae Sulis, pudemos ver a parede de escudos de Aelle finalmente se endurecendo e pudemos ver os homens de Cerdic correndo pela estrada para reforçá-la. Em silêncio instigamos Artur e Tewdric, querendo que eles esmagassem os homens de Aelle antes que Cerdic pudesse se juntar à batalha, mas parecia que o ataque andava a passo de lesma. Mensageiros montados disparavam entre as tropas de lanceiros, mas ninguém mais parecia ter pressa.

As forças de Aelle tinham recuado oitocentos metros de Aquae Sulis antes de formar sua linha, e agora esperavam o ataque de Artur. Seus feiticeiros cabriolavam nos campos entre os exércitos, mas eu não podia ver druidas diante dos homens de Tewdric. Eles marchavam sob seu Deus cristão e, finalmente, depois de reforçar a parede de escudos, aproximaram-se do inimigo. Esperei ver uma conferência entre as fileiras, com os líderes das duas paredes de escudos trocando insultos rituais enquanto as duas paredes se avaliavam mutuamente. Já vi paredes de escudos se entreolharem durante horas enquanto os homens juntavam coragem para atacar, mas aqueles cristãos de Gwent não diminuíram o passo. Não houve reunião de líderes inimigos nem tempo para os feiticeiros saxões lançarem seus feitiços, porque os cristãos simplesmente baixaram as lanças, levantaram os escudos oblongos pintados com a cruz e marcharam direto através das sepulturas romanas de encontro aos escudos inimigos.

No morro ouvimos os escudos se chocarem. Foi um som seco e raspado, como trovão debaixo da terra, e era o som de centenas de escudos e lanças golpeando enquanto dois grandes exércitos se chocavam cabeça com cabeça. Os homens de Gwent foram parados, seguros pelo peso dos saxões que se esforçavam contra eles, e eu soube que havia homens morrendo lá embaixo. Estavam sendo furados por lanças, cortados por machados, pisoteados. Homens estavam cuspindo e rosnando sobre as bordas dos escudos, e a pressão seria tão grande que uma espada mal poderia ser erguida em meio àquele esmagamento.

Então os guerreiros de Sagramor vieram do flanco norte. O númida esperava claramente flanquear Aelle, mas o rei saxão percebera esse perigo e mandou parte de sua tropa de reserva formar uma linha que recebeu a carga de Sagramor com escudos e lanças. De novo soou o estrondo de escudos se chocando, e então, para nós que estávamos com visão privilegiada, a batalha ficou estranhamente imóvel. Duas multidões travadas, os homens de trás empurrando os da frente, e os da frente lutando para soltar as lanças e enfiá-las de novo, e durante todo o tempo os homens de Cerdic corriam pelo Caminho Fosse, abaixo de nós. Assim que chegassem à batalha, esses homens flanqueariam Sagramor facilmente. Poderiam envolver seu flanco e pegar sua parede de escudos por trás, e foi por isso que Artur nos manteve no morro.

Cerdic deve ter adivinhado que continuávamos lá. Do vale ele não podia ver nada, porque nossos homens estavam escondidos atrás das baixas muralhas de terra do Mynydd Baddon, mas eu o vi galopar até um grupo de homens e apontar para a encosta. Estava na hora de irmos e olhei para Cuneglas. Ele me olhou ao mesmo tempo e sorriu.

— Que os Deuses estejam com você, Derfel.

— E com o senhor, senhor rei. — Toquei a mão que ele ofereceu, depois apertei a palma contra minha cota de malha para sentir o calombo tranquilizador do broche de Ceinwyn.

Cuneglas subiu na muralha e se virou para nós.

— Não sou bom em fazer discursos — gritou —, mas há saxões lá embaixo e vocês são reconhecidos como os melhores matadores de saxões em toda a Britânia. Então venham provar isso! E lembrem-se! Assim que chegarmos ao vale mantenham a parede de escudos apertada! Mantenham-na apertada! Agora vamos!

Gritamos enquanto pulávamos sobre a borda do morro. Os homens de Cerdic, os que tinham vindo investigar o cume, pararam e depois recuaram enquanto um número cada vez maior de nossos lanceiros aparecia acima deles. Éramos quinhentos descendo aquele morro, e fomos depressa, em ângulo para o oeste, golpear as primeiras tropas dos reforços de Cerdic.

O terreno era cheio de touceiras, íngreme e áspero. Não descemos em qualquer ordem, disputávamos corrida uns contra os outros para chegar embaixo, e lá, depois de atravessar o campo de trigo pisoteado e pular duas cercas vivas cheias de espinhos, formamos nossa parede. Assumi o lado esquerdo da fileira, Cuneglas à direita, e assim que estávamos adequadamente formados e com os escudos se tocando, gritei para meus homens se adiantarem. Uma parede de escudos saxões formava-se no campo à nossa frente, enquanto homens corriam pela estrada para nos enfrentar. Olhei para a direita à medida que avançávamos e vi o espaço gigantesco entre nós e os homens de Sagramor, um espaço tão grande que eu nem conseguia ver seu estandarte. Odiei a ideia daquela abertura, odiei pensar no horror que poderia jorrar por ela e vir por trás de nós, mas Artur fora inflexível. Não hesitem, disse ele, não esperem que Sagramor chegue até vocês, apenas ataquem. Deve ter sido Artur, pensei, que havia persuadido os cristãos de Gwent a atacar sem pausa. Ele estava tentando levar os saxões ao pânico negando-lhes tempo, e agora era nossa vez de entrar rapidamente em combate.

A parede dos saxões era improvisada e pequena, talvez duzentos homens de Cerdic, que não esperavam lutar aqui, mas que haviam pensado em se somar às fileiras da retaguarda de Aelle. Além disso, eles estavam nervosos. Estávamos igualmente nervosos, mas esta não era hora de deixar o medo diminuir o fervor. Tínhamos de fazer o que os homens de Tewdric tinham feito, precisávamos atacar sem parar, para desequilibrar o inimigo, e assim soltei um grito de guerra e acelerei o passo. Tinha desembainhado Hywelbane e a empunhava pela parte superior da lâmina com a mão esquerda, deixando o escudo pendurado pelas alças no antebraço. Minha lança pesada estava na mão direita. O inimigo foi se juntando, escudo contra escudo, lanças apontadas, e de algum lugar à minha esquerda um grande cão de guerra foi solto para nos atacar. Ouvi o uivo da fera, depois a loucura da batalha me fez esquecer tudo, a não ser os rostos barbudos à frente.

Um ódio terrível cresce na batalha, um ódio que vem da alma negra para preencher os homens com uma raiva feroz e sangrenta. Alegria também. Eu sabia que a parede de escudos saxã iria se romper. Sabia muito antes de atacá-la. A parede era fina demais, tinha sido feita muito às pressas, e estava nervosa demais, por isso saí de nossa primeira fila e gritei meu ódio enquanto corria para o inimigo. Nesse momento eu só queria matar. Não, eu queria mais, queria que os bardos cantassem sobre Derfel Cadarn no Mynydd Baddon. Queria que os homens me olhassem e dissessem: ali está o guerreiro que rompeu a parede no Mynydd Baddon, queria o poder que vem da reputação. Uma dúzia de homens na Britânia tinha esse poder; Artur, Sagramor e Culhwch figuravam entre eles, e era um poder que suplantava todos os outros, menos o do rei. O nosso era um mundo em que as espadas davam *status*, e esquivar-se da espada era perder honra, por isso corri na frente, com a loucura enchendo a alma e a exultação dando-me um poder terrível enquanto escolhia minhas vítimas. Eram dois jovens, ambos menores do que eu, ambos nervosos, ambos com barbas ralas, e ambos estavam se encolhendo mesmo antes de eu acertá-los. Eles viram um comandante guerreiro britânico em todo o esplendor, e vi dois saxões mortos.

Minha lança acertou um na garganta. Abandonei a lança enquanto um machado se chocava contra meu escudo, mas eu o vira chegando e sustentei o golpe, depois bati o escudo contra o segundo homem e enfiei o ombro na barriga do escudo enquanto pegava Hywelbane com a mão direita. Baixei a espada e vi uma lasca voar do cabo de uma lança saxã, depois senti meus homens jorrando atrás de mim. Girei Hywelbane acima da cabeça, baixei-a de novo, gritei de novo, virei-a de lado, e de repente diante de mim havia apenas capim aberto, campânulas, a estrada e as campinas do rio. Eu havia atravessado a parede e estava gritando minha vitória. Virei-me, enfiei Hywelbane nas costas de um homem, torci-a puxando de volta, vi o sangue derramar na ponta, e de repente não havia mais inimigos. A parede saxã tinha desaparecido, ou melhor, tinha sido transformada em carne morta e agonizante que sangrava no capim. Lembro-me de ter levantado o escudo e a lança para o sol e soltado um grito de agradecimento a Mitra.

— Parede de escudos! — ouvi Issa gritar a ordem enquanto eu comemorava. Parei para recuperar minha lança, depois girei para ver mais saxões correndo do leste.

— Parede de escudos! — ecoei o grito de Issa. Cuneglas estava formando sua parede, virado para o oeste para nos proteger dos homens da retaguarda de Aelle, enquanto eu fazia minha fileira se virar para o leste, de onde vinham os homens de Cerdic. Meus homens gritavam e zombavam. Tinham transformado uma parede de escudos em carniça e agora queriam mais. Atrás de mim, no espaço entre os homens de Cuneglas e os meus, alguns saxões feridos ainda viviam, mas três dos meus homens estavam acabando com eles. Cortaram suas gargantas, porque aquela não era hora de fazer prisioneiros. Vi que Guinevere os ajudava.

— Senhor, senhor! — Era Eachern gritando da extremidade direita de nossa curta parede. Olhei e o vi apontando para uma massa de saxões que corriam pelo espaço entre nós e o rio. A abertura era grande, mas os saxões não estavam nos ameaçando, e sim correndo para ajudar Aelle.

— Deixem-nos! — gritei. Eu estava mais preocupado com os saxões à nossa frente, porque haviam parado para formar fileiras. Tinham visto o que acabáramos de fazer e não iriam deixar que fizéssemos o mesmo com eles, por isso se apertaram com quatro ou cinco fileiras de profundidade, depois comemoraram quando um dos seus feiticeiros veio cabriolando nos xingar. Era um dos feiticeiros loucos, porque seu rosto se retorcia incontrolavelmente enquanto cuspia imundícies contra nós. Os saxões valorizavam esses homens, pensando que tinham o ouvido dos Deuses, e seus Deuses devem ter empalidecido ao ouvir esse homem xingar.

— Devo matá-lo? — perguntou-me Guinevere. Ela estava segurando seu arco.

— Preferia que a senhora não estivesse aqui.

— É meio tarde para esse desejo, Derfel.

— Deixe-o — falei. As pragas do feiticeiro não estavam incomodando meus homens, que gritavam para os saxões virem testar suas lâminas, mas os saxões não estavam com ânimo para avançar. Esperavam reforços, que não se encontravam muito atrás.

— Senhor rei! — gritei para Cuneglas. Ele se virou. — Consegue ver Sagramor?

— Ainda não.

E tampouco eu conseguia ver Oengus Mac Airem, cujos Escudos Pretos deveriam jorrar morro abaixo para penetrar mais fundo no flanco dos saxões. Comecei a temer que tivéssemos atacado cedo demais, e que agora estivéssemos presos entre as tropas de Aelle, que se recuperavam do pânico, e os lanceiros de Cerdic, que estavam cuidadosamente engrossando sua parede de escudos antes de vir nos dominar.

Então Eachern gritou de novo e olhei para o sul, vendo que agora os saxões corriam para o leste e não para o oeste. Os campos entre nossa parede e o rio estavam cheios de homens em pânico, e por um instante fiquei perplexo demais para entender o que via, e então ouvi o barulho. Um barulho que parecia trovão. Cascos de cavalos.

Os cavalos de Artur eram grandes. Uma vez Sagramor me disse que Artur tinha capturado os cavalos de Clóvis, rei dos francos, e antes de Clóvis ser dono do rebanho os cavalos eram criados para os romanos, e nenhum outro cavalo na Britânia se comparava a eles em tamanho, e Artur escolhia seus maiores homens para montá-los. Ele perdera muitos dos grandes cavalos de guerra para Lancelot, e eu meio que esperava ver aqueles animais enormes nas fileiras inimigas, mas Artur zombou de meu medo. Dissera-me que Lancelot havia capturado principalmente éguas prenhes e potros não treinados, e eram necessários tantos anos para treinar um cavalo quanto para ensinar um homem a lutar com uma lança em cima da sela. Lancelot não tinha esses homens, mas Artur tinha, e agora ele os liderava vindo da encosta sul, na direção dos homens de Aelle que lutavam contra Sagramor.

Eram apenas sessenta dos grandes cavalos, e estavam cansados porque tinham corrido para tomar a ponte ao sul, e depois vindo para o flanco oposto da batalha, mas Artur os incitou num galope e penetrou fundo na retaguarda da linha de batalha de Aelle. Esses homens da retaguarda tinham estado empurrando para a frente, tentando pressionar as fileiras sobre a parede de escudos de Sagramor, e o surgimento de Artur foi tão súbito que eles não tiveram tempo de se virar e formar uma parede de escudos. Os cavalos rasgaram suas fileiras e, à medida que os saxões se espalhavam, os guerreiros de Sagramor empurravam as primeiras fileiras para trás, e de repente a ala direita do exército de Aelle estava rompida. Alguns saxões correram para o sul, procurando segurança no resto do exército de Aelle, mas outros fugiram para o leste em direção a Cerdic, e eram esses homens que víamos na campina do rio. Artur e seus cavaleiros perseguiam implacavelmente esses fugitivos. Os cavaleiros usavam suas espadas compridas para cortar os homens em fuga, até que a campina ficou coberta de corpos, espadas e escudos abandonados. Vi Artur passar galopando pela minha fileira, a capa branca manchada de sangue, Excalibur avermelhada em sua mão e um ar de absoluta alegria no rosto magro. Hygwydd, seu serviçal, levava a bandeira do urso, que agora tinha uma cruz vermelha no canto inferior. Hygwydd, normalmente o mais taciturno dos homens, riu para mim e passou, seguindo Artur de volta morro acima, até onde os cavalos podiam recuperar o fôlego e ameaçar o flanco de Cerdic. Morfans, o Feio, tinha morrido no ataque inicial dos homens de Aelle, mas foi a única perda de Artur.

A carga de Artur tinha rompido a ala direita de Aelle, e agora Sagramor estava guiando seus homens ao longo do Caminho Fosse para juntar seus escudos aos meus. Ainda não havíamos rodeado o exército de Aelle, mas o isolamos entre a estrada e o rio. Os disciplinados cristãos de Tewdric avançavam agora por esse corredor, matando enquanto vinham. Cerdic ainda estava fora da armadilha e deve ter-lhe ocorrido a ideia de deixar Aelle ali e permitir que seu rival saxão fosse destruído, mas em vez disso decidiu que a vitória ainda era possível. Se vencesse naquele dia, toda a Britânia se tornaria Lloegyr.

Cerdic ignorou a ameaça dos cavalos de Artur. Devia saber que eles tinham atacado os homens de Aelle onde estavam mais desordenados, e que lanceiros disciplinados, numa parede de escudos travada, nada teriam a temer da cavalaria, por isso ordenou que seus homens travassem os escudos, baixassem as lanças e avançassem.

— Apertem! Apertem! — gritei e abri caminho até a primeira fileira, onde me certifiquei de que meu escudo se sobrepusesse aos dos vizinhos. Os saxões estavam se adiantando, atentos para manter escudo contra escudo, os olhos examinando nossa fileira em busca de um ponto fraco, enquanto toda aquela massa vinha para nós. Não havia feiticeiros que eu pudesse ver, mas o estandarte de Cerdic estava no centro da grande formação. Eu tinha uma impressão de barbas e elmos com chifres, ouvia uma áspera trompa de chifre de carneiro soando continuamente e olhava as lanças e as lâminas dos machados. O próprio Cerdic estava em algum lugar da massa de homens, porque eu podia ouvir sua voz gritando:

— Escudos travados! Escudos travados!

Dois grandes cães de guerra foram soltos em nossa direção. Ouvi gritos e senti desordem em algum lugar à direita quando os bichos alcançaram a fileira. Os saxões devem ter visto minha parede de escudos se curvar onde os cães tinham atacado, porque de repente gritaram de alegria e se adiantaram.

— Apertados! — gritei, depois ergui a lança acima da cabeça. Pelo menos três saxões olhavam para mim enquanto se adiantavam rapidamente. Eu era um lorde, cheio de ouro, e se eles pudessem mandar minha alma para o Outro Mundo obteriam renome e riqueza. Um deles correu à frente dos companheiros, em busca da glória, com a lança apontada para o meu escudo, e achei que ele baixaria a ponta no último minuto para me pegar no tornozelo. Em seguida não havia tempo para pensar, só para lutar. Enfiei minha lança no rosto do sujeito e empurrei o escudo para a frente e para baixo para desviar seu golpe. Sua lâmina ainda raspou no meu tornozelo, cortando o couro da bota direita abaixo da greva que eu havia tomado de Wulfger, mas minha lança estava ensanguentada no rosto dele, e ele caía para trás quando a puxei de volta e o próximo homem veio para me matar.

Eles chegaram assim que os escudos das duas fileiras se chocaram com um barulho que parecia o de mundos colidindo. Agora eu sentia o cheiro dos saxões, o cheiro de couro, suor e esterco, mas não sentia cheiro de cerveja. Esta batalha estava acontecendo de manhã muito cedo, os saxões haviam sido surpreendidos e não tiveram tempo de beber para juntar coragem. Homens me empurravam pelas costas, esmagando-me contra meu escudo que empurrava um escudo saxão. Cuspi no rosto barbudo, impeli a lança por cima do ombro dele e senti que ela foi segura por mão inimiga. Soltei-a e, dando um empurrão gigantesco, me libertei apenas o bastante para sacar Hywelbane. Baixei a espada sobre o homem que estava à frente. Seu elmo não passava de um chapéu de couro cheio de trapos e a lâmina recém-afiada de Hywelbane atravessou até o cérebro. Ficou ali grudada um momento e lutei contra o peso do morto. Enquanto lutava, um saxão baixou um machado sobre minha cabeça.

Meu elmo recebeu o golpe. Houve um clangor que preencheu o universo, e de repente minha cabeça se encheu de tiras de luz. Mais tarde meus homens disseram que fiquei insensível durante minutos, mas não caí porque a pressão de corpos me mantinha de pé. Não me lembro de nada, mas poucos homens se lembram de muita coisa no esmagamento dos escudos. Claro que você faz força, xinga, cospe e golpeia quando pode. Um dos meus vizinhos de escudo disse que cambaleei depois do golpe de machado e quase tropecei nos corpos dos homens que eu tinha matado, mas o homem atrás de mim segurou o cinto da minha espada e me puxou para cima, e meus caudas de lobo pressionaram em volta, para me dar proteção. O inimigo sentiu que eu estava ferido e lutou com mais intensidade, machados acertando escudos danificados e lâminas de espadas com mossas, mas saí lentamente do atordoamento e me vi na segunda fileira, ainda seguro atrás da abençoada proteção do escudo, e com Hywelbane ainda na mão. Minha cabeça doía, mas eu não percebia, só percebia a necessidade de estocar, cortar, gritar e matar. Issa estava sustentando a abertura feita pelos cães, malignamente matando saxões que tinham penetrado em nossa primeira fileira e assim lacrando nossa linha com seus cadáveres.

Cerdic estava em maior número, mas não podia nos flanquear pelo norte porque os cavaleiros se encontravam lá, e não queria mandar seus homens morro acima, ao encontro deles, por isso mandou homens para nos flanquear pelo sul, mas Sagramor previu isso e guiou seus lanceiros para aquela abertura. Lembro-me de ter ouvido o choque dos escudos. O sangue tinha enchido minha bota esquerda, de modo que ela fazia um barulho chapinhado quando eu punha o peso em cima. Meu crânio latejava de dor e a boca estava fixa num rangido. O homem que havia ocupado meu lugar na primeira fila não queria entregá-lo de volta.

— Eles estão cedendo, senhor — gritou para mim —, estão cedendo! — E, sem dúvida, a pressão do inimigo enfraquecia. Eles não estavam derrotados, apenas recuando, e de repente um grito inimigo os chamou de volta e eles deram um último golpe de lança ou machado e recuaram depressa. Não fomos atrás. Estávamos muito ensanguentados, golpeados e cansados para perseguir, e obstruídos pela pilha de corpos que marcam a zona de maré de uma batalha com lança e escudo. Alguns daquela pilha estavam mortos, outros se mexiam em agonia e imploravam a morte.

Cerdic recuara seus homens para formar uma nova parede de escudos, suficientemente grande para chegar até os homens de Aelle, agora isolados da segurança pelas tropas de Sagramor, que tinham preenchido a maior parte da abertura entre meus homens e o rio. Mais tarde fiquei sabendo que os homens de Aelle estavam sendo empurrados para trás contra o rio pelos lanceiros de Tewdric, e Artur deixou apenas um número de homens suficiente para manter esses saxões presos e mandou o resto para reforçar Sagramor.

Meu elmo estava com um amassado no lado esquerdo e uma rachadura na base do amassado, que atravessava direto o ferro e o forro de couro. Quando o retirei ele repuxou o sangue grudado no cabelo. Tateei cuidadosamente o couro cabeludo, mas não senti nenhum osso rachado, apenas um galo e uma dor pulsante. Havia um ferimento áspero em meu antebraço esquerdo, o peito tinha um hematoma e o tornozelo direito continuava sangrando. Issa estava mancando, mas disse que era apenas um arranhão. Niall, o líder dos Escudos Pretos, estava morto. Uma lança havia furado seu peitoral e ele estava caído de costas, com a lança se projetando para o céu e a boca aberta cheia de sangue. Eachern tinha perdido um olho. Ele cobriu a órbita com um pedaço de trapo que amarrou na cabeça, depois enfiou o elmo sobre a bandagem grosseira e jurou vingar cem vezes aquele olho.

Artur veio cavalgando do morro para elogiar meus homens.

— Segurem-nos de novo! — gritou. — Segurem-nos até que Oengus venha, e então vamos acabar com eles para sempre! — Mordred cavalgava atrás de Artur, com seu grande estandarte ao lado da bandeira do urso. O nosso rei segurava uma espada e seus olhos estavam arregalados com a empolgação do dia. Por mais de três quilômetros ao longo da margem do rio havia pó e sangue, mortos e agonizantes, ferro contra carne.

As fileiras de ouro e escarlate de Tewdric rodearam os sobreviventes de Aelle. Esses homens ainda lutavam, e agora Cerdic fez outra tentativa de chegar até lá. Artur levou Mordred de volta para o morro, enquanto travávamos os escudos de novo.

— Eles estão ansiosos — comentou Cuneglas ao ver as fileiras saxãs avançando.

— Eles não estão bêbados — falei. — É por isso.

Cuneglas não estava ferido, e sim cheio da empolgação de um homem que acredita ter corpo fechado. Tinha lutado na frente da batalha, tinha matado, e não sofrera um arranhão. Nunca fora famoso como guerreiro, não como seu pai, e agora acreditava estar merecendo sua coroa.

— Tome cuidado, senhor rei — falei enquanto ele voltava para os seus homens.

— Nós estamos vencendo, Derfel! — gritou ele e correu para enfrentar o ataque.

Este seria um ataque muito maior do que o primeiro, porque Cerdic postara sua própria guarda pessoal no centro da nova fileira, e esses guerreiros soltaram enormes cães de guerra que partiram para Sagramor, cujos homens formavam o centro de nossa fileira. Um instante depois, os lanceiros saxões atacaram, penetrando nos buracos que os cães tinham rasgado em nossa formação. Ouvi os escudos se chocarem, depois não pensei mais em Sagramor, porque a ala direita dos saxões se chocou com meus homens.

De novo os escudos bateram uns nos outros. De novo estocávamos com lanças ou cortávamos com espadas, e de novo estávamos esmagados uns contra os outros. O saxão à minha frente tinha abandonado a lança e tentava enfiar sua faca curta por baixo de minhas costelas. A faca não podia cortar minha cota de malha e ele estava grunhindo, empurrando e trincando os dentes enquanto torcia a faca contra os elos de ferro. Eu não tinha espaço para baixar o braço direito e pegar seu pulso, por isso bati em seu elmo com o cabo de Hywelbane e continuei batendo até ele afundar aos meus pés e eu poder pisar nele. Ele ainda tentou me cortar com a faca, mas o homem atrás de mim o acertou com a lança e depois empurrou o escudo nas minhas costas, forçando-me contra o inimigo. À minha esquerda um herói saxão brandia golpes à direita e à esquerda com o machado, abrindo um caminho em nossa parede, mas alguém o fez tropeçar com um cabo de lança e meia dúzia de homens golpearam o guerreiro caído com espadas ou lanças. Ele morreu entre os corpos de suas vítimas.

Cerdic cavalgava de um lado para o outro atrás de sua fileira, gritando para os homens empurrarem e matarem. Gritei para ele, desafiando-o a desmontar e vir lutar como um homem, mas ele não me ouviu, ou então ignorou as provocações. Em vez disso foi na direção sul, onde Artur lutava ao lado de Sagramor. Artur tinha visto a pressão contra os homens de Sagramor e levou seus cavaleiros para trás da fileira, reforçando o númida, e agora nossa cavalaria impulsionava os animais para o esmagamento de homens, golpeando por cima da fileira da frente com suas lanças compridas. Mordred estava lá, e mais tarde alguns homens disseram que ele lutou como um demônio. O nosso rei jamais careceu de valor bruto em batalha, apenas de sentimento e decência na vida. Ele não era um bom soldado a cavalo, por isso desmontou e ocupou um lugar na primeira fila. Eu o vi mais tarde e ele estava coberto de sangue, nenhum dele. Guinevere estava atrás de nossa linha. Tinha visto o cavalo abandonado por Mordred, montou-o e estava atirando flechas da garupa do animal. Vi uma acertar o escudo do próprio Cerdic, mas ele a jogou longe como se fosse uma mosca.

A pura exaustão fez terminar aquele segundo choque de paredes. Chegou um ponto em que estávamos cansados demais para levantar uma espada, quando só podíamos nos encostar no escudo do inimigo e cuspir insultos por sobre a borda. Ocasionalmente um homem juntava energia para levantar um machado ou espetar uma lança, e por um momento a fúria da batalha se incendiava, só para morrer de novo enquanto os escudos sugavam a força. Estávamos todos sangrando, machucados, todos de boca seca, e quando o inimigo recuou ficamos gratos pelo adiamento.

Também recuamos, livrando-nos dos mortos amontoados numa pilha onde as paredes de escudos tinham se encontrado. Levamos conosco os nossos feridos. Entre os mortos havia um punhado cujas testas tinham sido marcadas pelo toque de uma lâmina incandescente, o que os identificava como homens que se juntaram à rebelião de Lancelot no ano anterior, mas eram homens que agora tinham morrido por Artur. Também encontrei Bors ferido no chão. Ele estava tremendo e reclamando do frio. Sua barriga fora aberta, de modo que, quando o levantei, suas tripas se derramaram no solo. Ele soltou um gemido alto enquanto eu o deitava e lhe dizia que o Outro Mundo o esperava com fogueiras rugindo, bons companheiros e hidromel sem fim. E ele agarrou minha mão esquerda com força enquanto eu cortava sua garganta com um golpe rápido de Hywelbane. Um saxão se arrastava digno de pena e às cegas entre os mortos, com sangue escorrendo da boca, até que Issa pegou um machado caído e cortou a espinha do sujeito. Vi um dos meus jovens vomitar, depois cambalear alguns passos antes de um amigo pegá-lo e sustentá-lo. O rapaz estava chorando porque tinha esvaziado as tripas e estava com vergonha, mas não era o único. O campo fedia a bosta e sangue.

Os homens de Aelle, muito atrás de nós, estavam numa parede de escudos travados, de costas para o rio. Os homens de Tewdric os encaravam, mas estavam contentes em manter aqueles saxões imóveis em vez de lutar agora, porque homens acuados são inimigos terríveis. E ainda assim Cerdic não abandonava seu aliado. Ele ainda esperava poder atravessar os lanceiros de Artur, juntar-se a Aelle e em seguida virar para o norte, dividindo nossas forças ao meio. Havia tentado duas vezes, e agora reuniu os restos de seu exército para o último grande esforço. Ainda tinha homens descansados, alguns deles guerreiros contratados do exército do rei Clóvis dos francos, e agora esses homens foram trazidos para a frente da linha de batalha e ficamos olhando os feiticeiros arengar com eles, depois se virar para cuspir suas maldições para nós. Não haveria pressa nesse ataque. Não havia necessidade, porque o dia ainda era jovem, ainda nem era meio-dia, e Cerdic tinha tempo para deixar seus homens comerem, beberem e se prepararem. Um dos tambores de guerra começou com as batidas soturnas enquanto mais saxões ainda se formavam nos flancos do exército, alguns com cães presos em coleiras. Nós estávamos todos exaustos. Mandei homens para pegar água no rio e bebemos nos elmos dos mortos. Artur veio até mim e fez uma careta diante do meu estado.

— Vocês podem retê-los uma terceira vez? — perguntou.

— Temos de fazer isso, senhor.

Mas seria difícil. Tínhamos perdido uma grande quantidade de homens e nossa parede seria fina. Nossas lanças e espadas estavam rombudas agora, e não havia pedras de amolar suficientes para afiá-las de novo, enquanto o inimigo estava sendo reforçado com homens novos, cujas armas estavam intocadas. Artur desmontou de Llamrei, jogou as rédeas para Hygwydd, depois caminhou comigo até a linha de maré dos mortos. Ele conhecia alguns dos homens pelo nome e franziu a testa ao ver os jovens mortos que mal tiveram tempo de viver antes de encontrar o inimigo. Abaixou-se e tocou com um dedo a testa de Bors, depois parou diante de um saxão caído com uma flecha cravada na boca aberta. Por um momento pensei que Artur iria falar, depois ele apenas sorriu. Sabia que Guinevere estava entre meus homens, na verdade devia tê-la visto em seu cavalo e visto seu estandarte, que agora tremulava ao lado de minha bandeira com a estrela. Olhou de novo para a flecha e vi um clarão de felicidade em seu rosto. Ele tocou meu braço e me guiou de volta em direção aos nossos homens, que estavam sentados ou então apoiados nas lanças.

Um homem nas fileiras saxãs que se reuniam tinha reconhecido Artur, e agora veio no amplo espaço entre os exércitos e gritou um desafio para ele. Era Liofa, o espadachim que eu tinha enfrentado em Thunreslea, e ele chamou Artur de covarde e mulher. Não traduzi e Artur não pediu. Liofa chegou mais perto. Não portava escudo nem usava armadura, nem mesmo um elmo, e levava apenas a espada, agora na bainha, como se a mostrar que não tinha medo de nós. Eu podia ver a cicatriz em seu rosto e me senti tentado a me virar e lhe dar uma cicatriz maior, uma que o pusesse na sepultura, mas Artur me impediu.

— Deixe-o — falou.

Liofa continuou nos provocando. Ele se requebrava como uma mulher, sugerindo que éramos isso, e ficou de costas para nós, convidando que alguém viesse atacá-lo. Mesmo assim ninguém se moveu. Ele se virou para nos encarar de novo, balançou a cabeça com pena de nossa covardia e depois caminhou seguindo a linha de mortos. Os saxões o aplaudiram enquanto meus homens olhavam em silêncio. Passei a notícia à nossa linha dizendo que ele era o campeão de Cerdic e que era perigoso, e que deveria ser deixado em paz. Incomodava a nossos homens verem um saxão tão cheio de si, mas era melhor que Liofa vivesse agora do que receber a chance de humilhar um dos nossos lanceiros cansados. Artur tentou dar ânimo aos homens montando de novo em Llamrei e, ignorando as provocações de Liofa, galopando ao longo da linha de cadáveres. Ele espalhou os feiticeiros saxões nus, desembainhou Excalibur e chegou ainda mais perto da fileira saxã, mostrando a crista de plumas brancas e a capa suja de sangue. Seu escudo com a cruz vermelha brilhava, e meus homens gritaram de alegria ao vê-lo. Os saxões se encolheram para longe, enquanto Liofa, impotente com a chegada de Artur, chamava-o de coração de mulher. Artur virou o animal e voltou para perto de mim. Seu gesto implicava que Liofa não era um opositor digno, o que deve ter ferido o orgulho do campeão dos saxões, porque ele chegou ainda mais perto da fileira em busca de um oponente.

Liofa parou perto de uma pilha de cadáveres. Pisou no sangue derramado, depois pegou um escudo caído. Levantou-o para que todos pudéssemos ver a águia de Powys e, quando tinha certeza de que tínhamos visto o símbolo, jogou o escudo no chão, abriu o calção e mijou na insígnia de Powys. Moveu a mira de modo que a urina caísse no morto que era dono do escudo, e esse insulto se mostrou grande demais.

Cuneglas rugiu de fúria e saiu correndo da fileira.

— Não! — gritei e fui na direção de Cuneglas. Era melhor que eu lutasse com Liofa, porque pelo menos conhecia seus truques e sua velocidade, mas era tarde demais. Cuneglas tinha desembainhado a espada e me ignorou. Achava-se invulnerável naquele dia. Era o rei da batalha, um homem que tinha precisado se mostrar como herói, que conseguira isso e agora acreditava que tudo era possível. Ele derrubaria aquele saxão impudente diante de seus homens, e durante anos os bardos cantariam sobre o rei Cuneglas, o Poderoso, o rei Cuneglas, o Matador de Saxões, o rei Cuneglas, o Guerreiro.

Eu não poderia salvá-lo porque ele perderia prestígio caso se virasse ou se outro homem ocupasse seu lugar, por isso olhei, horrorizado, enquanto ele caminhava cheio de confiança em direção ao saxão magro que não usava armadura. Cuneglas estava usando o antigo equipamento de guerra de seu pai, ferro enfeitado com ouro, e com um elmo encimado por uma asa de águia. Estava sorrindo. Naquele momento estava exultante, cheio dos heroísmos do dia, e se acreditava tocado pelos Deuses. Não hesitou, mas baixou a espada sobre Liofa, e todos poderíamos ter jurado que aquele golpe acertaria, mas Liofa deslizou, deu um passo de lado, riu e depois se desviou de novo quando a espada de Cuneglas cortava o ar pela segunda vez.

Tanto nossos homens quanto os saxões rugiam encorajamentos. Só Artur e eu estávamos em silêncio. Eu estava vendo o irmão de Ceinwyn morrer e nada podia fazer para impedir. Pelo menos nada com honra, porque se resgatasse Cuneglas eu o desgraçaria. Artur me olhou de sua sela, o rosto preocupado.

Eu não podia aliviar a preocupação de Artur.

— Lutei com ele — falei amargo —, e ele é um matador.

— Você está vivo.

— Sou um guerreiro, senhor.

Cuneglas nunca fora um guerreiro, por isso queria se provar agora, mas Liofa o estava fazendo de bobo. Cuneglas atacava, tentando esmagar Liofa com sua espada, e a cada vez o saxão apenas se desviava ou deslizava para o lado, e nenhuma vez contra-atacou; e pouco a pouco nossos homens ficaram em silêncio, porque viam que o rei estava se cansando e Liofa brincava com ele.

Então, um grupo de homens de Powys correu para salvar seu rei. Liofa deu três passos rápidos para trás e fez um gesto mudo para eles com a espada. Cuneglas se virou para ver seus homens.

— Voltem! — gritou. — Voltem! — repetiu, com mais raiva. Devia saber que estava condenado, mas não perderia prestígio. Honra é tudo.

Os homens de Powys pararam. Cuneglas se virou de novo para Liofa, e dessa vez não se adiantou às pressas, foi com mais cautela. Pela primeira vez sua espada chegou a tocar a lâmina de Liofa. Vi Liofa escorregar na grama e Cuneglas deu um grito de vitória e levantou a espada para matar seu atormentador, mas Liofa estava girando, o escorregão era deliberado, e o giro de seu golpe levou a espada pouco acima do capim, cortando a perna direita de Cuneglas. Por um momento Cuneglas ficou de pé, com a espada balançando, e então, enquanto Liofa se levantava, ele caiu. O saxão esperou até o rei desmoronar, depois chutou o escudo de Cuneglas para o lado e estocou uma vez para baixo, com a ponta da espada.

Os saxões rugiram de alegria, porque o triunfo de Liofa era um presságio de sua vitória. O próprio Liofa só teve tempo para levantar a espada de Cuneglas, depois correu agilmente para longe dos homens que o perseguiam em busca de vingança. Ele os deixou para trás facilmente, depois se virou e provocou-os. Não tinha necessidade de lutar com eles, porque havia vencido o desafio. Tinha matado um rei inimigo, e não duvidei de que os bardos saxões cantariam sobre Liofa, o Terrível, matador de reis. Ele dera a primeira vitória do dia aos saxões.

Artur desmontou e nós dois insistimos em levar o corpo de Cuneglas de volta para seus homens. Nós dois choramos. Em todos os longos anos não tínhamos possuído um aliado mais firme do que Cuneglas ap Gorfyddyd, rei de Powys. Ele jamais tinha discutido com Artur, e nenhuma vez lhe faltou, e para mim tinha sido um irmão. Era um bom homem, doador de ouro, amante da justiça, e agora estava morto. Os guerreiros de Powys tiraram de nós seu rei morto e o levaram para trás da parede de escudos.

— O nome do matador dele é Liofa, e darei cem moedas de ouro ao homem que me trouxer sua cabeça — falei.

Então, um grito fez com que eu me virasse. Tendo a certeza da vitória, os saxões haviam começado a avançar.

Meus homens se levantaram. Enxugaram o suor do rosto. Recoloquei meu elmo amassado e ensanguentado, fechei as peças laterais e peguei uma lança caída.

Estava na hora de lutar de novo.

Era o maior ataque saxão do dia, e foi feito por um jorro de lanceiros confiantes que se haviam recuperado da surpresa anterior e agora vinham para rachar nossas linhas e resgatar Aelle. Rugiam cantando enquanto vinham, batiam lanças em escudos e prometiam uns aos outros vinte britânicos mortos para cada um. Os saxões sabiam que haviam vencido. Tinham recebido o pior que Artur poderia lhes dar, tinham lutado até um impasse, tinham visto seu campeão matar um rei inimigo e agora, com as tropas descansadas na frente, avançavam para acabar conosco. Os francos prepararam suas lanças leves, prontos para atirá-las numa chuva de aço afiado sobre nossa parede de escudos.

Quando, de súbito, uma trompa soou no Mynydd Baddon.

A princípio poucos de nós ouvimos a trompa, tão altos eram os gritos, o barulho dos pés e os gemidos dos agonizantes, mas então a trompa soou de novo, e uma terceira vez. E ao terceiro toque os homens se viraram e olharam para a muralha abandonada do Mynydd Baddon. Até os francos e saxões pararam. Estavam a apenas cinquenta passos de nós quando a trompa os fez parar e eles, como nós, viraram a cabeça para olhar a comprida encosta verde.

E viram um único cavaleiro com um estandarte.

Era apenas um estandarte, mas enorme: um enorme pedaço de linho branco onde estava bordado o dragão branco da Dumnonia. A fera, toda garras, cauda e fogo, levantava as patas na bandeira que pegou o vento e quase derrubou o cavaleiro que a segurava. Mesmo dessa distância podíamos ver que o cavaleiro montava rigidamente e sem jeito, como se não pudesse controlar o cavalo preto nem firmar a bandeira enorme, mas então dois lanceiros apareceram atrás e cutucaram o animal com suas armas, e o bicho saltou morro abaixo e seu cavaleiro foi sacudido para trás com força devido ao movimento súbito. Ele se inclinou para a frente de novo enquanto o cavalo disparava encosta abaixo, sua capa preta se estendeu para trás e vi que a armadura debaixo da capa era de um branco brilhante, tão branco quanto o linho da bandeira. Atrás dele, derramando-se do Mynydd Baddon como havíamos nos derramado logo depois do alvorecer, veio uma massa de homens gritando com escudos pretos e outros com javalis pintados nos escudos. Oengus Mac Airem e Culhwch tinham vindo, mas em vez de atacar pela estrada de Corinium haviam primeiro subido o Mynydd Baddon, para que seus homens pudessem se juntar aos nossos.

Mas era para o cavaleiro que eu olhava. Ele montava muito desajeitado, e agora dava para ver que estava amarrado ao cavalo. Seus tornozelos estavam presos com corda sob a barriga do garanhão, e o corpo fixo à sela com o que pareciam pedaços de madeira presos à armação. Ele não usava elmo, de modo que os cabelos compridos voavam ao vento, e debaixo do cabelo o rosto do cavaleiro não passava de um crânio sorridente coberto por uma pele amarela e ressecada. Era Gawain, o morto Gawain, com os lábios e as gengivas encolhidas e mostrando os dentes, as narinas duas fendas pretas e os olhos órbitas vazias. A cabeça balançava de um lado para o outro enquanto o corpo, ao qual estava amarrada a bandeira do dragão da Britânia, balançava de um lado para o outro.

Era a morte num cavalo preto chamado Anbarr e, ao ver aquela figura monstruosa vindo em direção ao seu flanco, a confiança dos saxões se abalou. Os Escudos Pretos estavam gritando atrás de Gawain, impulsionando o cavalo e seu cavaleiro morto por cima das cercas vivas e indo direto para o flanco saxão. Os Escudos Pretos não atacaram numa fileira, e sim numa massa uivante. Esse era o modo irlandês de guerrear, um ataque aterrorizante de homens enlouquecidos que vinham para a matança como se fossem amantes.

Por um momento a batalha tremeu. Os saxões tinham estado à beira da vitória, mas Artur viu sua hesitação e inesperadamente gritou para que avançássemos.

— Andem! — gritou ele. — Para a frente!

Mordred acrescentou seu comando ao de Artur.

Assim começou a matança no Mynydd Baddon. Os bardos contam tudo, e pela primeira vez não exageraram. Nós atravessamos a linha de cadáveres e levamos as lanças para o exército saxão no momento em que os Escudos Pretos e os homens de Culhwch chegavam ao seu flanco. Por alguns instantes houve o clangor de espada contra espada, o ruído de machados em escudos, a batalha de grunhidos, empurrões, suor, formada pelos escudos travados, mas então o exército saxão se rompeu e lutamos entre suas fileiras rasgadas em campos que ficaram escorregadios com sangue franco e saxão. Os saxões fugiram, rompidos por uma carga louca liderada por um morto num cavalo preto, e nós os matamos até não pensar mais em matar. Atulhamos a ponte de espadas com mortos saxões. Furamos com lanças, estripamos, e alguns simplesmente se afogaram no rio. A princípio não fizemos prisioneiros, mas lançamos anos de ódio contra os inimigos. O exército de Cerdic tinha se despedaçado sob o assalto duplo, e rugíamos entre suas fileiras partidas e disputávamos uns com os outros a matança. Era uma orgia de morte, um turbilhão de chacina. Havia alguns saxões tão aterrorizados que não podiam se mexer, que literalmente ficavam parados, arregalados, esperando para ser mortos, enquanto havia outros que lutavam como demônios e outros que morriam correndo e outros que tentavam escapar no rio. Tínhamos perdido qualquer sugestão de uma parede de escudos, não passávamos de uma matilha de enlouquecidos cães de guerra rasgando o inimigo em pedaços. Vi Mordred mancando com seu pé torto enquanto cortava saxões, vi Artur a cavalo perseguindo fugitivos, vi os homens de Powys vingando mil vezes seu rei. Vi Galahad cortando à esquerda e à direita sobre seu cavalo, o rosto calmo como sempre. Vi Tewdric vestido num manto de padre, esquelético e com o cabelo tonsurado, golpeando selvagemente com uma grande espada. O velho bispo Emrys estava lá, com uma cruz enorme pendurada no pescoço e um velho peitoral amarrado sobre o manto com uma corda de crina de cavalo.

— Vão para o inferno! — gritava ele enquanto furava com uma lança os saxões impotentes. — Queimem para sempre no fogo purificador!

Vi Oengus Mac Airem, com a barba encharcada de sangue saxão, furando mais inimigos. Vi Guinevere montando o cavalo de Mordred e cortando com a espada que tínhamos lhe dado. Vi Gawain, com a cabeça caída, curvado morto sobre o cavalo ensanguentado que pastava pacificamente a grama cortada junto aos cadáveres saxões. Finalmente vi Merlin, porque ele tinha vindo com o cadáver de Gawain, e mesmo sendo um velho, estava golpeando saxões com seu cajado e xingando-os de vermes miseráveis. Ele tinha uma escolta de Escudos Pretos. Viu-me, sorriu e acenou para mim em meio à matança.

Passamos por cima do povoado de Cerdic, onde as mulheres e crianças se encolhiam nas cabanas. Culhwch e uns vinte homens abriam caminho como carniceiros através de alguns lanceiros saxões que tentavam proteger as famílias e a bagagem abandonada de Cerdic. Os guardas saxões morreram e o ouro pilhado se derramou como farelo. Lembro-me da poeira se levantando como uma névoa, de gritos de mulheres e homens, crianças e cães correndo aterrorizados, cabanas queimando e soltando fumaça, e sempre os grandes cavalos de Artur trovejando em meio ao pânico com lanças que mergulhavam para pegar os lanceiros inimigos pelas costas. Não há alegria igual à destruição de um exército partido. A parede de escudos se rompe e a morte governa, e assim matamos até termos os braços cansados demais para levantar uma espada, e quando a matança terminou vimo-nos num pântano de sangue, e foi então que meus homens descobriram a cerveja e o hidromel na bagagem dos saxões, e começou a bebedeira. Algumas mulheres saxãs encontraram proteção entre nossos poucos homens sóbrios que levavam água do rio para os feridos. Procuramos amigos vivos e os abraçamos, vimos amigos mortos e choramos por eles. Conhecemos o delírio da vitória absoluta, compartilhamos as lágrimas e o riso, e alguns homens, cansados como estavam, dançavam de pura alegria.

Cerdic escapou. Ele e sua guarda pessoal atravessaram o caos e subiram as colinas do leste. Alguns saxões nadaram até o outro lado do rio, enquanto outros seguiram Cerdic e alguns fingiram estar mortos e escaparam durante a noite, mas a maioria ficou no vale abaixo do Mynydd Baddon, e continua lá até hoje.

Porque tínhamos vencido. Tínhamos transformado os campos junto ao rio num matadouro. Tínhamos salvado a Britânia e realizado o sonho de Artur. Éramos os reis da matança e os senhores dos mortos, e uivávamos nosso triunfo sangrento para o céu.

Porque o poder dos saxões estava partido.

Parte 3
A Maldição de Nimue

A RAINHA IGRAINE SENTOU-SE NA minha janela e leu as últimas folhas de pergaminho, algumas vezes perguntando o significado de uma palavra em saxão, mas afora isso sem dizer nada. Leu às pressas a história da batalha, depois jogou os pergaminhos no chão, com nojo.

— O que aconteceu com Aelle? — perguntou, indignada. — Ou com Lancelot?

— Chegarei ao destino deles, senhora. — Eu tinha prendido uma pena sobre a mesa com o coto de meu braço esquerdo e estava afinando a ponta com uma faca. Soprei as lascas no chão. — Tudo no devido tempo.

— Tudo no devido tempo! — zombou ela. — Você não pode deixar uma história sem final, Derfel!

— Ela terá um final.

— Precisa de um final aqui e agora — insistiu minha rainha. — Esse é o objetivo das histórias. A vida não precisa de finais bem-feitos, por isso as histórias devem tê-los. — Agora Igraine se encontra muito inchada, porque a criança está perto de nascer. Rezarei por ela e ela precisará de minhas orações, porque muitas mulheres morrem ao dar à luz. As vacas não sofrem assim, nem gatas, nem porcas, nem cadelas, nem gazelas, nem raposas, nem qualquer criatura além da humanidade. Sansum diz que é porque Eva pegou a maçã no Éden e com isso azedou nosso paraíso. As mulheres, segundo o santo, são a punição de Deus aos homens. E as crianças a punição Dele para as mulheres. — Então o que aconteceu com Aelle? — perguntou Igraine, séria, quando não respondi às suas palavras.

— Foi morto pelo golpe de uma lança. Ela o acertou bem aqui — bati nas costelas logo acima do coração. A história era mais comprida do que isso, claro, mas eu não tencionava contar naquela hora, por isso senti pouco prazer em lembrar a morte de meu pai, mas acho que devo colocá-la na história, para que esta seja completa. Artur deixara seus homens pilhando o acampamento de Cerdic e voltou a cavalo para constatar se os cristãos de Tewdric tinham acabado com o exército de Aelle que estava encurralado. Encontrou o resto desses saxões derrotados, sangrando e agonizantes, mas ainda desafiadores. O próprio Aelle estava ferido e não podia mais segurar um escudo, mas não cedia. Em vez disso, rodeado por sua guarda pessoal e pelos últimos de seus lanceiros, esperava que os soldados de Tewdric viessem matá-lo.

Os lanceiros de Gwent relutavam em atacar. Um inimigo acuado é perigoso, e se ainda possuir uma parede de escudos, como acontecia com os homens de Aelle, fica duplamente perigoso. Muitos lanceiros de Gwent já haviam morrido, dentre eles o bom e velho Agrícola, e os sobreviventes não queriam pressionar mais uma vez contra os escudos saxões. Artur não insistira para que tentassem, em vez disso falou com Aelle, e quando Aelle se recusou a se render Artur me convocou. Ao chegar junto de Artur pensei que ele tinha trocado sua capa branca por uma vermelha, mas era a mesma, apenas tão coberta de sangue que parecia vermelha. Ele me recebeu com um abraço, depois, com o braço nos meus ombros, levou-me ao espaço entre as paredes de escudos que se opunham. Eu me lembro de que havia um cavalo agonizante, homens mortos, escudos abandonados e armas quebradas.

— Seu pai não quer se render — disse Artur. — Mas acho que irá ouvi-lo. Diga que ele deve ser nosso prisioneiro, mas que viverá com honra e pode passar seus dias no conforto. Também prometo a vida dos seus homens. Ele só precisa me entregar a espada. — Artur olhou para os saxões em menor número e encurralados. Eles estavam em silêncio. Em seu lugar nós teríamos cantado, mas aqueles saxões esperavam a morte em silêncio absoluto. — Diga que já houve matança suficiente, Derfel.

Tirei o cinto de Hywelbane, deixei-a no chão com meu escudo e a lança, depois fui encarar meu pai. Aelle parecia fraco, abalado e ferido, mas veio mancando me encontrar, de cabeça erguida. Não tinha escudo, mas segurava uma espada na mão direita mutilada.

— Eu achava que eles iriam mandá-lo — grunhiu. O gume de sua espada estava cheio de mossas, a lâmina coberta com uma crosta de sangue. Ele fez um gesto abrupto com a arma quando comecei a descrever a oferta de Artur. — Sei o que ele quer de mim — interrompeu. — Quer minha espada, mas eu sou Aelle, o Bretwalda da Britânia, e não entrego minha espada.

— Pai — recomecei.

— Me chame de rei!

Sorri diante de seu desafio e baixei a cabeça.

— Senhor rei, nós oferecemos a vida de seus homens e...

De novo ele me interrompeu.

— Quando um homem morre em batalha vai para um lar abençoado no céu. Mas para chegar a esse grande salão de festas ele precisa morrer de pé, com a espada na mão e os ferimentos na frente. — Ele parou e quando recomeçou a falar sua voz estava muito mais baixa. — Você não me deve nada, filho, mas eu aceitaria como uma gentileza se me desse o lugar naquele salão festivo.

— Senhor rei — falei, mas ele me interrompeu pela quarta vez.

— Eu seria enterrado aqui — continuou como se eu não tivesse falado —, com os pés para o norte e a espada na mão. Não lhe peço mais nada. — Ele se virou de novo para os seus homens e vi que mal conseguia ficar de pé. Devia estar muito ferido, mas sua grande capa de urso escondia o ferimento. — Hrothgar! — gritou para um de seus lanceiros. — Dê sua lança ao meu filho. — Um saxão jovem e alto saiu da parede de escudos e obedientemente estendeu a lança. — Pegue! — disse-me Aelle rispidamente e obedeci. Hrothgar me lançou um olhar nervoso e correu de volta para os companheiros.

Aelle fechou os olhos um instante e vi uma careta atravessar seu rosto endurecido. Ele estava pálido sob a sujeira e o suor, e de repente trincou os dentes quando outra dor violenta rasgou-o, mas resistiu à dor e até tentou sorrir quando se adiantou para me abraçar. Apoiou o peso em meus ombros e pude ver a respiração áspera em sua garganta.

— Acho que você é o melhor dos meus filhos — falou em meu ouvido. — Agora me dê um presente. Dê-me uma boa morte, Derfel, porque eu gostaria de ir para o salão festivo dos guerreiros de verdade. — Ele deu um passo atrás, encostou a espada no corpo e laboriosamente desamarrou as tiras de couro de sua capa de pele. Ela caiu e eu vi que todo o lado esquerdo de seu corpo estava empapado de sangue. Ele tinha sofrido um golpe de lança por baixo do peitoral, e outro golpe o havia acertado no ombro, deixando o braço esquerdo pendendo inútil, por isso foi forçado a usar a mão direita, mutilada, para soltar as tiras de couro que prendiam o peitoral na cintura e nos ombros. Remexeu desajeitadamente as fivelas, mas quando eu me adiantei para ajudar ele recusou. — Estou tornando mais fácil para você, mas quando eu estiver morto, ponha o peitoral de novo no meu cadáver. Vou precisar de armadura no salão de festas, porque há muitas lutas lá. Lutas, festas e... — ele parou, de novo atravessado pela dor. Trincou os dentes, gemeu e depois se empertigou para me encarar. — Agora me mate — ordenou.

— Não posso matá-lo — falei, mas estava pensando na profecia de minha mãe louca, de que seria o filho de Aelle quem mataria Aelle.

— Então devo matá-lo — falou e, desajeitadamente, virou a espada para mim. Eu me afastei do golpe e ele tropeçou e quase caiu quando tentou me acompanhar. Parou, ofegante, e me olhou. — Em nome de sua mãe, Derfel — implorou —, você ia querer que eu morresse no chão como um cachorro? Você não pode me dar nada? — Meu pai tentou me golpear de novo, e dessa vez o esforço foi demasiado. Ele começou a oscilar e vi que havia lágrimas em seus olhos, e entendi que o modo de sua morte não era coisa pequena. Ele se obrigou a ficar de pé e fez um esforço imenso para levantar a espada. Mais sangue brilhou no lado esquerdo de seu peito, seus olhos estavam ficando vítreos, mas ele manteve o olhar no meu enquanto dava um último passo adiante e brandia um golpe frágil em direção à minha cintura.

Deus me perdoe, mas então enfiei a lança. Pus todo o peso e toda a força no golpe e a lâmina pegou o peso dele que estava caindo e o segurou de pé mesmo enquanto eu despedaçava suas costelas e penetrava fundo em seu coração. Ele deu um tremor enorme e um olhar de determinação implacável veio ao seu rosto agonizante, e por uma fração de segundo pensei que ele quis levantar a espada para um último golpe, mas então vi que meramente se certificava de que a mão direita, ferida, estivesse apertando o punho da espada. Depois caiu e estava morto antes de bater no chão, mas a espada, sua espada cheia de mossas e sangrenta, continuava segura. Um gemido se ergueu de seus homens. Alguns estavam em lágrimas.

— Derfel? — disse Igraine. — Derfel!

— Senhora?

— Você estava dormindo.

— É a idade, senhora, simplesmente a idade.

— Então Aelle morreu na batalha — falou rapidamente. — E Lancelot?

— Isso vem depois — falei com firmeza.

— Conte agora!

— Eu lhe disse, isso vem depois. E odeio histórias que contam o fim antes do início.

Por um momento pensei que ela iria protestar, mas em vez disso apenas suspirou diante de minha obstinação e continuou com sua lista de coisas inacabadas.

— O que aconteceu com o campeão dos saxões, Liofa?

— Morreu. De modo muito horrível.

— Bom! — disse ela, parecendo interessada. — Conte!

— Foi uma doença, senhora. Alguma coisa inchou em sua virilha e ele não podia se sentar nem se deitar, e até ficar de pé era uma agonia. Ficou cada vez mais magro, e finalmente morreu, suando e tremendo. Foi o que ouvimos dizer.

Igraine ficou indignada.

— Então ele não foi morto no Mynydd Baddon?

— Ele escapou com Cerdic.

Igraine deu de ombros, insatisfeita, como se de algum modo tivéssemos fracassado ao deixar o campeão dos saxões escapar.

— Mas os bardos — disse ela e gemi, porque sempre que minha rainha menciona os bardos sei que estou para ser confrontado com a versão deles para a história que, inevitavelmente, Igraine prefere, mesmo que eu tenha estado presente quando a história foi feita, e que os bardos nem mesmo fossem nascidos. — Todos os bardos — disse ela com firmeza, ignorando meu gemido de protesto — contam que o combate de Cuneglas com Liofa durou quase a manhã inteira, e que Cuneglas matou seis campeões antes de ser acertado por trás.

— Ouvi essas canções — falei prudentemente.

— E? — Ela me encarou, irada. Cuneglas era avô de seu pai, e o orgulho familiar estava correndo risco. — E?

— Eu estava lá, senhora — falei simplesmente.

— Você tem memória de velho, Derfel — disse ela em tom desaprovador, e não tenho dúvida de que quando Dafydd, o escrivão de justiça que faz a tradução de meus pergaminhos, chegar à passagem sobre a morte de Cuneglas ele irá mudá-la para atender aos desejos de minha senhora. E por que não? Cuneglas foi um herói, e não fará mal se a história se lembrar dele como um grande guerreiro, mas na verdade ele não era um soldado. Era um homem decente, sensível, e mais sábio do que indicava sua idade, mas não era um homem cujo coração inchasse ao segurar uma lança. Sua morte foi a tragédia do Mynydd Baddon, mas uma tragédia que nenhum de nós percebeu no delírio da vitória. Nós o queimamos no campo de batalha e sua fogueira funerária chamejou durante três dias e três noites, e no último alvorecer, quando havia apenas brasas em meio às quais estavam os restos derretidos da armadura de Cuneglas, nos reunimos em volta da pira e cantamos a Canção da Morte de Werlinna. Além disso, matamos vinte prisioneiros saxões, mandando suas almas para acompanhar Cuneglas em honra até o Outro Mundo, e me lembro de ter pensado que era bom para minha querida Dian que seu tio tivesse atravessado a ponte de espadas para lhe fazer companhia no mundo das torres de Annwn.

— E Artur? — perguntou Igraine, ansiosa. — Ele correu para Guinevere?

— Não vi o encontro dos dois.

— Não importa o que você viu — disse Igraine com severidade. — Nós precisamos disso aqui. — Ela empurrou com o pé a pilha de pergaminhos terminados. — Você deveria ter escrito o encontro deles, Derfel.

— Eu lhe disse, não vi.

— O que isso importa? Seria um fim muito bom para a batalha. Nem todo mundo gosta de ouvir sobre lanças e mortes, Derfel. As histórias de homens se matando podem ficar muito maçantes depois de um tempo, e uma história de amor torna tudo muito mais interessante.

E sem dúvida a batalha estará cheia de romance assim que ela e Dafydd mutilarem minha história. Algumas vezes eu gostaria de poder escrever essa história na língua britânica, mas dois dos monges sabem ler e poderiam me trair com Sansum; por isso devo escrever em saxão e confiar em que Igraine não mude a história quando Dafydd lhe der a tradução. Sei o que Igraine quer: quer que Artur corra por entre os cadáveres e que Guinevere espere por ele de braços abertos, e que os dois se encontrem em êxtase, e talvez tenha acontecido assim, mas suspeito de que não, porque ela era orgulhosa demais e ele era muito acanhado. Imagino que choraram ao se encontrar, mas nenhum dos dois me contou, por isso não devo inventar nada. Sei que Artur se tornou um homem feliz depois do Mynydd Baddon, e não foi somente a vitória sobre os saxões que lhe deu essa felicidade.

— E quanto a Argante? — quis saber Igraine. — Você deixa muita coisa de fora, Derfel.

— Chegarei a Argante.

— Mas o pai dela estava lá. Oengus não ficou com raiva porque Artur voltou para Guinevere?

— Vou contar tudo sobre Argante no tempo devido.

— E Amhar e Loholt? Você não se esqueceu deles?

— Eles escaparam. Encontraram um bote e remaram até o outro lado do rio. Temo que os encontraremos de novo nesta narrativa.

Igraine tentou arrancar mais alguns detalhes, mas insisti em que contaria a história no meu ritmo e com a minha ordem. Ela finalmente abandonou as perguntas e parou para colocar os pergaminhos escritos na bolsa de couro que usava para levá-los de volta ao Caer; Igraine estava achando difícil se curvar, mas recusou minha ajuda.

— Vou ficar muito feliz quando o bebê nascer. Meus seios estão machucados, as pernas e as costas doem e não ando mais, só bamboleio que nem um ganso. Brochvael também está chateado com isso.

— Os maridos jamais gostam quando as mulheres ficam grávidas.

— Então não deviam tentar tão intensamente encher a barriga delas — disse Igraine em tom cortante. Em seguida parou para ouvir quando Sansum gritou com o irmão Llewellyn por ter deixado seu balde de leite na passagem.

Pobre Llewellyn. É um noviço em nosso mosteiro, e ninguém trabalha mais em troca de menos, e agora, por causa de um balde de madeira, vai ser condenado a uma semana de surras diárias dadas pelo irmão Tudwal, o rapaz — na verdade pouco mais do que uma criança — que está sendo preparado como sucessor de Sansum. Todo o nosso mosteiro vive com medo de Tudwal, e só eu escapo do pior de seu mau humor, graças à amizade de Igraine. Sansum precisa demais da proteção do marido dela para se arriscar ao desprazer de Igraine.

— Esta manhã — disse Igraine — vi um cervo com uma galhada só. É um mau presságio, Derfel.

— Nós, cristãos, não acreditamos em presságios.

— Mas vejo você tocando aquele prego na sua mesa.

— Nem sempre somos bons cristãos.

Ela fez uma pausa.

— Estou preocupada com o parto.

— Todos estamos rezando pela senhora.

Eu sabia que era uma resposta inadequada. Mas tinha feito mais do que rezar na pequena capela de nosso mosteiro. Tinha encontrado uma pedra de águia, rabiscado seu nome na superfície e enterrado perto de um freixo. Se Sansum soubesse que eu tinha realizado aquele feitiço antigo iria se esquecer da necessidade da proteção de Brochvael e mandaria São Tudwal me espancar até tirar sangue durante um mês. Mas, afinal de contas, se soubesse que eu estava escrevendo essa história de Artur, o santo faria o mesmo.

No entanto devo escrevê-la, e por um tempo será fácil, porque agora vem a época feliz, os anos de paz. Mas também foram os anos em que a escuridão se aproximava, sem que víssemos, porque só víamos o sol e nunca ligávamos para as sombras. Pensávamos ter derrotado as sombras e que o sol iluminaria a Britânia para sempre. Mynydd Baddon era a vitória de Artur, sua maior realização, e talvez a história devesse terminar aqui; mas Igraine está certa, a vida não tem finais bem-acabados, por isso devo continuar com esta narrativa sobre Artur, meu senhor, meu amigo e o parteiro da Britânia.

Artur deixou os homens de Aelle viverem. Eles baixaram suas lanças e foram distribuídos entre os vencedores, como escravos. Usei alguns para ajudar a cavar a sepultura do meu pai. Cavamos fundo naquela terra macia e úmida ao lado do rio e ali pusemos Aelle com os pés virados para o norte e com a espada na mão, com o peitoral sobre o coração partido, o escudo sobre a barriga e a lança que o matara ao lado do cadáver, e então enchemos a sepultura e fiz uma oração a Mitra, enquanto os saxões rezavam ao seu Deus do Trovão.

Ao anoitecer as primeiras piras funerárias estavam acesas. Ajudei a pôr os cadáveres de meus homens em suas piras, depois deixei seus colegas cantando para levar suas almas ao Outro Mundo, enquanto eu pegava meu cavalo e ia para o norte através das sombras longas e suaves. Fui em direção ao povoado onde nossas mulheres tinham encontrado abrigo, e enquanto subia os morros do norte o ruído do campo de batalha recuava. Era o som de fogos estalando, de mulheres chorando, de elegias cantadas e bêbados gritando selvagemente.

Levei a Ceinwyn a notícia da morte de Cuneglas. Ela me olhou enquanto eu contava, e por um momento não demonstrou reação, mas então as lágrimas se incharam nos olhos. Ela puxou a capa sobre a cabeça.

— Pobre Perddel — disse, falando do filho de Cuneglas que agora era o rei de Powys.

Contei como seu irmão tinha morrido e então ela recuou para a cabana onde estava hospedada com minhas filhas. Queria fazer um curativo no ferimento da minha cabeça, que parecia muito pior do que realmente era, mas não podia porque ela e as filhas deviam guardar luto por Cuneglas, o que significava que tinham de se trancar durante três dias e três noites, escondidas do sol, sem poder ver nem tocar nenhum homem.

Já estava escuro. Eu poderia ter ficado na aldeia, mas estava inquieto, por isso voltei para o sul, sob a luz da lua minguante. Primeiro fui a Aquae Sulis, pensando que poderia achar Artur na cidade, mas só encontrei os restos incendiados da carnificina. Nosso *levy* tinha passado por cima da muralha inadequada e trucidado todos que acharam dentro, mas o horror terminou assim que as tropas de Tewdric ocuparam a cidade. Aqueles cristãos limparam o templo de Minerva, tirando as entranhas de três touros sacrificados que os saxões haviam deixado sangrando sobre os ladrilhos, e assim que o templo foi restaurado os cristãos fizeram um ritual de agradecimento. Ouvi seus cantos e fui procurar as minhas canções, mas meus homens tinham ficado no acampamento arruinado de Cerdic, e Aquae Sulis estava cheia de estranhos. Não pude encontrar Artur e nenhum outro amigo, a não ser Culhwch, e ele estava totalmente bêbado. E assim, na escuridão suave, cavalguei para o leste ao longo do rio. O ar fedia a sangue e estava cheio de fantasmas, mas me arrisquei às fúrias no desespero de encontrar companhia. Achei um grupo dos homens de Sagramor cantando perto de uma fogueira, mas eles não sabiam onde seu comandante estava, por isso continuei cavalgando, atraído ainda mais para o leste pela visão de homens dançando em volta de uma fogueira.

Os que dançavam eram Escudos Pretos, e seus passos eram altos porque estavam dançando sobre as cabeças cortadas de seus inimigos. Eu ia passar ao largo dos Escudos Pretos que cabriolavam, mas então vislumbrei duas figuras em mantos brancos sentadas calmamente ao lado da fogueira em meio ao círculo de dançarinos. Uma delas era Merlin.

Prendi as rédeas de minha égua num toco de espinheiro, depois passei pelo círculo de dançarinos. Merlin e seu companheiro estavam fazendo uma refeição com pão, queijo e cerveja, e quando ele me viu não me reconheceu.

— Vá embora — disse com rispidez —, ou transformo você num sapo. Ah, é você, Derfel! — Ele pareceu desapontado. — Eu sabia que, se achasse comida, alguma barriga vazia ia querer compartilhar. Imagino que esteja com fome, não é?

— Estou, senhor.

Ele fez um gesto para que eu me sentasse ao lado.

— Suspeito de que este queijo seja saxão — falou em tom de dúvida — e estava coberto de sangue quando o achei, mas lavei direito. Bom, pelo menos enxuguei, e está surpreendentemente comestível. Acho que tem o bastante para você. — Na verdade, havia o bastante para uma dúzia de homens. — Este é Taliesin — falou, apresentando seu companheiro. — Ele é uma espécie de bardo de Powys.

Olhei para o famoso bardo e vi um rapaz de rosto inteligente. Tinha raspado a parte da frente da cabeça como um druida, usava barba preta e curta, tinha maxilar comprido, bochechas fundas e nariz estreito. Sua testa raspada era circulada por um fio fino de prata. Ele sorriu e baixou a cabeça.

— Sua fama o precede, lorde Derfel.

— Assim como a sua.

— Ah, não! — gemeu Merlin. — Se vocês dois vão ficar rastejando um para o outro façam isso em outro lugar. Derfel luta — falou a Taliesin — porque realmente nunca cresceu, e você é famoso porque, por acaso, tem uma voz passável.

— Eu faço canções, além de cantar — disse Taliesin modestamente.

— E qualquer homem pode fazer uma canção se estiver suficientemente bêbado — disse Merlin sem dar importância, depois forçou a vista para mim. — Isso aí é sangue no seu cabelo?

— Sim, senhor.

— Você deveria agradecer porque não foi ferido num lugar crucial. — Ele riu, depois fez um gesto para os Escudos Pretos. — O que acha da minha guarda pessoal?

— Eles dançam bem.

— Eles têm muitos motivos para dançar. Que dia satisfatório! E Gawain não fez bem o seu papel? É tão gratificante quando um simplório demonstra ter alguma utilidade, e que simplório era o Gawain! Um garoto chato! Sempre tentando melhorar o mundo. Por que os jovens sempre acham que sabem mais do que os velhos? Você, Taliesin, não sofre desse equívoco tedioso. Taliesin — explicou Merlin — veio aprender a minha sabedoria.

— Tenho muito a aprender — murmurou Taliesin.

— Verdade, verdade — disse Merlin. Em seguida, empurrou uma jarra de cerveja na minha direção. — Gostou de sua batalhazinha, Derfel?

— Não. — Na verdade eu estava me sentindo estranhamente desanimado. — Cuneglas morreu.

— Ouvi falar sobre Cuneglas — disse Merlin. — Que idiota! Deveria deixar o heroísmo para os simplórios como você. Mesmo assim é uma pena ele ter morrido. Ele não era exatamente um homem inteligente, não o que eu chamaria de inteligente, mas não era um simplório, e isso é bastante raro ultimamente. E sempre foi gentil comigo.

— Para mim ele era a própria gentileza — disse Taliesin.

— Então agora você terá de arranjar um novo patrono — disse Merlin ao bardo. — E não olhe para Derfel. Ele não saberia dizer a diferença entre uma boa canção e um peido de novilho. O truque para uma vida de sucesso — agora ele estava dando lição a Taliesin — é ser filho de pais ricos. Vivi muito confortavelmente com meus arrendamentos, ainda que, pensando bem, não os recolha há anos. Você paga o meu arrendamento, Derfel?

— Deveria pagar, senhor. Mas nunca soube para onde mandar.

— Não que isso importe agora. Estou velho e frágil. Sem dúvida vou morrer logo.

— Absurdo, o senhor está maravilhosamente em forma. — Ele parecia velho, claro, mas havia uma fagulha de malícia em seus olhos e uma animação no rosto antigo e enrugado. O cabelo e a barba estavam lindamente trançados e amarrados com fitas pretas, e o manto, a não ser pelo sangue seco, estava limpo. Além disso estava feliz; não só porque tínhamos alcançado a vitória, acho, mas porque gostava da companhia de Taliesin.

— A vitória dá a vida — disse ele como se não desse importância —, mas logo esqueceremos a vitória. Onde está Artur?

— Ninguém sabe. Ouvi dizer que passou longo tempo falando com Tewdric, mas não está com ele agora. Suspeito de que tenha encontrado Guinevere.

Merlin fez um muxoxo.

— Um cão retorna ao próprio vômito.

— Eu estou começando a gostar dela — falei na defensiva.

— Isso é bem do seu feitio — disse ele com escárnio —, e ouso dizer que ela não fará mal agora. Guinevere seria uma boa patrona para você — falou a Taliesin. — Ela tem um respeito absurdo pelos poetas. Só não suba na cama dela.

— Não há perigo disso, senhor — disse Taliesin.

Merlin gargalhou.

— O nosso jovem bardo aqui é celibatário — disse-me. — É uma cotovia castrada. Abriu mão do maior prazer que um homem pode ter em troca de preservar seu dom.

Taliesin viu minha curiosidade e sorriu.

— Não a minha voz, lorde Derfel, mas o dom da profecia.

— E é um dom genuíno! — disse Merlin com admiração sincera. — Mas duvido de que valha o celibato. Se eu tivesse de pagar esse preço teria abandonado o cajado de druida! Teria arrumado um emprego humilde, como o de bardo ou lanceiro.

— Você vê o futuro? — perguntei a Taliesin.

— Ele previu nossa vitória hoje — disse Merlin —, e sabia da morte de Cuneglas há um mês, mas não imaginou que um inútil estorvo saxão viria aqui roubar todo o meu queijo. — Ele pegou o queijo da minha mão. — Acho que agora você vai querer que ele preveja seu futuro, não é, Derfel?

— Não, senhor.

— Está certo. É melhor não saber o futuro. Tudo termina em lágrimas, é só o que há.

— Mas a alegria se renova — disse Taliesin em voz baixa.

— Ah, essa não! — exclamou Merlin. — A alegria se renova! A alvorada chega! A árvore floresce! As nuvens se abrem! O gelo derrete! Você pode fazer melhor do que esse tipo de besteira sentimental. — Ele ficou em silêncio. Sua guarda pessoal tinha terminado a dança e fora se divertir com algumas mulheres saxãs capturadas. As mulheres tinham crianças, e seus gritos eram suficientemente altos para incomodar Merlin, que zombou: — O destino é inexorável — disse azedamente — e tudo termina em lágrimas.

— Nimue está com o senhor? — perguntei e, pela expressão de alerta de Taliesin, vi imediatamente que tinha feito a pergunta errada.

Merlin olhou para a fogueira. As chamas cuspiram uma brasa na direção dele, e ele cuspiu de volta para devolver a malícia do fogo.

— Não me fale de Nimue — disse depois de cuspir. Seu bom humor tinha desaparecido e me senti embaraçado por ter feito a pergunta. Ele tocou seu cajado preto, depois suspirou. — Ela está com raiva de mim.

— Por quê, senhor?

— Porque não pode ter as coisas como quer, claro. É isso que geralmente deixa as pessoas com raiva. — Outra madeira estalou no fogo, lançando fagulhas que ele espanou irritado do roupão depois de ter cuspido para as chamas. — Madeira de lariço. Lariço recém-cortado odeia ser queimado.

— Ele me olhou pensativo. — Nimue não aprovou que eu trouxesse Gawain para esta batalha. Acha que foi um desperdício, e creio que provavelmente ela estava certa.

— Ele trouxe a vitória, senhor — falei.

Merlin fechou os olhos e pareceu suspirar, dando a entender que eu era um tolo grande demais para ser suportado.

— Dediquei toda a vida a uma coisa — falou depois de um tempo. — Uma coisa simples. Queria restaurar os Deuses. Será que isso é tão difícil de entender? Mas fazer qualquer coisa bem-feita, Derfel, demora uma vida inteira. Ah, está tudo bem para idiotas como você, vocês podem pensar em ser magistrados num dia e lanceiros no outro, e quando tudo termina, o que alcançaram? Nada! Para mudar o mundo, Derfel, você precisa ter um objetivo único. Artur chega perto, devo reconhecer. Ele quer livrar a Britânia dos saxões e provavelmente conseguiu por um tempo, mas eles ainda existem e vão voltar. Talvez não no meu período de vida, talvez nem no seu, mas seus filhos e os filhos de seus filhos terão de lutar esta batalha de novo. Só há um caminho para a vitória real.

— O caminho dos Deuses.

— O caminho dos Deuses — concordou ele. — E esse foi o trabalho da minha vida. — Merlin olhou por um momento para seu negro cajado de druida e Taliesin ficou muito imóvel, observando-o. — Eu tinha um sonho na infância — disse em voz muito baixa. — Fui à caverna de Carn Ingli e sonhei que tinha asas e podia voar o bastante para ver toda a ilha da Britânia, e ela era muito linda. Linda, verde e rodeada por uma grande névoa que mantinha todos os nossos inimigos longe. A ilha abençoada, Derfel, a ilha dos Deuses, o único lugar da terra que era digno deles, e desde aquele sonho, Derfel, foi só isso que eu quis. Trazer de volta aquela ilha abençoada. Trazer os Deuses de volta.

— Mas — tentei interromper.

— Não seja absurdo — gritou ele, fazendo Taliesin sorrir. — Pense! — apelou Merlin. — O trabalho da minha vida, Derfel!

— Mai Dun — falei em voz baixa.

Ele assentiu e então, por um tempo, não disse nada. Alguns homens cantavam à distância e em toda parte havia fogueiras. Os feridos gritavam no escuro enquanto cães e animais de rapina predavam os mortos e agonizantes. Ao alvorecer este exército acordaria bêbado diante do horror de um campo após a batalha, mas por enquanto cantavam e se empanturravam de cerveja capturada.

— No Mai Dun — Merlin quebrou o silêncio — cheguei muito perto. Muito perto. Mas fui fraco demais, Derfel, fraco demais. Eu amo Artur demais. Por quê? Ele não é espirituoso, sua conversa pode ser tão chata quanto a de Gawain, e ele tem uma dedicação absurda à virtude, mas eu o amo. Você também, por acaso. É uma fraqueza, sei disso. Posso gostar de homens fortes, mas gosto de homens honestos. Admiro a força simples, veja bem, e em Mai Dun deixei esse gosto me enfraquecer.

— Gwydre — falei.

Ele assentiu.

— Deveríamos tê-lo matado, mas não pude fazer isso. Não com o filho de Artur. Esta foi uma fraqueza terrível.

— Não.

— Não seja absurdo — disse ele em voz cansada. — O que é a vida de Gwydre diante dos Deuses? Ou da perspectiva de restaurar a Britânia? Nada! Mas não pude fazer. Ah, eu tinha desculpas. O pergaminho de Caleddin é muito claro, diz que "o filho do rei da terra" deve ser sacrificado, e Artur não é rei, mas isso é uma simples firula. O ritual precisava da morte de Gwydre e não pude me obrigar a isso. Matar Gawain não foi problema, foi até um prazer acabar com o falatório daquele virgem idiota, mas não Gwydre, por isso o ritual ficou inacabado. — Agora ele estava combalido, curvado e arrasado. — Eu fracassei.

— E Nimue não quer perdoá-lo? — perguntei hesitante.

— Perdoar? Ela não sabe o significado dessa palavra. Para Nimue o perdão é uma fraqueza! E agora ela vai realizar o ritual, e não vai fracassar, Derfel. Nem que isso signifique matar os filhos de todas as mães da Britânia, ela fará. Colocará todos numa panela e dará uma boa mexida! — Ele deu um meio sorriso, depois encolheu os ombros. — Mas agora, claro, tornei as coisas muito mais difíceis para ela. Como o velho idiota sentimental que sou, tinha de tentar ajudar Artur a vencer essa refrega. Usei Gawain para isso e agora, acho, ela me odeia.

— Por quê?

Ele ergueu os olhos para o céu enfumaçado, como se apelasse aos Deuses para me dar um pouquinho de compreensão.

— Você acha, seu idiota, que o cadáver de um príncipe virgem é coisa tão fácil de achar? Levei anos para encher de absurdos a cabeça daquele simplório para que ele estivesse pronto para o sacrifício! E o que fiz hoje? Joguei Gawain fora! Só para ajudar Artur.

— Mas nós vencemos!

— Não seja absurdo. — Ele me encarou, irado. — Vocês venceram? O que é esta coisa revoltante no seu escudo?

Virei-me e olhei para o escudo.

— A cruz.

Merlin esfregou os olhos.

— Há uma guerra entre os Deuses, Derfel, e hoje dei a vitória a Yahweh.

— Quem?

— É o nome do Deus cristão. Algumas vezes eles o chamam de Jeová. Pelo que posso determinar ele não passa de um humilde Deus do fogo, de algum distante país desgraçado, que agora está decidido a usurpar todos os outros Deuses. Deve ser um miseravelzinho ambicioso, porque está vencendo, e fui eu quem lhe deu esta vitória hoje. O que você acha que os homens vão lembrar sobre esta batalha?

— A vitória de Artur — falei com firmeza.

— Dentro de cem anos, Derfel, eles não vão lembrar se foi uma vitória ou uma derrota.

Fiz uma pausa.

— A morte de Cuneglas?

— Quem se importa com Cuneglas? Não passará de mais um rei esquecido.

— A morte de Aelle?

— Um cão agonizante mereceria mais atenção.

— Então o quê?

Ele fez uma careta diante de minha ignorância.

— Eles vão se lembrar, Derfel, de que a cruz estava nos seus escudos. Hoje, seu idiota, nós demos a Britânia aos cristãos, e fui eu quem deu. Dei a Artur sua ambição, mas o preço, Derfel, foi pago por mim. Entende agora?

— Sim, senhor.

— E assim tornei a tarefa de Nimue muito mais difícil. Mas ela tentará, Derfel, e ela não é como eu. Ela não é fraca. Há uma dureza dentro de Nimue, uma dureza grande demais.

Sorri.

— Ela não matará Gwydre — falei, cheio de confiança —, porque nem Artur nem eu deixaremos. E não receberá Excalibur, então como pode vencer?

Ele me encarou.

— Você acha, idiota, que você ou Artur têm força suficiente para resistir a Nimue? Ela é uma mulher, e o que as mulheres querem elas conseguem, e se o mundo e tudo que há nele tiver de se partir para isso, que assim seja. Primeiro ela vai me destruir, depois voltará os olhos para você. Não é verdade, meu jovem profeta? — perguntou ele a Taliesin, mas o bardo fechou os olhos. Merlin deu de ombros. — Devo levar as cinzas de Gawain para ela e dar toda a ajuda que puder, porque prometi isso. Mas tudo vai terminar em lágrimas, Derfel, tudo vai terminar em lágrimas. Que confusão eu fiz! Que confusão terrível! — Ele puxou a capa sobre os ombros. — Agora preciso dormir.

Do outro lado do fogo, os Escudos Pretos estupravam suas cativas e fiquei sentado olhando as chamas. Tinha ajudado numa grande vitória, e estava numa tristeza inexprimível.

Não vi Artur naquela noite e só o encontrei brevemente na meia-luz enevoada logo antes do alvorecer. Ele me cumprimentou com toda a sua antiga vivacidade, passando o braço pelos meus ombros.

— Quero lhe agradecer por ter cuidado de Guinevere nestas últimas semanas.

Ele estava com toda a sua armadura e fazendo um desjejum apressado com um pedaço de pão cheio de mofo.

— Acho que Guinevere é que cuidou de mim — falei.

— Está falando das carroças! Eu gostaria de ter visto! — Ele jogou o pão fora enquanto Hygwydd, seu serviçal, trazia Llamrei do escuro. — Devo vê-lo esta noite, Derfel — disse Artur, deixando Hygwydd ajudá-lo a subir na sela —, ou talvez amanhã.

— Aonde está indo, senhor?

— Atrás de Cerdic, claro. — Ele se acomodou sobre Llamrei, segurou as rédeas e pegou o escudo e a lança com Hygwydd. Em seguida esporeou a égua, indo juntar-se aos seus cavaleiros que eram formas sombreadas na névoa. Mordred também montava com Artur, não mais sob guarda, mas aceito como um soldado útil por mérito próprio. Eu o vi sofrear o cavalo e me lembrei do ouro saxão que tinha encontrado em Lindinis. Será que Mordred tinha nos traído? Se tinha, eu não podia provar, e o resultado da batalha negava sua traição, mas eu ainda sentia uma pontada de ódio por meu rei. Ele captou meu olhar malévolo e virou o cavalo para o outro lado. Artur gritou para seus homens e ouvi o trovão dos cascos que se afastavam.

Acordei meus homens com o cabo de uma lança e ordenei que encontrassem cativos saxões para cavar mais sepulturas e montar mais piras funerárias. Achava que ia passar o dia fazendo esse negócio cansativo, mas no meio da manhã Sagramor mandou um mensageiro pedindo que eu levasse um destacamento de lanceiros a Aquae Sulis, onde estavam surgindo problemas. Os tumultos tinham começado com um boato entre os lanceiros de Tewdric, de que o tesouro de Cerdic fora descoberto e que Artur estava guardando tudo para si. A prova deles era o desaparecimento de Artur, e a vingança era uma proposta de derrubar o templo central da cidade porque um dia fora um templo pagão. Consegui acalmar aquele frenesi anunciando que dois baús de ouro realmente tinham sido descobertos, mas que estavam sob guarda e o conteúdo seria distribuído com justiça assim que Artur voltasse. Sob sugestão de Tewdric mandamos meia dúzia de seus soldados ajudar a guardar os baús, que ainda estavam nos restos do acampamento de Cerdic.

Os cristãos de Gwent se acalmaram, mas então os lanceiros de Powys criaram novo problema culpando Oengus Mac Airem pela morte de Cuneglas. A inimizade entre Powys e a Demétia era antiga, porque Oengus Mac Airem gostava de atacar as colheitas do rico vizinho; de fato, Powys era conhecido na Demétia como "nossa despensa", mas nesse dia foram os homens de Powys que arrumaram a discussão, insistindo em que Cuneglas não teria morrido se os Escudos Pretos não tivessem chegado tarde para a batalha. Os irlandeses nunca foram relutantes em entrar numa luta, e nem bem os homens de Tewdric se acalmaram houve um choque de espadas e lanças do lado de fora dos tribunais enquanto powysianos e Escudos Pretos criavam uma escaramuça sangrenta. Sagramor trouxe uma paz inquieta com o simples expediente de matar os líderes das duas facções, mas por todo o resto do dia houve problemas entre os dois reinos. A discórdia piorou quando souberam que Tewdric enviara um destacamento de soldados para ocupar Lactodurum, uma fortaleza do norte que não estava em mãos britânicas há muito tempo, mas que os homens de Powys, sem líder, afirmavam que sempre estivera em seu território, e não no de Gwent. E um bando de lanceiros powysianos reunido às pressas partiu atrás dos homens de Tewdric para questionar sua reivindicação. Os Escudos Pretos, que não tinham nada a ver com a luta por Lactodurum, mesmo assim insistiram em que os homens de Gwent estavam certos, só porque sabiam que essa opinião enfureceria os powysianos, e assim houve mais batalhas. Eram brigas mortais por uma cidade da qual a maioria dos combatentes nunca tinha ouvido falar e que, de qualquer modo, ainda poderia ter uma guarnição de saxões.

Nós, dumnonianos, conseguimos evitar essas batalhas, e assim eram os nossos lanceiros que guardavam as ruas, confinando as brigas às tavernas. Mas à tarde fomos arrastados para as disputas quando Argante e uns vinte atendentes chegaram de Glevum, descobrindo que Guinevere tinha ocupado a casa do bispo que ficava atrás do templo de Minerva. O palácio do bispo não era o maior nem o mais confortável de Aquae Sulis, essa distinção pertencia ao palácio de Cildydd, o magistrado, mas Lancelot tinha usado a casa de Cildydd enquanto estava em Aquae Sulis, e por esse motivo Guinevere a evitou. Mesmo assim Argante insistiu em ficar com a casa do bispo, porque estava dentro da área sagrada, e um entusiasmado grupo de Escudos Pretos foi expulsar Guinevere, sendo recebido por um grupo dos meus homens decididos a defendê-la. Dois homens morreram antes de Guinevere anunciar que não se importava com a casa que a abrigasse e se mudar para os alojamentos dos padres, construídos ao longo das grandes termas. Argante, vitoriosa nessa disputa, declarou que os novos aposentos de Guinevere eram adequados, dizendo que as câmaras dos padres tinham sido um bordel. O druida de Argante, Fergal, liderou uma multidão de Escudos Pretos até a casa de banhos, onde se divertiram perguntando os preços do bordel e gritando para Guinevere lhes mostrar o corpo. Outro contingente de Escudos Pretos havia ocupado o templo e derrubado a cruz erigida às pressas que Tewdric tinha posto acima do altar, e uma quantidade de lanceiros de Gwent, vestidos de vermelho, se reuniram para abrir caminho lutando e recolocar a cruz.

Sagramor e eu levamos lanceiros até a área sagrada que, no fim da tarde, prometia abrigar um banho de sangue. Meus homens guardaram as portas do templo, os de Sagramor protegiam Guinevere, mas nós dois estávamos em menor número comparados aos guerreiros bêbados da Demétia e de Gwent, ao passo que os powysianos, felizes por terem uma causa com a qual incomodar os Escudos Pretos, gritavam apoiando Guinevere. Atravessei a multidão encharcada de hidromel, derrubando a cacetadas os mais encrenqueiros, porém temia a violência que crescia cada vez mais ameaçadora enquanto o sol baixava. Foi Sagramor quem finalmente trouxe uma paz precária à noite. Ele subiu ao teto da casa de banhos e lá, erguendo-se alto entre duas estátuas, gritou pedindo silêncio. Tinha se despido até a cintura de modo que, contrastado com o mármore branco dos guerreiros de cada lado, sua pele preta era muito mais impressionante.

— Se algum de vocês tem alguma questão — anunciou em seu britânico de sotaque curioso —, terá de resolver primeiro comigo. De homem para homem! Espada ou lança, é só escolher. — Ele desembainhou sua espada comprida e curva e olhou sério para os homens furiosos lá embaixo.

— Livre-se da prostituta! — gritou uma voz anônima dentre os Escudos Pretos.

— Você não gosta de prostitutas? — gritou Sagramor de volta. — Que tipo de guerreiro é você? Virgem? Se está tão decidido a ser virtuoso, venha aqui e vou castrá-lo. — Isso provocou uma gargalhada e acabou com o perigo imediato.

Argante estava mal-humorada em seu palácio. Dizia-se imperatriz da Dumnonia e exigia que Sagramor e eu lhe proporcionássemos guardas dumnonianos, mas já estava tão cercada dos Escudos Pretos de seu pai que nenhum de nós obedeceu. Em vez disso nos despimos e entramos no grande banho romano, onde ficamos, exaustos. A água quente era maravilhosamente relaxante. O vapor subia até as telhas quebradas do teto.

— Me contaram que este é o maior prédio da Britânia — disse Sagramor.

Olhei para o teto vasto.

— Provavelmente é.

— Mas quando eu era criança fui escravo numa casa ainda maior do que esta.

— Na Numídia?

Ele assentiu.

— Apesar de eu ter vindo bem mais do sul. Fui vendido como escravo quando era muito pequeno. Nem me lembro dos meus pais.

— Quando você saiu da Numídia?

— Depois de matar meu primeiro homem. Era um capataz. E eu tinha o quê?... Dez anos? Onze? Fugi e me juntei a um exército romano como fundeiro. Ainda sou capaz de acertar uma pedra entre os olhos de um homem a cinquenta passos. Depois aprendi a montar. Lutei na Itália, na Trácia e no Egito, depois peguei dinheiro para me juntar ao exército franco. Foi quando Artur me fez cativo. — Ele raramente era tão aberto. Na verdade, o silêncio era uma das armas mais eficazes de Sagramor, isso e seu rosto de falcão e a reputação aterrorizante, mas em particular ele era uma alma gentil e reflexiva. — De que lado nós estamos? — perguntou agora com um olhar perplexo.

— O que quer dizer?

— De Guinevere? De Argante?

Dei de ombros.

— Diga você.

Ele enfiou a cabeça debaixo d'água, depois levantou-a e enxugou os olhos.

— Acho que de Guinevere, se o boato for verdadeiro.

— Que boato?

— De que ela e Artur ficaram juntos ontem à noite, mas sendo Artur quem é, claro, eles passaram a noite conversando. Ele vai gastar a língua muito antes de gastar a espada.

— Não há perigo de você fazer isso.

— Não — disse ele com um sorriso, depois o sorriso se alargou quando me olhou. — Ouvi dizer, Derfel, que você rompeu uma parede de escudos.

— Era uma parede fina. E jovem.

— Eu rompi uma grossa — disse ele com um riso. — Muito grossa, e cheia de guerreiros experientes.

Eu o enfiei na água como vingança, depois me afastei espadanando antes que ele pudesse me afogar. Os banhos estavam escuros porque nenhuma tocha fora acesa, e as últimas luzes do dia não podiam atravessar os buracos do teto e chegar ao chão. O vapor nublava a sala enorme, e mesmo tendo consciência de que outras pessoas estavam usando o lugar, não tinha reconhecido nenhuma delas, mas agora, nadando pela piscina, vi uma figura de manto branco curvada para um homem sentado num dos degraus sob a água. Reconheci os tufos de cabelo de cada lado da testa raspada do homem encurvado, e um instante depois captei suas palavras.

— Confie em mim — estava dizendo ele com um fervor contido —, deixe comigo, senhor rei. — Nesse momento, ele ergueu a cabeça e me viu. Era o bispo Sansum, recém-liberado do cativeiro e restaurado a todas as suas honras anteriores por causa das promessas de Artur a Tewdric. Pareceu surpreso em me ver, mas conseguiu dar um sorriso doentio. — O lorde Derfel — disse, recuando cautelosamente da beira da piscina —, um dos nossos heróis!

— Derfel! — rugiu o homem que estava nos degraus da piscina e vi que era Oengus Mac Airem, que agora se lançava para me oferecer um abraço de urso. — É a primeira vez que abraço um homem nu — disse o rei dos Escudos Pretos — e não posso dizer que vejo atrativo nisso. E também é a primeira vez que tomo banho. Você acha que isso vai me matar?

— Não — falei e depois olhei para Sansum. — O senhor tem companhias estranhas, senhor rei.

— Os lobos têm pulgas, Derfel, os lobos têm pulgas — grunhiu Oengus.

— Então, em que assunto meu senhor rei deve confiar em você? — perguntei a Sansum.

Sansum não respondeu, e o próprio Oengus pareceu estranhamente sem graça.

— O templo — disse ele finalmente como resposta. — O bom bispo estava dizendo que poderia arranjar para que meus homens o usassem como um lugar para orações durante um tempo. Não é, bispo?

— Exatamente, senhor rei — disse Sansum.

— Vocês dois são maus mentirosos — falei e Oengus gargalhou. Sansum me lançou um olhar hostil, depois se afastou rapidamente. Ele era um homem livre apenas há algumas horas e já estava tramando. — O que ele estava lhe dizendo, senhor rei? — pressionei Oengus, que era um homem de quem eu gostava. Era um homem simples, forte, um bandido, mas um bom amigo.

— O que você acha?

— Ele estava falando de sua filha.

— É uma coisinha bonita, não é? Magra demais, claro, e com a mente que parece uma loba no cio. Este é um mundo estranho, Derfel. Tive filhos burros como bois e filhas espertas como lobos. — Ele parou para cumprimentar Sagramor, que tinha me acompanhado pela água. — Então, o que vai acontecer com Argante? — perguntou-me Oengus.

— Não sei, senhor.

— Artur se casou com ela, não foi?

— Nem mesmo tenho certeza disso.

Ele me lançou um olhar afiado, depois sorriu quando entendeu o que eu quis dizer.

— Ela conta que eles estão adequadamente casados, mas é o que ela diria. Eu nem tinha certeza de que Artur queria se casar com ela, mas pressionei. Era menos uma boca para alimentar, você entende. — Ele parou um segundo. — A coisa, Derfel, é que Artur não pode simplesmente mandá-la de volta. Já tenho filhas suficientes. Metade do tempo nem sei quais são minhas e quais não são. Você precisa de uma mulher? Venha para a Demétia e escolha, mas aviso que são todas como ela. Bonitas, mas com dentes muito afiados. Então, o que Artur fará?

— O que Sansum está sugerindo?

Oengus fingiu ignorar a pergunta, mas eu sabia que ele nos diria no fim, porque não era homem de guardar segredos.

— Ele só me lembrou — confessou finalmente — que Argante tinha sido prometida a Mordred.

— Tinha? — perguntou Sagramor, surpreso.

— Isso foi mencionado há algum tempo — falei. Fora mencionado pelo próprio Oengus, que estava desesperado por qualquer coisa que reforçasse sua aliança com a Dumnonia, que era sua melhor proteção contra Powys.

— E se Artur não se casou com ela adequadamente — prosseguiu Oengus — Mordred seria um consolo, não é?

— Tremendo consolo — disse Sagramor com azedume.

— Ela será rainha — observou Oengus.

— Será mesmo — concordei.

— De modo que não é má ideia — disse Oengus despreocupadamente, mas suspeitei de que era uma ideia que ele apoiaria com paixão. Um casamento com Mordred compensaria o orgulho ferido da Demétia, mas também daria à Dumnonia a obrigação de proteger o país de sua rainha. Quanto a mim, eu achava a proposta de Sansum a pior ideia que tinha ouvido o dia inteiro, porque podia imaginar bem demais que males a combinação de Mordred e Argante gerariam, mas fiquei quieto. — Vocês sabem o que falta nesses banhos? — perguntou Oengus.

— Diga, senhor rei.

— Mulheres — riu ele. — Então, onde está sua mulher, Derfel?

— De luto.

— Ah, por Cuneglas, claro! — O rei dos Escudos Pretos deu de ombros. — Ele jamais gostou de mim, mas eu gostava dele. Era um sujeito raro em termos de acreditar em promessas! — Oengus riu, porque as promessas eram as que ele tinha feito sem qualquer intenção de cumprir. — Mas não posso dizer que lamento sua morte. O filho dele não passa de um menino e gosta demais da mãe. Ela e aquelas tias pavorosas vão governar durante um tempo. Três bruxas! — Ele gargalhou de novo. — Dá para ver que poderemos pegar alguns pedaços de terra daquelas três senhoras. — Ele afundou o rosto lentamente na piscina. — Estou expulsando os piolhos para cima — explicou, depois espremeu um dos pequenos insetos cinzentos que estava se arrastando pela barba emaranhada para escapar da água.

Eu não tinha visto Merlin o dia inteiro, e naquela noite Galahad me disse que o druida já havia deixado o vale, indo para o norte. Eu tinha encontrado Galahad perto da pira funerária de Cuneglas.

— Sei que Cuneglas não gostava dos cristãos — explicou Galahad —, mas não creio que ele objetaria a uma oração cristã. — Convidei-o a dormir junto dos meus homens e ele foi comigo até onde estes estavam acampados.

— Merlin deixou um recado para você — revelou Galahad. — Disse que você encontrará o que procura entre as árvores mortas.

— Não sei se estou procurando alguma coisa.

— Então procure entre as árvores mortas e descobrirá se é o que você está procurando ou não.

Naquela noite não procurei nada, em vez disso dormi enrolado em minha capa entre meus homens no campo de batalha. Acordei cedo com dor de cabeça e juntas doloridas. O bom tempo tinha passado, e caía uma chuva fraca do oeste. A chuva ameaçava encharcar as fogueiras funerárias, por isso começamos a colher lenha para alimentar as chamas, o que me fez lembrar da estranha mensagem de Merlin, mas não pude ver árvores mortas. Estávamos usando machados saxões para derrubar carvalhos, olmos e bétulas, poupando apenas os freixos sagrados, e todas as árvores que cortávamos eram bem-saudáveis. Perguntei a Issa se ele tinha visto árvores mortas e ele balançou a cabeça, mas Eachern disse que vira algumas perto da curva do rio.

— Mostre.

Eachern guiou um grupo nosso até a margem, e onde o rio fazia uma curva fechada para o oeste havia uma grande massa de galhos mortos emaranhados com outros entulhos que tinham descido rio abaixo, mas não pude ver nada de valor.

— Se Merlin disse que há alguma coisa aí — comentou Galahad —, então devemos procurar.

— Ele pode não ter falado destas árvores — observei.

— Elas servem tanto quanto quaisquer outras — replicou Issa e em seguida desembainhou a espada para que ela não se molhasse e pulou no emaranhado. Quebrou os galhos de cima e entrou no rio. — Deem-me uma lança! — gritou.

Galahad entregou-lhe uma lança, que Issa usou para cutucar entre os galhos. Num determinado ponto, um pedaço de rede de pesca rasgada havia formado uma espécie de tenda cheia de folhas mortas, e Issa precisou de toda a força para empurrar para o lado aquela massa emaranhada.

Foi então que o fugitivo apareceu. Estivera escondido sob a rede, desconfortavelmente em cima de um tronco meio submerso, mas agora, como uma lontra assustada por cães, afastou-se da lança de Issa e tentou escapar para o rio. As árvores mortas o atrapalharam e o peso da armadura o retardou. Meus homens, uivando na margem, o alcançaram facilmente. Se não estivesse usando armadura o fugitivo poderia ter se jogado no rio e nadado até a outra margem, mas agora não podia fazer nada além de se render. O sujeito devia ter passado duas noites e um dia subindo pelo rio, mas depois descobriu o esconderijo e achou que poderia ficar ali até termos ido embora do campo de batalha. Agora foi apanhado.

Era Lancelot. Eu o reconheci primeiro por causa do cabelo comprido e preto com o qual tanto se envaidecia, depois, através da lama e dos galhos, vi o famoso esmalte branco de sua armadura. O rosto mostrava apenas terror. Ele nos olhou do rio, como se estivesse pensando em se jogar na corrente, depois olhou de novo e viu seu meio-irmão.

— Galahad! — gritou ele. — Galahad!

Galahad me olhou durante alguns instantes, depois fez o sinal da cruz, virou-se e foi embora.

— Galahad! — gritou Lancelot de novo, enquanto seu irmão desaparecia na margem acima.

Galahad continuou andando.

— Tragam-no para cá — ordenei. Issa cutucou Lancelot com a lança e o sujeito aterrorizado subiu desesperadamente em meio às urtigas que cresciam no barranco. Ainda tinha sua espada, mas a lâmina devia estar enferrujada devido à imersão no rio. Eu o encarei enquanto ele se livrava das urtigas. — Vai lutar comigo aqui e agora, senhor rei? — perguntei, desembainhando Hywelbane.

— Deixe-me ir, Derfel! Eu lhe mando dinheiro, prometo! — Ele continuou arengando, prometendo mais ouro do que eu desejava em sonhos, mas não quis desembainhar a espada até que cutuquei seu peito com a ponta de Hywelbane, e naquele momento ele soube que devia morrer. Cuspiu em mim, deu um passo atrás e desembainhou a espada. Um dia ela fora chamada de Tanlladwr, que significa Matadora Brilhante, mas ele havia mudado o nome para Lâmina de Cristo quando Sansum o batizou. Agora a Lâmina de Cristo estava enferrujada, mas ainda era uma arma formidável, e para minha surpresa Lancelot não era mau espadachim. Eu sempre o havia considerado um covarde, mas naquele dia ele lutou com bastante bravura. Estava desesperado, e o desespero se mostrava numa série de ataques rápidos e cortantes que me forçaram para trás. Mas ele também estava cansado, molhado e com frio, e se cansou rapidamente. Assim, quando a primeira sequência de golpes tinha sido aparada, pude aproveitar o tempo enquanto decidia sobre sua morte. Ele ficou mais desesperado e seus golpes se tornaram mais selvagens, mas terminei a luta quando me abaixei sob um daqueles violentos golpes laterais e segurei Hywelbane de modo que a ponta o pegasse no braço, e o ímpeto de seu movimento abriu as veias do pulso ao cotovelo. Ele gritou enquanto o sangue corria, então sua espada caiu da mão sem força e ele esperou num terror abjeto o golpe mortal.

Limpei a lâmina de Hywelbane com um punhado de grama, sequei-a em minha capa e depois a embainhei.

— Não quero sua alma na minha espada — falei e por um instante ele pareceu agradecido, mas então acabei com suas esperanças. — Seus homens mataram minha filha, os mesmos homens que você mandou para tentar levar Ceinwyn para a sua cama. Você acha que posso perdoá-lo por alguma dessas coisas?

— Eles não estavam cumprindo minhas ordens — disse Lancelot, desesperado. — Acredite!

Cuspi em seu rosto.

— Será que devo entregá-lo a Artur, senhor rei?

— Não, Derfel, por favor! — Ele cruzou as mãos com força. Estremeceu. — Por favor!

— Dê-lhe a morte da mulher — insistiu Issa, querendo dizer que deveríamos despi-lo, castrá-lo e deixá-lo sangrar entre as pernas até a morte.

Senti-me tentado, mas temi gostar da morte de Lancelot. Há prazer na vingança, e eu dera aos matadores de Dian uma morte terrível. Não senti dor na consciência enquanto desfrutava o sofrimento deles, mas não tinha estômago para torturar aquele homem encolhido, abalado. Ele tremia tanto que senti pena, e me vi em dúvida se deveria deixá-lo viver. Sabia que ele era um traidor e covarde e que merecia ser morto, mas seu terror era tão abjeto que senti pena. Ele sempre fora meu inimigo, sempre havia me desprezado, mas enquanto se ajoelhava na minha frente e as lágrimas rolavam pelo seu rosto senti o impulso de lhe dar a misericórdia, e soube que haveria tanto prazer naquele exercício de poder quanto em ordenar a morte. Por um instante desejei sua gratidão, mas depois lembrei do rosto agonizante de minha filha e um tremor de fúria me abalou. Artur era famoso por perdoar os inimigos, mas este era um inimigo que eu jamais poderia perdoar.

— A morte da mulher — sugeriu Issa de novo.

— Não — falei e Lancelot ergueu os olhos para mim, com esperança renovada. — Enforquem-no como um bandido comum.

Lancelot uivou, mas endureci o coração.

— Enforquem-no — ordenei de novo e foi o que fizemos. Encontramos um pedaço de corda de crina, passamos no galho de um carvalho e o penduramos. Ele dançou ao ser pendurado, e continuou dançando até que Galahad voltou e puxou os tornozelos do meio-irmão para tirá-lo do sofrimento engasgado.

Despimos o corpo de Lancelot. Joguei sua espada e a bela armadura de escamas no rio, queimei suas roupas, depois usei um grande machado de guerra saxão para desmembrar o cadáver. Não o queimamos, em vez disso jogamos aos peixes para que aquela alma sombria não azedasse o Outro Mundo com sua presença. Nós o obliteramos da terra e só mantive o cinto esmaltado de sua espada, que havia sido presente de Artur.

Encontrei Artur ao meio-dia. Ele estava voltando da perseguição a Cerdic e, junto com seus homens, desceu para o vale em seus cavalos cansados.

— Não pegamos Cerdic — informou —, mas pegamos alguns outros. — Em seguida deu um tapa no pescoço de Llamrei, embranquecido pelo suor. — Cerdic vive, Derfel, mas está tão fraco que não será problema durante longo tempo. — Ele sorriu, depois viu que eu não estava no mesmo humor alegre. — O que é? — perguntou.

— Só isto, senhor — falei e estendi o caro cinto esmaltado.

Por um momento ele pensou que eu estava lhe mostrando uma peça pilhada, depois reconheceu o cinto que dera de presente a Lancelot. Por um instante seu rosto teve a aparência de tantos meses antes da batalha do Mynydd Baddon: a aparência fechada e dura da amargura, então me olhou nos olhos.

— E o dono?

— Morto, senhor. Enforcado em vergonha.

— Bom — disse ele em voz baixa. — E esta coisa, Derfel, você pode jogar fora.

Joguei o cinto no rio.

E assim Lancelot morreu, embora as canções pelas quais pagou tenham vivido, sendo até hoje celebrado como um herói igual a Artur. Artur é lembrado como governante, mas Lancelot é chamado de guerreiro. Na verdade, ele foi o rei sem terra, um covarde e o maior traidor da Britânia, e sua alma vagueia por Lloegyr até hoje, gritando pelo corpo de sombra que jamais pode existir porque cortamos seu cadáver em pedaços e jogamos no rio para alimentar os peixes. Se os cristãos estiverem certos, e se houver um inferno, que ele sofra lá para sempre.

Galahad e eu seguimos Artur até a cidade, passando pela pira funerária onde Cuneglas queimava e pisando nas sepulturas romanas entre as quais tantos homens de Aelle haviam morrido. Eu alertara Artur quanto ao que o esperava, mas ele não demonstrou desânimo ao saber que Argante tinha vindo para a cidade.

Sua chegada a Aquae Sulis instigou uma quantidade de pedintes clamando por atenção. Os pedintes eram homens que exigiam partilhas de escravos ou ouro, e homens que exigiam justiça em disputas que precediam há muito a invasão saxã. Artur disse a todos que iria recebê-los no templo, mas ao chegar lá ignorou os suplicantes. Em vez disso, convocou Galahad a uma antecâmara do templo e, passado algum tempo, mandou chamar Sansum. O bispo foi vaiado pelos lanceiros dumnonianos enquanto corria pelo pátio. Falou com Artur durante longo tempo, e então Oengus Mac Airem e Mordred foram chamados à presença de Artur. Os lanceiros no pátio estavam apostando se Artur iria para Argante na casa do bispo ou para Guinevere no alojamento dos padres.

Artur não quisera o meu conselho. Em vez disso, quando convocou Oengus e Mordred, pediu-me para dizer a Guinevere que tinha voltado, por isso atravessei o pátio até o alojamento dos padres, onde a encontrei num cômodo do andar de cima, atendida por Taliesin. O bardo, vestido com um manto branco e limpo e com o fio de prata em volta dos cabelos pretos, levantou-se e se curvou quando entrei. Tinha uma pequena harpa, mas senti que os dois estavam conversando, não fazendo música. Ele sorriu e saiu do cômodo, deixando a cortina grossa cair na porta.

— Um homem muito inteligente — disse Guinevere, levantando-se para me cumprimentar. Vestia um manto creme enfeitado com bainhas de fitas azuis, usava o colar saxão que eu lhe dera no Mynydd Baddon e tinha o cabelo preso no topo da cabeça com um pedaço de corrente de prata. Não parecia tão elegante quanto a Guinevere que eu recordava de antes dos problemas, mas estava muito longe da mulher com armadura que havia cavalgado com tanto entusiasmo no campo de batalha. Sorriu quando me aproximei. — Você está limpo, Derfel!

— Tomei um banho, senhora.

— E está vivo! — Ela zombou de mim gentilmente, em seguida beijou meu rosto, e depois do beijo segurou meus ombros durante um tempo. — Eu lhe devo muito — falou em voz baixa.

— Não, senhora, não — falei, ruborizando-me e me afastando.

Ela riu de meu embaraço, depois foi se sentar na janela que dava para o pátio. A chuva se empoçava entre as pedras e pingava da parede manchada do templo onde a égua de Artur estava amarrada num anel fixo num dos pilares. Guinevere não precisava de mim para lhe dizer que Artur tinha voltado, porque devia ter visto a chegada.

— Quem está com ele? — perguntou-me.

— Galahad, Sansum, Mordred e Oengus.

— E você não foi convocado ao conselho de Artur? — perguntou ela com um toque da antiga zombaria.

— Não, senhora — falei, tentando esconder o desapontamento.

— Tenho certeza de que ele não se esqueceu de você.

— Espero que não, senhora — repliquei e então, muito mais hesitante, disse-lhe que Lancelot estava morto. Não contei como. Simplesmente disse que estava morto.

— Taliesin já me contou — disse ela, olhando para as mãos.

— Como ele sabia? — perguntei, porque a morte de Lancelot acontecera pouco antes e Taliesin não estava presente.

— Ele sonhou ontem à noite. — Em seguida Guinevere fez um gesto abrupto, como se para mudar de assunto. — Então, o que eles estão discutindo lá? — perguntou, olhando para o templo. — A esposa-criança?

— Imagino que sim, senhora. — Depois contei o que o bispo Sansum tinha sugerido a Oengus Mac Airem: que Argante deveria se casar com Mordred. — Acho que é a pior ideia que já ouvi — protestei, indignado.

— Acha mesmo?

— É uma ideia absurda.

— Não foi ideia de Sansum — disse Guinevere com um sorriso. — Foi minha.

Eu a encarei, surpreso demais durante um tempo.

— Sua, senhora? — perguntei enfim.

— Não diga a ninguém que foi ideia minha. Argante não vai admitir nem por um instante se pensar que a ideia veio de mim. Ela preferiria se casar com um criador de porcos do que com alguém que eu sugerisse. Por isso mandei chamar o pequeno Sansum e implorei que ele me dissesse se o boato sobre Argante e Mordred era correto, e então disse o quanto odiava a simples ideia e isso, claro, o deixou muito mais entusiasmado, ainda que ele fingisse o contrário. Até chorei um pouco e implorei que ele nunca dissesse a Argante o quanto eu detestava a simples ideia. Nesse ponto, Derfel, eles já estavam praticamente casados. — Ela deu um sorriso triunfante.

— Mas por quê? Mordred e Argante? Eles só vão criar problemas!

— Eles vão criar problemas quer estejam casados ou não. E Mordred precisa se casar, Derfel, para ter um herdeiro, e isso significa que deve se casar com alguém de família real. — Ela parou, brincando com o colar. — Confesso que eu preferiria que ele não tivesse herdeiro, porque isso deixaria o trono livre quando morresse. — Guinevere deixou esse pensamento inacabado e eu lhe dei um olhar curioso, ao qual ela respondeu com uma máscara de inocência. Estaria pensando que Artur poderia tomar o trono de Mordred se ele não tivesse filhos? Mas Artur nunca quis governar. Então percebi que, se Mordred morresse, Gwydre, o filho de Guinevere, teria mais motivos para reivindicar o trono do que qualquer homem. Esse pensamento deve ter aparecido em meu rosto, porque Guinevere sorriu. — Não que devamos especular sobre a sucessão — prosseguiu antes que eu pudesse dizer alguma coisa —, porque Artur insiste em que Mordred deve poder se casar, se quiser, e parece que aquele garoto desgraçado sente atração por Argante. Eles até podem se dar muito bem. Como duas víboras num ninho imundo.

— E Artur terá dois inimigos unidos no azedume.

— Não. — Guinevere suspirou e olhou pela janela. — Não se lhes dermos o que eles querem, e não se eu der a Artur o que ele quer. E você sabe o que é, não sabe?

Pensei um instante, depois entendi tudo. Entendi o que ela e Artur deviam ter conversado na longa noite após a batalha. Entendi também o que Artur estava fazendo agora no templo de Minerva.

— Não! — protestei.

Guinevere sorriu.

— Eu também não quero, Derfel, mas quero Artur. E o que ele quer eu devo dar. Eu lhe devo um pouco de felicidade, não é?

— Ele quer abrir mão do poder? — perguntei e ela assentiu. Artur sempre havia falado de seu sonho de viver com simplicidade com uma esposa, a família e um pouco de terra. Queria um salão, uma paliçada, uma oficina de ferreiro e campos. Imaginava-se dono de terras, sem outros problemas além dos pássaros que roubavam as sementes, dos cervos que comiam as plantações e da chuva que estragava a colheita. Tinha alimentado esse sonho durante anos e agora, depois de derrotar os saxões, parecia que ia tornar esse sonho realidade.

— Meurig também quer que Artur deixe o poder — disse Guinevere.

— Meurig! — cuspi. — Por que devemos nos importar com o que Meurig quer?

— É o preço que Meurig exigiu antes de concordar em deixar que seu pai liderasse o exército de Gwent na guerra. Artur não lhe disse antes da batalha porque sabia que você discutiria com ele.

— Mas por que Meurig desejaria que Artur abrisse mão do poder?

— Porque ele acha que Mordred é cristão — disse Guinevere, dando de ombros. — E porque quer que a Dumnonia seja malgovernada. Assim, Derfel, Meurig tem uma chance de tomar o trono da Dumnonia um dia. Ele é um desgraçadozinho ambicioso.

Eu o chamei de algo pior e Guinevere sorriu.

— Isso também — disse ela. — Mas ele deve ter o que exigiu, de modo que Artur e eu vamos viver em Isca da Silúria, onde Meurig pode ficar de olho em nós. Não me importo de viver em Isca. Será melhor do que morar em algum salão apodrecido. Existem alguns bons palácios romanos em Isca, e caça muito boa. Nós levaremos alguns lanceiros. Artur não acha que precise de nenhum, mas ele tem inimigos e precisa de um bando de guerreiros.

Eu andei de um lado para o outro no salão.

— Mas Mordred! — reclamei amargo. — Ele vai receber o poder de volta?

— É o preço que tivemos de pagar pelo exército de Gwent. E se Argante se casar com Mordred ele deve ter o poder, ou então Oengus jamais concordará com o casamento. Ou pelo menos Mordred deve ter parte de seu poder, e ela deve compartilhá-lo.

— E tudo que Artur conseguiu estará destruído!

— Artur livrou a Dumnonia dos saxões, e não quer ser rei. Você sabe disso, Derfel, e eu também. Não é o que desejo. Eu sempre quis que Artur fosse o Grande Rei, e que Gwydre o sucedesse, mas ele não quer e não vai lutar por isso. Ele quer tranquilidade, pelo que me diz. E se ele não vai governar a Dumnonia, Mordred deve fazê-lo. A insistência de Gwent e o juramento de Artur a Uther garantem isso.

— Então ele vai simplesmente abandonar a Dumnonia à injustiça e à tirania!

— Não, porque Mordred não terá todo o poder.

Olhei-a, e pela sua voz adivinhei que não tinha entendido tudo.

— Continue — pedi, cheio de desconfiança.

— Sagramor vai ficar. Os saxões estão derrotados, mas ainda haverá uma fronteira, e não há ninguém melhor do que Sagramor para guardá-la. E o resto do exército da Dumnonia vai jurar lealdade a outro homem. Mordred pode governar porque é o rei, mas não comandará as lanças, e um homem sem lanças é um homem sem poder verdadeiro. Você e Sagramor ficarão com esse poder.

— Não!

Guinevere sorriu.

— Artur sabia que era o que você ia dizer, foi por isso que eu disse que iria persuadi-lo.

— Senhora — comecei a protestar, mas ela ergueu a mão, silenciando-me.

— Você vai governar a Dumnonia, Derfel. Mordred será rei, mas você terá as lanças, e o homem que tem as lanças governa. Você deve fazer isso por Artur, porque só se você concordar ele poderá deixar a Dumnonia de consciência leve. Então, para lhe dar a paz, você fará isso por ele e talvez — ela hesitou — por mim também?

Merlin estava certo. Quando uma mulher quer uma coisa, consegue.

E eu governaria Dumnonia.

TALIESIN FEZ UMA CANÇÃO sobre Mynydd Baddon. Fez deliberadamente no estilo antigo, com um ritmo simples que latejava de drama, heroísmo e linguagem bombástica. Uma canção muito longa, pois era importante que cada guerreiro que lutou bem recebesse pelo menos meio verso de elogio, enquanto nossos líderes tinham estrofes inteiras. Depois da batalha, Taliesin entrou para o lar de Guinevere e, com sensatez, deu à sua patrona o que ela merecia, descrevendo maravilhosamente as carroças lançadas com sua carga de fogo, mas evitando qualquer menção ao feiticeiro saxão morto com o arco. Usou seu cabelo ruivo como uma imagem da plantação de cevada encharcada de sangue, onde alguns saxões morreram, e ainda que eu não tivesse visto cevada no campo de batalha, foi um toque inteligente. Transformou a morte de seu antigo patrono, Cuneglas, num lamento vagaroso onde o nome do rei morto era repetido como um toque de tambor, e transformou o ataque de Gawain num relato arrepiante de como as almas-fúrias de nossos lanceiros mortos vieram da ponte de espadas para assaltar o flanco inimigo. Elogiou Tewdric, foi gentil comigo e deu honra a Sagramor, mas acima de tudo sua canção era uma celebração de Artur. Na canção de Taliesin foi Artur quem inundou o vale com o sangue inimigo, e foi Artur quem derrubou o rei inimigo, e foi Artur quem fez toda a Lloegyr se encolher de terror.

Os cristãos odiaram a canção de Taliesin. Fizeram suas próprias canções em que Tewdric foi quem derrotou os saxões. O Senhor Deus Todo-poderoso, segundo os cristãos, tinha ouvido os rogos de Tewdric e mandou uma falange celeste para o campo de batalha, e ali Seus anjos lutaram contra os saxões com espadas de fogo. Artur não recebeu qualquer menção nessas canções. Na verdade, os pagãos não receberam qualquer crédito pela vitória e até hoje há pessoas que declaram que Artur nem mesmo estava presente no Mynydd Baddon. Uma canção cristã credita a Meurig a morte de Aelle, e Meurig não estava presente no Mynydd Baddon, pois ficara em casa em Gwent. Depois da batalha Meurig foi restaurado como rei, enquanto Tewdric voltava ao mosteiro, onde foi declarado santo pelos bispos de Gwent.

Naquele verão Artur estava ocupado demais para se importar com canções ou santos. Nas semanas seguintes à batalha retomamos enormes porções de Lloegyr, mas não podíamos tomá-la inteira porque uma grande quantidade de saxões permanecia na Britânia. Quanto mais íamos para o leste, mais forte se tornava a resistência, mas no outono o inimigo estava encurralado num território com apenas metade do tamanho onde dominava anteriormente. Naquele ano Cerdic até nos pagou tributo e prometeu pagar pelos próximos dez anos, mas não cumpriu. Em vez disso recebia cada barco que vinha pelo mar e lentamente reestruturava suas forças.

O reino de Aelle foi dividido. A parte sul voltou para as mãos de Cerdic, enquanto a parte norte se dividiu em três ou quatro reinos pequenos que eram implacavelmente atacados por bandos de guerreiros de Elmet, Powys e Gwent. Milhares de saxões passaram para o domínio britânico, na verdade as novas terras do leste da Dumnonia eram habitadas por eles. Artur queria que repovoássemos aquelas terras, mas poucos britânicos estavam dispostos a ir para lá, e assim os saxões ficavam, cuidavam da terra e sonhavam com o dia em que seus reis voltariam. Sagramor se tornou o virtual governante das terras tomadas pela Dumnonia. Os chefes saxões sabiam que seu novo rei era Mordred, mas naqueles primeiros anos depois do Mynydd Baddon era a Sagramor que eles prestavam vassalagem e pagavam impostos, e era sua bandeira preta que tremulava acima da velha fortaleza do rio em Pontes, de onde seus guerreiros marchavam para manter a paz.

Artur liderou a campanha para retomar as terras roubadas, mas deixou a Dumnonia assim que elas estavam seguras e os saxões concordaram com nossas novas fronteiras. Até o final alguns de nós esperávamos que ele rompesse a promessa dada a Meurig e Tewdric, mas ele não tinha vontade de ficar. Nunca quisera o poder. Havia-o tomado como um dever na época em que a Dumnonia possuía um rei criança e uma quantidade de senhores ambiciosos, cuja rivalidade poderia ter rasgado a terra, lançando-a num turbilhão. Mas durante todos os anos que se seguiram ele sempre se manteve preso ao sonho de levar uma vida mais simples, e assim que os saxões foram derrotados sentiu-se livre para tornar o sonho realidade. Implorei que ele pensasse de novo, mas Artur balançou a cabeça.

— Estou velho, Derfel.

— Não muito mais do que eu, senhor.

— Então você está velho — disse ele com um sorriso. — Mais de quarenta! Quantos homens vivem quarenta anos?

Realmente poucos. Mas mesmo assim acho que Artur teria desejado ficar na Dumnonia se tivesse recebido o que queria, e que era a gratidão. Ele era um homem orgulhoso, e sabia o que tinha feito pelo país, mas o país o recompensara com um descontentamento mal-humorado. Os cristãos tinham rompido sua paz primeiro, mas depois, em seguida às fogueiras do Mai Dun, os pagãos tinham se virado contra ele. Ele dera justiça à Dumnonia, tinha recuperado boa parte das terras perdidas e garantido as novas fronteiras, havia governado honestamente, e sua recompensa era ser desprezado como inimigo dos Deuses. Além disso, prometera a Mordred que deixaria a Dumnonia, e essa promessa reforçava o juramento feito a Uther, de tornar Mordred rei, e agora declarou que cumpriria integralmente as duas promessas.

— Não terei felicidade até que os juramentos sejam cumpridos — disse-me e não pôde ser persuadido em contrário. Assim, quando a nova fronteira com os saxões foi decidida e o primeiro tributo de Cerdic foi pago, ele partiu.

Levou sessenta cavaleiros e cem lanceiros e foi para a cidade de Isca, na Silúria, que ficava ao norte da Dumnonia, do outro lado do mar de Severn. Originalmente havia proposto não levar lanceiros, mas o conselho de Guinevere prevaleceu. Ela disse que Artur tinha inimigos e que precisava de proteção. Além disso, seus cavaleiros estavam entre os mais poderosos guerreiros da Dumnonia, e ela não queria que eles caíssem sob o comando de outro homem. Artur deixou-se convencer, mas na verdade não creio que precisasse de muita persuasão. Ele podia sonhar em ser um mero dono de terras vivendo num local pacífico sem outras preocupações além da saúde de seus animais e do estado de suas plantações, mas sabia que a única paz que jamais teria seria feita por ele próprio, e que um senhor que vive sem guerreiros não fica em paz durante muito tempo.

A Silúria era um reino pequeno, pobre e pouco considerado. O último rei de sua antiga dinastia fora Gundleus, que havia morrido no vale do Lugg, e depois disso Lancelot foi aclamado rei. Mas não gostou da Silúria e a abandonou abruptamente pelo trono mais saudável do país dos Belgae. Sem ter outro rei, a Silúria fora dividida em dois reinos submetidos a Gwent e Powys. Cuneglas chamara a si próprio de Rei da Silúria Ocidental, enquanto Meurig se proclamava Rei da Silúria Oriental, mas na verdade nenhum dos dois monarcas tinha visto muito valor naqueles vales íngremes e apertados que iam das ásperas montanhas do norte até o mar. Cuneglas recrutara lanceiros dos vales, enquanto Meurig de Gwent fizera pouco mais do que mandar missionários para o território, e o único rei que jamais demonstrara algum interesse pela Silúria era Oengus Mac Airem, que tinha atacado os vales em busca de comida e escravos, mas afora isso a Silúria fora ignorada. Seus chefes tribais discutiam entre si e pagavam de má vontade os impostos a Gwent e Powys, mas a chegada de Artur mudou tudo isso. Quer gostasse ou não, ele se tornou o morador mais importante da Silúria, e portanto seu governante efetivo e, apesar de sua ambição declarada de se tornar um homem privado, não pôde resistir a usar os lanceiros para acabar com as disputas ruinosas dos chefes tribais. Um ano depois do Mynydd Baddon, quando visitamos Artur e Guinevere pela primeira vez em Isca, ele estava se chamando marotamente de governador, um título romano, e que lhe agradava porque não tinha conotação régia.

Isca era uma bela cidade. Primeiro os romanos tinham construído uma fortaleza ali para guardar a travessia do rio, mas, à medida que levavam suas legiões mais para o oeste e o norte, a necessidade da fortaleza diminuiu e eles transformaram Isca num lugar não muito diferente de Aquae Sulis: uma cidade aonde os romanos iam se divertir. Tinha um anfiteatro e, mesmo não carecendo de fontes quentes, ainda alardeava seis termas, três palácios e tantos templos quantos eram os deuses romanos. Agora a cidade estava muito decaída, mas Artur andava reformando os tribunais e os palácios, um trabalho que sempre o deixara feliz. O maior dos palácios, aquele onde Lancelot tinha vivido, foi dado a Culhwch, nomeado comandante da guarda pessoal de Artur, e a maioria dos guardas agora compartilhava o grande palácio com Culhwch. O segundo maior palácio passou a ser a casa de Emrys, antigo bispo da Dumnonia, mas agora bispo de Isca.

— Ele não podia ficar na Dumnonia — disse-me Artur enquanto mostrava a cidade. Fazia um ano da batalha do Mynydd Baddon, e Ceinwyn e eu estávamos fazendo a primeira visita à nova morada de Artur. — Não há espaço para Emrys e Sansum na Dumnonia, por isso Emrys me ajuda aqui. Ele tem um apetite insaciável pela administração e, melhor ainda, mantém longe os cristãos de Meurig.

— Todos eles?

— A maioria — disse Artur com um sorriso. — E é um bom lugar, Derfel — prosseguiu ele, olhando as ruas pavimentadas de Isca. — Um bom lugar! — Ele estava absurdamente orgulhoso de sua nova moradia, afirmando que a chuva caía menos forte em Isca do que nos campos ao redor. — Vi os morros cobertos de neve grossa, enquanto aqui o sol brilhava sobre a grama verde.

— Sim, senhor — falei com um sorriso.

— É verdade, Derfel! Verdade! Quando saio da cidade levo uma capa. Chega um ponto em que o calor de repente desaparece e é preciso colocar a capa. Você verá, quando formos caçar amanhã.

— Parece magia — falei, provocando-o gentilmente, porque normalmente ele desprezava qualquer conversa sobre magia.

— Acho que pode ser mesmo! — disse ele totalmente sério e me levou por um beco que passava junto do grande templo cristão, indo até uma curiosa colina que ficava no centro da cidade. Um caminho em espiral subia até o cume da elevação, onde o povo antigo fizera um poço raso. O poço tinha um número incontável de pequenas oferendas deixadas para os Deuses: pedaços de fitas, tufos de lã, botões, tudo isso prova de que os missionários de Meurig, por mais que estivessem ocupados, não tinham derrotado totalmente a religião antiga. — Se há magia neste lugar — disse Artur quando alcançamos o topo da colina e estávamos olhando para o buraco coberto de grama —, é daqui que ela brota. O povo local diz que é uma entrada para o Outro Mundo.

— E o senhor acredita?

— Só sei que é um local abençoado — disse ele com felicidade. E Isca era realmente isso naquele dia de fim de verão. A maré montante havia inchado o rio que corria fundo entre as margens verdes, o sol brilhava nas paredes brancas dos prédios e nas folhas das árvores que cresciam nos pátios, enquanto ao norte os pequenos morros com suas terras plantadas se estendiam pacificamente até as montanhas. Era difícil acreditar que, não fazia tantos anos, um grupo de invasores saxões tinha chegado àqueles morros e matado fazendeiros, capturado escravos e deixado as colheitas queimando. Esse ataque havia acontecido no reino de Uther, e a realização de Artur fora expulsar o inimigo para tão longe que, naquele verão e em muitos outros, parecia que nenhum saxão livre chegaria de novo a Isca.

O menor palácio da cidade ficava logo a oeste da elevação, e era ali que Artur e Guinevere moravam. De nosso alto ponto de observação sobre a colina misteriosa podíamos olhar para o pátio onde Guinevere e Ceinwyn caminhavam, e estava claro que era Guinevere quem falava o tempo todo.

— Ela está planejando o casamento de Gwydre — disse Artur. — Com Morwenna, claro — acrescentou, com um sorriso rápido.

— Ela está pronta para isso — falei com fervor. Morwenna era uma boa garota, mas ultimamente andava mal-humorada e irritadiça. Ceinwyn me garantia que o comportamento de Morwenna era meramente os sintomas de uma garota pronta para o casamento, e pelo menos eu ficaria grato com a cura.

Artur sentou-se na borda gramada da colina e olhou para oeste. Suas mãos, notei, estavam marcadas por pequenas cicatrizes escuras, todas da fornalha da oficina de ferreiro que ele construíra no pátio do estábulo do palácio. Ele sempre fora intrigado pelo serviço de ferreiro, e podia falar entusiasmado durante horas sobre suas habilidades. Mas agora tinha outras coisas em mente.

— Você se importaria se o bispo Emrys abençoasse o casamento? — perguntou com timidez.

— Se eu me importaria? — perguntei. Eu gostava de Emrys.

— Só o bispo Emrys. Sem druidas. Você deve entender, Derfel, que vivo aqui pela vontade de Meurig. Afinal de contas, ele é o rei desta terra.

— Senhor — comecei a protestar, mas ele me interrompeu com a mão levantada e não prossegui com a indignação. Sabia que o jovem rei Meurig era um vizinho inquieto. Ele se ressentia do fato de que seu pai o tirara temporariamente do poder, se ressentia de não ter partilhado da glória do Mynydd Baddon e tinha um ciúme carrancudo de Artur. O território de Meurig começava a apenas alguns metros daquela colina, na extremidade da ponte romana que atravessava o rio Usk, e esta parte leste da Silúria era legalmente outra das posses de Meurig.

— Foi Meurig quem insistiu para que eu vivesse aqui como seu inquilino — explicou Artur —, mas foi Tewdric quem me deu os direitos a todos os antigos aluguéis reais. Ele, pelo menos, é grato ao que conseguimos no Mynydd Baddon, mas duvido muito de que o jovem Meurig aprove os arranjos, por isso eu o aplaco fingindo aliança ao cristianismo. — Ele fez mímica do sinal da cruz e me ofereceu uma careta autodepreciativa.

— O senhor não precisa aplacar Meurig — falei, irado. — Dê-me um mês e arrasto aquele cão miserável até aqui de joelhos.

Artur gargalhou.

— Outra guerra? — E balançou a cabeça. — Meurig pode ser idiota, mas nunca foi homem de buscar a guerra, por isso não posso desgostar dele. Ele me deixará em paz desde que eu não o ofenda. Além disso, tenho lutas suficientes nas mãos sem me preocupar com Gwent.

Suas lutas eram coisas pequenas. Os Escudos Pretos de Oengus ainda atacavam a fronteira oeste da Silúria, e Artur estabeleceu pequenas guarnições de lanceiros para guardá-la contra essas incursões. Não sentia raiva de Oengus, que, de fato, era visto como amigo, mas Oengus não podia resistir a atacar colheitas, assim como um cão não consegue deixar de coçar pulgas. A fronteira norte da Silúria era mais complicada porque se ligava a Powys, e Powys, desde a morte de Cuneglas, tinha caído no caos. Perddel, o filho de Cuneglas, fora aclamado rei, mas pelo menos meia dúzia de chefes poderosos acreditavam ter mais direito à coroa do que Perddel — ou pelo menos o poder de tomar a coroa — e por isso o reino de Powys, que já fora poderoso, tinha degenerado num esquálido terreno de mortes. Gwynedd, o empobrecido país ao norte de Powys, atacava à vontade, bandos de guerreiros lutavam entre si, faziam alianças temporárias, rompiam-nas, massacravam as famílias dos outros e, sempre que estavam correndo perigo de ser massacrados, recuavam para as montanhas. Um número suficiente de lanceiros permanecera leal a Perddel para garantir que ele mantivesse o trono, mas eram muito poucos para derrotar os chefes rebeldes.

— Acho que deveríamos intervir — disse Artur.

— Nós, senhor?

— Meurig e eu. Ah, sei que ele odeia guerra, mas, cedo ou tarde, alguns de seus missionários serão mortos em Powys, e suspeito de que essas mortes vão persuadi-lo a mandar lanceiros em apoio a Perddel. Desde, claro, que Perddel concorde em estabelecer o cristianismo em Powys, coisa que sem dúvida ele fará se isso lhe der o reino de volta. E se Meurig for à guerra provavelmente me pedirá para ir. Ele prefere que morram meus homens, não os dele.

— Sob a bandeira cristã? — perguntei azedamente.

— Duvido de que ele queira outra — disse Artur com calma. — Tornei-me seu coletor de impostos na Silúria, então por que não seria seu comandante guerreiro em Powys? — Ele deu um sorriso torto diante da perspectiva, depois me lançou um olhar sem graça. — Há outro motivo para fazer um casamento cristão para Gwydre e Morwenna — falou depois de um tempo.

— E qual é? — Tive de provocá-lo, porque o outro motivo certamente o embaraçava.

— Suponha que Mordred e Argante não tenham filhos.

Não falei nada durante um tempo. Guinevere tinha levantado a mesma possibilidade quando falei com ela em Aquae Sulis, mas parecia uma suposição improvável. E foi o que disse.

— Mas se eles não tiverem filhos — insistiu Artur —, quem teria a melhor chance de reivindicar o reino da Dumnonia?

— O senhor, claro. — Artur era filho de Uther, mesmo sendo bastardo, e não havia outros filhos que pudessem reivindicar o trono.

— Não, não — disse ele rapidamente. — Eu não quero. Nunca quis!

Olhei para Guinevere lá embaixo, suspeitando de que ela é quem tinha levantado o problema da sucessão de Mordred.

— Então seria Gwydre?

— Então seria Gwydre.

— E ele quer?

— Acho que sim. Ele ouve mais a mãe do que a mim.

— O senhor não quer que Gwydre seja rei?

— Quero que Gwydre seja o que ele deseja ser. E se Mordred não tiver herdeiro e Gwydre desejar fazer a reivindicação, irei apoiá-lo. — Artur olhava para Guinevere enquanto falava, e achei que ela era a verdadeira força por trás dessa ambição. Ela sempre quisera ser casada com um rei, mas aceitaria ser a mãe de um, caso Artur recusasse o trono. — Mas, como você diz, é uma suposição improvável. Espero que Mordred tenha muitos filhos, mas, se não tiver e se Gwydre for chamado a reinar, ele precisará do apoio cristão. Os cristãos mandam na Dumnonia agora, não é?

— Mandam, senhor — falei, sombrio.

— Então seria boa política de nossa parte observar os ritos cristãos no casamento de Gwydre — disse Artur e me deu um sorriso maroto. — Você vê como sua filha está perto de se tornar rainha? — Honestamente, eu nunca tinha pensado nisso, o que deve ter aparecido em meu rosto, porque Artur gargalhou. — Um casamento cristão não é coisa que eu desejaria para Gwydre e Morwenna — admitiu. — Se fosse por mim, Derfel, eu mandaria Merlin casá-los.

— O senhor tem notícias dele? — perguntei, ansioso.

— Nenhuma. Esperava que você tivesse.

— Só boatos.

Merlin não era visto há um ano. Tinha deixado o Mynydd Baddon levando as cinzas de Gawain, ou pelo menos um fardo contendo os ossos chamuscados e quebradiços de Gawain e um pouco de cinza que poderia pertencer ao príncipe morto ou ser apenas cinzas de madeira. Desde aquele dia Merlin não fora visto. Corriam boatos de que estaria no Outro Mundo, outras pessoas afirmavam que ele estava na Irlanda ou então nas montanhas do oeste, mas ninguém tinha certeza. Ele me dissera que ia ajudar Nimue, mas ninguém tampouco sabia onde ela estava.

Artur se levantou e espanou o capim dos calções.

— Hora de jantar — falou. — Devo avisá-lo que Taliesin talvez cante uma canção extremamente tediosa sobre Mynydd Baddon. Pior, ela ainda está inacabada! Ele vive acrescentando versos. Guinevere diz que é uma obra-prima, e creio que deve ser, se ela diz. Mas por que eu tenho de suportar isso em todos os jantares?

Aquela foi a primeira vez em que ouvi Taliesin cantar, e fiquei fascinado. Como Guinevere me disse mais tarde, era como se ele pudesse tirar a música das estrelas e trazer à terra. Tinha uma voz pura e maravilhosa, e podia sustentar uma nota por mais tempo do que qualquer outro bardo que já ouvi. Mais tarde ele me disse que treinava respiração, coisa que nunca imaginei que precisasse de treino, mas isso significava que ele podia se demorar numa nota agonizante enquanto a pulsava até o fim exótico com golpes da harpa, ou então podia fazer uma sala ecoar e estremecer com a voz triunfante, e juro que naquela noite de verão em Isca ele fez a batalha do Mynydd Baddon reviver. Ouvi Taliesin cantar muitas vezes, e a cada vez o escutava com o mesmo pasmo.

Entretanto, ele era um homem modesto. Entendia o seu poder e sentia-se confortável com o mesmo. Agradava-o ter Guinevere como patrona, porque ela era generosa e apreciava sua arte, e deixava que ele passasse semanas longe do palácio. Perguntei aonde ele ia durante aquelas ausências, e ele disse que gostava de visitar os morros e vales e cantar para as pessoas.

— E não somente cantar, mas também ouvir — falou. — Gosto das canções antigas. Algumas vezes eles só se lembram de trechos, e aí tento completá-las. — Disse que era importante ouvir as canções do povo comum, porque isso lhe ensinava o que eles gostavam, mas ele também queria cantar suas canções para as pessoas. — É fácil entreter os lordes, porque eles necessitam de diversão, mas um agricultor precisa dormir antes de querer música, e se eu puder mantê-lo acordado sei que a canção tem mérito. — E algumas vezes, pelo que me disse, ele simplesmente cantava para si mesmo. — Eu me sento sob as estrelas e canto — falou com um sorriso torto.

— Você realmente vê o futuro? — perguntei durante essa conversa.

— Eu sonho — disse, como se não fosse um grande dom. — Mas ver o futuro é como espiar através de uma névoa, e a recompensa não vale o esforço.

Além disso, nunca sei se minhas visões do futuro vêm dos Deuses ou de meus próprios temores. Afinal de contas, sou apenas um bardo. — Acho que ele estava sendo evasivo. Merlin me dissera que Taliesin permanecia celibatário para preservar seu dom da profecia, de modo que devia valorizá-la mais do que dava a entender, porém desconsiderava o dom para desencorajar as pessoas a ficarem perguntando a respeito. Acho que Taliesin via nosso futuro muito antes que qualquer um de nós pudesse vislumbrá-lo, e não queria revelar. Ele era um homem muito discreto.

— Apenas um bardo? — perguntei, repetindo suas últimas palavras. — Dizem que você é o maior de todos os bardos.

Ele balançou a cabeça, rejeitando meu elogio.

— Apenas um bardo — insistiu —, mas me submeti ao treinamento de druida. Aprendi os mistérios com Celafydd na Cornóvia. Durante sete anos e três anos eu aprendi, e no último dia, quando poderia ter tomado o cajado de druida, saí da caverna de Celafydd e me chamei de bardo.

— Por quê?

— Porque um druida tem responsabilidades — disse ele depois de uma longa pausa — e eu não as queria. Eu gosto de observar, lorde Derfel, e de contar. O tempo é uma história, e eu gostaria de ser o narrador, não quem faz. Merlin queria mudar a história e fracassou. Não ouso querer tanto.

— Merlin fracassou?

— Não nas coisas pequenas — disse Taliesin calmamente. — Mas e nas grandes? Sim. Os Deuses estão indo cada vez mais para longe, e suspeito de que nem minhas canções nem as fogueiras de Merlin podem invocá-los agora. O mundo se volta para novos Deuses, senhor, e talvez esta não seja uma coisa ruim. Um Deus é um Deus, e por que deveria importar qual deles governa? Só o orgulho e o hábito nos seguram aos Deuses antigos.

— Está sugerindo que todos deveríamos nos tornar cristãos? — perguntei asperamente.

— Não me importa saber que Deus o senhor cultua. Estou aqui meramente para observar, ouvir e cantar.

Assim Taliesin cantava enquanto Artur governava com Guinevere na Silúria. Minha tarefa era ser um freio para as más ações de Mordred na

Dumnonia. Merlin tinha desaparecido, provavelmente nas brumas assombrosas do oeste profundo. Os saxões estavam cabisbaixos, mas ainda desejavam nossas terras, e nos céus, onde não há freio para suas maldades, os Deuses rolavam os dados de novo.

Mordred estava feliz naqueles anos depois do Mynydd Baddon. A batalha tinha lhe dado um gosto pela guerra, que ele buscava cobiçosamente. Durante um tempo ficou contente em lutar sob a orientação de Sagramor, atacando a encolhida Lloegyr ou caçando bandos saxões que vinham pilhar nossas colheitas e nossos animais, mas depois de um tempo tornou-se frustrado com a cautela de Sagramor. O númida não desejava iniciar uma guerra em escala total conquistando o território que Cerdic ainda possuía e onde os saxões permaneciam fortes, mas os homens se recusavam a marchar sem as ordens de Sagramor, o qual proibia a invasão. Mordred ficou irritadiço durante um tempo, mas um pedido de ajuda veio de Broceliande, o reino britânico na Armórica, e Mordred liderou um bando de guerreiros voluntários para lutar contra os francos que estavam pressionando as fronteiras do rei Budic. Ficou na Armórica durante mais de cinco anos, e nesse tempo fez nome. Na batalha, disseram-me, ele era destemido, e suas vitórias atraíram mais homens ainda para o seu estandarte do dragão. Eram homens sem senhores, desgarrados e renegados que poderiam enriquecer com pilhagens, e Mordred lhes deu o que desejavam. Tomou de volta boa parte do antigo reino de Benoic e os bardos começaram a cantar sobre ele como sendo Uther renascido, até mesmo como um segundo Artur, ainda que outras histórias, nunca transformadas em canções, também chegassem por sobre as águas cinzentas, histórias essas que falavam de estupro e assassinato, de homens cruéis que tinham licença para fazer de tudo.

O próprio Artur lutou durante aqueles anos, já que, como tinha previsto, alguns dos missionários de Meurig foram massacrados em Powys. Meurig exigiu sua ajuda para punir os rebeldes que tinham matado os padres, e assim Artur foi para o norte numa de suas maiores campanhas. Eu não estava lá para ajudá-lo, pois tinha responsabilidades na Dumnonia, mas todos ouvíamos as histórias. Artur persuadiu Oengus Mac Airem a atacar os rebeldes expulsando-os da Demétia, e enquanto os Escudos Pretos de Oengus atacavam do oeste, os homens de Artur vieram do sul. E o exército de Meurig, marchando dois dias atrás de Artur, chegou e encontrou a rebelião esmagada e a maioria dos assassinos capturados, mas alguns dos matadores dos padres tinham se refugiado em Gwynedd, onde Byrthig, o rei daquele país montanhoso, se recusou a entregá-los. Byrthig ainda esperava usar os rebeldes para conseguir mais terras em Powys, por isso, ignorando o conselho de Meurig para ter cautela, Artur seguiu para o norte. Derrotou Byrthig em Caer Gei e então, sem parar, e ainda usando a desculpa de que alguns dos matadores dos padres tinham fugido mais para o norte, guiou seu bando de guerreiros pela Estrada Escura até o temido reino de Lleyn. Oengus seguiu--o, e nas areias de Foryd, onde o rio Gwyrfair desliza para o mar, Oengus e Artur encurralaram o rei Diwrnach entre suas forças e assim derrotaram os Escudos Sangrentos de Lleyn. Diwrnach se afogou, mais de cem de seus lanceiros foram massacrados, e o resto fugiu em pânico. Em dois meses de verão Artur tinha terminado a rebelião em Powys, feito Byrthig se dobrar e destruído Diwrnach. Ao fazer isto cumprira o juramento a Guinevere, de que vingaria a perda do reino de seu pai. Leodegan, o pai dela, fora rei de Henis-Wyren, mas Diwrnach tinha vindo da Irlanda, tomado Henis-Wyren, mudado o nome do reino para Lleyn, e assim transformou Guinevere numa exilada sem um tostão. Agora Diwrnach estava morto e achei que Guinevere poderia insistir em que o reino capturado fosse dado ao seu filho, mas ela não fez qualquer protesto quando Artur deixou Lleyn sob a guarda de Oengus, na esperança de que isso mantivesse o Escudo Preto ocupado demais para atacar Powys. Era melhor, disse-me Artur mais tarde, que Lleyn tivesse um governante irlandês, porque a grande maioria do povo era irlandesa, e Gwydre sempre seria um estranho para eles. E assim o filho mais velho de Oengus governava Lleyn e Artur levou a espada de Diwrnach de volta a Isca, como um troféu para Guinevere.

Nada disso eu vi porque estava governando a Dumnonia, onde meus lanceiros coletavam os impostos para Mordred e faziam cumprir sua justiça. Issa fazia a maior parte do trabalho, já que agora era um lorde por direito próprio e eu lhe dera metade de meus lanceiros. Além disso ele era pai, e

Scarach, sua mulher, esperava outro filho. Ela vivia conosco em Dun Caric, de onde Issa partia para patrulhar o país, e de onde, a cada mês e cada vez mais relutante, eu ia para o sul participar do Conselho Real em Durnovária. Argante presidia esses encontros, pois Mordred mandara ordens dizendo que sua rainha ocuparia seu lugar no conselho. Nem mesmo Guinevere comparecera às reuniões do conselho, mas Mordred insistiu, de modo que Argante convocava o conselho e tinha o bispo Sansum como principal aliado. Sansum possuía aposentos no palácio e vivia sussurrando no ouvido de Argante, enquanto Fergal, seu druida, sussurrava no outro. Sansum proclamava o ódio a todos os pagãos, mas quando viu que não teria poder enquanto não o compartilhasse com Fergal, seu ódio se dissolveu numa aliança sinistra. Morgana, mulher de Sansum, voltara a Ynys Wydryn depois da batalha do Mynydd Baddon, mas Sansum ficou em Durnovária, preferindo as confidências da rainha à companhia da esposa.

Argante gostava de exercer o poder real. Não creio que ela tivesse grande amor por Mordred, mas possuía uma paixão pelo dinheiro, e ficando na Dumnonia garantia que a maior parte dos impostos do país passasse por suas mãos. Ela fazia pouca coisa com a riqueza. Não construía como Artur e Guinevere tinham construído, não se importava em restaurar pontes ou fortalezas, apenas vendia o imposto recolhido, quer fosse em sal, grãos ou peles, em troca de ouro. Mandava parte do ouro para o marido, que vivia exigindo mais dinheiro para seu bando de guerreiros, porém a maior parte ela empilhava nos depósitos do palácio até que as pessoas de Durnovária passaram a achar que sua cidade era construída sobre um alicerce de ouro. Há muito tempo Argante tinha recuperado o tesouro que eu havia escondido ao lado do Caminho Fosse, e a este acrescentou cada vez mais, sendo encorajada no acúmulo pelo bispo Sansum, que além de ser bispo de toda a Dumnonia fora nomeado conselheiro-chefe e tesoureiro real. Eu não duvidava de que ele estivesse usando este último cargo para desfalcar o tesouro em proveito próprio. Acusei-o disso um dia e ele imediatamente adotou uma expressão ferida.

— Não me importo com ouro, senhor — disse piedosamente. — Nosso Senhor não exigiu que não juntássemos tesouros na terra, e sim no céu?

Fiz uma careta.

— Ele poderia exigir o que quisesse, mas mesmo assim você venderia a alma em troca de ouro, bispo, venderia mesmo, porque seria uma boa barganha.

Ele me lançou um olhar cheio de suspeitas.

— Uma boa barganha? Por quê?

— Porque você estaria trocando imundície por dinheiro, claro.

Eu não podia fingir que gostava de Sansum, nem ele que gostava de mim. O lorde camundongo vivia me acusando de diminuir os impostos dos homens em troca de favores e, como prova da acusação, citou o fato de que a cada ano uma quantia menor de dinheiro entrava no tesouro, mas essa queda não era culpa minha. Sansum havia persuadido Mordred a assinar um decreto que excluía todos os cristãos de ser tributados e ouso dizer que a igreja nunca encontrou um melhor modo de converter, mas Mordred rescindiu a lei assim que percebeu quantas almas estava salvando e que pequena quantidade de ouro estava ganhando; mas então Sansum convenceu o rei de que a igreja, e somente a igreja, deveria ser responsável por recolher impostos dos cristãos. Isso aumentou o ganho durante um ano, mas no outono seguinte os cristãos descobriram que saía mais barato subornar Sansum do que pagar ao rei. Então Sansum propôs dobrar os impostos de todos os pagãos, mas Argante e Fergal impediram tal medida. Em vez disso, Argante sugeriu que todos os impostos dos saxões deveriam ser dobrados, mas Sagramor se recusou a coletar o aumento, dizendo que isso só provocaria a rebelião nas partes de Lloegyr que tínhamos colonizado. Não era de espantar que eu odiasse comparecer às reuniões do conselho, e depois de um ou dois anos daquelas lutas inúteis abandonei as reuniões totalmente. Issa continuou coletando impostos, mas só os homens honestos pagavam, e parecia haver menos homens honestos a cada ano, por isso Mordred vivia reclamando de estar sem um tostão enquanto Argante e Sansum enriqueciam.

Argante ficou rica, mas continuou sem filhos. Algumas vezes visitava Broceliande e, muito de vez em quando, Mordred voltava à Dumnonia, mas a barriga de Argante nunca inchava depois dessas visitas. Ela rezava, fazia sacrifícios e visitava fontes sagradas na tentativa de ter um filho, mas continuou estéril. Lembro-me do fedor nas reuniões do conselho, quando ela usava uma cinta suja com as fezes de uma criança recém-nascida, supostamente um remédio seguro para a esterilidade, mas isso não funcionava melhor do que as infusões de briônia e mandrágora que ela bebia diariamente. Por fim, Sansum a convenceu de que somente o cristianismo poderia operar o milagre e assim, dois anos depois de Mordred ter ido pela primeira vez para Broceliande, Argante expulsou o druida Fergal do palácio e foi publicamente batizada no rio Fraw, que passa em volta do limite norte de Durnovária. Durante seis meses compareceu aos cultos diários na imensa igreja que Sansum construíra no centro da cidade, mas no fim dos seis meses sua barriga estava tão lisa como antes de ter entrado no rio. Por isso Fergal foi reconvocado ao palácio e trouxe consigo novas infusões de bosta de morcego e sangue de fuinha, que supostamente tornariam Argante fértil.

Nessa época Gwydre e Morwenna estavam casados e tinham produzido o primeiro filho. Essa criança era um menino conhecido como Artur-bach, ou Artur, o Pequeno. O menino foi batizado pelo bispo Emrys e Argante viu na cerimônia uma provocação. Ela sabia que nem Artur nem Guinevere tinham grande amor pelo cristianismo e que, ao batizar o neto, estavam meramente atraindo favores dos cristãos da Dumnonia, cujo apoio seria necessário caso Gwydre fosse tomar o trono. Além disso, a simples existência de Artur-bach era uma censura a Mordred. Um rei deve ser fecundo, era o dever dele, e Mordred estava falhando em cumprir esse dever. Não importava que ele tivesse gerado bastardos por toda a Dumnonia e toda a Armórica. Não estava gerando um herdeiro em Argante e a rainha falava de modo sombrio sobre seu pé aleijado, lembrava-se das profecias malignas do nascimento dele e olhava azedamente para a Silúria, onde sua rival, minha filha, estava se mostrando capaz de gerar novos príncipes. A rainha ficou mais desesperada, chegando mesmo a usar o tesouro para pagar em ouro qualquer charlatão que lhe prometesse um útero inchado, mas nem todas as feiticeiras da Britânia poderiam ajudá-la a conceber e, se os boatos eram verdadeiros, nem mesmo metade dos lanceiros de seu palácio podiam fazer isso. E o tempo todo Gwydre esperava na Silúria e Argante sabia que, se Mordred morresse, Gwydre reinaria na Dumnonia a não ser que ela produzisse um herdeiro.

Fiz o máximo para preservar a paz da Dumnonia naqueles primeiros anos do reinado de Mordred e, durante um tempo, meus esforços foram auxiliados pela ausência do rei. Eu nomeava magistrados e assim me certificava da continuação da justiça de Artur. Artur sempre tinha amado as boas leis, afirmando que elas uniam um país como as tábuas de salgueiro de um escudo são unidas pela cobertura de couro, e passei por problemas imensos para nomear magistrados em cuja imparcialidade pudesse confiar. Na maior parte eram donos de terras, mercadores e padres, e quase todos suficientemente ricos para resistir aos efeitos corrosivos do ouro. Se os homens puderem comprar a lei, Artur sempre dissera, a lei se torna inútil. Os seus magistrados eram famosos pela honestidade, mas não demorou muito para que o povo da Dumnonia descobrisse que poderia passar por cima dos magistrados. Pagando dinheiro a Sansum ou Argante, eles garantiam que Mordred escreveria da Armórica ordenando a mudança de uma decisão, e assim, ano após ano, eu me vi lutando contra um crescente mar de pequenas injustiças. Os magistrados honestos se demitiram, para não ter suas decisões constantemente revertidas, enquanto homens que poderiam ter submetido seus problemas aos tribunais preferiam resolvê-los com lanças. Essa erosão da lei foi um processo lento, mas não pude impedi-la. Eu deveria ser um freio para os caprichos de Mordred, mas Argante e Sansum eram esporas gêmeas, e as esporas estavam suplantando o freio.

Mas, no todo, aquele foi um tempo feliz. Poucas pessoas viviam até os quarenta anos, entretanto Ceinwyn e eu vivemos, e ambos recebemos boa saúde dos Deuses. O casamento de Morwenna nos trouxe alegria, e o nascimento de Artur-bach ainda mais. Um ano depois nossa filha Seren se casou com Ederyn, o *edling* de Elmet. Era um casamento dinástico, porque Seren era prima em primeiro grau de Perddel, rei de Powys, e o casamento não foi contratado por amor, e sim para reforçar a aliança entre Elmet e Powys, e ainda que Ceinwyn tivesse se oposto ao casamento porque não via evidência de afeto entre Seren e Ederyn, Seren tinha decidido ser rainha, por isso se casou com seu *edling* e se mudou para longe de nós. Pobre Seren, nunca virou rainha, porque morreu dando à luz o primeiro bebê, uma menina que só viveu meio dia a mais do que a mãe. Assim a segunda de minhas três filhas foi para o Outro Mundo.

Choramos por Seren, mas as lágrimas não foram tão amargas quanto as que derramamos na morte de Dian, porque tinha morrido tão cruelmente nova. Mas apenas um mês depois de Seren ter morrido, Morwenna deu à luz uma segunda criança, uma filha a quem ela e Gwydre chamaram de Seren, e aqueles netos eram uma claridade maior na nossa vida. Eles não vinham à Dumnonia, porque ali correriam perigo devido ao ciúme de Argante, mas Ceinwyn e eu íamos frequentemente à Silúria. De fato, nossas visitas se tornaram tão frequentes que Guinevere mantinha aposentos em seu palácio apenas para o nosso uso e, depois de um tempo, passávamos mais tempo em Isca do que em Dun Caric. Minha cabeça e a barba estavam ficando grisalhas e eu me contentava em deixar Issa lutar com Argante enquanto eu brincava com meus netos. Construí para minha mãe uma casa no litoral da Silúria, mas ela estava tão louca que não sabia o que estava acontecendo e vivia tentando voltar à sua choça de madeira podre no penhasco acima do mar. Morreu numa das pestes do inverno e, como eu prometera a Aelle, enterrei-a como uma saxã, com os pés virados para o norte.

A Dumnonia entrou em decadência e havia pouco que eu pudesse fazer para impedir, pois Mordred tinha poder suficiente para passar por cima de mim, mas Issa preservou o pouco de ordem e justiça que podia, enquanto Ceinwyn e eu passávamos cada vez mais tempo na Silúria. Que doces lembranças tenho de Isca! Lembranças de dias ensolarados com Taliesin cantando acalantos e Guinevere zombando gentilmente de minha felicidade enquanto eu puxava Artur-bach e Seren em cima de um escudo emborcado sobre a grama. Artur participava dos jogos, porque sempre adorou crianças, e algumas vezes Galahad estava lá. Tinha se juntado a Artur e Guinevere em seu exílio confortável.

Galahad ainda não havia se casado, mas agora tinha um filho. Era seu sobrinho, o príncipe Peredur, filho de Lancelot, que fora encontrado vagueando em lágrimas entre os mortos do Mynydd Baddon. À medida que crescia, Peredur ficou cada vez mais parecido com o pai; tinha a mesma pele morena, o mesmo rosto magro e bonito e o mesmo cabelo preto, mas no caráter ele era Galahad, e não Lancelot. Era um garoto inteligente e sério, e ansioso para ser um bom cristão. Não sei o quanto sabia da história de seu pai, mas Peredur vivia nervoso com Artur e Guinevere e eles, acho, o consideravam inquietante. Não era culpa do garoto, e sim porque seu rosto os fazia lembrar do que todos teríamos preferido esquecer. Ambos sentiram-se gratos quando, aos doze anos, Peredur foi mandado para a corte de Meurig em Gwent, para aprender as habilidades de guerreiro. Era um bom garoto, mas com sua partida foi como se uma sombra tivesse saído de Isca. Anos depois, muito depois de a história de Artur terminar, passei a conhecer bem Peredur, e a valorizá-lo mais do que à maioria dos homens.

Peredur podia inquietar Artur, mas havia poucas outras sombras perturbando-o. Nestes dias sombrios, quando as pessoas pensam no passado e se lembram do que perderam quando Artur se foi, geralmente elas falam da Dumnonia, mas outras pessoas também lamentam pela Silúria, porque naqueles anos ele deu ao reino subestimado um tempo de paz e justiça. Ainda havia doença, ainda havia pobreza, e os homens não deixavam de se embebedar e matar uns aos outros só porque Artur governava, mas as viúvas sabiam que seus tribunais dariam compensação e os famintos sabiam que seus silos tinham comida para durar todo o inverno. Nenhum inimigo atacava a fronteira da Silúria, e ainda que a religião cristã se espalhasse rapidamente pelos vales, Artur não deixava os padres violarem os templos pagãos nem permitia que os pagãos atacassem as igrejas cristãs. Naqueles anos ele transformou a Silúria no que sonhava que poderia fazer em toda a Britânia: um porto seguro. As crianças não eram escravizadas, as colheitas não eram queimadas e os guerreiros não destruíam lares.

Mas para além dos limites do porto seguro coisas sombrias espreitavam. A ausência de Merlin era uma delas. Anos após ano se passava e ainda não havia notícias, e depois de um tempo o povo presumiu que o druida teria morrido, porque ninguém, nem mesmo Merlin, poderia viver tanto. Meurig era um vizinho incômodo e irritadiço, sempre exigindo impostos maiores ou a expulsão dos druidas que viviam nos vales da Silúria, ainda que Tewdric, seu pai, fosse uma influência moderadora quando podia ser arrancado da vida de privação autoimposta. Powys continuava fraco e a Dumnonia ficava cada vez mais sem leis, ainda que fosse poupada do pior de Mordred devido à ausência dele. Parecia que apenas na Silúria havia felicidade, e Ceinwyn e eu começamos a achar que passaríamos o resto de nossos dias em Isca. Tínhamos riqueza, tínhamos amigos, tínhamos uma família e éramos felizes.

Resumindo, éramos complacentes, e o destino sempre foi inimigo da complacência, e o destino, como Merlin sempre me disse, é inexorável.

Eu estava caçando com Guinevere nos morros ao norte de Isca quando ouvi falar pela primeira vez da calamidade de Mordred. Era inverno, as árvores estavam despidas e os valiosos cães veadeiros de Guinevere tinham acabado de derrubar um grande cervo vermelho quando um mensageiro da Dumnonia me encontrou. O sujeito me entregou uma carta, depois ficou olhando arregalado enquanto Guinevere passava entre os cães rosnantes para tirar o animal do sofrimento com um golpe misericordioso de sua lança curta. Seus caçadores afastaram os cães a chicotadas, depois pegaram as facas para estripar o cervo. Abri o pergaminho, li a breve mensagem e depois olhei para o mensageiro.

— Você mostrou isso a Artur?

— Não, senhor. A carta era endereçada ao senhor.

— Então leve para ele agora — falei, entregando-lhe o pedaço de pergaminho.

Guinevere, alegremente suja de sangue, parou com a carnificina.

— Você está com cara de quem recebeu má notícia, Derfel.

— Pelo contrário, a notícia é boa. Mordred foi ferido.

— Que bom! Está mal, não é?

— Parece. Um golpe de machado na perna.

— Pena que não foi no coração. Onde ele está?

— Ainda na Armórica.

A mensagem fora ditada por Sansum e dizia que Mordred tinha sido surpreendido e derrotado por um exército liderado por Clóvis, Grande Rei dos Francos, e que na batalha o nosso rei foi muito ferido na perna. Havia escapado, e agora estava sitiado por Clóvis numa das antigas fortalezas num morro da velha Benoic. Deduzi que Mordred devia estar passando o inverno no território que tinha conquistado dos francos — e que sem dúvida desejava transformar num segundo reino do outro lado do mar, mas Clóvis levara seu exército franco para o oeste, numa campanha-surpresa durante o inverno. Mordred fora derrotado e, mesmo ainda estando vivo, estava encurralado.

— A notícia é digna de confiança? — perguntou Guinevere.

— Bastante. O rei Budic mandou um mensageiro a Argante.

— Bom! Bom! Esperemos que os francos o matem. — Ela voltou até a pilha de entranhas que soltavam vapor, para pegar um pedaço para seus cães amados. — Eles vão matá-lo, não vão?

— Os francos não são conhecidos pela misericórdia.

— Espero que dancem sobre os ossos dele. Chamando-se de segundo Uther!

— Ele lutou bem durante um tempo, senhora.

— Não é lutar bem que importa, Derfel, é se você vence ou não a última batalha. — Ela jogou pedaços das entranhas do cervo para os cães, enxugou a lâmina da faca na túnica e depois a enfiou de novo na bainha. — Então o que Argante quer de você? Um resgate?

Argante estava exigindo exatamente isso, e Sansum também, por isso ele me escrevera. Sua mensagem ordenava que eu marchasse com todos os meus homens para o litoral sul, encontrasse navios e fosse libertar Mordred. Contei isso a Guinevere e ela me lançou um olhar zombeteiro.

— E você vai me dizer que seu juramento àquele desgraçadozinho vai forçá-lo a obedecer?

— Não tenho juramento com Argante, e certamente não com Sansum.

O lorde camundongo poderia me ordenar o quanto quisesse, mas eu não precisava obedecer e não tinha desejo de resgatar Mordred. Além disso, duvidava de que meu exército pudesse ser mandado para a Armórica no inverno e, mesmo que meus lanceiros sobrevivessem à difícil travessia, eles seriam muito poucos para sobreviver aos francos. A única ajuda que Mordred poderia esperar seria do velho rei Budic de Broceliande, que era casado com a irmã mais velha de Artur, Anna, mas ainda que Budic pudesse ficar feliz em ter Mordred matando francos na terra que tinha sido de Benoic, ele não teria vontade de atrair a atenção de Clóvis mandando lanceiros resgatar Mordred, que, pensei, estava condenado. Se o ferimento não o matasse, Clóvis o faria.

Pelo resto daquele inverno Argante me incomodou com mensagens exigindo que eu levasse meus homens para o outro lado do mar, mas fiquei na Silúria e a ignorei. Issa recebeu a mesma exigência, mas recusou-se peremptoriamente a obedecer, enquanto Sagramor simplesmente jogava no fogo as mensagens de Argante. Vendo o poder lhe escapar junto com a vida do marido, ela ficou mais desesperada e ofereceu ouro aos lanceiros que fossem para a Armórica. Ainda que muitos aceitassem o ouro, preferiram navegar para o oeste até Kernow ou correr para o norte, entrando em Gwent, em vez de ir para o sul, onde o feroz exército de Clóvis aguardava. E à medida que Argante se desesperava, nossas esperanças cresciam. Mordred estava encurralado e doente, e cedo ou tarde chegaria a notícia de sua morte, e quando essa notícia chegasse planejávamos ir para a Dumnonia sob a bandeira de Artur, com Gwydre como candidato ao reino. Sagramor viria da fronteira saxã para nos apoiar, e nenhum homem na Dumnonia teria poder para se opor.

Mas outros homens também pensavam no reino da Dumnonia. Fiquei sabendo disso no início da primavera, quando São Tewdric morreu. Artur estava espirrando e tremendo com o último resfriado do inverno e pediu a Galahad para ir aos rituais fúnebres do velho rei em Burrium, a capital de Gwent, que ficava a uma curta viagem de Isca, seguindo rio acima. E Galahad pediu que eu o acompanhasse. Lamentei por Tewdric, que tinha se mostrado um bom amigo para nós, mas não desejava comparecer ao seu funeral para não ter de suportar a monotonia interminável dos rituais cristãos, mas Artur somou seu pedido ao de Galahad.

— Vivemos aqui porque Meurig quer — lembrou-me — e seria bom mostrarmos respeito. Eu iria, se pudesse. — Ele parou para espirrar. — Mas Guinevere diz que seria a morte.

Assim, Galahad e eu fomos no lugar de Artur e, de fato, os serviços fúnebres pareciam jamais terminar. Aconteceram numa grande igreja que parecia um celeiro, que Meurig construíra no ano que marcava o suposto quinto centenário do surgimento do Senhor Jesus Cristo nesta terra pecaminosa, e assim que as orações dentro da igreja terminaram de ser ditas ou cantadas, tivemos de suportar mais orações ainda junto à sepultura de Tewdric. Não houve pira funerária, nem lanceiros cantando, só um buraco frio no chão, um punhado de padres lamurientos e uma corrida pouco digna para voltar à cidade e às tavernas assim que Tewdric foi finalmente enterrado.

Meurig exigiu que Galahad e eu fôssemos jantar com ele. Peredur, sobrinho de Galahad, juntou-se a nós, bem como o bispo de Burrium, um sujeito sombrio chamado Lladarn, que fora responsável pelas mais tediosas orações do dia. E ele começou o jantar com outra oração comprida, depois da qual fez uma indagação séria sobre o estado da minha alma e ficou chateado quando garanti que ela estava segura na posse de Mitra. Essa resposta normalmente teria irritado Meurig, mas ele estava distraído demais para notar a provocação. Eu sabia que ele não estava indevidamente perturbado pela morte do pai, porque Meurig ainda se ressentia por Tewdric ter tomado o poder de volta na época da batalha do Mynydd Baddon, mas pelo menos fingia estar perturbado e nos incomodava com elogios falsos sobre a santidade e a sagacidade do pai. Exprimi a esperança de que a morte de Tewdric tivesse sido misericordiosa, e Meurig explicou que o pai tinha morrido de fome na tentativa de imitar os anjos.

— No final não restava nada nele — explicou o bispo Lladarn. — Só pele e osso, pele e osso! Mas os monges dizem que a pele estava cheia de uma luz celestial, Deus seja louvado!

— E agora o santo está à mão direita de Deus — disse Meurig, fazendo o sinal da cruz —, onde um dia estarei com ele. Experimente uma ostra, lorde. — Ele empurrou um prato de prata na minha direção, depois serviu-se de vinho. Era um rapaz pálido com olhos protuberantes, barba fina e um jeito pedante que irritava. Como seu pai, ele macaqueava os costumes romanos. Usava uma trança de bronze em volta dos cabelos ralos, vestia uma toga e comia deitado num sofá. Os sofás eram profundamente desconfortáveis. Ele havia se casado com uma princesa de Rheged, triste e parecida com um boi, que chegara pagã a Gwent, produziu gêmeos do sexo masculino e depois teve o cristianismo enfiado a chicote em sua alma teimosa. Ela apareceu por alguns instantes na sala de jantar mal-iluminada, olhou-nos, não disse nem comeu nada, depois desapareceu tão misteriosamente quanto havia chegado.

— Vocês têm alguma notícia de Mordred? — perguntou Meurig depois da breve visita da esposa.

— Não ouvimos nada de novo, senhor rei — disse Galahad. — Ele está encurralado por Clóvis, mas não sabemos se vive ou não.

— Tenho notícias — disse Meurig, satisfeito em sabê-las antes de nós. — Ontem chegou um mercador com notícias de Broceliande, e ele nos diz que Mordred se encontra à beira da morte. O ferimento está infeccionando. — O rei palitou os dentes com uma lasca de marfim. — Deve ser o julgamento de Deus, príncipe Galahad, o julgamento de Deus.

— Que Seu nome seja louvado — interveio o bispo Lladarn. A barba cinzenta do bispo era tão comprida que desaparecia sob o sofá. Ele a usava como toalha, enxugando a gordura das mãos em seus fios compridos e cheios de sujeira grudada.

— Já ouvimos esses boatos antes, senhor rei — falei.

Meurig deu de ombros.

— O mercador parecia muito seguro — disse, depois deixou uma ostra escorregar pela garganta. — Então, se Mordred ainda não está morto, provavelmente estará logo, e sem deixar um filho!

— Certo — disse Galahad.

— E Perddel de Powys também não tem filhos — prosseguiu Meurig.

— Perddel não se casou, senhor rei — disse eu.

— Mas ele pretende se casar?

— Fala-se que ele vai se casar com uma princesa de Kernow — comentei — e alguns dos reis irlandeses ofereceram filhas, mas a mãe quer que ele espere um ou dois anos.

— Ele é dominado pela mãe, não é? Não é de espantar que seja fraco — disse Meurig em sua voz petulante e aguda. — Fraco. Ouvi dizer que os morros no oeste de Powys estão cheios de renegados.

— Ouvi o mesmo, senhor rei — disse eu. Desde a morte de Cuneglas as montanhas junto ao mar da Irlanda tinham sido assombradas por homens sem senhores, e a campanha de Artur em Powys, Gwynedd e Lleyn só fizera o número deles aumentar. Alguns desses refugiados eram lanceiros dos Escudos Sangrentos de Diwrnach e, unidos aos insatisfeitos de Powys, podiam se mostrar uma nova ameaça ao trono de Perddel, mas até agora tinham sido pouco mais do que um incômodo. Atacavam para tomar gado e grãos, roubavam crianças como escravas, depois voltavam para seus redutos nos morros para evitar retaliação.

— E Artur? — perguntou Meurig. — Como vocês o deixaram?

— Não estava bem, senhor rei — disse Galahad. — Ele gostaria de estar aqui, mas infelizmente teve uma febre de inverno.

— Não foi séria? — perguntou Meurig com uma expressão sugerindo que ele esperava que o resfriado de Artur fosse fatal. — Não esperamos isso, claro — acrescentou às pressas —, mas ele é velho e os velhos sucumbem a coisas pequenas que um homem mais jovem descartaria facilmente.

— Não acho Artur velho — repliquei.

— Ele deve ter quase cinquenta! — observou Meurig, indignado.

— Ainda faltam um ou dois anos.

— Mas é velho — insistiu Meurig. — Velho. — Ele ficou quieto e olhei a câmara do palácio em volta, iluminada por pavios acesos flutuando em pratos de bronze cheios de óleo. Além dos cinco sofás e da mesa baixa não havia mais móveis, e a única decoração era uma escultura de Cristo na cruz, pendurada no alto de uma parede. O bispo devorava uma costela de porco, Peredur estava sentado em silêncio, enquanto Galahad olhava o rei com um ar de leve diversão. Meurig palitou os dentes de novo, depois me apontou a lasca de marfim. — O que acontece se Mordred morrer? — Ele piscou rapidamente, algo que sempre fazia quando estava nervoso.

— Um novo rei precisará ser encontrado, senhor rei — falei em tom casual, como se a pergunta não fosse importante para mim.

— Isso eu sabia — disse ele com azedume. — Mas quem?

— Os lordes da Dumnonia decidirão — falei, evasivo.

— E escolherão Gwydre? — Ele piscou de novo enquanto me desafiava. — Foi o que ouvi dizer, que eles escolherão Gwydre! Estou certo?

Não falei nada e finalmente Galahad respondeu ao rei.

— Gwydre certamente tem direito a reivindicar, senhor rei — disse ele cautelosamente.

— Ele não tem direito nenhum! Nenhum! — guinchou Meurig, furioso. — O pai dele é um bastardo, será que preciso lembrar a vocês?

— Assim como eu, senhor rei — intervim.

Meurig ignorou isso.

— "Um bastardo não deve entrar na congregação do Senhor!" — insistiu ele. — Está escrito assim nas escrituras, não é, bispo?

— "Até a décima geração o bastardo não deve entrar na congregação do Senhor" — entoou Lladarn, depois fez o sinal da cruz. — Louvado seja Ele por Sua sabedoria e orientação, senhor rei.

— Pronto! — disse Meurig, como se toda a sua argumentação tivesse sido provada.

Sorri.

— Senhor rei — observei gentilmente —, se fôssemos negar o direito de reinar aos descendentes dos bastardos, não teríamos reis.

Ele me olhou com olhos pálidos e arregalados, tentando determinar se eu insultara sua linhagem, mas devia ter decidido não iniciar uma discussão.

— Gwydre é jovem — disse em vez disso —, e não é filho de um rei. Os saxões estão ficando mais fortes e Powys é malgovernado. A Britânia carece de líderes, lorde Derfel, carece de reis fortes!

— Cantamos hosanas diariamente porque o nosso mostra o contrário, senhor rei — disse Lladarn melosamente.

Achei que o elogio do bispo não passava de uma réplica educada, do tipo de frase sem sentido que os cortesãos vivem falando para os reis, mas Meurig a recebeu como a verdade do evangelho.

— Exatamente! — disse o rei com entusiasmo, depois me fitou com os olhos arregalados como se esperasse que eu ecoasse o sentimento do bispo.

— Quem o senhor gostaria de ver no trono da Dumnonia, senhor rei? — perguntei em vez disso.

Sua piscadela súbita e rápida mostrou que ele ficou incomodado com a pergunta. A resposta era óbvia: Meurig queria o trono para si próprio. Ele já havia feito uma tentativa de ganhá-lo antes da batalha do Mynydd Baddon, e sua insistência em que o exército de Gwent não ajudaria Artur a não ser que Artur renunciasse ao poder fora um esforço hábil para enfraquecer o trono da Dumnonia, na esperança de que um dia ele ficasse vago, mas agora, finalmente, ele via a oportunidade, entretanto não ousava anunciar a própria candidatura abertamente, enquanto notícias definitivas da morte de Mordred não chegassem à Britânia. Em vez disso falou:

— Apoiarei o candidato que se mostrar um discípulo de Nosso Senhor Jesus Cristo. — Ele fez o sinal da cruz. — Não posso fazer outra coisa, porque sirvo ao Deus Todo-poderoso.

— Que Ele seja louvado! — disse o bispo apressadamente.

— E tenho boas informações, lorde Derfel — prosseguiu Meurig enfaticamente —, de que os cristãos da Dumnonia exigirão um bom governante cristão! Exigirão!

— E quem o informa sobre essa exigência, senhor rei? — perguntei numa voz tão ácida que o pobre Peredur ficou alarmado. Meurig não respondeu, mas eu não esperava resposta. Por isso eu mesmo respondi. — O bispo Sansum? — sugeri e vi pela expressão indignada de Meurig que estava certo.

— Por que você acha que Sansum tem algo a dizer sobre isso? — perguntou Meurig, com o rosto vermelho.

— Sansum vem de Gwent, não é, senhor rei? — E Meurig ruborizou-se ainda mais, tornando óbvio que Sansum realmente estava tramando para colocar Meurig no trono da Dumnonia, e Meurig com certeza recompensaria Sansum com mais poder ainda. — Mas não creio que os cristãos da Dumnonia precisem de sua proteção, senhor rei. Nem da de Sansum. Gwydre, como o pai, é amigo de sua fé.

— Amigo! Artur, amigo de Cristo! — disse rispidamente o bispo Lladarn. — Existem templos pagãos na Silúria, animais são sacrificados aos Deuses antigos, mulheres dançam nuas sob a lua, crianças são postas na fogueira, druidas arengam! — O cuspe voava da boca do bispo enquanto ele fazia a lista de iniquidades.

— Sem as bênçãos do domínio de Cristo — Meurig se inclinou para mim — não pode haver paz.

— Não pode haver paz, senhor rei — falei diretamente —, enquanto dois homens quiserem o mesmo reino. O que o senhor quer que eu diga ao meu genro?

De novo Meurig ficou incomodado com meus modos diretos. Ele remexeu uma concha de ostra enquanto pensava na resposta, depois deu de ombros.

— Você pode garantir a Gwydre que ele terá terra, honra, posto e minha proteção — falou, piscando rapidamente —, mas não admitirei vê-lo rei da

Dumnonia. — Meurig chegou a ruborizar-se ao dizer as últimas palavras. Era um homem inteligente, mas covarde no coração, e deve ter sido necessário um grande esforço para se expressar de modo tão direto.

Talvez ele temesse minha raiva, mas dei uma resposta cortês.

— Direi, senhor rei. — Mas na verdade a mensagem não era para Gwydre, e sim para Artur. Meurig não estava somente declarando seu empenho em governar a Dumnonia, mas alertando Artur de que o formidável exército de Gwent iria se opor à candidatura de Gwydre.

O bispo Lladarn se inclinou para Meurig e falou num sussurro ansioso. Usou latim, confiante em que nem Galahad nem eu iríamos entendê-lo, mas Galahad falava a língua e entreouviu o que era dito, e acusou Lladarn em britânico.

— O senhor está planejando manter Artur encurralado dentro da Silúria?

Lladarn ficou vermelho. Além de ser bispo de Burrium, era o principal conselheiro do rei e, portanto, um homem poderoso.

— Meu rei — disse ele curvando a cabeça na direção de Meurig —, não pode permitir que Artur movimente lanceiros pelo território de Gwent.

— Isso é verdade, senhor rei? — perguntou Galahad educadamente.

— Sou um homem de paz — disse Meurig bruscamente. — E um modo de garantir a paz é manter os lanceiros em casa.

Não falei nada, temendo que minha raiva só me fizesse dizer alguma coisa que pioraria tudo. Se Meurig insistisse em que não poderíamos movimentar lanceiros por suas estradas ele teria sucesso em dividir as forças que apoiariam Gwydre. Isso significava que Artur não poderia marchar para se juntar a Sagramor, e que Sagramor não poderia se juntar a Artur, e que se Meurig pudesse manter as forças deles divididas, provavelmente seria o próximo rei da Dumnonia.

— Mas Meurig não lutará — disse Galahad cheio de escárnio enquanto cavalgávamos junto ao rio em direção a Isca no dia seguinte. Os salgueiros estavam turvos com as primeiras sugestões de folhas de primavera, mas o dia era uma lembrança do inverno com vento frio e névoas pairando.

— Ele lutaria se o preço fosse suficientemente grande. — E o preço era gigantesco, porque se Meurig governasse Gwent e Dumnonia, controlaria a parte mais rica da Britânia. — Isso dependerá de quantas lanças se opuserem.

— As suas, as de Issa, as de Artur, as de Sagramor — disse Galahad.

— Uns quinhentos homens? — perguntei. — E Sagramor está muito longe, e Artur teria de atravessar o território de Gwent para chegar à Dumnonia. E quantos homens Meurig comanda? Mil?

— Ele não vai se arriscar numa guerra — insistiu Galahad. — Meurig quer o prêmio, mas sente pavor do risco.

Ele havia parado o cavalo para olhar um homem pescando num barquinho no centro do rio. O pescador lançou a rede com uma habilidade descuidada e, enquanto Galahad admirava a destreza do pescador, eu estava avaliando cada lançamento como um presságio. Se esse lançamento render um salmão, falava a mim mesmo, Mordred morrerá. O lançamento trouxe um grande peixe lutando, e então pensei que o augúrio era um absurdo, porque todos vamos morrer, por isso disse a mim mesmo que o próximo lançamento deveria trazer um peixe se Mordred devesse morrer antes de Beltain. A rede veio vazia e toquei o ferro no punho de Hywelbane. O pescador nos vendeu parte do que tinha apanhado, enfiamos os salmões nas bolsas das selas e continuamos. Orei a Mitra para que meu presságio idiota estivesse errado, depois rezei para que Galahad estivesse certo e para que Meurig jamais ousasse comprometer suas tropas. Mas pela Dumnonia? Pela rica Dumnonia? Isso valia um risco, mesmo para um homem cauteloso como Meurig.

Os reis fracos são uma maldição na terra, mas nossos juramentos são feitos aos reis, e se não tivéssemos juramentos não teríamos leis, e se não tivéssemos leis teríamos a simples anarquia, e assim devíamos nos amarrar à lei e manter a lei através de juramentos, e se um homem pudesse mudar os reis à vontade poderia abandonar os juramentos ao rei inconveniente, portanto precisamos de reis porque precisamos de uma lei imutável. Tudo isso é verdade, mas enquanto Galahad e eu íamos para casa em meio à névoa do inverno eu poderia ter chorado, porque o único homem que deveria ser rei não seria, e porque os que nunca deveriam ser eram.

Encontramos Artur em sua oficina de ferreiro. Ele próprio tinha construído a oficina, feito uma fornalha coberta usando tijolos romanos, depois comprou uma bigorna e um jogo de ferramentas. Sempre havia declarado que queria ser ferreiro, mas, como observava Guinevere frequentemente, querer não era o mesmo que ser. Mas Artur tentava, e como tentava! Empregava um ferreiro de verdade, um homem magro e taciturno chamado Morridig, cuja tarefa era ensinar-lhe a profissão, mas Morridig há muito perdera a esperança de ensinar a Artur algo além de entusiasmo. Mesmo assim todos possuíamos coisas feitas por ele: candelabros de ferro com hastes tortas, panelas esquisitas e com cabos mal-ajustados ou atiçadores que se curvavam nas chamas. Mas o trabalho de ferreiro o deixava feliz e ele passava horas ao lado da fornalha sibilante, sempre com a certeza de que um pouquinho mais de prática iria torná-lo tão tranquilamente hábil quanto Morridig.

Ele estava sozinho na oficina quando Galahad e eu voltamos de Burrium. Grunhiu um cumprimento distraído, depois continuou martelando um pedaço informe de ferro que, segundo ele, era uma ferradura para um de seus cavalos. Relutantemente largou a marreta quando lhe presenteamos um dos salmões que tínhamos comprado, depois interrompeu as novidades dizendo que já ouvira dizer que Mordred estava à beira da morte.

— Ontem chegou um bardo da Armórica contando que a perna do rei está apodrecendo no quadril — disse ele. — O bardo falou que ele está fedendo como um sapo morto.

— Como é que o bardo sabe? — perguntei, porque achava que Mordred estava cercado e separado dos outros britânicos na Armórica.

— Ele diz que é de conhecimento comum em Broceliande — disse Artur e depois acrescentou feliz que esperava que o trono da Dumnonia estivesse vago em questão de dias. Mas estragamos sua alegria contando a recusa de Meurig em deixar que qualquer de seus lanceiros atravessasse as terras de Gwent, e aumentamos sua tristeza acrescentando minhas suspeitas sobre Sansum. Pensei por um segundo que Artur ia xingar, algo que fazia raramente, mas ele controlou o impulso, e em vez disso afastou o salmão da fornalha. — Não quero que cozinhe — falou. — Então Meurig fechou todas as estradas para nós?

— Ele diz que quer a paz, senhor — expliquei.

Artur deu um riso azedo.

— Ele quer se provar, é isso. Seu pai está morto e ele está ansioso para mostrar que é um homem melhor do que Tewdric. O melhor modo é se tornar herói na batalha, e o segundo melhor modo é roubar um reino sem batalha. — Artur deu um espirro violento, depois balançou a cabeça, com raiva. — Odeio ficar resfriado.

— O senhor deveria estar descansando — sugeri. — E não trabalhando.

— Isto não é trabalho, é prazer.

— O senhor deveria tomar unha-de-cavalo com hidromel — disse Galahad.

— Não bebo outra coisa há uma semana. Só duas coisas curam os resfriados: a morte ou o tempo. — Ele pegou a marreta e deu um golpe ressoante no pedaço de ferro que ia esfriando, depois apertou os foles de couro que jogavam ar na fornalha. O inverno tinha terminado, mas apesar da insistência de Artur de que o tempo era sempre bom em Isca, o dia estava gélido. — O que o seu lorde camundongo está tramando? — perguntou-me enquanto bombeava o fole até que a fornalha estivesse incandescente.

— Ele não é o meu lorde camundongo.

— Mas ele está tramando, não está? Quer ter candidato próprio ao trono.

— Mas Meurig não tem direito ao trono! — protestou Galahad.

— Nenhum — concordou Artur —, mas ele tem um monte de lanças. E teria metade da reivindicação caso se casasse com a viúva Argante.

— Ele não pode se casar com ela — disse Galahad. — Ele já é casado.

— Um cogumelo venenoso acabaria com uma rainha inconveniente — disse Artur. — Foi assim que Uther se livrou da primeira esposa. Um chapéu-de--sapo no meio de um cozido de cogumelos. — Ele pensou por alguns segundos, depois jogou a ferradura no fogo. — Chame Gwydre — pediu a Galahad.

Artur torturou o ferro quente durante um tempo. Uma ferradura era um objeto bastante simples, apenas uma folha de ferro que protegia o casco vulnerável contra as pedras, e só era preciso um arco de ferro que se dobrava na frente do casco e um par de travas atrás, onde as tiras de couro eram presas, mas parecia que Artur não conseguia fazer direito. Seu arco era estreito demais e alto demais, a placa estava torta e as travas altas demais.

— Está quase boa — disse ele depois de martelar aquela coisa durante mais um minuto frenético.

— Boa para quê? — perguntei.

Ele enfiou a ferradura de novo na fornalha e depois tirou o avental chamuscado enquanto Galahad voltava com Gwydre. Artur contou a Gwydre a notícia da morte esperada de Mordred, depois falou da traição de Meurig e terminou com uma pergunta simples:

— Você quer ser rei da Dumnonia, Gwydre?

Gwydre ficou espantado. Ele era um bom homem, mas jovem, muito jovem. E não creio que fosse particularmente ambicioso, ainda que sua mãe fosse ambiciosa por ele. Tinha o rosto de Artur, mas era marcado por uma expressão alerta, como se a toda hora esperasse um golpe sujo do destino. Era magro, mas eu treinava espadas com ele o suficiente para saber que havia uma grande força em seu corpo enganosamente frágil.

— Tenho o direito de reivindicar o trono — respondeu ele reservadamente.

— Porque o seu avô se deitou com minha mãe — disse Artur, irritado. — Esta é a sua reivindicação, Gwydre, nada mais. O que quero saber é se você realmente deseja ser rei.

Gwydre me olhou procurando ajuda, não encontrou, e olhou de novo para o pai.

— Acho que sim, é.

— Por quê?

Gwydre hesitou mais uma vez, e acho que uma quantidade enorme de motivos girou em sua cabeça, mas finalmente ele assumiu um ar desafiador.

— Porque nasci para isso. Sou tão herdeiro de Uther quanto Mordred.

— Você acha que nasceu para isso, hein? — perguntou Artur sarcasticamente. Ele se inclinou e bombeou os foles, fazendo a fornalha rugir e cuspir fagulhas contra a cobertura de tijolos. — Cada homem neste cômodo é filho de um rei, menos você, Gwydre — disse Artur com ferocidade. — E você diz que nasceu para isso?

— Então seja rei o senhor, pai, e nesse caso também serei filho de um rei.

— Bem dito — intervim.

Artur me lançou um olhar furioso, depois pegou um trapo numa pilha ao lado da bigorna e assoou o nariz. Jogou o trapo na fornalha. O resto de nós simplesmente assoava o nariz apertando as narinas entre o indicador e o polegar, mas ele sempre foi meticuloso.

— Aceitemos, Gwydre — disse ele —, que você seja da linhagem de reis. Que é neto de Uther e portanto pode reivindicar o trono da Dumnonia. Eu também posso, por acaso, mas optei por não exercer essa opção. Estou velho demais. Mas por que homens como Derfel e Galahad deveriam lutar para colocá-lo no trono da Dumnonia? Diga.

— Porque serei um bom rei — disse Gwydre, ruborizando-se, e em seguida me olhou. — E Morwenna será uma boa rainha.

— Cada homem que já foi rei disse que queria ser bom — resmungou Artur — e a maioria acabou sendo ruim. Por que você seria diferente?

— Diga-me o senhor, pai.

— Estou perguntando a você!

— Mas se um pai não conhece o caráter do filho — retrucou Gwydre — quem conhecerá?

Artur foi até a porta da oficina, abriu-a e olhou para o pátio do estábulo. Nada se mexia, a não ser a matilha de cães habitual, e ele acabou voltando.

— Você é um homem decente, filho — disse de má vontade —, um homem decente. Tenho orgulho de você, mas você tem pensamentos muito bons sobre o mundo. Existe maldade lá fora, maldade verdadeira, e você não dá crédito a ela.

— O senhor dava quando tinha a minha idade?

Artur admitiu a acuidade da pergunta com um meio sorriso.

— Quando eu tinha a sua idade achava que poderia renovar o mundo. Acreditava que todo esse mundo só necessitava de honestidade e gentileza. Acreditava que se tratamos as pessoas bem, que se lhes damos paz e oferecemos justiça elas responderão com gratidão. Achava que podia dissolver o mal no bem. — Ele fez uma pausa. — Acho que pensava nas pessoas como se elas fossem cães — prosseguiu, pesaroso —, e que se você lhes dá afeto suficiente elas serão dóceis. Mas elas não são cães, Gwydre, são lobos. Um rei precisa administrar mil ambições, e todas elas pertencem a pessoas falsas. Você será lisonjeado. E zombado pelas costas. Os homens jurarão lealdade imortal numa respiração e tramarão sua morte na próxima. E se você sobreviver às tramas, um dia estará com a barba grisalha como eu, olhará para o passado e verá que não realizou nada. Nada. Os bebês que admirou nos braços das mães se tornaram assassinos, a justiça que você impôs estará à venda, as pessoas que protegeu ainda estarão famintas e os inimigos que derrotou ainda ameaçarão suas fronteiras. — Ele tinha ficado cada vez mais irado enquanto falava, mas agora suavizou a raiva com um sorriso. — É isso que você quer?

Gwydre devolveu o olhar do pai. Por um momento pensei que ele fosse hesitar, ou talvez discutir, mas em vez disso deu uma boa resposta.

— O que eu quero, pai, é tratar bem as pessoas, dar-lhes a paz e oferecer a justiça.

Artur sorriu ao ouvir suas próprias palavras devolvidas.

— Então talvez devamos tentar fazê-lo rei, Gwydre. Mas como? — Ele voltou à fornalha. — Não podemos levar lanceiros através de Gwent, Meurig vai impedir. Mas se não tivermos lanceiros não teremos o trono.

— Barcos — disse Gwydre.

— Barcos? — perguntou Artur.

— Deve haver duas vintenas de barcos de pesca em nossa costa, e cada um deles pode levar dez ou doze homens.

— Mas não cavalos — disse Galahad. — Duvido de que possam levar cavalos.

— Então devemos lutar sem cavalos — afirmou Gwydre.

— Talvez nem precisemos lutar — disse Artur. — Se chegarmos à Dumnonia primeiro, e se Sagramor se juntar a nós, acho que o jovem Meurig pode hesitar. E se Oengus Mac Airem mandar um bando de guerreiros para o leste, em direção a Gwent, talvez isso apavore Meurig ainda mais. Provavelmente podemos congelar a alma de Meurig se parecermos suficientemente ameaçadores.

— Por que Oengus iria nos ajudar a lutar contra sua própria filha? — perguntei.

— Porque ele não se importa com ela — disse Artur. — E nós não estamos lutando contra a filha dele, Derfel, estamos lutando contra Sansum. Argante pode ficar na Dumnonia, mas não pode ser rainha, não se Mordred estiver morto. — Ele espirrou de novo. — E acho que você deveria ir logo para a Dumnonia, Derfel.

— Fazer o quê, senhor?

— Farejar o lorde camundongo. Ele está tramando e precisa de um gato para lhe dar uma lição, e você tem garras afiadas. E pode mostrar o estandarte de Gwydre. Não posso ir porque isso provocaria Meurig demais, mas você pode atravessar o Severn sem levantar suspeitas e, quando chegar a notícia da morte de Mordred, você proclamará o nome de Gwydre em Caer Cadarn e se certificará de que Sansum e Argante não possam chegar a Gwent. Ponha os dois sob guarda e diga que é para a proteção deles.

— Vou precisar de homens.

— Leve um barco cheio, e use os homens de Issa — disse Artur, revigorado pela necessidade de tomar decisões. — Sagramor lhe dará soldados, e no momento em que eu souber que Mordred está morto, levarei Gwydre com todos os meus lanceiros. Isto é, se eu ainda estiver vivo — falou, espirrando de novo.

— Estará — disse Galahad sem qualquer simpatia.

— Semana que vem — Artur me fitou com os olhos vermelhos. — Vá na semana que vem, Derfel.

— Sim, senhor.

Ele se curvou para jogar outro punhado de carvões na fornalha.

— Os Deuses sabem que nunca desejei um trono, mas de um modo ou de outro eu consumo a vida lutando por ele. — Artur fungou. — Nós vamos começar a juntar barcos, Derfel, e você reúna lanceiros em Caer Cadarn. Se parecermos suficientemente fortes Meurig pensará duas vezes.

— E se não pensar? — perguntei.

— Então estamos perdidos. Estamos perdidos. A não ser que lutemos uma guerra, e não tenho certeza de que desejo isso.

— O senhor nunca deseja — falei —, mas sempre vence.

— Até agora — disse Artur em voz sombria. — Até agora.

Ele pegou as tenazes para resgatar a ferradura no fogo e fui encontrar um barco para tomar um trono.

NA MANHÃ SEGUINTE, NA maré vazante e com um vento oeste que chicoteava o rio Usk formando ondas curtas e altas, entrei no barco do meu cunhado. Balig era um pescador casado com Linna, minha meia-irmã, e gostou quando descobriu que era parente de um lorde da Dumnonia. Além disso lucrou com o relacionamento inesperado, mas merecia a boa sorte porque era um homem capaz e decente. Agora ordenou que seis de meus lanceiros pegassem os compridos remos do barco e que os outros quatro se agachassem no bojo. Eu tinha apenas uma dúzia de meus lanceiros em Isca, o resto estava com Issa. Mas achei que esses dez homens me levariam em segurança a Dun Caric. Balig me convidou a sentar-me num baú de madeira junto ao remo que servia de leme.

— E vomite por cima da amurada, senhor — acrescentou, alegre.

— Eu não faço isso sempre?

— Não. Da última vez encheu o fundo do barco com o seu desjejum. Um desperdício de comida para peixe. Vamos zarpar, seu sapo comido por vermes! — gritou para sua tripulação, um escravo saxão que fora capturado no Mynydd Baddon, mas que agora tinha uma esposa britânica, dois filhos e uma amizade ruidosa com Balig. — Ele conhece os barcos, isso tenho de admitir — disse Balig sobre o saxão, depois se inclinou para a corda de popa que ainda prendia o barco à margem. Já ia soltar a corda quando um grito soou. Erguemos os olhos e vimos Taliesin correndo em nossa direção, vindo do monte gramado do anfiteatro de Isca. Balig segurou com força a corda que prendia o barco. — Quer que eu espere, senhor?

— Sim — falei, levantando-me. Taliesin chegou mais perto.

— Vou com vocês, esperem! — O bardo carregava apenas uma pequena bolsa de couro e uma harpa dourada. — Esperem! — gritou de novo, depois levantou a bainha do manto branco, tirou os sapatos e vadeou pela lama pegajosa da margem do Usk.

— Não posso esperar a vida toda — resmungou Balig enquanto o bardo lutava na lama funda. — A maré está baixando depressa.

— Um momento, um momento. — Taliesin jogou a harpa, a bolsa e os sapatos a bordo, levantou a bainha ainda mais e entrou na água. Balig estendeu a mão, agarrou a mão do bardo e o puxou sem cerimônia por cima da amurada. Taliesin caiu esparramado no convés, encontrou os sapatos, a bolsa e a harpa, depois torceu a água da bainha do manto. — O senhor não se importa que eu vá? — perguntou-me, com o filete de prata torto no cabelo preto.

— Por que me importaria?

— Não que eu pretenda acompanhá-lo. Só queria passagem para a Dumnonia. — Ele ajeitou o filete de prata, depois franziu a testa para meus lanceiros sorridentes. — Esses homens sabem remar?

— Claro que não — respondeu Balig por mim. — Eles são lanceiros, não servem para nada útil. Façam isso juntos, seus desgraçados! Prontos? Empurrem! Remos para baixo! Puxem! — Ele balançou a cabeça num fingimento de desespero. — É mais fácil ensinar porcos a dançar.

De Isca ao mar aberto eram cerca de quatorze quilômetros, quatorze quilômetros que cobrimos rapidamente porque nosso barco estava sendo levado pela maré vazante e pela corrente do rio. O Usk deslizava entre bancos de lama brilhantes que subiam até campos de terras incultas, bosques despidos e pântanos largos. Nas margens ficavam armadilhas para peixes, feitas de vime, onde garças e gaivotas bicavam os salmões presos pela maré vazante. Aves pernaltas soltavam gritos lamentosos enquanto narcejas voavam e pairavam acima de seus ninhos. Praticamente não precisamos dos remos, porque a maré e a corrente nos levavam rapidamente. Assim que chegamos às águas mais largas onde o rio se derramava no Severn, Balig e seu tripulante levantaram uma vela marrom e puída que pegou o vento de oeste e fez o barco saltar à frente. — Usem esses remos agora — ordenou aos meus homens e em seguida pegou o grande remo usado como leme e se levantou alegre enquanto a pequena embarcação mergulhava a proa alta nas primeiras ondas grandes. — O mar vai estar animado hoje, senhor — gritou alegremente. — Tirem essa água com os baldes! — berrou para os meus lanceiros. — Ela tem de ficar fora do barco, e não dentro. — Balig riu do início de meu sofrimento. — Três horas, senhor, só isso, e já vai chegar em terra.

— O senhor não gosta de barcos? — perguntou Taliesin.

— Odeio.

— Uma oração a Manawydan deve afastar o enjoo — disse ele calmamente. Taliesin tinha levantando uma pilha de redes que estavam perto do meu baú e agora sentava-se sobre elas. Claramente não se perturbava com o movimento brusco do barco, na verdade parecia gostar. — Ontem à noite dormi no anfiteatro. Gosto de fazer isso — prosseguiu ao ver que eu estava sofrendo demais para falar. — Os assentos em degraus servem como uma torre de sonhos.

Olhei-o, com o enjoo meio diminuído pelas últimas duas palavras, porque me fizeram lembrar de Merlin, que um dia possuíra uma torre de sonhos no cume do Tor de Ynys Wydryn. A torre de sonhos de Merlin era uma estrutura oca de madeira que, segundo ele, ampliava as mensagens dos Deuses, e pude entender como o anfiteatro romano de Isca, com as altas fileiras de assentos em volta da arena, podia servir ao mesmo propósito.

— Você estava vendo o futuro? — consegui perguntar.

— Um pouco, mas também encontrei Merlin no sonho ontem à noite.

A menção àquele nome expulsou as últimas revoluções na minha barriga.

— Falou com Merlin?

— Ele falou comigo — corrigiu Taliesin. — Mas não podia me ouvir.

— O que ele disse?

— Mais do que posso lhe contar, senhor, e nada que queira ouvir.

— O quê? — exigi.

Ele segurou o cadaste de popa enquanto o barco mergulhava depois de uma onda alta. A água espirrava da proa e molhava os fardos com nossas armaduras. Taliesin certificou-se de que a harpa estivesse bem-protegida sob seu manto, depois tocou o filete de prata que circulava sua cabeça tonsurada, certificando-se de que continuava no lugar.

— Acho que o senhor viaja com o perigo — falou calmamente.

— Esta é a mensagem de Merlin — perguntei, tocando o ferro do punho de Hywelbane —, ou uma de suas visões?

— É só uma visão. E como lhe disse uma vez, senhor, é melhor ver o presente com clareza do que tentar discernir uma forma nas visões do futuro. — Ele parou, evidentemente pensando com cuidado nas próximas palavras. — Creio que o senhor não recebeu notícias definitivas da morte de Mordred, não é?

— Não.

— Se minha visão estava certa, o seu rei não está morto. Recuperou-se. Posso estar errado, na verdade rezo para estar errado, mas o senhor teve algum presságio?

— Sobre a morte de Mordred?

— Sobre o seu futuro, senhor.

Pensei um segundo. Houvera o pequeno augúrio da rede do pescador de salmões, mas eu o havia atribuído mais às minhas superstições do que aos Deuses. De modo mais preocupante, a pequena ágata azul-esverdeada do anel que Aelle dera a Ceinwyn havia caído, e uma das minhas capas velhas havia sido roubada, e embora os dois acontecimentos pudessem ser vistos como maus presságios, podiam igualmente ser meros acasos. Era difícil dizer, e nenhuma das duas perdas parecia suficientemente portentosa para ser mencionada a Taliesin.

— Nada me preocupou ultimamente — falei.

— Bom — disse ele, balançando com o movimento do barco. Seu cabelo preto e comprido flanava ao vento que esticava a barriga de nossa vela e forçava as bordas puídas. Além disso, o vento fazia borrifar os topos das ondas com cristas brancas e jogava as gotículas dentro do barco, entretanto achei que mais água entrava no barco pelas emendas abertas do que por cima da amurada. Meus lanceiros tiravam-na apressadamente. — Mas acho que Mordred continua vivo — prosseguiu Taliesin, ignorando a atividade frenética no centro do barco — e que a notícia de sua morte iminente é um ardil. Mas não posso jurar. Algumas vezes confundimos nossos medos com profecias. Mas não imaginei Merlin, senhor, nem as palavras dele no meu sonho.

Voltei a tocar no punho de Hywelbane. Eu sempre tinha pensado que qualquer menção a Merlin seria tranquilizadora, mas as palavras calmas de Taliesin eram arrepiantes.

— Sonhei que Merlin estava num bosque denso — prosseguiu ele em sua voz precisa — e não conseguia achar a saída; na verdade, sempre que um caminho se abria a sua frente uma árvore gemia e se movia como se fosse um grande animal, deslocando-se para bloquear a passagem. O sonho me diz que Merlin está com problemas. Falei com ele no sonho, mas Merlin não podia ouvir. O que isso me diz, acho, é que ele não pode ser encontrado. Se mandarmos homens para procurá-lo, eles fracassarão e até podem morrer. Mas ele quer ajuda, isso eu sei, porque me mandou o sonho.

— Onde fica essa floresta?

O bardo virou os olhos escuros e profundos para mim.

— Talvez não haja floresta, senhor. Os sonhos são como canções. Sua tarefa não é dar uma imagem exata do mundo, e sim uma sugestão. Acho que a floresta me diz que Merlin é prisioneiro.

— De Nimue — falei, porque não podia pensar em outra pessoa que ousaria desafiar o druida.

Taliesin assentiu.

— Acho que ela é a carcereira. Nimue quer o poder dele e, quando o tiver, irá usá-lo para impor seu sonho à Britânia.

Eu estava achando difícil até mesmo pensar em Merlin e Nimue. Durante anos tínhamos vivido sem eles e, em consequência, as fronteiras de nosso mundo tinham assumido uma dureza precisa. Estávamos limitados pela existência de Mordred, pelas ambições de Meurig e pelas esperanças de Artur, não pelas incertezas enevoadas e redemoinhantes dos sonhos de Merlin.

— Mas o sonho de Nimue é o mesmo de Merlin — objetei.

— Não, senhor. Não é.

— Ela quer o que ele quer — insisti. — Restaurar os Deuses!

— Mas Merlin deu Excalibur a Artur, e o senhor não vê que com esse presente ele deu parte do poder a Artur? Pensei durante longo tempo sobre esse presente, porque Merlin nunca quis me explicar, mas acho que agora entendo. Merlin sabia que, se os Deuses falhassem, Artur talvez tivesse sucesso. E Artur teve sucesso, mas sua vitória no Mynydd Baddon não foi completa. Ela manteve a ilha da Britânia na mão dos britânicos, mas não derrotou os cristãos, o que é uma derrota para os Deuses antigos. Nimue, senhor, jamais aceitará essa meia vitória. Para Nimue são os Deuses ou nada. Nimue não se importa com os horrores que venham para a Britânia desde que os Deuses voltem e derrotem os inimigos dela, e para alcançar isso, senhor, ela quer Excalibur. Quer cada fiapo de poder, de modo que quando acender de novo as fogueiras os Deuses não tenham opção além de responder.

Então entendi.

— E junto com Excalibur ela vai querer Gwydre.

— Vai mesmo, senhor. O filho de um governante é uma fonte de poder, e Artur, queira ou não, ainda é o líder mais famoso da Britânia. Se ele tivesse escolhido ser rei, seria nomeado Grande Rei. De modo que, sim, ela quer Gwydre.

Olhei o perfil de Taliesin. Ele parecia realmente estar gostando do balanço terrível do barco.

— Por que está me contando isso?

Minha pergunta o deixou perplexo.

— Por que não deveria contar?

— Porque me contando você me alerta para proteger Gwydre, e se eu proteger Gwydre impeço a volta dos Deuses. E você, se não estou enganado, gostaria de ver esses Deuses de volta.

— Gostaria — reconheceu —, mas Merlin me pediu que lhe contasse.

— Mas por que Merlin quer que eu proteja Gwydre? — perguntei. — Ele quer que os Deuses retornem!

— O senhor se esquece de que Merlin previu dois caminhos. Um era o caminho dos Deuses, e o outro o caminho do homem, e Artur é esse segundo caminho. Se Artur for destruído, só teremos os Deuses, e acho que Merlin sabe que os Deuses não nos ouvem mais. Lembre-se do que aconteceu com Gawain.

— Ele morreu — falei em tom árido —, mas carregou seu estandarte em batalha.

— Ele morreu — corrigiu Taliesin — e então foi posto no Caldeirão de Clyddno Eiddyn. Deveria ter voltado à vida, senhor, porque esse é o poder do Caldeirão, mas não voltou. Não respirou de novo e isso significa certamente que a velha magia está desaparecendo. Ela não está morta, e suspeito de que causará grande mal antes de morrer. Mas Merlin, acho, está nos dizendo para olhar para o homem, e não para os Deuses, em busca da felicidade.

Fechei os olhos quando uma onda grande se despedaçou branca na alta proa do barco.

— Você está dizendo que Merlin fracassou? — falei quando as gotículas se desvaneceram.

— Acho que Merlin tinha fracassado quando o Caldeirão não reviveu Gawain. Por que outro motivo ele trouxe o corpo ao Mynydd Baddon? Se Merlin pensasse, ao menos por um ínfimo instante, que poderia usar o corpo de Gawain para invocar os Deuses, jamais dissiparia sua magia na batalha.

— Mas ele ainda levou as cinzas para Nimue.

— Certo, mas isso foi porque tinha prometido ajudá-la, e até mesmo as cinzas de Gawain teriam retido algum poder do cadáver. Merlin pode saber que fracassou, mas como qualquer homem ele reluta em abandonar seu sonho, e talvez tenha acreditado que a energia de Nimue fosse eficaz, não é? Mas o que ele não previu, senhor, foi a extensão em que ela iria explorá-lo para o mal.

— Puni-lo — falei amargamente.

Taliesin assentiu.

— Ela o despreza porque ele fracassou, e acredita que ele lhe esconde conhecimentos, de modo que agora mesmo, senhor, neste mesmo vento, ela está arrancando segredos de Merlin à força. Ela sabe muito, mas não sabe tudo, mas se meu sonho é correto ela está retirando o conhecimento dele. Pode demorar meses ou anos até que ela aprenda tudo que precisa, mas aprenderá, senhor, e quando souber, usará o poder. E o senhor, acho, saberá disso primeiro. — Ele agarrou as redes quando o barco balançou de modo assustador. — Merlin me mandou alertá-lo, senhor, e por isso estou alertando. Mas contra o quê? Não sei. — Ele sorriu como se pedisse desculpas.

— Contra esta viagem à Dumnonia?

Taliesin balançou a cabeça.

— Creio que seu perigo é muito maior do que qualquer coisa planejada por seus inimigos na Dumnonia. Na verdade, seu perigo é tão grande, senhor, que Merlin chorou. Ele também me disse que queria morrer. — Taliesin olhou para a vela. — E se eu soubesse onde ele estava, senhor, e se tivesse o poder, mandaria o senhor para matá-lo. Mas em vez disso temos de esperar que Nimue se revele.

Agarrei o punho frio de Hywelbane.

— Então o que está me aconselhando?

— Não estou em posição de dar conselhos aos lordes. — Taliesin se virou e sorriu para mim, e de repente vi que seus olhos fundos estavam frios. — Para mim, senhor, não importa se o senhor vive ou morre, porque sou o cantor e o senhor é a canção, mas por enquanto, admito, eu o sigo para descobrir a melodia e, se puder, mudá-la. Merlin me pediu e farei isso por ele, mas acho que ele o está salvando de um perigo apenas para expô-lo a outro ainda maior.

— Você não está fazendo sentido — falei asperamente.

— Estou, senhor, mas nenhum de nós dois entende o sentido. Tenho certeza de que ele ficará claro.

Taliesin parecia muito calmo, mas meus medos eram tão cinzentos quanto as nuvens acima, e tão tumultuosos quanto o mar embaixo. Toquei o punho tranquilizador de Hywelbane, rezei a Manawydan e disse a mim mesmo que o alerta de Taliesin era apenas um sonho, que não passava de um sonho, e que os sonhos não podem matar.

Mas podem, e matam. E em algum lugar na Britânia, num lugar escuro, Nimue tinha o Caldeirão de Clyddno Eiddyn e o estava usando para cozinhar nossos sonhos e transformá-los num pesadelo.

Balig nos deixou numa praia em algum lugar do litoral da Dumnonia. Taliesin se despediu alegre de mim, depois seguiu com passos longos pelas dunas.

— Você sabe aonde está indo? — gritei para ele.

— Saberei quando chegar, senhor — gritou ele de volta, depois desapareceu.

Pusemos as armaduras. Eu não tinha trazido meu equipamento melhor, era simplesmente um peitoral velho e funcional e um elmo amassado. Pendurei o escudo nas costas, peguei a lança e segui Taliesin para o interior.

— O senhor sabe onde estamos? — perguntou Eachern.

— Mais ou menos — falei. Na chuva adiante eu podia entrever alguns morros. — Vamos para o sul daquelas colinas e chegaremos a Dun Caric.

— Quer que eu levante o estandarte, senhor?

Em vez do meu estandarte com a estrela nós tínhamos trazido o de Gwydre, que mostrava o urso de Artur entrelaçado ao dragão da Dumnonia, mas decidi não o levar aberto. Um estandarte ao vento é um incômodo e, além disso, onze lanceiros marchando sob uma bandeira grande e espalhafatosa pareceria mais ridículo do que impressionante, por isso decidi esperar até que os homens de Issa pudessem reforçar meu pequeno bando antes de desenrolar a flâmula em seu mastro comprido.

Encontramos uma trilha nas dunas e seguimos por ela através de um bosque de pequenos espinheiros e aveleiras até um minúsculo assentamento de seis cabanas. O povo correu ao nos ver, deixando apenas uma velha que era curvada e aleijada demais para andar depressa. Ela se deixou cair no chão e cuspiu desafiadoramente quando nos aproximamos.

— Vocês não vão conseguir nada aqui — falou, rouca. — Não temos nada, só montes de esterco. Montes de esterco e fome, senhores, é só isso que tirarão de nós.

Agachei-me perto dela.

— Nós não queremos nada, a não ser notícias.

— Notícias? — a simples palavra lhe pareceu estranha.

— A senhora sabe quem é o nosso rei? — perguntei gentilmente.

— Uther, senhor. Ele é um homem grande. Como um Deus!

Estava claro que não conseguiríamos notícias ali, pelo menos nenhuma que fizesse sentido, por isso continuamos andando, parando apenas para comer um pouco do pão e da carne-seca que levávamos nas sacolas. Eu estava no meu país, mas curiosamente parecia que andava em terra inimiga, e me censurei por dar crédito demais aos vagos alertas de Taliesin. Mas mesmo assim me mantinha nos caminhos cobertos de árvores e, à medida que a tarde caía, liderei meu pequeno grupo por um bosque de faias até um terreno mais elevado, de onde poderíamos ver qualquer outro lanceiro. Não vimos nenhum, mas muito ao sul um raio errante do sol que morria atravessou algumas nuvens para tocar de verde brilhante o Tor de Ynys Wydryn.

Não acendemos fogo. Em vez disso dormimos entre as faias, e de manhã acordamos com frio e rígidos. Andamos para o leste, ficando sob as árvores sem folhas, enquanto abaixo de nós, nos campos úmidos e pesados, homens aravam sulcos rígidos, mulheres semeavam e crianças pequenas corriam para espantar os pássaros para longe das preciosas sementes.

— Eu fazia isso na Irlanda — disse Eachern. — Passei metade da infância espantando pássaros.

— Pregue um corvo no arado, isso resolve — sugeriu um dos outros lanceiros.

— Pregue corvos em todas as árvores do campo — disse outro.

— Isso não faz com que eles parem, mas você vai se sentir melhor — observou um terceiro.

Estávamos seguindo uma trilha estreita entre sebes altas. As folhas não tinham desabrochado para esconder os ninhos, de modo que pegas e gaios se ocupavam roubando ovos e gritaram de protesto quando chegamos perto.

— As pessoas vão saber que estamos aqui, senhor — disse Eachern. — Elas podem não nos ver, mas saberão. Vão ouvir os gaios.

— Não importa — falei.

Eu nem estava seguro do motivo de tomar tanto cuidado em permanecer escondido, a não ser porque éramos muito poucos. Como a maioria dos guerreiros, eu ansiava pela segurança dos números e sabia que me sentiria muito mais confortável assim que o resto dos meus homens estivesse ao redor. Até então iríamos nos esconder do melhor modo possível, ainda que no meio da manhã a rota tenha nos levado para fora das árvores, descendo aos campos abertos que levavam ao Caminho Fosse. Lebres dançavam nas campinas e cotovias cantavam acima de nós. Não vimos ninguém, mas sem dúvida os camponeses nos viam, e sem dúvida a notícia de nossa passagem corria rapidamente pelo campo. Homens armados eram sempre causa de alarma, por isso mandei alguns de meus homens carregarem os escudos na frente do corpo, para que as insígnias garantissem ao povo local que éramos amigos. Só quando tínhamos atravessado a estrada romana e estávamos perto de Dun Caric é que vi outro ser humano, e era uma mulher que, quando ainda estávamos longe demais para que ela visse as estrelas nos escudos, correu para o mato atrás do povoado para se esconder entre as árvores.

— As pessoas estão nervosas — falei para Eachern.

— Ouviram dizer que Mordred está morrendo — disse ele, cuspindo — e temem o que vai acontecer em seguida, mas deveriam estar felizes porque o desgraçado está morrendo. — Quando Mordred era criança, Eachern fora um dos seus guardas, e a experiência lhe provocara um ódio profundo pelo rei. Eu gostava de Eachern. Não era um homem inteligente, mas era obstinado, leal e duro em batalha. — Sabem que haverá guerra, senhor.

Vadeamos o rio abaixo de Dun Caric, rodeamos as casas e chegamos ao caminho íngreme que levava à paliçada em volta da pequena colina. Tudo estava muito silencioso. Nem mesmo os cães estavam na rua do povoado e, mais preocupante, nenhum lanceiro guardava a paliçada.

— Issa não está aqui — falei, tocando o punho de Hywelbane. A ausência de Issa não era incomum, porque ele passava muito tempo em outras partes da Dumnonia, mas duvidava de que ele tivesse deixado Dun Caric desguarnecido. Olhei o povoado, mas todas as portas estavam trancadas. Nenhuma fumaça aparecia acima dos telhados, nem mesmo na oficina do ferreiro.

— Nenhum cachorro na colina — disse Eachern em voz agourenta. Geralmente havia uma matilha de cães junto ao salão de Dun Caric, e alguns já deveriam ter descido o morro para nos receber. Em vez disso havia corvos ruidosos no teto do salão e gritando da paliçada. Um pássaro voou lá de dentro com uma coisa comprida e vermelha pendurada no bico.

Nenhum de nós falou enquanto subíamos a colina. O silêncio fora a primeira indicação de horror, depois os corvos, e na metade do morro sentimos o cheiro agridoce de morte, que é como um travo no fundo da garganta, e esse cheiro, mais forte do que o silêncio e mais eloquente do que os corvos, nos alertou do que esperava dentro do portão aberto. A morte esperava, nada além da morte. Dun Caric tinha se tornado um local de morte. Os corpos de homens e mulheres estavam largados por toda parte e empilhados dentro do salão. O chão estava encharcado de sangue. O salão fora saqueado, cada cesto e baú revirado, e os estábulos estavam vazios. Até os cães tinham sido mortos, embora eles, pelo menos, tivessem permanecido com suas cabeças. As únicas coisas vivas eram os gatos e os corvos, e todos fugiram de nós.

Caminhei atordoado em meio ao horror. Somente depois de um tempo notei que só havia homens jovens entre os mortos. Deviam ser os guardas deixados por Issa, e o resto dos corpos era das famílias dos seus homens. Pyrlig estava lá, o pobre Pyrlig que ficara em Dun Caric porque não podia se rivalizar com Taliesin. E agora estava morto, com o manto branco encharcado de sangue e as mãos de harpista com cortes fundos onde ele tentara se proteger dos golpes de espadas. Issa não estava ali, nem Scarach, sua mulher, porque não havia mulheres jovens naquele matadouro, e também não havia crianças. As mulheres jovens e as crianças deviam ter sido levadas para servir de joguetes ou escravos, enquanto os mais velhos, os bebês e os guardas tinham sido massacrados, suas cabeças levadas como troféus. A matança era recente, porque nenhum dos corpos tinha começado a inchar ou apodrecer. Moscas caminhavam sobre o sangue, mas ainda não havia vermes se retorcendo nos ferimentos deixados pelas lanças e espadas.

Vi que o portão tinha sido arrancado dos gonzos, mas não havia sinal de luta e suspeitei de que os homens que tinham feito aquilo haviam sido convidados a entrar.

— Quem fez isso, senhor? — perguntou um dos meus lanceiros.

— Mordred — falei em tom apático.

— Mas ele está morto! Ou morrendo!

— Ele só quer que pensemos isso — falei e não pude arranjar outra explicação. Taliesin me alertou e temi que o bardo estivesse certo. Mordred não estava morrendo. Tinha voltado e soltado seu bando de guerreiros no próprio país. O boato de sua morte devia se destinar a fazer com que as pessoas se sentissem seguras, e enquanto isso ele planejava retornar e matar cada lanceiro que se opusesse. Mordred estava jogando fora sua canga, o que certamente significava que, depois dessa matança em Dun Caric, devia ter ido para o leste encontrar Sagramor, ou talvez para o sul e o oeste para descobrir Issa. Se Issa ainda estivesse vivo.

Acho que foi culpa nossa. Depois do Mynydd Baddon, quando Artur abriu mão do poder, tínhamos pensado que a Dumnonia estaria protegida pelas lanças dos homens leais a Artur e às suas crenças, e que o poder de Mordred seria reduzido porque ele não tinha lanceiros. Nenhum de nós previra que o Mynydd Baddon daria ao nosso rei um gosto pela guerra, nem que ele seria tão bem-sucedido em batalha a ponto de atrair lanceiros para seu estandarte. Agora Mordred tinha lanças, e lanças dão poder, e eu estava vendo o primeiro exercício desse poder. Mordred estava flagelando as pessoas que haviam sido postas para limitar seu poder e que poderiam apoiar a reivindicação de Gwydre ao trono.

— O que faremos, senhor? — perguntou Eachern.

— Vamos para casa, Eachern, vamos para casa. — E com "casa" eu queria dizer Silúria. Nada podíamos fazer aqui. Éramos só onze homens e eu duvidava de que teríamos alguma chance de chegar até Sagramor, cujas forças estavam tão longe no leste. Além disso, Sagramor não precisava de nossa ajuda para cuidar de si mesmo. A pequena guarnição de Dun Caric podia ter sido fácil para Mordred, mas ele acharia muito mais difícil cortar a cabeça do númida. E eu não podia ter esperanças de encontrar Issa, mesmo que ele estivesse vivo, de modo que nada havia a fazer senão ir para casa e sentir uma fúria frustrada. É difícil descrever essa fúria. No âmago havia um ódio frio por Mordred, mas era um ódio impotente e doloroso, porque eu sabia que nada podia fazer para dar uma vingança rápida àquelas pessoas que eram o meu povo. Também me sentia como se tivesse falhado com elas. Sentia culpa, ódio, pena e uma tristeza doída.

Pus um homem para guardar o portão aberto enquanto o resto de nós arrastava os corpos até o salão. Eu gostaria de queimá-los, mas não havia combustível suficiente e não tínhamos tempo de derrubar o teto de palha sobre os corpos, por isso nos contentamos em colocá-los numa fileira decente, e então rezei a Mitra por uma chance de dar uma vingança adequada àquelas pessoas.

— É melhor revistarmos o povoado — falei a Eachern quando terminamos a oração, mas não tivemos tempo. Naquele dia os Deuses tinham nos abandonado.

O homem de guarda no portão não estivera vigiando direito. Não posso culpá-lo. Ali em cima do morro nenhum de nós estava com a mente no lugar, e a sentinela devia estar olhando para o interior encharcado de sangue em vez de para fora do portão. Só viu o cavaleiro tarde demais. Eu o ouvi gritar, mas quando saí correndo do salão a sentinela já estava morta e um cavaleiro com armadura escura arrancava uma lança de seu corpo.

— Peguem-no! — gritei correndo para o cavaleiro, e esperei que ele virasse o cavalo e fosse embora, mas em vez disso ele abandonou a lança e veio para dentro da paliçada, e outros cavaleiros o seguiram imediatamente. — Juntem--se! — gritei e o resto de meus homens se reuniu a minha volta para formar um pequeno círculo de escudos, embora a maioria de nós estivesse sem os escudos, porque os tínhamos largado enquanto arrastávamos os mortos para o salão. Alguns nem tinham lanças. Desembainhei Hywelbane, mas sabia que não existia esperança, porque agora havia mais de vinte cavaleiros dentro da paliçada, e outros mais subiam o morro. Deviam estar esperando na mata do outro lado do povoado, talvez aguardando a chegada de Issa. Eu tinha feito o mesmo em Benoic. Matávamos os francos em algum posto remoto e esperávamos pelos outros numa emboscada, e agora tinha caído numa armadilha idêntica.

Não reconheci nenhum cavaleiro, e nenhum tinha insígnia nos escudos. Alguns haviam coberto os escudos com piche, mas esses não eram os Escudos Pretos de Oengus Mac Airem. Era um grupo de guerreiros veteranos, barbudos, desgrenhados e com uma confiança sombria. O líder montava um cavalo preto e tinha um belo elmo com laterais gravadas. Ele riu quando um de seus homens desenrolou o estandarte de Gwydre, depois se virou e esporeou o cavalo até onde eu estava.

— Lorde Derfel — cumprimentou ele.

Durante alguns instantes o ignorei, olhando pelo pátio encharcado de sangue na esperança de que ainda houvesse algum modo de escapar, mas estávamos cercados pelos cavaleiros que esperavam com lanças e espadas pela ordem de nos matar.

— Quem é você? — perguntei ao homem com o elmo decorado.

Como resposta, ele simplesmente abriu as peças laterais. E sorriu para mim.

Não era um sorriso agradável, mas ele não era um homem agradável. Eu estava olhando para Amhar, um dos filhos gêmeos de Artur.

— Amhar ap Artur — cumprimentei, depois cuspi.

— Príncipe Amhar — corrigiu ele. Como seu irmão Loholt, Amhar sempre fora amargo com relação ao nascimento ilegítimo, e agora devia ter decidido adotar o título de príncipe, mesmo que seu pai não fosse rei. Seria uma pretensão patética se Amhar não tivesse mudado tanto desde que eu o vira brevemente pela última vez nas encostas do Mynydd Baddon. Ele parecia mais velho e muito mais formidável. Sua barba estava cheia, uma cicatriz havia marcado o nariz e o peitoral tinha a marca de uma dúzia de golpes de espada. Parecia que Amhar crescera nos campos de batalha da Armórica, mas a maturidade não reduzira o ressentimento carrancudo. — Não me esqueci de seus insultos no Mynydd Baddon, e há muito sonhava com o dia em que poderia cobrá-los. Mas acho que meu irmão ficará ainda mais satisfeito do que eu em vê-lo.

Tinha sido eu a segurar o braço de Loholt enquanto Artur cortava sua mão.

— Onde está seu irmão? — perguntei.

— Com o nosso rei.

— E quem é o seu rei?

Eu sabia a resposta, mas queria que fosse confirmada.

— O mesmo que é seu, Derfel. Meu querido primo, Mordred.

E aonde mais, pensei, Amhar e Loholt teriam ido depois da derrota no Mynydd Baddon? Como tantos outros homens sem senhores na Britânia, eles tinham buscado refúgio com Mordred, que havia recebido cada espada desesperada que viesse sob seu estandarte. E como Mordred devia ter adorado ter os filhos de Artur ajudando-o!

— O rei está vivo?

— Ele prospera! — disse Amhar. — A rainha mandou dinheiro a Clóvis, que preferiu aceitar o ouro dela a lutar conosco. — Ele sorriu e fez um gesto para seus homens. — Então aqui estamos, Derfel. Viemos terminar o que começamos hoje de manhã.

— Terei sua alma pelo que vocês fizeram com essas pessoas — falei, apontando com Hywelbane para o sangue que continuava negro no pátio de Dun Caric.

— O que você terá, Derfel — disse Amhar, inclinando-se à frente na sela —, é o que eu, meu irmão e meu primo decidirmos lhe dar.

Encarei-o, desafiador.

— Servi lealmente ao seu primo.

Amhar sorriu.

— Mas duvido de que ele ainda queira os seus serviços.

— Então terei de deixar o seu país.

— Acho que não — disse Amhar em tom afável. — Acho que meu rei gostaria de encontrá-lo uma última vez, e sei que meu irmão está ansioso para trocar palavras com você.

— Prefiro ir embora.

— Não — insistiu Amhar. — Você vem comigo. Baixe a espada.

— Você deve tomá-la, Amhar.

— Se for preciso — disse ele e não pareceu preocupado com a perspectiva. Mas por que deveria se preocupar? Eles estavam em maior número, e pelo menos metade de meus homens não tinha escudos nem lanças.

Virei-me para os meus homens.

— Se quiserem se render saiam do círculo. Quanto a mim, vou lutar. — Dois dos meus homens desarmados deram um passo adiante, hesitando, mas Eachern rosnou e eles se imobilizaram. Sinalizei para que fossem. — Vão — falei com tristeza. — Não quero atravessar a ponte de espadas com companheiros que não estejam dispostos. — Os dois homens se afastaram, mas Amhar simplesmente fez sinal para seus cavaleiros e eles os rodearam, brandiram as espadas e mais sangue correu no cume do Dun Caric. — Seu bastardo! — falei, e corri para Amhar, mas ele apenas puxou as rédeas e afastou o cavalo do meu alcance e, enquanto ele se afastava de mim, seus homens esporearam na direção dos meus.

Foi outra matança, e eu não podia fazer nada para impedir. Eachern matou um dos homens de Amhar, mas enquanto sua lança ainda estava fixa na barriga dele, outro cavaleiro cortou-o por trás. O resto de meus guerreiros simplesmente morreu com igual rapidez. Os lanceiros de Amhar foram pelo menos misericordiosos nesse sentido. Não deixaram a alma de meus homens se demorar, apenas cortaram e estocaram com uma energia feroz.

Praticamente não vi, porque enquanto perseguia Amhar um de seus homens veio por trás e me deu um golpe fortíssimo na nuca. Tombei, com a cabeça redemoinhando numa névoa preta atravessada por tiras de luz. Lembro-me de ter caído de joelhos, e depois um segundo golpe acertou meu elmo e pensei que devia estar morrendo. Mas Amhar me queria vivo, e quando recuperei a consciência me vi deitado num dos montes de esterco de Dun Caric com os pulsos amarrados com corda e a bainha de Hywelbane pendurada na cintura de Amhar. Minha armadura fora tirada, e um fino torque de ouro tinha sido roubado de meu pescoço, mas Amhar e seus homens não haviam encontrado o broche de Ceinwyn, que estava preso em segurança debaixo do gibão. Agora ocupavam-se em cortar as cabeças de meus lanceiros com suas espadas.

— Bastardo — cuspi o insulto para Amhar, mas ele apenas riu e voltou para seu trabalho odioso. Cortou o pescoço de Eachern com Hywelbane, depois pegou a cabeça pelos cabelos e jogou na pilha de cabeças que estavam sendo juntadas numa capa.

— Uma ótima espada — disse ele, balançando Hywelbane.

— Então use-a para me mandar ao Outro Mundo.

— Meu irmão nunca me perdoaria se eu demonstrasse essa misericórdia — disse ele, depois limpou a lâmina de Hywelbane em sua capa meio rasgada e a enfiou na bainha. Em seguida chamou três de seus homens e pegou uma pequena faca no cinto. — No Mynydd Baddon — disse ele encarando-me — você me chamou de cão bastardo e de filhote coberto de vermes. Acha que sou homem de esquecer insultos?

— A verdade é sempre memorável — falei, mesmo tendo de forçar o desafio na voz, porque minha alma estava aterrorizada.

— Sua morte certamente será memorável, mas por enquanto você deve se contentar com as atenções de um barbeiro. — Ele assentiu para seus homens.

Lutei com eles, mas com as mãos amarradas e a cabeça ainda latejando havia pouco que eu poderia fazer para resistir. Dois homens me seguraram contra a pilha de esterco enquanto o terceiro agarrava minha cabeça pelos cabelos e Amhar, com o joelho direito apoiado no meu peito, cortava minha barba. Fez isso grosseiramente, cortando até a pele, e jogou os tufos cortados a um de seus homens sorridentes, que separou os fios e os trançou numa corda curta. Assim que a corda estava pronta ela foi transformada num laço que foi posto no meu pescoço. Era o insulto supremo a um guerreiro capturado, a humilhação de ter uma corda de escravo feita com a própria barba. Eles riram de mim quando ficou pronta, depois Amhar me fez levantar, puxando a corda de barba.

— Fizemos o mesmo com Issa — disse ele.

— Mentiroso — falei debilmente.

— E fizemos a mulher dele olhar — disse Amhar com um sorriso. — Depois o obrigamos a olhar enquanto lidávamos com ela. Os dois estão mortos agora.

Cuspi no seu rosto, mas ele apenas riu de mim. Eu o tinha chamado de mentiroso, mas acreditava. Mordred, pensei, tinha tramado com eficiência a volta à Britânia. Havia espalhado a notícia da morte iminente, e o tempo todo Argante mandara o ouro guardado para Clóvis, que, assim comprado, deixara Mordred sair livre. E Mordred tinha navegado para a Dumnonia e agora estava matando seus inimigos. Issa estava morto, e eu não duvidava de que a maioria de seus lanceiros — e os lanceiros que eu deixara na Dumnonia — também estivessem. Eu era prisioneiro. Só restava Sagramor.

Eles amarraram minha corda de barba à cauda do cavalo de Amhar, depois marcharam comigo para o sul. Os quarenta lanceiros de Amhar formavam uma escolta zombeteira, rindo sempre que eu tropeçava. Eles arrastaram o estandarte de Gwydre pela lama, amarrado à cauda de outro cavalo.

Levaram-me a Caer Cadarn, e assim que chegamos me jogaram numa cabana. Não era a cabana onde tínhamos aprisionado Guinevere há tantos anos, e sim uma muito menor, com uma porta baixa através da qual tive de me arrastar, ajudado pelas botas e pelos cabos das lanças de meus captores. Entrei nas sombras da cabana e vi outro prisioneiro, um homem trazido da Durnovária, cujo rosto estava vermelho de chorar. Por um momento ele não me reconheceu sem barba, mas depois ficou boquiaberto.

— Derfel!

— Bispo — falei cansado, porque era Sansum. Ambos éramos prisioneiros de Mordred.

— É um engano — insistiu Sansum. — Eu não deveria estar aqui!

— Diga a eles — sugeri, virando a cabeça na direção dos guardas do lado de fora da cabana —, e não a mim.

— Eu não fiz nada além de servir a Argante! E veja como eles me recompensam!

— Fique quieto!

— Ah, doce Jesus! — Ele caiu de joelhos, abriu os braços e olhou para as teias de aranha na cobertura de palha. — Mandai um anjo para mim! Levai-me ao Vosso doce seio.

— Quer ficar quieto? — rosnei, mas ele continuou rezando e chorando, enquanto eu olhava desanimado para o cume molhado de Caer Cadarn, onde estava sendo feita uma pilha de cabeças cortadas. As cabeças dos meus homens estavam lá, junto a uma quantidade de outras trazidas de toda a Dumnonia. Uma cadeira coberta de pano azul-claro estava em cima da pilha: o trono de Mordred. Mulheres e crianças, as famílias dos lanceiros de Mordred, espiavam o monte hediondo, e algumas vieram olhar pela porta baixa de nossa cabana e rir de meu rosto sem barba.

— Onde está Mordred? — perguntei a Sansum.

— Como é que vou saber? — respondeu ele, interrompendo sua oração.

— Então, o que você sabe? — perguntei. Ele voltou arrastando os pés até o banco. Tinha me feito um pequeno favor tirando a corda dos meus pulsos, mas a liberdade me deu pouco conforto, porque eu podia ver seis lanceiros guardando a cabana e não duvidava de que houvesse outros que não podia enxergar. Um homem simplesmente ficava sentado virado para a porta aberta da cabana segurando uma lança, pedindo que eu tentasse me arrastar para fora e assim lhe desse a chance de me espetar. Eu não tinha condição de dominar nenhum deles. — O que você sabe? — perguntei de novo a Sansum.

— O rei voltou há duas noites com centenas de homens.

— Quantos?

Ele deu de ombros.

— Trezentos? Quatrocentos? Não pude contar, de tantos que eram. Mataram Issa na Durnovária.

Fechei os olhos e fiz uma oração pelo pobre Issa e sua família.

— Quando prenderam você?

— Ontem. — Ele estava indignado. — E por nada! Eu lhe dei as boas--vindas! Não sabia que ele estava vivo, mas fiquei feliz em vê-lo. Regozijei-me! E por isso me prenderam.

— Então por que eles acham que o prenderam?

— Argante afirma que eu estava escrevendo a Meurig, senhor, mas isso não pode ser verdade! Não tenho habilidade com as letras. O senhor sabe disso.

— Seus escrivães têm, bispo.

Sansum adotou um ar indignado.

— E por que eu deveria falar com Meurig?

— Porque estava tramando para dar o trono a ele, Sansum. E não negue. Falei com Meurig há duas semanas.

— Eu não estava escrevendo a ele — replicou Sansum, carrancudo.

Acreditei, porque Sansum sempre fora inteligente demais e não colocava suas tramas no papel, mas não duvidava de que ele tivesse mandado mensageiros. E um desses mensageiros, ou talvez um funcionário da corte de Meurig, o traíra com Argante, que sem dúvida ansiava pelo ouro acumulado por Sansum.

— Você merece o que vai receber — acusei. — Você tramou contra cada rei que jamais lhe demonstrou gentileza.

— Tudo que sempre quis foi o bem do meu país, e de Cristo!

— Seu sapo comido por vermes — falei, cuspindo no chão. — Você só queria o poder.

Ele fez o sinal da cruz e me encarou com desprezo.

— É culpa de Fergal.

— Por que culpá-lo?

— Porque ele quer ser tesoureiro!

— Quer dizer que ele quer ser rico como você?

— Eu? — Sansum me olhou com surpresa fingida. — Eu? Rico? Em nome de Deus, tudo que sempre quis foi economizar um pouquinho para o caso de o reino necessitar! Só fui prudente, Derfel, prudente. — Continuou se justificando e, gradualmente, fui percebendo que ele acreditava em cada palavra que dizia. Sansum podia trair as pessoas, podia tramar para que fossem mortas como tinha tentado matar Artur e a mim quando fomos prender Ligessac, e podia esvaziar o tesouro, mas o tempo todo se persuadia de que seus atos eram justificados. Seu único princípio era a ambição e me ocorreu, à medida que aquele dia desgraçado se afundava na noite, que quando o mundo não tivesse homens como Artur e reis como Cuneglas, criaturas como Sansum governariam em toda parte. Se Taliesin tivesse razão, nossos Deuses estavam desaparecendo, e com eles iriam embora os druidas, e depois os grandes reis, e em seguida viria uma tribo de lordes camundongos para nos governar.

O dia seguinte trouxe o sol e um vento forte que lançava em nossa cabana o fedor das cabeças cortadas. Não tivemos permissão de sair, por isso fomos forçados a nos aliviar num canto. Não fomos alimentados, mas um odre de água fétida foi jogado para nós. Os guardas foram mudados, mas os novos eram tão atentos quanto os antigos. Amhar veio uma vez à cabana, mas apenas para cantar vantagem. Desembainhou Hywelbane, beijou a lâmina, limpou-a na capa e depois passou o dedo no gume novo.

— Afiada o bastante para cortar suas mãos, Derfel — disse ele. — Tenho certeza de que meu irmão gostaria de uma mão sua. Ele poderia colocá-la sobre o elmo! E eu poderia ficar com a outra. Preciso de uma crista nova.

Não falei nada e, depois de um tempo, ele se cansou de tentar me provocar e foi embora, cortando o mato baixo com Hywelbane.

— Talvez Sagramor mate Mordred — sussurrou Sansum.

— Rezo para que sim.

— Mordred foi para lá, tenho certeza. Ele veio aqui, mandou Amhar a Dun Caric e depois foi para o leste.

— Quantos homens Sagramor tem?

— Duzentos.

— Não são muitos.

— Quem sabe Artur venha? — sugeriu Sansum.

— Ele já deve saber que Mordred voltou, mas não pode marchar através de Gwent porque Meurig não vai permitir, o que significa que tem de mandar seus homens de barco. E duvido de que ele faça isso.

— Por quê?

— Porque Mordred é rei por direito, bispo, e Artur, por mais que odeie Mordred, não lhe negará esse direito. Ele não romperá o juramento feito a Uther.

— Ele não tentará resgatar você?

— Como? No momento em que esses homens virem Artur se aproximando vão cortar a garganta de nós dois.

— Que Deus nos salve. Que Jesus, Maria e os santos nos protejam.

— Prefiro rezar a Mitra.

— Pagão! — sibilou Sansum, mas não tentou interromper minha prece.

O dia continuou. Um dia lindo de primavera, mas para mim era amargo como fel. Eu sabia que minha cabeça seria posta na pilha no cume do Caer Cadarn, mas a principal causa de sofrimento não era esta; era saber de que eu tinha fracassado com meu povo. Levara meus lanceiros para uma armadilha, tinha-os visto morrer, tinha fracassado. Se eles me recebessem no Outro Mundo com censuras, era o que eu merecia, mas eu sabia que me receberiam alegres, o que só fazia com que me sentisse mais culpado. Entretanto, a perspectiva do Outro Mundo era um consolo. Tinha amigos lá, e duas filhas, e quando a tortura terminasse e minha alma fosse liberada para o seu corpo de sombra, eu teria a felicidade do reencontro. Sansum, pelo que vi, não podia encontrar consolo em sua religião. Durante aquele dia inteiro ele gemeu, reclamou, chorou e arengou, mas o barulho não rendeu nada. Só podíamos esperar durante mais uma noite e mais um longo dia com fome.

Mordred voltou no fim da tarde daquele segundo dia. Veio do leste, liderando uma longa coluna de lanceiros a pé, que gritaram saudando os guerreiros de Amhar. Um grupo de cavaleiros acompanhava o rei, e dentre eles estava o maneta Loholt. Confesso que fiquei amedrontado ao vê-lo. Alguns dos homens de Mordred carregavam fardos que, pelo que suspeitei, conteriam cabeças cortadas. E eram mesmo, mas em número muito menor do que eu temia. Talvez vinte ou trinta foram colocadas no monte cheio de moscas, e nenhuma parecia ter pele negra. Achei que Mordred devia ter surpreendido e trucidado uma das patrulhas de Sagramor, mas não conseguira o prêmio principal. Sagramor estava livre, o que era um consolo. Sagramor era um amigo maravilhoso e um inimigo terrível. Artur daria um bom inimigo, porque estava sempre pronto a perdoar, mas Sagramor era implacável. O númida perseguiria um inimigo até o fim do mundo.

Mas a fuga de Sagramor era de pouca utilidade para mim naquela tarde. Ao saber de minha captura Mordred gritou de alegria, depois exigiu que lhe mostrassem o estandarte enlameado de Gwydre. Riu ao ver o urso e o dragão, depois ordenou que o estandarte fosse esticado na grama para que ele e seus homens pudessem mijar em cima. Loholt chegou a dançar alguns passos ao ouvir a notícia de minha captura, porque fora aqui, neste mesmo cume, que sua mão tinha sido cortada. A mutilação fora uma punição por ter ousado se rebelar contra o pai, e agora ele podia se vingar no amigo do pai.

Mordred exigiu me ver, e Amhar veio me pegar, trazendo a corda feita com minha barba. Estava acompanhado de um homem enorme, de olhos esbugalhados e sem dentes, que se abaixou para entrar na cabana, puxou meu cabelo, me forçou a ficar de quatro e me empurrou pela porta baixa. Amhar passou a corda de barba no meu pescoço e, quando tentei me levantar, me forçou para baixo de novo.

— De quatro — ordenou ele. O brutamontes desdentado forçou minha cabeça para baixo, Amhar puxou a corda e fui forçado a engatinhar em direção ao cume, em meio às zombarias de homens, mulheres e crianças. Todos cuspiam em mim enquanto eu passava, alguns me chutavam, outros me golpeavam com cabos de lanças, mas Amhar impediu que me aleijassem. Queria-me inteiro para o prazer de seu irmão.

Loholt esperava junto à pilha de cabeças. O coto de seu braço direito tinha um engaste de prata, e na ponta do engaste, onde estivera a mão, havia um par de garras de urso. Ele riu quando cheguei junto aos seus pés, mas estava incoerente demais, de tanta alegria, para poder falar. Em vez disso, ficou soltando sons ininteligíveis e cuspindo em mim, o tempo todo me chutando na barriga e nas costelas. Havia força em seus chutes, mas ele estava tão furioso que atacava às cegas, e assim fez pouco mais do que me arranhar. Mordred olhava de seu trono, posto em cima da pilha de cabeças cobertas de moscas.

— Chega! — gritou ele depois de um tempo e Loholt me deu um último chute e ficou de lado. — Lorde Derfel! — cumprimentou Mordred com uma cortesia zombeteira.

— Senhor — falei. Eu estava flanqueado por Loholt e Amhar, e ao redor da pilha de cabeças uma multidão cobiçosa tinha se reunido para ver minha humilhação.

— De pé, lorde Derfel — ordenou Mordred.

Eu me levantei e olhei-o, mas não podia ver nada de seu rosto porque o sol estava por trás e me ofuscou. Eu podia ver Argante parada de um dos lados da pilha de cabeças, e com ela estava Fergal, seu druida. Deviam ter vindo de Durnovária durante o dia, porque eu não os tinha visto antes. Ela sorriu ao ver meu rosto sem barba.

— O que aconteceu com sua barba, lorde Derfel? — perguntou Mordred fingindo preocupação.

Não falei nada.

— Fale! — ordenou Loholt e me golpeou com seu cotoco. As garras de urso lanharam meu rosto.

— Foi cortada, senhor rei.

— Cortada! — Ele gargalhou. — E sabe por que ela foi cortada, lorde Derfel?

— Não, senhor.

— Porque você é meu inimigo.

— Não é verdade, senhor rei.

— Você é meu inimigo! — gritou ele num ataque súbito, batendo num dos braços da cadeira e tentando ver se eu demonstrava algum medo de sua raiva. — Quando eu era criança — anunciou ele à multidão — esta coisa me criou. Ele me espancava! Ele me odiava!

A multidão ficou gritando até que Mordred levantou a mão para silenciá-la.

— E este homem — apontou-me com o dedo para acrescentar má sorte às palavras — ajudou Artur a cortar a mão do príncipe Loholt. — De novo a multidão gritou, furiosa. — E ontem lorde Derfel foi encontrado no meu reino com um estandarte estranho. — Ele sacudiu a mão direita e dois homens correram para a frente com a bandeira de Gwydre, encharcada de urina. — De quem é este estandarte, lorde Derfel?

— Pertence à Gwydre ap Artur, senhor.

— E por que o estandarte de Gwydre está na Dumnonia?

Por um ou dois instantes pensei em dizer uma mentira. Talvez pudesse afirmar que estava trazendo a bandeira como forma de tributo a Mordred, mas sabia que ele não acreditaria e, pior, eu iria me desprezar pela mentira. Assim, em vez disso, levantei a cabeça.

— Eu estava esperando levantá-lo após a notícia de sua morte, senhor rei.

Minha verdade o tomou de surpresa. A multidão murmurou, mas Mordred apenas tamborilou no braço da cadeira com os dedos.

— Você se declara traidor — falou depois de um tempo.

— Não, senhor rei. Posso ter esperado sua morte, mas não fiz nada para provocá-la.

— Você não foi à Armórica me resgatar! — gritou ele.

— Verdade.

— Por quê? — perguntou em tom perigoso.

— Porque teria desperdiçado bons homens em favor de maus — falei apontando para os seus guerreiros. Eles riram.

— E você esperava que Clóvis me matasse? — perguntou Mordred quando os risos pararam.

— Muitos esperavam isso, senhor rei — repliquei, e de novo minha honestidade pareceu surpreendê-lo.

— Então me dê um bom motivo, lorde Derfel, para eu não o matar agora.

Fiquei quieto um tempo, depois dei de ombros.

— Não consigo pensar num motivo, senhor rei.

Mordred desembainhou sua espada e a colocou sobre os joelhos, depois pôs as palmas das mãos sobre a lâmina.

— Derfel, eu o condeno à morte.

— O privilégio é meu, senhor rei! — exigiu Loholt, ansioso. — Meu! — E a multidão gritou apoiando. Observar minha morte lenta iria lhes dar um bom apetite para a refeição que estava sendo preparada no cume do morro.

— É seu privilégio tirar a mão dele, príncipe Loholt — decretou Mordred. Ele se levantou e desceu mancando cuidadosamente da pilha de cabeças, a espada desembainhada na mão. — Mas é meu privilégio — falou quando estava perto de mim — tirar-lhe a vida. — Ele ergueu a lâmina da espada entre minhas pernas e deu um sorriso torto. — Antes de você morrer, Derfel, tiraremos mais do que as suas mãos.

— Mas não esta noite! — gritou uma voz aguda de trás da multidão. — Senhor rei! Não esta noite! — A multidão soltou um murmúrio. Mordred pareceu mais pasmo do que ofendido diante da interrupção, mas não disse nada. — Esta noite não! — gritou o homem de novo e eu me virei para ver Taliesin andando calmamente em meio à multidão agitada que se dividiu para lhe dar passagem. Ele trazia sua harpa e uma pequena bolsa de couro, mas agora tinha um cajado também, de modo que se parecia exatamente com um druida. — Posso lhe dar um motivo muito bom para Derfel não morrer esta noite, senhor rei — disse Taliesin enquanto chegava ao espaço aberto junto à pilha de cabeças.

— Quem é você? — perguntou Mordred.

Taliesin ignorou a pergunta. Em vez disso foi até Fergal e os dois se abraçaram e se beijaram, e só quando esse cumprimento formal terminou Taliesin olhou de volta para Mordred.

— Sou Taliesin, senhor rei.

— Uma coisa de Artur — zombou Mordred.

— Não sou coisa de homem nenhum — disse Taliesin calmamente —, e já que o senhor opta por me insultar, deixarei minhas palavras não ditas. Para mim tanto faz. — Em seguida, deu as costas para Mordred e começou a se afastar.

— Taliesin! — gritou Mordred. O bardo se virou para olhar o rei, mas não disse nada. — Não pretendi insultá-lo. — Mordred não queria a inimizade de um feiticeiro.

Taliesin hesitou, depois aceitou as desculpas do rei com um movimento de cabeça.

— Senhor rei, obrigado. — Ele falava gravemente e, como condizia a um druida se dirigindo a um rei, sem deferência ou espanto. Taliesin era famoso como bardo, não como druida, mas todo mundo ali o tratava como se fosse um druida integral e ele nada fez para corrigir a impressão errada. Usava a tonsura de druida, tinha um cajado preto, falava com uma autoridade sonora e tinha cumprimentado Fergal como um igual. Claramente Taliesin queria que acreditassem em sua mentira, porque um druida não pode ser morto ou maltratado, mesmo um druida inimigo. Até mesmo num campo de batalha os druidas podem andar em segurança e, ao bancar o druida, Taliesin estava garantindo a própria segurança. Um bardo não tinha a mesma imunidade.

— Então me diga por que esta coisa — Mordred apontou para mim com sua espada — não deve morrer esta noite.

— Há alguns anos, senhor rei, lorde Derfel me pagou em ouro para lançar um feitiço contra sua esposa. O feitiço a deixou estéril. Usei o útero de uma corça que enchi com as cinzas de uma criança morta para realizar o feitiço.

Mordred olhou para Fergal, que assentiu.

— Certamente esse é um modo de fazer, senhor rei — confirmou o druida irlandês.

— Não é verdade! — gritei e por isso recebi outro golpe violento das garras de urso do coto prateado de Loholt.

— Posso acabar com o feitiço — prosseguiu Taliesin calmamente —, mas ele deve ser quebrado enquanto Derfel estiver vivo, porque foi ele quem pediu o encanto. Se eu quebrá-lo agora, enquanto o sol se põe, a tentativa não poderá ser feita adequadamente. Preciso fazer isso ao alvorecer, senhor rei, porque o encanto deve ser retirado enquanto o sol estiver nascendo, ou então sua rainha ficará sem filhos para sempre.

Mordred olhou de novo para Fergal e os ossinhos trançados na barba do druida chacoalharam enquanto ele confirmava.

— Ele fala a verdade, senhor rei.

— Ele mente! — protestei.

Mordred enfiou a espada de novo na bainha.

— Por que está oferecendo isso, Taliesin?

Taliesin deu de ombros.

— Artur está velho, senhor rei. O poder dele está acabando. Druidas e bardos devem procurar patronos onde o poder está ascendendo.

— Fergal é meu druida — disse Mordred. Eu tinha pensado que ele era cristão, mas não fiquei surpreso ao ouvir que havia revertido ao paganismo. Mordred nunca foi um bom cristão, ainda que eu suspeitasse de que esse não fosse o menor de seus pecados.

— Eu me sentirei honrado em aprender mais habilidades com meu irmão — disse Taliesin, fazendo uma reverência para Fergal — e jurarei seguir sua orientação. Não busco nada, senhor rei, além de uma chance de usar meus pequenos poderes para sua maior glória.

Ele era escorregadio. Falava com mel na língua. Eu não havia lhe pagado nenhum ouro em troca de feitiços, mas todo mundo acreditou, e ninguém acreditou mais do que Mordred e Argante. Foi assim que Taliesin, o de testa brilhante, me trouxe uma noite extra de vida. Loholt ficou desapontado, mas Mordred lhe prometeu minha alma, além de minha mão, de madrugada, o que lhe deu algum consolo.

Fui obrigado a engatinhar de volta à cabana. Levei pancadas e chutes no caminho, mas estava vivo.

Amhar tirou a corda de barba do meu pescoço, depois me chutou para dentro da cabana.

— Vamos nos encontrar ao amanhecer, Derfel — disse ele.

Com o sol nos meus olhos e uma lâmina na garganta.

Naquela noite Taliesin cantou para os homens de Mordred. Eles tinham se reunido na igreja inacabada que Sansum começara a construir sobre o Caer Cadarn, e que agora servia como um salão sem teto e de paredes quebradas, e ali Taliesin os encantou com sua música. Nunca o ouvi cantar de modo mais belo, antes ou depois. A princípio, como qualquer bardo entretendo guerreiros, teve de lutar contra a balbúrdia de vozes, mas gradualmente sua habilidade os silenciou. Fez-se acompanhar da harpa e optou por cantar lamentos, mas lamentos tão belos que os lanceiros de Mordred ouviam num silêncio pasmo. Até os cães pararam de latir e ficaram quietos enquanto o bardo Taliesin cantava noite adentro. Se ele fizesse uma pausa muito longa entre as canções os lanceiros exigiam mais, e assim cantava de novo, com a voz morrendo nos finais das melodias, depois se alçando de novo com os novos versos, mas sempre tranquilizando, e o povo de Mordred bebia e ouvia, e a bebida e as canções os fizeram chorar, e Taliesin continuava cantando. Sansum e eu também ouvíamos, e também choramos pela tristeza etérea dos lamentos, mas à medida que a noite se esticava Taliesin começou a cantar canções de ninar, doces acalantos, acalantos para adormecer bêbados, e enquanto cantava o ar ficou mais frio e vi que a névoa se formava sobre Caer Cadarn.

A névoa se adensou e Taliesin continuava cantando. Se o mundo durar o reino de mil reis duvido de que homens ouçam melodias cantadas de modo tão maravilhoso. E o tempo todo a névoa envolvia o topo da colina, de modo que as fogueiras ficavam embaçadas no vapor, e as músicas preenchiam a escuridão como canções de fúrias ecoando da terra dos mortos.

Então, no escuro, as canções terminaram e ouvi apenas os doces acordes da harpa, e me pareceu que esses acordes ficavam cada vez mais próximos de nossa cabana e dos guardas que tinham estado sentados na grama ouvindo a música.

O som da harpa chegou ainda mais perto, e finalmente eu vi Taliesin na névoa.

— Eu trouxe hidromel — disse ele aos meus guardas. — Dividam entre vocês. — E tirou da bolsa um jarro que entregou a um dos guardas, e enquanto os guerreiros passavam o jarro de um para o outro ele cantou. Cantou a canção mais suave de todas naquela noite assombrada por música, um acalanto para fazer dormir uma alma cheia de perturbação, e eles dormiram. Um a um os guardas tombaram de lado e Taliesin continuou cantando, sua voz encantando toda aquela fortaleza, e só quando um dos guardas começou a roncar ele parou de cantar e baixou a mão da harpa.

— Acho, lorde Derfel, que o senhor pode sair agora — falou muito calmamente.

Taliesin sorriu quando apareci.

— Merlin ordenou que eu o salvasse, senhor, mas disse que talvez o senhor não agradeça por isso.

— Claro que agradecerei.

— Andem! — latiu Sansum. — Não está na hora de falar. Andem! Depressa!

— Espere, seu desgraçado — falei para ele, depois me inclinei e peguei uma lança com um dos guardas adormecidos. — Que feitiço você usou? — perguntei a Taliesin.

— Não é preciso feitiço para adormecer bêbados, mas nestes guardas usei uma infusão de raiz de mandrágora.

— Esperem por mim aqui — falei.

— Derfel! Nós precisamos ir! — sibilou Sansum, alarmado.

— Você deve esperar, bispo — insisti e me afastei na névoa, indo em direção ao brilho turvo das maiores fogueiras. Essas fogueiras ardiam na igreja semiconstruída que não passava de pedaços de paredes de madeira inacabadas, com grandes aberturas entre as tábuas. O espaço dentro estava cheio de gente adormecida, mas agora algumas iam acordando e olhando com olhos remelentos como se saíssem de um encanto. Cachorros procuravam comida entre os adormecidos, e sua agitação despertava mais gente ainda. Alguns dos recém-acordados me olharam, mas ninguém me reconheceu. Para eles eu não passava de outro lanceiro andando na noite.

Descobri Amhar perto de uma das fogueiras. Estava dormindo de boca aberta, e morreu assim mesmo. Enfiei a lança em sua boca escancarada, parei por tempo suficiente para que seus olhos se abrissem e sua alma me reconhecesse, e então, quando vi que ele me reconheceu, enfiei a lâmina no pescoço e na coluna, de modo que ele ficou pregado no chão. Amhar se sacudiu quando o matei, e a última coisa que sua alma viu nesta terra foi meu sorriso. Então me inclinei, tirei a corda de barba de seu cinto, desembainhei Hywelbane e saí da igreja. Queria procurar Mordred e Loholt, porém havia mais gente acordando agora e um homem gritou perguntando quem eu era, por isso simplesmente voltei para as sombras cheias de névoa e corri morro acima até onde Taliesin e Sansum esperavam.

— Precisamos ir — baliu Sansum.

— Tenho arreios perto da muralha de terra, senhor — disse Taliesin.

— Você pensa em tudo — falei admirado. Parei para jogar os restos de minha barba na pequena fogueira que tinha aquecido nossos guardas, e quando vi que os últimos fios tinham se queimado e virado cinza, segui Taliesin até a muralha de terra no lado norte. Ele encontrou os dois arreios nas sombras, depois subimos à plataforma de luta e ali, escondidos dos guardas pela névoa, subimos a muralha e pulamos na encosta. A névoa terminava na metade do morro e corremos até a campina onde a maioria dos cavalos de Mordred dormia na noite. Taliesin acordou dois animais, acariciando gentilmente suas narinas, e eles calmamente o deixaram colocar os arreios sobre as cabeças.

— O senhor sabe cavalgar sem sela? — perguntou ele.

— Esta noite até sem cavalo, se for necessário.

— E eu? — perguntou Sansum enquanto eu montava num dos cavalos.

Olhei para ele. Sentia-me tentado a deixá-lo na campina, porque tinha sido um homem traiçoeiro durante toda a vida e eu não queria prolongar sua existência, mas ele também poderia ser útil para nós nesta noite, por isso estendi a mão e o levantei para a garupa do cavalo.

— Eu deveria deixá-lo aqui, bispo — falei enquanto ele se acomodava. Sansum não respondeu, apenas abraçou minha cintura com força. Taliesin estava puxando o cavalo para o portão da campina, que ele abriu.

— Merlin disse o que deveríamos fazer agora? — perguntei ao bardo enquanto instigava o animal pela passagem.

— Não, senhor, mas a sensatez sugere que devemos ir para a costa e encontrar um barco. E que devemos ir depressa, senhor. O sono no topo da colina não vai durar muito, e assim que descobrirem que o senhor desapareceu, mandarão homens para nos encontrar. — Taliesin usou o portão para montar no cavalo.

— O que vamos fazer? — perguntou Sansum em pânico, me apertando com força.

— Matar você? — sugeri. — Então Taliesin e eu poderemos ir mais depressa.

— Não, senhor, não! Por favor, não!

Taliesin olhou para as estrelas enevoadas.

— Vamos para o oeste? — sugeriu.

— Sei para onde estamos indo — falei, instigando o cavalo na direção do caminho de Lindinis.

— Para onde? — perguntou Sansum.

— Ver sua mulher, bispo, ver sua mulher. — Era por isso que eu poupara a vida de Sansum naquela noite, porque agora Morgana era nossa melhor esperança. Eu duvidava de que ela me ajudasse e tinha certeza de que cuspiria no rosto de Taliesin se ele pedisse auxílio, mas por Sansum ela faria tudo.

Por isso fomos para Ynys Wydryn.

Acordamos Morgana e ela veio mal-humorada à porta de seu salão, ou melhor, num humor pior do que o usual. Não me reconheceu sem barba e não viu o marido, que, dolorido da viagem a cavalo, estava muito atrás de nós; em vez disso enxergou Taliesin como um druida que tinha ousado ir aos confins sagrados de seu templo.

— Pecador! — guinchou para ele, sem que o despertar recente significasse uma barreira para a força total de seus vitupérios. — Violador! Idólatra! Em nome do santo Deus e de Sua Mãe abençoada, ordeno que se vá!

— Morgana! — gritei, mas nesse momento ela viu a figura de Sansum, arrasado e mancando, e deu um pequeno miado de alegria e correu para ele. O quarto de lua brilhou na máscara dourada com que ela cobria o rosto devastado pelo fogo.

— Sansum! — gritou ela. — Meu doce!

— Preciosa! — disse Sansum e os dois se abraçaram com força no meio da noite.

— Querido — balbuciou Morgana, acariciando o rosto dele —, o que fizeram com você?

Taliesin sorriu e nem eu, que odiava Sansum e não sentia amor por Morgana, pude resistir a dar um sorriso diante do evidente prazer dos dois. De todos os casamentos que já conheci, aquele era o mais estranho. Sansum era o homem mais desonesto que já viveu, e Morgana a mulher mais honesta de toda a criação, entretanto os dois evidentemente se adoravam. Ou Morgana, pelo menos, adorava Sansum. Ela havia nascido bela, mas o incêndio terrível que matou seu primeiro marido retorceu seu corpo e transformou o rosto numa cicatriz de horror. Nenhum homem poderia amar Morgana por sua beleza, ou por seu caráter que fora retorcido pelo fogo, transformando-se em algo amargo assim como o rosto se transformou na feiura, mas algum homem poderia amar Morgana por suas ligações, já que ela era irmã de Artur, e isso, sempre acreditei, foi o que atraiu Sansum. Mas se ele não a amava por ela própria, mesmo assim fazia uma demonstração de amor que a convencia e lhe dava felicidade, e por isso eu estava disposto a perdoar até mesmo a dissimulação do lorde camundongo. Além disso ele a admirava, porque Morgana era uma mulher inteligente e Sansum valorizava a inteligência, e assim os dois ganharam com o casamento; Morgana recebeu ternura, Sansum recebeu proteção e conselhos, e como nenhum dos dois buscava os prazeres da carne com o outro, o casamento tinha se mostrado melhor do que a maioria.

— Dentro de uma hora os homens de Mordred estarão aqui — falei, interrompendo brutalmente o encontro feliz. — Até então nós já devemos estar longe, e suas mulheres, senhora — falei a Morgana —, devem procurar a segurança nos pântanos. Os homens de Mordred não vão se importar em saber se elas são santas, vão estuprar todas.

Morgana me encarou furiosa com seu olho único, que brilhava no buraco da máscara.

— Você fica melhor sem barba, Derfel.

— Eu ficaria pior sem cabeça, senhora, e Mordred está fazendo uma pilha de cabeças no Caer Cadarn.

— Não sei por que Sansum e eu deveríamos salvar suas vidas pecaminosas — murmurou ela —, mas Deus ordena que sejamos misericordiosos. — Ela saiu dos braços de Sansum e gritou numa voz terrível para acordar suas mulheres. Taliesin e eu recebemos um cesto e a ordem de entrar na igreja e enchê-lo com o ouro do templo enquanto Morgana mandava mulheres ao povoado, para acordar os barqueiros. Ela era maravilhosamente eficiente. O templo estava cheio de pânico, mas Morgana controlava tudo. Passaram-se apenas alguns minutos até que as mulheres fossem ajudadas a entrar nos barcos de fundo chato que entraram no pântano coberto de névoa.

Fomos os últimos a sair, e juro que ouvi cascos de cavalos no leste, enquanto nossos barqueiros usavam paus para impelir os barcos nas águas escuras. Taliesin, sentado na proa, começou a cantar o lamento de Idfael, mas Morgana ordenou rispidamente que ele parasse com sua música pagã. Ele afastou os dedos da pequena harpa.

— A música não conhece crença, senhora — censurou gentilmente.

— A sua música é do demônio.

— Nem toda — disse Taliesin e recomeçou a cantar, mas dessa vez era uma canção que eu nunca tinha ouvido. — Pelos rios da Babilônia — cantou ele — onde nos sentamos, derramamos lágrimas amargas para lembrar nosso lar. — E vi que Morgana estava enfiando um dedo por baixo da máscara, como se enxugasse lágrimas. O bardo continuou cantando, e o alto Tor recuava à medida que as névoas do pântano nos amortalhavam e o barqueiro nos impelia pela água negra em meio aos juncos sussurrantes. Quanto Taliesin terminou a canção havia apenas o som das marolas batendo no casco e o barulho da vara do barqueiro batendo no fundo para nos impelir.

— Você deveria cantar para Cristo — disse Sansum em tom reprovador.

— Eu canto para todos os Deuses, e nos dias que virão precisaremos de todos eles.

— Só existe um Deus! — disse Morgana ferozmente.

— Se a senhora diz... — respondeu Taliesin em tom ameno. — Mas creio que Ele nos tenha servido mal esta noite. — E apontou para trás na direção de Ynys Wydryn, e todos nos viramos e vimos um brilho lívido se espalhando na névoa. Eu já vira esse brilho, tinha-o visto através dessa mesma névoa no mesmo lago. Era o brilho de construções sendo queimadas, o brilho de tetos de palha incendiados. Mordred tinha nos seguido e o templo do Espinheiro Sagrado, onde sua mãe foi enterrada, ia se transformando em cinzas, mas estávamos seguros nos pântanos onde nenhum homem ousava entrar sem guia.

De novo o mal tinha tomado conta da Dumnonia.

Mas estávamos em segurança e, ao alvorecer, encontramos um pescador que iria à Silúria em troca de ouro. Por isso fomos para casa, encontrar Artur.

E um novo horror.

CEINWYN ESTAVA DOENTE.

A doença viera com rapidez, disse-me Guinevere, horas depois de eu ter partido de Isca. Ceinwyn tinha começado a tremer, depois a suar, e naquela noite não teve mais forças para ficar de pé, e assim tinha ido para a cama. Morwenna cuidara dela, uma mulher sábia tinha lhe dado um preparado de pata-de-cavalo e arruda, e pôs um amuleto de cura entre seus seios, mas de manhã a pele havia se rompido em furúnculos. Todas as juntas doíam, ela não conseguia engolir, e sua respiração raspava na garganta. Então ela começou a delirar, sacudindo-se na cama e gritando rouca por Dian.

Morwenna tentou me preparar para a morte de Ceinwyn.

— Ela acha que recebeu uma maldição, pai, porque no dia em que o senhor partiu uma mulher veio pedir comida. Nós lhe demos grãos de cevada, mas quando ela partiu havia sangue no portal.

Toquei o punho de Hywelbane.

— As maldições podem ser cortadas.

— Nós chamamos o druida de Cefu-crib — disse Morwenna — e ele raspou o sangue da porta e nos deu uma pedra de bruxa. — Ela parou, olhando lacrimosa para a pedra partida que agora estava pendurada acima da cama de Ceinwyn. — Mas a maldição não quer ir embora! — chorou. — Ela vai morrer!

— Ainda não — falei. — Ainda não. — Eu não podia acreditar na morte iminente de Ceinwyn porque ela sempre fora muito saudável. Nem um fio do cabelo de Ceinwyn tinha ficado grisalho, ainda possuía a maior parte dos dentes e quando saí de Isca ela estava tão ágil quanto uma menina, mas agora, de repente, parecia velha e devastada. E estava sentindo dores. Não podia nos falar da dor, mas seu rosto a traía, e as lágrimas que desciam pelas bochechas gritavam isso alto.

Taliesin passou longo tempo olhando-a e concordou com que ela fora amaldiçoada, mas Morgana cuspiu contra essa opinião.

— Superstição pagã! — crocitou e se ocupou em encontrar novas ervas que ferveu em hidromel e deu numa colher, forçando entre os lábios de Ceinwyn. Vi que Morgana foi muito gentil, mesmo que, enquanto servia o líquido, arengasse chamando Ceinwyn de pecadora pagã.

Eu estava impotente. Só podia ficar sentado junto de Ceinwyn, segurar sua mão e chorar. Seu cabelo ficou pegajoso e, dois dias depois de minha volta, começou a cair aos tufos. Os furúnculos se romperam, encharcando a cama com pus e sangue. Morwenna e Morgana fizeram camas novas com palha fresca e lençóis novos, mas a cada dia Ceinwyn manchava a cama e os lençóis antigos tinham de ser fervidos. A dor continuava, e era tanta que depois de um tempo comecei a desejar que a morte a arrancasse daquele tormento, mas Ceinwyn não morria. Simplesmente sofria, e algumas vezes gritava de dor, sua mão se apertava nos meus dedos com uma força terrível e eu só podia enxugar sua testa, dizer seu nome e sentir o medo da solidão me atravessar.

Eu amava Ceinwyn demais. Mesmo agora, anos depois, sorrio ao pensar nela, e algumas vezes acordo de noite com lágrimas no rosto e sei que se devem a ela. Tínhamos começado nosso amor numa chama de paixão, e as pessoas sensatas diziam que essa paixão iria acabar, mas a nossa nunca terminou, em vez disso tinha se transformado num amor longo e profundo. Eu a amava e admirava, os dias pareciam mais luminosos por causa de sua presença, e de repente eu só podia olhar enquanto os demônios a despedaçavam, a dor a fazia estremecer e os furúnculos cresciam, endureciam e estouravam imundos. E mesmo assim ela não morria.

Em alguns dias Galahad e Artur me substituíam junto da cama. Todo mundo tentava ajudar. Guinevere mandou procurar as mulheres mais sábias nas colinas da Silúria, e pôs ouro nas mãos delas para que trouxessem novas ervas ou frascos de água de alguma fonte remota e sagrada. Culhwch, agora careca, mas ainda áspero e beligerante, chorava por Ceinwyn e me deu uma seta de elfo que encontrara nos morros no oeste, mas quando Morgana encontrou aquele amuleto pagão na cama da enferma jogou-o longe, como tinha jogado a pedra de bruxa do druida e o amuleto que encontrara entre os seios de Ceinwyn. O bispo Emrys rezava por Ceinwyn, e até Sansum, antes de partir para Gwent, juntou-se a ele rezando, mas duvido de que seus rogos fossem tão sentidos quanto os que Emrys dirigia a Deus. Morwenna era dedicada à mãe, limpava-a, rezava por ela, chorava com ela. Guinevere, claro, não podia suportar a visão da doença de Ceinwyn, ou o cheiro do quarto, mas caminhava comigo durante horas enquanto Galahad ou Artur seguravam a mão de Ceinwyn. Lembro-me de um dia em que tínhamos ido ao anfiteatro e estávamos andando na arena quando, de modo um tanto desajeitado, Guinevere tentou me consolar.

— Você tem sorte, Derfel, porque experimentou uma coisa rara. Um grande amor.

— A senhora também — falei.

Ela fez uma careta, e desejei não ter provocado o pensamento não dito de que seu grande amor se estragara, mas na verdade ela e Artur tinham sobrevivido à infelicidade. Acho que aquilo ainda devia estar ali, uma sombra bem no fundo, e algumas vezes naqueles anos algum idiota mencionava o nome de Lancelot, e um silêncio súbito embaraçava o ar, e uma vez um bardo visitante tinha inocentemente cantado o Lamento de Blodeuwedd, uma canção que fala da infidelidade de uma esposa, e o ar enfumaçado do salão de festas ficou tenso com o silêncio no fim da canção, mas na maior parte daquele tempo Artur e Guinevere eram realmente felizes.

— Sim — disse Guinevere —, também tenho sorte. — Ela falou de modo um tanto ríspido, não para me censurar, mas porque sempre ficava desconfortável com conversas íntimas. Somente no Mynydd Baddon ela havia superado essa reserva, e praticamente tínhamos ficado amigos naquela época. Mas desde então havíamos nos afastado, não para a antiga hostilidade, mas para uma relação cautelosa, ainda que com afeto. — Você fica bem sem barba — disse ela agora, mudando de assunto —, faz com que pareça mais jovem.

— Jurei deixá-la crescer de novo somente depois da morte de Mordred — falei.

— Que seja logo. Como eu odiaria morrer antes daquele verme! — Ela falava com violência e com um medo real de que a velhice a matasse antes da morte de Mordred. Todos estávamos com mais de quarenta anos e poucas pessoas viviam mais do que isso. Merlin, claro, tinha durado duas vezes quarenta e ainda mais, e todos conhecíamos outros que tinham feito cinquenta, sessenta ou até setenta anos, mas nos víamos como velhos. O cabelo ruivo de Guinevere tinha muitas riscas de grisalho, mas ela ainda era uma beldade e seu rosto poderoso observava o mundo com toda a antiga força e arrogância. Ela parou para olhar Gwydre, que tinha entrado de cavalo na arena. Ele ergueu uma das mãos para a mãe, depois fez o animal treinar os passos. Estava treinando o garanhão para ser um cavalo de guerra: a empinar, escoicear e manter as pernas em movimento mesmo quando ficava parado, de modo que nenhum inimigo pudesse cortar seus jarretes. Guinevere o observou durante um tempo. — Você acha que ele vai ser rei algum dia? — perguntou, melancólica.

— Sim, senhora. Mordred cometerá um erro cedo ou tarde, e então atacaremos.

— Espero que sim — disse ela passando o braço pelo meu. Não creio que estivesse tentando me confortar, e sim que estava procurando conforto. — Artur lhe falou de Amhar?

— Brevemente, senhora.

— Ele não culpa você. Você sabe disso, não é?

— Gostaria de acreditar.

— Bom, você pode. O sofrimento dele é pela própria falha como pai, e não pela morte daquele desgraçadozinho.

Suspeito de que Artur estivesse lamentando muito mais por Dumnonia do que por Amhar, porque ficou profundamente amargo com a notícia dos massacres. Como eu, queria vingança, mas Mordred comandava um exército e Artur tinha menos de duzentos homens que precisariam atravessar o Severn de barco, se fossem lutar contra Mordred. Com toda a honestidade, ele não conseguia ver como isso poderia ser feito. Até mesmo se preocupava com a legalidade dessa vingança.

— Os homens que Mordred matou eram jurados a ele — disse-me Artur. — Ele tinha o direito de matá-los.

— E nós temos o direito de vingá-los — insisti, mas não tenho certeza de que Artur concordava totalmente. Ele sempre tentou elevar a lei acima da paixão pessoal e segundo nossa lei de juramentos, que faz do rei a fonte de toda a lei e portanto de todos os juramentos, Mordred poderia fazer o que quisesse com sua própria terra. Esta era a lei, e Artur, sendo Artur, preocupava-se com a ideia de violá-la, mas também chorava pelos homens e mulheres que tinham morrido e pelas crianças escravizadas, e sabia que outras morreriam ou seriam escravizadas enquanto Mordred vivesse. Parecia que a lei teria de ser violada, mas Artur não sabia como fazer isso. Se pudéssemos marchar com nossos homens através de Gwent, e então levá-los ao leste distante a ponto de podermos entrar nas terras de fronteira com Lloegyr e juntarmos forças com Sagramor, teríamos a força para derrotar o exército selvagem de Mordred, ou pelo menos para enfrentá-lo em condições de igualdade, mas o rei Meurig se recusava obstinadamente a nos deixar atravessar suas terras. Se atravessássemos o Severn de barco poderíamos ir sem os cavalos, e então nos encontraríamos muito longe de Sagramor, e estaríamos separados dele pelo exército de Mordred. Mordred poderia nos derrotar primeiro, depois voltar para lidar com o númida.

Pelo menos Sagramor continuava vivo, mas isso servia de pouco consolo. Mordred havia trucidado alguns dos guerreiros dele, mas não conseguira encontrar o próprio Sagramor e retirara seus homens da região de fronteira antes que Sagramor pudesse lançar uma represália sangrenta. Agora, pelo que soubemos, Sagramor e 120 de seus lanceiros tinham buscado refúgio numa fortaleza no sul. Mordred temia atacar a fortaleza, e Sagramor não tinha forças para sair e derrotar o exército de Mordred, por isso os dois se vigiavam mas não lutavam, enquanto os saxões de Cerdic, encorajados pela impotência de Sagramor, de novo vinham para o oeste entrando em nossas terras. Mordred destacou bandos de guerreiros para se opor a esses saxões, sem perceber os mensageiros que ousavam atravessar suas terras para conectar Artur com Sagramor. As mensagens refletiam a frustração de Sagramor — como ele poderia levar seus homens até a Silúria? A distância era grande e o inimigo, numeroso demais, estava no caminho. Realmente parecíamos impotentes para vingar as mortes, mas então, três semanas depois de minha volta da Dumnonia, chegaram notícias da corte de Meurig.

O boato chegou até nós através de Sansum. Ele tinha vindo comigo a Isca, mas considerou a companhia de Artur incômoda demais e assim, deixando Morgana aos cuidados do irmão, foi para Gwent. E agora, talvez para mostrar como estava próximo do rei, mandou uma mensagem dizendo que Mordred estava pedindo a permissão de Meurig para atravessar Gwent com seu exército e atacar a Silúria. Segundo Sansum, Meurig ainda não decidira dar uma resposta.

Artur repetiu-me a mensagem de Sansum.

— O lorde camundongo está tramando de novo?

— Ele está apoiando o senhor e Meurig — falei azedamente —, de modo que os dois se sintam gratos.

— Mas é verdade?

Artur esperava que fosse, porque, se Mordred o atacasse, nenhuma lei poderia condená-lo por contra-atacar, e se Mordred marchasse com seu exército para o norte, entrando em Gwent, poderíamos atravessar o Severn de barco e juntar forças com os homens de Sagramor em alguma parte do sul da Dumnonia. Galahad e o bispo Emrys duvidavam de que Sansum falasse a verdade, mas eu discordava. Mordred odiava Artur acima de todos os homens, e achei que ele seria incapaz de resistir à tentativa de derrotá-lo em batalha.

Assim, durante alguns dias fizemos planos. Nossos homens treinavam com lança e espada, e Artur mandou mensageiros a Sagramor, delineando a campanha que esperava lutar, mas ou Meurig negou a permissão que Mordred necessitava ou então Mordred decidiu contra um ataque à Silúria, porque nada aconteceu. O exército de Mordred continuou entre nós e Sagramor, não ouvimos mais boatos vindos de Sansum e só podíamos esperar.

Esperar e ver a agonia de Ceinwyn. Ver seu rosto ficar fundo. Ouvi-la gritando, sentir o terror em sua mão apertada e o cheiro da morte que não vinha.

Morgana experimentou novas ervas. Pôs uma cruz no corpo nu de Ceinwyn, mas o toque da cruz fez Ceinwyn gritar. Uma noite, quando Morgana estava dormindo, Taliesin fez um contrafeitiço para evitar a maldição que ele ainda acreditava ser a causa da doença de Ceinwyn. Mas apesar de termos matado uma lebre e pintado o rosto de Ceinwyn com o sangue, e mesmo tendo tocado a pele devastada de seu corpo com a ponta queimada de um galho de freixo, e mesmo tendo rodeado sua cama com pedras de águia, setas de elfo e pedras de bruxa, e mesmo tendo pendurado um galho de espinheiro e um punhado de visgo cortado de uma limeira sobre sua cama, e mesmo tendo posto Excalibur, um dos Tesouros da Britânia, ao seu lado, a doença não diminuiu. Rezamos a Grannos, o Deus da cura, mas nossas preces não foram atendidas e os sacrifícios foram ignorados.

— É uma magia forte demais — disse Taliesin com tristeza. Na noite seguinte, enquanto Morgana dormia de novo, trouxemos um druida do norte da Silúria para o quarto da doente. Era um druida do campo, todo barba e fedor, e ele entoou um feitiço, depois esmagou os ossos de uma cotovia, fazendo um pó que misturou numa infusão de artemísia numa taça sagrada. Derramou a mistura na boca de Ceinwyn, mas o remédio não produziu coisa alguma. O druida tentou lhe dar de comer pedaços do coração assado de um gato preto, mas ela cuspiu, por isso ele usou seu feitiço mais forte, o toque da mão de um cadáver. A mão, que me fez lembrar da crista do elmo de Cerdic, estava empretecida. O druida tocou com ela a testa, o nariz e a garganta de Ceinwyn, depois apertou-a contra o couro cabeludo enquanto murmurava um encanto, mas só conseguiu transferir um monte de piolhos de sua barba para o cabelo dela, e quando tentamos tirá-los com um pente arrancamos o resto dos fios. Paguei ao druida, depois o segui até o pátio para escapar da fumaça das fogueiras em que Taliesin queimava ervas. Morwenna foi comigo.

— O senhor precisa descansar, pai — disse ela.

— Haverá tempo para descanso depois — falei, olhando o druida arrastar os pés no escuro.

Morwenna me abraçou e pousou a cabeça em meu ombro. Tinha os cabelos dourados como eram antigamente os de Ceinwyn, e eles cheiravam como os de Ceinwyn.

— Talvez não seja magia — falou.

— Se não fosse magia ela teria morrido.

— Há uma mulher em Powys que dizem ter muitas habilidades.

— Então mande buscá-la — falei cansado, mas agora não tinha mais fé em feiticeiros. Um monte deles tinha vindo e recebido ouro, mas nenhum fizera a doença recuar. Eu tinha feito sacrifícios a Mitra, tinha rezado a Bel e Don, e nada dera certo.

Ceinwyn gemeu e o gemido se transformou num grito. Eu me encolhi ao ouvir o som, depois empurrei Morwenna gentilmente.

— Preciso ir até ela.

— Descanse, pai. Eu vou.

Foi então que vi a figura encapuzada parada no centro do pátio. Não dava para ver ser era homem ou mulher, nem podia saber há quanto tempo estava ali. Parecia-me que há apenas um instante o pátio estivera vazio, mas agora a estranha figura encoberta se encontrava na minha frente com um capuz fundo sombreando a luz da lua sobre o rosto. Senti um pavor súbito de que fosse a morte aparecendo. Fui em direção à figura.

— Quem é você?

— Ninguém que o senhor conheça, lorde Derfel Cadarn.

Era uma mulher quem falava, e enquanto falava empurrou o capuz para trás e vi que ela havia pintado o rosto de branco, depois espalhado fuligem sobre os olhos de modo a parecer um crânio vivo. Morwenna ofegou.

— Quem é você? — perguntei de novo.

— Sou o sopro do vento oeste, lorde Derfel — disse ela numa voz sibilante — e a chuva que cai em Cadair Idris, e o gelo que cobre os picos de Eryri. Sou a mensageira do tempo anterior aos reis, sou a Dançarina. — Então ela riu, e seu riso foi como uma loucura na noite. Aquele som trouxe Taliesin e Galahad à porta do quarto da doente, onde pararam e olharam a mulher de rosto branco gargalhar. Galahad fez o sinal da cruz e Taliesin tocou o trinco de ferro da porta. — Venha cá, lorde Derfel — ordenou a mulher —, venha para mim, lorde Derfel.

— Vá, senhor — encorajou Taliesin e tive uma esperança súbita de que os feitiços do druida piolhento tivessem funcionado porque, mesmo não tendo retirado a doença de Ceinwyn, tinham trazido essa aparição ao pátio. Por isso pisei no chão enluarado e me aproximei da mulher coberta pela capa.

— Abrace-me, lorde Derfel — disse a mulher e havia algo em sua voz que falava de podridão e terra, mas estremeci, dei mais um passo e pus os braços em volta de seus ombros magros. Ela cheirava a mel e cinzas. — Quer que Ceinwyn viva? — sussurrou no meu ouvido.

— Sim.

— Então venha comigo agora — sussurrou ela de volta e saiu do meu abraço. — Agora — repetiu, ao ver minha hesitação.

— Deixe-me pegar uma capa e uma espada.

— Você não precisará de espada aonde vamos, lorde Derfel, e pode compartilhar minha capa. Venha agora, ou deixe sua mulher sofrer. — Com essas palavras ela se virou e foi saindo do pátio.

— Vá! — insistiu Taliesin. — Vá!

Galahad tentou ir comigo, mas a mulher se virou no portão e ordenou que ele voltasse.

— Lorde Derfel vem sozinho ou não vem de jeito nenhum — disse ela.

E assim fui, seguindo a morte na noite, em direção ao norte.

Andamos por toda a noite, de modo que ao alvorecer estávamos na beira dos morros altos, e ela continuava andando, escolhendo caminhos que nos levavam para longe de qualquer povoado. A mulher que se chamava de Dançarina andava descalça, e algumas vezes saltitava como se estivesse cheia de uma alegria insaciável. Uma hora depois do alvorecer, quando o sol estava inundando os morros com ouro novo, ela parou junto a um laguinho, jogou água no rosto e esfregou as bochechas com um punhado de capim, para tirar a mistura de mel e cinzas com que tinha embranquecido a pele. Até aquele momento eu não sabia se ela era jovem ou velha, mas agora vi que era uma mulher de vinte e poucos anos, e muito bonita. Tinha rosto delicado, cheio de vida, com olhos felizes e sorriso rápido. Conhecia a própria beleza e sorriu ao ver que também reconheci isso.

— O senhor se deitaria comigo, lorde Derfel?

— Não.

— Se isso curasse Ceinwyn, o senhor se deitaria comigo?

— Sim.

— Mas não cura! Não cura! — E ela riu e correu à minha frente, largando a capa pesada para revelar um vestido de linho fino grudado no corpo esguio. — Lembra-se de mim? — perguntou, virando-se para me encarar.

— Eu deveria?

— Eu me lembro do senhor, lorde Derfel. O senhor olhou para o meu corpo como um homem faminto, mas o senhor estava com fome. Com muita fome. Lembra? — E com isso ela fechou os olhos e desceu pelo caminho de ovelhas em minha direção. Dava passos altos e precisos, apontando os dedos dos pés a cada passo, e me lembrei imediatamente. Era a garota cuja pele nua tinha brilhado na escuridão de Merlin.

— Você é Olwen — falei, com o nome voltando através dos anos. — Olwen, a Prateada.

— Então o senhor se lembra. Agora estou mais velha. Olwen Mais Velha. — Ela gargalhou. — Venha, senhor! Traga a capa.

— Aonde estamos indo?

— Longe, senhor, longe. Aonde os ventos brotam, as chuvas começam, as névoas nascem e nenhum rei governa. — Ela dançou pelo caminho, com uma energia aparentemente interminável. Dançou durante todo aquele dia, e durante todo aquele dia falou absurdos comigo. Acho que era louca. Uma vez, enquanto passávamos por um pequeno vale onde árvores com folhas prateadas estremeciam na brisa, ela tirou o vestido e dançou nua na grama, e fez isso para me agitar e me tentar, e quando me aproximei cansado e não demonstrei fome por ela, simplesmente riu, pendurou o vestido no ombro e caminhou ao meu lado como se sua nudez não fosse uma coisa estranha. — Fui eu quem levou a maldição à sua casa — disse com orgulho.

— Por quê?

— Porque tinha de ser feita, claro — disse ela com toda a sinceridade aparente —, assim como agora tem de ser cancelada! E por isso estamos indo às montanhas, senhor.

— Até Nimue? — perguntei, já sabendo, como acho que sabia desde que Olwen aparecera no pátio, que era até Nimue que estávamos indo.

— Até Nimue — concordou Olwen, feliz. — Veja bem, senhor. O tempo chegou.

— Que tempo?

— O tempo de acabar com todas as coisas, claro — disse Olwen e jogou o vestido em meus braços para não ficar estorvada. Saltitou à minha frente, virando-se algumas vezes para me lançar um olhar maroto, e sentindo prazer na minha expressão imutável. — Quando o sol brilha gosto de ficar nua.

— O que é o fim de todas as coisas?

— Nós tornaremos a Britânia um local perfeito. Não haverá doença nem fome, nem medo nem guerras, nem tempestades nem roupas. Tudo vai terminar, senhor! As montanhas cairão e os rios correrão ao contrário, os mares vão ferver e os lobos uivar, mas no fim o país será verde e dourado, e não haverá mais anos, nem mais tempo, e todos seremos Deuses e Deusas. Serei uma Deusa árvore. Governarei o lariço e a bétula, e dançarei de manhã, e à noite me deitarei com homens dourados.

— Você não deveria se deitar com Gawain? Quando ele saísse do Caldeirão? Eu achava que você seria a rainha dele.

— Eu me deitei com ele, senhor, mas ele estava morto. Morto e seco. Ele tinha gosto de sal. — Ela gargalhou. — Morto, seco e salgado. Durante uma noite inteira eu o esquentei, mas ele não se mexeu. Eu não queria me deitar com ele — acrescentou com uma voz confiante —, mas desde aquela noite, senhor, tive apenas felicidade! — Ela se virou com leveza, dançando num círculo sobre a grama.

Louca, pensei, louca e espantosamente linda, tão linda quanto Ceinwyn fora um dia, mas essa garota, diferentemente de minha Ceinwyn com sua pele pálida e cabelos dourados, tinha cabelos pretos e a pele escurecida pelo sol.

— Por que a chamam de Olwen, a Prateada?

— Porque minha alma é de prata, senhor. Meu cabelo é escuro, mas minha alma é de prata!

Ela girou no caminho, depois saiu correndo agilmente. Parei alguns instantes depois para recuperar o fôlego e olhei para um vale profundo, abaixo, onde podia ver um homem pastoreando ovelhas. O cão do pastor subiu a encosta correndo para pegar um animal desgarrado, e abaixo do rebanho pude ver uma casa onde uma mulher punha roupas para secar sobre arbustos. Aquilo, pensei, era real, enquanto esta jornada através dos morros era uma loucura, um sonho, e toquei a cicatriz na palma da mão direita, a cicatriz que me ligava a Nimue, e vi que ela estava vermelha. Tinha sido branca durante anos, agora estava em cor viva.

— Precisamos ir, senhor! — chamou Olwen. — Sempre em frente! Subindo até as nuvens! — Para meu alívio, ela pegou o vestido de volta e o enfiou pela cabeça, sacudindo-se para que ele baixasse sobre o corpo magro. — Às vezes fica frio nas nuvens, senhor — explicou e em seguida estava dançando de novo. Dei um último olhar pesaroso para o pastor e seu cão, e segui a dançante Olwen por um caminho estreito que subia entre rochas altas.

Descansamos à tarde. Paramos num vale de morros íngremes onde cresciam freixos, sorveiras e sicômoros, e onde um lago comprido e estreito estremecia negro sob a brisa. Encostei-me numa pedra e devo ter dormido um tempo, porque ao acordar vi que Olwen estava nua de novo, mas dessa vez nadava na água fria e preta. Saiu do lago tremendo, secou-se com a capa e em seguida pôs o vestido.

— Nimue me disse que se você se deitasse comigo Ceinwyn morreria — revelou ela.

— Então por que pediu para eu me deitar com você?

— Para ver se o senhor amava Ceinwyn, claro.

— Eu amo.

— Então pode salvá-la — disse Olwen cheia de felicidade.

— Qual foi a maldição que Nimue lançou sobre ela?

— Uma maldição de fogo, uma maldição de água e a maldição do abrunheiro — disse Olwen e em seguida se agachou aos meus pés e olhou meus olhos — e a maldição escura do Corpo Fantasma — acrescentou em voz agourenta.

— Por quê? — perguntei irado, sem me importar com os detalhes das maldições, só pensando que alguma maldição fora posta sobre minha Ceinwyn.

— Por que não? — Olwen gargalhou, pendurou a capa úmida nos ombros e continuou andando. — Venha, senhor! Está com fome?

— Estou.

— O senhor deve comer. Comer, dormir e falar. — Ela estava dançando de novo, dando passos delicados com os pés nus sobre o caminho pedregoso.

Percebi que seus pés sangravam, mas ela não parecia se importar. — Estamos indo para trás.

— O que isso significa?

Ela se virou, de modo a ficar andando para trás e olhando para mim.

— Para trás no tempo, senhor. Nós desenrolamos os anos. Os anos de ontem estão passando por nós, mas tão rápido que não podemos ver suas noites ou seus dias. O senhor ainda não nasceu, seus pais ainda não nasceram e continuamos para trás, sempre para trás, até o tempo antes de haver reis. Para lá, senhor, é que vamos. Para o tempo antes dos reis.

— Seus pés estão sangrando.

— Eles se curam — e ela se virou e saltitou. — Venha! Venha para o tempo antes dos reis!

— Merlin está esperando por mim lá?

Esse nome fez Olwen parar. Ela ficou imóvel, virou-se de novo para trás e franziu a testa para mim.

— Eu me deitei com Merlin uma vez — falou depois de um tempo. — Muitas vezes! — acrescentou num jorro de honestidade.

Isso não me surpreendeu. Ele era como um bode.

— Ele está esperando por nós? — perguntei.

— Ele está no coração do tempo antes dos reis — disse Olwen, séria. — No coração absoluto, senhor. Merlin é o frio no gelo, a água na chuva, a chama no sol, o sopro no vento. Agora venha — ela puxou minha manga com uma urgência súbita —, agora não podemos falar.

— Merlin é prisioneiro? — perguntei, mas Olwen não quis responder. Corria à minha frente e esperava com impaciência que a alcançasse, e assim que a alcançava ela corria de novo. Seguia tranquilamente por aqueles caminhos íngremes enquanto eu me esforçava atrás, e o tempo todo penetrávamos cada vez mais nas montanhas. Agora percebi que tínhamos deixado a Silúria e entrado em Powys, mas numa parte daquele país desafortunado onde o governo do jovem Perddel não chegava. Esta era a terra sem lei, a terra dos bandoleiros, mas Olwen deslizava descuidada em meio aos perigos.

A noite caiu. Nuvens chegaram do oeste, de modo que logo estávamos na escuridão completa. Olhei em volta e não vi coisa alguma. Nenhuma luz, nem mesmo o brilho de uma chama distante. Foi assim, imagino, que Bel encontrou a ilha da Britânia quando chegou pela primeira vez para trazer vida e luz.

Olwen pôs a mão na minha.

— Venha, senhor.

— Você não pode ver! — protestei.

— Eu vejo tudo. Confie, senhor. — E com isso ela continuou me guiando, algumas vezes alertando sobre um obstáculo. — Precisamos atravessar um riacho aqui, senhor. Pise com cuidado.

Eu sabia que nosso caminho estava subindo sempre, sabia pouco mais do que isso. Atravessamos um trecho de barro traiçoeiro, mas a mão de Olwen era firme na minha, e uma vez parecemos andar ao longo da crista de um morro alto onde o vento assobiava em meus ouvidos e Olwen cantou uma cançoneta estranha falando de elfos.

— Ainda existem elfos nestes morros — disse ela quando a canção terminou. — Em todo o resto da Britânia eles foram mortos, mas não aqui. Eu já vi. Eles me ensinaram a dançar.

— Ensinaram bem — falei, sem acreditar numa palavra, mas estranhamente reconfortado pelo aperto quente de sua mão pequena.

— Eles têm capas de teia de aranha.

— Eles não dançam nus? — perguntei, provocando-a.

— Uma capa de teia de aranha não esconde nada, senhor. Mas por que deveríamos esconder o que é belo?

— Você se deita com os elfos?

— Um dia vou me deitar. Por enquanto não. No tempo depois dos reis vou me deitar. Com eles e com homens dourados. Mas primeiro preciso me deitar com outro homem salgado. Barriga contra barriga com outra coisa seca saída do coração do caldeirão. — Ela gargalhou, puxou minha mão e deixamos a crista, subindo uma encosta de grama suave até chegar a uma crista mais elevada. Ali, pela primeira vez desde que as nuvens tinham escondido a lua, vi luz.

Distante, do outro lado de uma depressão de terra, havia um morro, e no morro devia haver um vale que estava cheio de fogo, de modo que a silhueta do morro mais próxima tinha uma borda luminosa. Fiquei ali parado, com a mão inconscientemente na mão de Olwen, e ela riu deliciada ao me ver olhando aquela luz súbita.

— Aquela é a terra antes dos reis, senhor. Lá o senhor encontrará amigos. E comida.

Tirei minha mão da dela.

— Que amigo é esse que põe uma maldição em Ceinwyn?

Ela pegou minha mão de novo.

— Venha, senhor, agora não está longe. — E me puxou encosta abaixo, tentando me fazer correr, mas eu não queria. Segui devagar, lembrando-me do que Taliesin tinha contado na névoa mágica que fizera baixar sobre Caer Cadarn: que Merlin havia ordenado que ele me salvasse, mas que eu não deveria agradecer por isso, e à medida que chegava mais perto daquele vale de fogo eu temia descobrir o que Merlin quisera dizer. Olwen me atraía, ria de meus medos e seus olhos brilhavam com o reflexo do fogo, mas eu subia para o horizonte luminoso com o coração pesado.

Lanceiros guardavam a borda do vale. Eram homens de aparência selvagem envoltos em peles e carregando lanças de cabo rude com lâminas grosseiras. Não disseram nada enquanto passávamos, apesar de Olwen cumprimentá-los cheia de alegria. Depois ela me guiou descendo um caminho até o coração enfumaçado do vale. Havia um lago comprido e fino lá embaixo, e por toda a volta das margens negras havia fogueiras, e junto às fogueiras pequenas cabanas entre bosques de árvores atrofiadas. Um exército de pessoas acampava ali, já que havia duzentas fogueiras ou mais.

— Venha, senhor — disse Olwen, me puxando encosta abaixo. — Este é o passado, e este é o futuro. É aqui que o arco do tempo se encontra.

Isto é um vale nas terras altas de Powys, falei a mim mesmo. Um lugar escondido onde um homem desesperado poderia encontrar abrigo. O arco do tempo não significava nada aqui, garanti a mim mesmo, mas mesmo assim senti um tremor de apreensão enquanto Olwen me puxava até as cabanas junto ao lago, onde o exército estava acampado. Pensei que as pessoas deveriam estar dormindo, porque a noite era avançada, mas enquanto caminhávamos entre o lago e as cabanas uma multidão de homens e mulheres saiu das cabanas para nos ver passar. Eram coisas estranhas aquelas pessoas. Algumas riam sem motivo, algumas falavam sem significado, outras se coçavam. Vi rostos com bócio, olhos cegos, lábios leporinos, cabelos emaranhados e membros tortos.

— Quem são eles? — perguntei a Olwen.

— O exército dos loucos, senhor.

Cuspi em direção ao lago para evitar o mal. Aquelas pobres pessoas não eram todas loucas ou aleijadas, já que havia alguns lanceiros, e percebi que alguns poucos tinham escudos cobertos de pele humana e enegrecidos com sangue humano — dos derrotados Escudos Sangrentos de Diwrnach. Outros tinham a águia de Powys nos escudos, e um homem até mesmo mostrava a raposa da Silúria, um distintivo que não entrava em batalha desde a época de Gundleus. Esses homens, como o exército de Mordred, eram a escória da Britânia: homens derrotados, homens sem terra, homens sem nada a perder e com tudo a ganhar. O vale fedia a escória humana. Fez-me lembrar da Ilha dos Mortos, aquele lugar para onde a Dumnonia mandava seus loucos terríveis, o lugar onde um dia eu fora resgatar Nimue. Essas pessoas tinham o mesmo ar selvagem e davam a mesma impressão inquietante de que a qualquer momento poderiam saltar e gadanhar sem motivo aparente.

— Como vocês os alimentam? — perguntei.

— Os soldados arranjam comida, os soldados de verdade. Nós comemos muito carneiro. Eu gosto de carneiro. Aqui estamos, senhor. Fim da viagem! — E com essas palavras alegres ela separou a mão da minha e se adiantou. Tínhamos chegado à extremidade do lago, e à minha frente havia um bosque de grandes árvores que cresciam no abrigo de um penhasco alto.

Uma dúzia de fogueiras ardia sob as árvores e vi que os troncos formavam duas filas, dando ao bosque a aparência de um vasto salão. Na extremidade mais distante do salão havia duas pedras altas parecidas com as que o povo antigo erigia, mas eu não podia dizer se estas eram antigas ou erguidas recentemente.

Entre as pedras, entronada numa grande cadeira e segurando o cajado preto de Merlin numa das mãos, estava Nimue. Olwen correu até Nimue, jogou-se aos pés de Nimue, pôs os braços em volta das pernas de Nimue e pôs a cabeça nos joelhos de Nimue.

— Eu o trouxe, senhora — disse ela.

— Ele se deitou com você? — perguntou Nimue, falando com Olwen mas olhando fixamente para mim. Havia dois crânios acima das pedras, cada um coberto com uma grossa camada de cera derretida.

— Não, senhora.

— Você o convidou? — O olho único de Nimue continuava me encarando.

— Sim, senhora.

— Você se mostrou para ele?

— Durante o dia inteiro me mostrei para ele, senhora.

— Boa garota — disse Nimue, dando um tapinha no cabelo de Olwen, e quase pude imaginar a moça ronronando contente aos pés de Nimue. Nimue continuava me encarando e eu, enquanto andava por entre aqueles altos troncos iluminados pelas fogueiras, a encarava de volta.

Nimue estava como quando eu a havia tirado da Ilha dos Mortos. Parecia não ter tomado banho, penteado o cabelo ou se cuidado de qualquer modo há anos. A órbita vazia não estava coberta, nem tinha qualquer olho falso, era uma cicatriz encolhida e enrugada no rosto magro. Sua pele estava com uma sujeira profundamente entranhada, o cabelo era um emaranhado gorduroso que caía até a cintura. Um dia seu cabelo tinha sido preto, mas agora era branco como osso, a não ser por uma madeixa preta. O manto branco estava imundo, e por cima ela usava uma capa maltrapilha, com mangas, grande demais para ela, e que subitamente percebi que devia ser a Capa de Padarn, um dos Tesouros da Britânia, e num dos dedos da mão esquerda estava o Anel de Eluned, um anel simples de ferro. Suas unhas estavam compridas e os poucos dentes completamente pretos. Parecia muito mais velha, ou talvez fosse apenas a sujeira que acentuava as rugas sérias do rosto. Ela nunca fora o que o mundo poderia chamar de bonita, mas seu rosto tinha sido iluminado pela inteligência, o que a tornava atraente, mas agora parecia repulsiva, e o rosto que já fora animado estava amargo, embora ela me oferecesse a sombra de um sorriso enquanto levantava a mão esquerda. Estava mostrando a cicatriz, a mesma cicatriz que eu tinha na mão esquerda, e em resposta levantei a mão e ela assentiu satisfeita.

— Você veio, Derfel.

— Eu tinha alguma opção? — perguntei amargo, depois apontei para a cicatriz na minha mão. — Isso não me liga a você? Por que atacar Ceinwyn para me trazer até aqui, quando você já tinha isso? — E bati de novo na cicatriz.

— Porque você não viria. — Suas criaturas loucas juntavam-se em volta do trono como cortesãos, outras alimentavam as fogueiras e uma farejou meus tornozelos como um cachorro. — Você nunca acreditou — acusou Nimue. — Você reza aos Deuses, mas não acredita neles. Ninguém acredita direito agora, a não ser nós. — Ela girou o cajado roubado, apontando para os mancos, os semicegos, os mutilados e os loucos, que a encaravam em adoração. — Nós acreditamos, Derfel.

— Eu acredito também.

— Não! — Nimue gritou a palavra, fazendo algumas das criaturas sob as árvores gritar de volta aterrorizadas. Em seguida, apontou o cajado para mim. — Você estava lá quando Artur tirou Gwydre da fogueira.

— Você não poderia esperar que Artur deixasse o filho ser morto.

— O que eu esperava, idiota, era ver Bel vindo do céu com o ar incendiado e estalando atrás dele, e as estrelas jogadas como folhas numa tempestade! Era isso que eu esperava! Era o que eu merecia! — Ela inclinou a cabeça para trás e gritou para as nuvens, e todos os loucos aleijados uivaram juntos. Só Olwen, a Prateada, ficou quieta. Encarava-me com um meio sorriso, como a sugerir que só nós dois éramos sãos neste refúgio de loucos. — Era isso que eu queria! — gritou Nimue por sobre a cacofonia de gritos e uivos. — E é isso que terei. — E com essas palavras ela se levantou, afastou o abraço de Olwen e me chamou com o cajado. — Venha.

Segui-a passando pelas pedras até uma caverna no penhasco. Não era uma caverna profunda, apenas com tamanho para um homem deitado de costas, e a princípio pensei ter visto um homem nu deitado nas sombras da caverna. Olwen tinha vindo para o meu lado e estava tentando pegar minha mão, mas a afastei enquanto, à minha volta, os loucos se comprimiam para ver o que estava no chão de pedra.

As brasas de uma pequena fogueira ardiam ali dentro e à luz fraca vi que não era um homem que estava deitado na pedra, e sim a figura de argila de uma mulher. Era uma figura em tamanho real, com seios grosseiros, pernas abertas e um rosto rudimentar. Nimue entrou na caverna e se agachou ao lado da cabeça da figura de argila.

— Veja, Derfel Cadarn. A sua mulher.

Olwen gargalhou e sorriu para mim.

— A sua mulher, senhor! — disse Olwen, para o caso de eu não ter entendido.

Olhei a grotesca figura de barro, depois olhei para Nimue.

— Minha mulher?

— Este é o Corpo Fantasma de Ceinwyn, seu idiota! E eu sou o flagelo de Ceinwyn. — Havia um cesto meio arrebentado no fundo da caverna, o Cesto de Garanhir, outro Tesouro da Britânia, e Nimue pegou dentro dele um punhado de frutinhas secas. Ela se curvou e comprimiu uma no corpo de argila da mulher. — Um novo tumor, Derfel! — disse ela e vi que a superfície do barro estava marcada por outras frutinhas. — E outro, e outro! — Ela gargalhou, apertando as frutinhas secas no barro vermelho. — Devemos dar-lhe dor, Derfel? Devemos fazê-la gritar? — E com essas palavras ela tirou da cintura uma faca grosseira e cravou-a na cabeça da mulher de barro. — Ah, ela está gritando agora! — disse Nimue. — Eles estão tentando segurá-la, mas a dor é forte demais, forte demais! — E com isso ela torceu a faca e de repente me enfureci, curvei-me entrando na boca da caverna e Nimue imediatamente soltou a faca e pôs dois dedos sobre os olhos de barro. — Será que devo cegá-la, Derfel? — sibilou. — É isso que você quer?

— Por que está fazendo isso?

Ela tirou a Faca de Laufrodedd do torturado crânio de argila.

— Vou deixá-la dormir — cantarolou. — Ou será que não? — E com isso deu uma gargalhada louca e pegou uma colher de ferro no Cesto de Garanhir, tirou algumas brasas da fogueira e espalhou-as sobre o corpo. Imaginei Ceinwyn estremecendo e gritando, as costas arqueadas pela dor súbita, e Nimue gargalhou ao ver minha fúria impotente. — Por que estou fazendo isso? Porque você me impediu de matar Gwydre. E porque você pode trazer os Deuses à terra. Por isso.

Encarei-a.

— Você também está louca — falei em voz baixa.

— O que sabe sobre a loucura? — disse Nimue, cuspindo. — Você e sua mente pequena, sua mente pequena e patética. Você pode me julgar? Ah, dor! — E ela deu uma facada nos seios de argila. — Dor! Dor! — As criaturas loucas atrás de mim se juntaram ao seu grito. — Dor! Dor!

Elas exultavam, algumas batendo palmas e outras gargalhando com deleite.

— Pare! — gritei.

Nimue se agachou sobre a figura torturada, com a faca a postos.

— Você a quer de volta, Derfel?

— Quero. — Eu estava à beira das lágrimas.

— Ela é muito preciosa para você?

— Você sabe que sim.

— Você preferiria se deitar com isso — Nimue apontou para a grotesca figura de argila — do que com Olwen?

— Eu não me deito com nenhuma mulher além de Ceinwyn.

— Então irei dá-la de volta a você. — E Nimue acariciou com ternura a testa da figura de barro. — Vou restaurar sua Ceinwyn para você, mas primeiro você precisa me dar o que me é mais precioso. Este é o meu preço.

— E o que é mais precioso para você? — perguntei, sabendo a resposta antes mesmo que ela dissesse.

— Você deve me trazer Excalibur, Derfel. E deve me trazer Gwydre.

— Por que Gwydre? Ele não é filho de um rei.

— Porque ele foi prometido aos Deuses, e os Deuses exigem o que foi prometido. Você deve trazê-lo para mim antes da próxima lua cheia. Você trará Gwydre e a espada até onde as águas se encontram abaixo do Nant Dduu. Conhece o lugar?

— Conheço — falei, carrancudo.

— E se não os trouxer, Derfel, juro que o sofrimento de Ceinwyn vai aumentar. Plantarei vermes na barriga dela, transformarei os olhos dela em líquido, farei a pele se soltar e a carne apodrecer nos ossos que vão se partir. E mesmo que ela implore pela morte, eu não a mandarei, em vez disso darei apenas dor. Nada além de dor. — Eu quis me adiantar e matar Nimue ali mesmo. Ela fora minha amiga, e até mesmo amante, uma vez, mas agora tinha se afastado demasiadamente para um mundo onde os espíritos eram reais e as coisas reais eram brinquedos. — Traga-me Gwydre e traga-me Excalibur — prosseguiu Nimue, com o olho único brilhando na semiescuridão da caverna — e liberarei Ceinwyn de seu Corpo Fantasma, e livrarei você de seu juramento para comigo, e lhe darei duas coisas. — Ela levou a mão atrás do corpo e pegou um pano. Abriu-o e vi que era a velha capa que me fora roubada em Isca. Remexeu na capa, encontrou alguma coisa e segurou entre o indicador e o polegar. Vi que ela estava com a pequena ágata que tinha desaparecido do anel de Ceinwyn. — Uma espada e um sacrifício em troca de uma capa e uma pedra. Você fará isso, Derfel?

— Sim — falei, sem sinceridade, mas sem saber que outra coisa poderia dizer. — Você vai me deixar ficar com ela agora?

— Não — disse Nimue, sorrindo. — Mas quer que ela descanse esta noite? Então nesta noite, Derfel, irei aliviá-la. — Ela soprou as cinzas para longe do barro, pegou as frutinhas e arrancou os feitiços que tinham sido enfiados no corpo. — De manhã colocarei de volta.

— Não!

— Não todas, mas um pouco mais a cada dia até eu saber que você chegou ao lugar onde as águas se encontram no Nant Dduu. — Ela tirou um pedaço de osso queimado de dentro do barro. — E quando eu tiver a espada meu exército dos loucos fará fogueiras tão grandes que a noite de Samain vai virar dia. E Gwydre voltará para vocês, Derfel. Ele ficará no Caldeirão e os Deuses vão beijá-lo trazendo-o à vida, e Olwen vai se deitar com ele e ele cavalgará em glória segurando Excalibur. — Ela pegou um jarro d'água e jogou um pouco na testa da figura, depois alisou gentilmente o barro brilhante. — Vá agora. Sua Ceinwyn dormirá e Olwen tem outra coisa para lhe mostrar. Ao alvorecer vocês partirão.

Saí cambaleando atrás de Olwen, abrindo caminho pela multidão sorridente de coisas horrendas que se pressionavam junto à cabana, seguindo a jovem que dançava ao longo do penhasco até outra caverna. Dentro vi uma segunda figura de barro, esta de um homem, e Olwen fez um gesto para ela, e depois riu.

— Sou eu? — perguntei, porque vi que a argila estava lisa e sem marcas, mas então, olhando mais de perto no escuro, vi que os olhos do homem de argila tinham sido arrancados.

— Não, senhor, não é. — Ela se inclinou ao lado da figura e pegou uma comprida agulha de osso que estava ao lado das pernas de argila. — Olhe — disse ela e enfiou a agulha no pé de argila. Em algum lugar atrás de nós um homem uivou de dor. Olwen deu um risinho. — De novo — disse ela, e enfiou o osso no outro pé, e de novo a voz gritou de dor. Olwen gargalhou, depois pegou minha mão. — Venha — falou e me levou para uma fenda no penhasco. A fenda ia se estreitando, depois pareceu terminar abruptamente, porque eu só podia ver o brilho fraco da luz refletida na pedra, mas então enxerguei uma espécie de jaula que tinha sido feita no final da abertura. Ali cresciam dois pilriteiros, e pedaços de madeira tosca tinham sido pregados entre os dois troncos, formando grosseiras barras de prisão. Olwen soltou minha mão e me empurrou à frente. — Virei pegá-lo de manhã, senhor. Tem comida aí. — Ela sorriu, virou-se e saiu correndo.

A princípio pensei que a jaula grosseira era algum tipo de abrigo e que, quando chegasse perto, acharia uma entrada entre as barras, mas não havia porta. A jaula separava os últimos metros da fenda, e a comida prometida estava esperando sob um dos pilriteiros. Encontrei pão velho, carneiro seco e uma jarra d'água. Sentei-me, parti o pão e de repente alguma coisa se mexeu dentro da jaula. Estremeci assustado enquanto a coisa se arrastava até mim.

A princípio achei que fosse um animal, depois vi que era um homem, e depois vi que era Merlin.

— Eu serei bom — disse Merlin. — Eu serei bom. — Então entendi a segunda figura de barro, porque Merlin estava cego. Não tinha olhos. Só horror. — Espinhos nos meus pés, nos pés. — Depois desmoronou junto às barras e gemeu. — Eu serei bom, prometo!

Agachei-me.

— Merlin?

Ele estremeceu.

— Serei bom! — falou desesperado e, quando pus a mão entre as barras para acariciar seu cabelo emaranhado e imundo, ele se sacudiu para trás e estremeceu.

— Merlin? — repeti.

— Sangue na argila — disse ele. — Você deve pôr sangue na argila. Misture bem. Sangue de criança funciona melhor, pelo menos me disseram. Nunca fiz isso, minha cara. Tanaburs fez, eu sei, conversei uma vez com ele sobre isso. Ele era um idiota, claro, mas sabia algumas coisas malignas. O sangue de uma criança ruiva, pelo que ele disse, e de preferência de uma criança aleijada, uma aleijada ruiva. Qualquer criança serve, claro, mas a aleijada e ruiva é melhor.

— Merlin — falei. — É Derfel.

Ele continuou balbuciando, dando instruções sobre como fazer a figura de argila para que o mal pudesse ser mandado para longe. Ele falava de sangue, de orvalho e da necessidade de moldar o barro enquanto estivesse trovejando. Não queria me ouvir, e quando me levantei e tentei arrancar as barras das árvores dois lanceiros vieram rindo das sombras da fenda atrás de mim. Eram Escudos Sangrentos e suas lanças diziam para eu parar com os esforços de libertar o velho. Agachei-me de novo.

— Merlin!

Ele se arrastou para perto, farejando.

— Derfel?

— Sim, senhor.

Ele tentou me segurar, dei-lhe a mão e ele a apertou com força. Então, ainda segurando minha mão, deixou-se cair.

— Eu estou louco, sabe? — falou numa voz razoável.

— Não, senhor.

— Fui punido.

— Por nada, senhor.

— Derfel? É você mesmo?

— Sou eu, senhor. Quer comida?

— Eu tenho muito a lhe contar, Derfel.

— Espero que sim, senhor — falei, mas ele parecia incapaz de controlar o pensamento. Nos momentos seguintes falou de novo do barro, depois de outros feitiços, e de novo esqueceu quem eu era, porque me chamou de Artur. E então ficou quieto durante longo tempo.

— Derfel? — perguntou finalmente outra vez.

— Sim, senhor.

— Nada deve ser escrito, entende?

— O senhor me disse isso muitas vezes.

— Todo o nosso conhecimento deve ser lembrado. Caleddin escreveu, e foi então que os Deuses começaram a recuar. Mas está na minha cabeça. Estava. E ela tirou. Tudo. Ou quase tudo. — Ele sussurrou as três últimas palavras.

— Nimue? — perguntei e ele agarrou minha mão com uma força terrível ao ouvir o nome, e de novo ficou quieto. — Ela o cegou?

— Ah, ela teve de fazer isso! — disse ele, franzindo a testa diante da desaprovação em minha voz. — Não havia outro modo, Derfel. Eu deveria ter pensado que isso era óbvio.

— Não para mim — falei, amargo.

— Muito óbvio! É absurdo não pensar isso. — Em seguida ele soltou minha mão e tentou ajeitar a barba e o cabelo. Sua tonsura tinha desaparecido por baixo do emaranhado de cabelos e sujeira, a barba estava embolada e cheia de folhas, e o manto branco estava cor de lama. — Agora ela é uma druida — disse ele num tom de espanto.

— Eu pensava que as mulheres não podiam ser druidas.

— Não seja absurdo, Derfel. Só porque as mulheres nunca foram druidas não significa que não possam ser! Qualquer um pode ser um druida! Só é preciso memorizar as seiscentas e oitenta e quatro maldições de Beli Mawr, os duzentos e sessenta e nove feitiços de Lleu e levar na cabeça cerca de mil outras coisas úteis, e Nimue, devo dizer, foi uma aluna excelente.

— Mas por que cegar o senhor?

— Nós dois juntos temos um olho. Um olho e uma mente. — Ele ficou quieto.

— Fale da figura de barro, senhor.

— Não! — Ele se afastou de mim, com terror na voz. — Ela me mandou não lhe contar — acrescentou num sussurro áspero.

— Como posso derrotar a figura?

Ele riu disso.

— Você, Derfel? Você lutaria contra minha magia?

— Diga como — insisti.

Ele voltou às barras e virou as órbitas vazias para a esquerda e a direita, como se procurasse algum inimigo que pudesse estar entreouvindo.

— Sete vezes e três vezes sonhei no Carn Ingli. — Ele tinha voltado à loucura, e durante toda aquela noite descobri que, se tentasse arrancar-lhe os segredos da doença de Ceinwyn, ele fazia o mesmo. Falava de sonhos, da garota de trigo que tinha amado junto às águas do Claerwen ou dos cães de Trygwylth, que ele estava convencido de que o caçavam. — É por isso que tenho essas barras, Derfel — falou, batendo nas ripas de madeira. — Para que os cães não me alcancem, e é por isso que não tenho olhos, para que eles não possam me ver. Os cães não podem vê-lo se você não tiver olhos. Deve se lembrar disso.

— Nimue vai trazer os Deuses de volta? — perguntei num dado momento.

— Foi para isso que ela tirou minha mente, Derfel.

— Ela terá sucesso?

— Boa pergunta! Pergunta excelente. Uma pergunta que me faço o tempo todo. — Ele se sentou e abraçou os joelhos ossudos. — Não tive coragem, não foi? Traí a mim mesmo. Mas Nimue não fará isso. Ela irá até o amargo fim, Derfel.

— Mas terá sucesso?

— Eu gostaria de ter um gato — disse ele depois de um tempo. — Sinto falta de gatos.

— Fale da invocação.

— Você já sabe! — disse ele indignado. — Nimue vai encontrar Excalibur, vai pegar o pobre Gwydre e os rituais serão feitos apropriadamente. Aqui, na montanha. Mas será que os Deuses virão? Esta é a questão, não é? Você cultua Mitra, não é?

— Sim, senhor.

— E o que sabe sobre Mitra?

— É o Deus dos soldados, nascido numa caverna. É o Deus do sol.

Merlin gargalhou.

— Você sabe tão pouco! Ele é o Deus dos juramentos. Sabia disso? Ou sabe quais são os graus do mitraísmo? Quantos graus vocês têm? — Hesitei, não querendo revelar os segredos do mistério. — Não seja absurdo, Derfel! — A voz de Merlin saiu mais sã do que nunca. — Quantos? Dois? Três?

— Dois, senhor.

— Então se esqueceram dos outros cinco! Quais são os seus dois?

— Soldado e Pai.

— *Miles* e *Pater*, é como devem ser chamados. E antigamente também havia *Leo, Corax, Perses, Nymphus* e *Heliodromus*. Como você sabe pouco sobre seu Deus miserável. Mas, afinal de contas, o seu culto é uma mera sombra de um culto. Vocês sobem a escada de sete degraus?

— Não, senhor.

— Bebem o vinho e o pão?

— Esse é o modo cristão, senhor — protestei.

— O modo cristão! Que imbecis são vocês! A mãe de Mitra era uma virgem, pastores e sábios vieram ver o filho recém-nascido, e o próprio Mitra cresceu e virou um curador e professor. Ele tinha doze discípulos, e na véspera da morte deu a eles uma última ceia com pão e vinho. Foi enterrado num túmulo de pedra e ressuscitou, e fez tudo isso muito antes de que os cristãos pregassem seu Deus numa árvore. Vocês deixaram os cristãos roubarem suas roupas, Derfel!

Olhei para ele.

— Isso é verdade?

— É verdade, Derfel — disse Merlin e levantou o rosto devastado para as barras grosseiras. — Você cultua a sombra de um Deus. Ele está sumindo, veja bem, assim como os nossos. Todos eles se vão, Derfel, vão para o vazio. Olhe! — Merlin apontou para o céu nublado. — Os Deuses vêm e vão, Derfel, e eu não sei mais se eles nos veem ou nos ouvem. Eles passam na grande roda do céu e agora é o Deus cristão quem governa, e Ele governará durante um tempo, mas a roda também vai levá-Lo para o vácuo, e de novo a humanidade vai estremecer no escuro e procurar novos Deuses. E vai encontrá-los, porque os Deuses vêm e vão, Derfel, eles vêm e vão.

— Mas Nimue vai girar a roda ao contrário?

— Talvez — disse Merlin com tristeza. — E eu gostaria disso, Derfel. Gostaria de ter meus olhos de volta, e minha juventude, e minha alegria. — Ele pousou a testa nas barras. — Não vou ajudá-lo a quebrar o feitiço — falou em voz baixa, tão baixa que quase não ouvi. — Eu amo Ceinwyn, mas se Ceinwyn precisa sofrer pelos Deuses, então ela está fazendo uma coisa nobre.

— Senhor! — comecei a implorar.

— Não! — Ele gritou tão alto que alguns cães uivaram no acampamento, em resposta. — Não — disse ele mais baixo. — Já cedi uma vez e não vou ceder de novo, pois qual foi o preço de ter cedido? Sofrimento! Mas se Nimue puder realizar os rituais, todo o nosso sofrimento vai acabar. Logo vai acabar. Os Deuses voltarão, Ceinwyn dançará e eu verei.

Ele dormiu um pouco e dormi também, mas depois de um tempo ele me acordou, passando a mão em forma de garra entre as barras e puxando meu braço.

— Os guardas estão dormindo? — perguntou.

— Acho que sim, senhor.

— Então procure a névoa de prata — sussurrou ele.

Por um instante pensei que ele tivesse escorregado para a loucura.

— Senhor?

— Algumas vezes — disse ele e sua voz soou bastante sã — acho que só resta um pouquinho de magia na terra. Ela se desvanece como os Deuses. Mas não entreguei tudo a Nimue, Derfel. Ela acha que entreguei, mas guardei um último feitiço. E eu o trabalhei para você e para Artur, porque amei vocês dois acima de todos os homens. Se Nimue fracassar, Derfel, procure Caddwg. Você se lembra de Caddwg?

Caddwg era o barqueiro que tinha nos resgatado de Ynys Trebes há tantos anos, e era o homem que pescava as fóladas para Merlin.

— Eu me lembro de Caddwg — falei.

— Agora ele vive em Camlann — disse Merlin num sussurro. — Procure-o, Derfel, e procure a névoa de prata. Lembre-se disso. Se Nimue fracassar e o horror chegar, leve Artur a Camlann, encontre Caddwg e procure a névoa de prata. É o último feitiço. Meu último presente para os que foram meus amigos. — Seus dedos se apertaram no meu braço. — Promete que vai procurar?

— Vou, senhor.

Ele pareceu aliviado. Sentou-se durante um tempo, segurando meu braço, depois suspirou.

— Gostaria de ir com você. Mas não posso.

— O senhor pode.

— Não seja absurdo, Derfel. Devo ficar aqui e Nimue vai me usar uma última vez. Posso estar velho, cego, meio louco e quase morto, mas ainda há poder em mim. Ela o quer. — Merlin soltou um gemidozinho horrendo. — Nem consigo mais chorar, e às vezes tudo que quero é chorar. Mas na névoa prateada, Derfel, naquela névoa prateada, você não encontrará choro nem tempo, só alegria.

Ele dormiu de novo e quando acordou estava amanhecendo e Olwen viera me pegar. Acariciei o cabelo de Merlin, mas ele tinha entrado na loucura de novo. Latia como um cachorro e Olwen gargalhou ao ouvir aquilo. Eu gostaria de ter alguma coisa para lhe dar, alguma coisa pequena que lhe desse conforto, mas não tinha nada. Por isso deixei-o e levei comigo seu último presente, mesmo não entendendo o que era: o último feitiço.

Olwen não me trouxe de volta pelo mesmo caminho que nos levara ao acampamento de Nimue. Em vez disso, guiou-me por uma ravina íngreme e depois por uma floresta escura onde um riacho rolava entre pedras. Tinha começado a chover e nosso caminho estava traiçoeiro, mas Olwen dançava à minha frente em sua capa molhada.

— Gosto da chuva! — gritou ela uma vez.

— Pensei que você gostava do sol — falei, azedo.

— Gosto dos dois, senhor. — Olwen estava alegre como sempre, mas eu mal ouvia a maior parte do que ela falava. Estava pensando em Ceinwyn, em Merlin, em Gwydre e em Excalibur. Estava pensando que me encontrava numa armadilha e não via saída. Será que deveria escolher entre Ceinwyn e Gwydre? Olwen devia ter adivinhado o que eu estava pensando, porque veio e passou o braço pelo meu. — Seus problemas logo terminarão, senhor — falou, tentando me reconfortar.

Afastei o braço dela.

— Eles só estão começando.

— Mas Gwydre não ficará morto! — disse ela, encorajando. — Ele vai se deitar no Caldeirão, e o Caldeirão dá a vida. — Ela acreditava, mas eu não. Ainda acreditava nos Deuses, mas não acreditava mais que podíamos curvá-los à nossa vontade. Artur, pensei, estava certo. É para nós mesmos que devemos olhar, e não para os Deuses. Eles têm suas próprias diversões, e se não formos seus brinquedos, devemos ficar contentes.

Olwen parou junto a um poço sob as árvores.

— Existem castores aqui — falou, olhando para a água agitada pela chuva. Como eu não disse nada, ela ergueu os olhos e sorriu. — Se continuar descendo o riacho, senhor, chegará a um caminho. Siga-o morro abaixo e encontrará uma estrada.

Segui o caminho e a estrada, saindo dos morros perto da velha fortaleza romana de Cicucium, que agora era lar de um grupo de famílias nervosas. Os homens me viram e saíram do portão quebrado da fortaleza com lanças e cães, mas atravessei o riacho e subi o morro, e quando eles viram que eu não queria fazer mal, não tinha armas e evidentemente não era batedor de um grupo de ataque, contentaram-se em zombar de mim. Eu não me lembrava de já ter estado há tanto tempo sem uma espada desde a infância. Isso fazia com que um homem se sentisse nu.

Demorei dois dias para chegar em casa; dois dias de pensamentos desanimados sem qualquer resposta. Gwydre foi o primeiro a me ver chegando pela rua principal de Isca e correu para me receber.

— Ela está melhor do que antes, senhor — gritou ele.

— Mas está piorando de novo.

Ele hesitou.

— É. Mas há duas noites pensamos que ela estava se recuperando. — Ele me olhou ansioso, preocupado com minha aparência séria.

— E a cada dia desde então ela foi piorando.

— Mas deve haver esperança — disse Gwydre, tentando me encorajar.

— Talvez — falei, mas não tinha nenhuma. Fui para perto da cama de Ceinwyn. Ela me reconheceu e tentou sorrir, mas a dor estava crescendo de novo, e o sorriso aparecia como uma careta num crânio. Tinha uma bela camada de cabelo novo, mas era todo branco. Eu me curvei, sujo como estava, e beijei sua testa.

Troquei de roupa, tomei banho e me barbeei, prendi Hywelbane na cintura e depois procurei Artur. Contei tudo que Nimue havia me dito, mas Artur não tinha respostas, pelo menos nenhuma que quisesse me dar. Ele não abriria mão de Gwydre — e isso condenava Ceinwyn —, mas não podia falar na minha cara. Em vez disso, pareceu irritado.

— Já estou cheio desse absurdo, Derfel.

— Um absurdo que está provocando agonia em Ceinwyn, senhor — falei, reprovando-o.

— Então devemos curá-la. — Mas a consciência o fez dar uma pausa. Ele franziu a testa. — Você acredita que Gwydre viverá de novo se for posto no Caldeirão?

Pensei nisso e não pude mentir.

— Não, senhor.

— Nem eu — disse ele e mandou chamar Guinevere, mas a única sugestão que ela pôde dar foi que deveríamos consultar Taliesin.

Taliesin ouviu minha história.

— Diga de novo quais foram as maldições, senhor — pediu ele quando terminei.

— A maldição do fogo, a maldição da água, a maldição do abrunheiro e a maldição do Corpo Fantasma.

Ele se encolheu quando falei a última.

— As três primeiras posso cancelar, mas a última? Não conheço ninguém que possa cancelá-la.

— Por que não? — perguntou Guinevere incisivamente.

Taliesin deu de ombros.

— É o conhecimento mais elevado, senhora. O aprendizado de um druida não termina junto com a fase de treinamento, mas continua entrando em novos mistérios. Não percorri esse caminho. E creio que nenhum outro homem além de Merlin percorreu. O Corpo Fantasma é uma grande magia, e para contra-atacá-la precisaríamos de uma magia igualmente grande. Infelizmente não a tenho.

Olhei para as nuvens de chuva sobre os telhados de Isca.

— Se eu cortar a cabeça de Ceinwyn, senhor — falei a Artur —, o senhor corta a minha um instante depois?

— Não — disse ele, enojado.

— Senhor! — implorei.

— Não! — insistiu ele, furioso. Estava ofendido pela conversa sobre magia. Queria um mundo onde a razão dominasse, não a magia, mas sua razão não podia nos ajudar agora.

Então Guinevere falou em voz baixa:

— Morgana.

— O que é que tem? — perguntou Artur.

— Ela foi sacerdotisa de Merlin antes de Nimue. Se alguém conhece a magia de Merlin, é Morgana.

Assim Morgana foi chamada. Ela entrou mancando no pátio, como sempre conseguindo trazer uma aura de raiva. Sua máscara de ouro brilhava enquanto ela olhava para cada um de nós e, não vendo nenhum cristão presente, fez o sinal da cruz. Artur puxou uma cadeira, mas ela recusou, dando a entender que tinha pouco tempo para nós. Desde que seu marido fora para Gwent, Morgana havia se ocupado num templo cristão ao norte de Isca. Pessoas doentes iam lá para morrer e ela as alimentava, cuidava delas e rezava por elas. As pessoas chamam seu marido de santo até hoje, mas acho que a esposa era chamada de santa por Deus.

Artur lhe contou a história e Morgana grunhiu a cada revelação, mas quando ele falou da maldição do Corpo Fantasma ela fez o sinal da cruz, depois cuspiu pelo buraco da máscara.

— E o que vocês querem de mim? — perguntou, beligerante.

— Você pode quebrar a magia? — perguntou Guinevere.

— Orações podem quebrá-la.

— Mas você rezou — disse Artur, exasperado. — E o bispo Emrys rezou. Todos os cristãos de Isca rezaram e Ceinwyn continua doente.

— Porque ela é pagã — disse Morgana como se isso fosse um vitupério. — Por que Deus desperdiçaria a misericórdia com pagãos quando tem Seu próprio rebanho para cuidar?

— Você não respondeu à pergunta — disse Guinevere friamente. Ela e Morgana se odiavam, mas pelo bem de Artur fingiam uma cortesia gélida quando se encontravam.

Morgana ficou quieta durante um tempo, depois assentiu abruptamente.

— A maldição pode ser quebrada. Se você acreditar nessas superstições.

— Eu acredito — falei.

— Mas só pensar nisso já é pecado! — exclamou Morgana e fez o sinal da cruz de novo.

— Sem dúvida seu Deus vai perdoá-la — falei.

— O que você sabe do meu Deus, Derfel? — perguntou ela azedamente.

— Eu sei, senhora — falei, tentando me lembrar de todas as coisas que Galahad me dissera no passar dos anos —, que o seu Deus é um Deus amoroso, um Deus que perdoa, e um Deus que mandou o próprio filho à terra para que os outros não sofressem. — Fiz uma pausa, mas Morgana não respondeu. — Também sei — prossegui suavemente — que Nimue está preparando uma grande maldade nos morros.

A menção a Nimue pode ter persuadido Morgana, pois ela sempre tivera raiva porque a mulher mais jovem havia usurpado seu lugar no séquito de Merlin.

— É uma figura de barro? — perguntou ela. — Feita com sangue de criança, orvalho, e moldada sob o trovão?

— Exatamente — falei.

Ela estremeceu, abriu os braços e rezou em silêncio. Nenhum de nós falou. Sua oração prosseguiu durante longo tempo, e talvez ela estivesse esperando que a abandonássemos, mas quando nenhum de nós deixou o pátio ela baixou os braços e se virou para nós outra vez.

— Que amuletos a bruxa está usando?

— Frutinhas — falei —, lascas de osso, brasas.

— Não, idiota! Que amuletos? Como ela alcança Ceinwyn?

— Ela tem a pedra de um anel de Ceinwyn e uma das minhas capas.

— Ah — disse Morgana, interessada apesar da repulsa pela superstição pagã. — Por que uma das suas capas?

— Não sei.

— Simples, seu idiota: a maldade flui através de você!

— De mim?

— Você não entende nada? Claro que flui através de você. Você foi íntimo de Nimue, não foi?

— Sim — falei, ruborizando-me mesmo contra a vontade.

— E qual é o símbolo disso? Ela lhe deu um amuleto? Uma lasca de osso? Algum pedaço de lixo pagão para pendurar no pescoço?

— Ela me deu isso — falei e mostrei a cicatriz na mão esquerda.

Morgana olhou a cicatriz, depois estremeceu. Não falou nada.

— Quebre o feitiço, Morgana — implorou Artur.

Morgana ficou quieta de novo.

— É proibido mexer com bruxaria — disse ela depois de um tempo. — As santas escrituras dizem que não devemos deixar que uma bruxa viva.

— Então me diga como se faz — implorou Taliesin.

— Você? — gritou Morgana. — Você? Você acha que pode quebrar a magia de Merlin? Se é para ser feito, que seja feito adequadamente.

— Por você? — perguntou Artur e Morgana gemeu. Sua mão boa fez o sinal da cruz e então ela balançou a cabeça e parecia incapaz de falar. Artur franziu a testa. — O que o seu Deus quer?

— Suas almas! — gritou Morgana.

— Você quer que eu me torne cristão? — perguntei.

A máscara de ouro com a cruz gravada se virou bruscamente para me encarar.

— Sim — disse Morgana simplesmente.

— Eu faço isso — falei com simplicidade igual.

Ela apontou para mim.

— Você será batizado, Derfel?

— Sim, senhora.

— E jurará obediência ao meu marido?

Isso me fez parar. Encarei-a.

— A Sansum? — perguntei debilmente.

— Ele é um bispo! Ele tem a autoridade de Deus! Você concordará em jurar obediência a ele, concordará em ser batizado, e só então quebrarei o feitiço.

Artur me encarou. Durante alguns momentos não pude engolir a humilhação da exigência de Morgana, mas então pensei em Ceinwyn e assenti.

— Eu faço isso.

Assim Morgana se arriscou à ira de seu Deus e quebrou o feitiço.

Foi naquela tarde. Ela veio ao pátio do palácio vestindo uma capa preta e sem máscara, de modo que o horror de seu rosto devastado, vermelho, marcado de cicatrizes, enrugado e retorcido, era visível a todos nós. Estava furiosa consigo mesma, mas cumpriu a promessa e fez o que devia. Um braseiro foi aceso e enchido de carvões e, enquanto o fogo esquentava, escravos pegaram cestos de argila de oleiro que Morgana moldou com a figura de uma mulher. Usou sangue de uma criança que tinha morrido na cidade naquela manhã e água que um escravo pegou na grama úmida do pátio, e misturou os dois na argila. Não havia trovão, mas Morgana disse que o contrafeitiço não precisava de trovão. Ela cuspiu horrorizada diante do que tinha feito. Aquela coisa era uma imagem grotesca, uma mulher com seios enormes, pernas abertas e um enorme canal de parto, e na barriga da figura ela cavou um buraco que, pelo que disse, era o útero onde o mal deveria ficar. Artur, Taliesin e Guinevere olhavam fascinados enquanto ela moldava a argila e em seguida andava três vezes ao redor da figura obscena. Depois do terceiro circuito seguindo o caminho do sol ela parou, levantou a cabeça para as nuvens e uivou. Por um momento pensei que Morgana sentia tanta dor que não poderia continuar, e que seu Deus estava exigindo que parasse a cerimônia, mas então ela virou o rosto retorcido para mim.

— Agora preciso do mal — falou.

— O que é? — perguntei.

A fenda que era sua boca pareceu sorrir.

— Sua mão, Derfel.

— Minha mão?

Agora vi que a fenda sem lábios era um sorriso.

— A mão que o une a Nimue. De que outro modo você acha que o mal é canalizado? Você deve cortá-la, Derfel, e dá-la a mim.

— Que bobagem... — Artur começou a protestar.

— Você me força a pecar — Morgana virou-se para o irmão soltando um guincho — e depois desafia meu conhecimento?

— Não — disse Artur às pressas.

— Para mim não importa se Derfel quer manter a mão — disse ela descuidadamente. — Então que seja. Ceinwyn pode sofrer.

— Não — falei. — Não.

Mandamos chamar Galahad e Culhwch, depois Artur e nós três fomos até a sua oficina de ferreiro, onde a forja ficava acesa noite e dia. Eu tirei o meu anel de amante do dedo da mão esquerda e o entreguei a Morridig, o ferreiro de Artur, e pedi que ele soldasse o anel no botão do cabo de Hywelbane. O anel era de ferro comum, um anel de guerreiro, mas tinha uma cruz feita de ouro que roubei do Caldeirão de Clyddno Eiddyn, e era gêmeo de um anel que Ceinwyn usava.

Colocamos um pedaço de madeira grossa sobre a bigorna. Galahad me segurou com força, envolvendo-me com os braços. Desnudei o braço e pus a mão esquerda sobre a bigorna. Culhwch agarrou meu antebraço. Não para mantê-lo imóvel, mas para depois.

Artur ergueu Excalibur.

— Tem certeza, Derfel?

— Faça, senhor.

Morridig ficou olhando arregalado enquanto a lâmina brilhante tocava os caibros acima da bigorna. Artur fez uma pausa, depois baixou a espada. Baixou com força e por um segundo não senti dor, nenhuma, mas então Culhwch pegou meu pulso que jorrava sangue e o enfiou nos carvões acesos da forja, e foi então que a dor me atravessou como um golpe de lança. Gritei e depois não me lembro de nada.

Mais tarde ouvi dizer como Morgana pegou a mão cortada, com a cicatriz fatal, e lacrou-a no útero de argila. Então, com um cântico pagão tão antigo quanto o tempo, tirou a mão sangrenta pelo canal de parto e a jogou no braseiro.

E assim virei cristão.

Parte 4
O último Feitiço

A PRIMAVERA CHEGOU A Dinnewrac. O mosteiro se esquenta e o silêncio de nossas orações é rompido pelo balir dos cordeiros e a canção das cotovias. Violetas brancas e alsinas crescem onde a neve esteve tanto tempo, mas o melhor de tudo é a notícia de que Igraine deu à luz uma criança. É um menino, e ele e a mãe estão vivos. Deus seja louvado por isso, e pelo calor da estação, mas por pouco mais. A primavera deveria ser uma estação feliz, mas há rumores sombrios sobre nossos inimigos.

Os saxões voltaram, mas ninguém sabe se foram seus lanceiros que atearam os incêndios que vimos no horizonte ao leste ontem à noite. Mas o fogo queimou forte, chamejando no céu noturno como uma antevisão do inferno. Um fazendeiro veio ao alvorecer para nos dar alguns troncos de limeira que podemos usar para fazer uma nova batedeira de manteiga. Ele disse que o fogo foi ateado por atacantes irlandeses, mas duvidamos disso, porque têm corrido muitas histórias sobre bandos saxões nas últimas semanas. A realização de Artur foi manter os saxões à distância por uma geração inteira, e para fazer isso ele ensinou coragem aos nossos reis, mas como nossos governantes ficaram débeis desde então! E agora os saxões voltam como uma peste.

Dafydd, o escrivão de justiça que traduz estes pergaminhos para a língua britânica, veio hoje pegar as peles mais recentes e disse que quase com certeza os incêndios são obra dos saxões e depois me informou que o novo filho de Igraine será chamado de Artur. Artur ap Brochvael ap Perddel ap Cuneglas; um bom nome, ainda que Dafydd claramente não o aprove, e a princípio eu não soube por quê. Ele é um homem pequeno, não muito diferente de Sansum, com a mesma expressão ocupada e o mesmo cabelo espetado. Sentou-se na minha janela para ler os pergaminhos terminados e ficou fazendo "tsc tsc" e balançando a cabeça diante da minha escrita.

— Por que Artur abandonou Dumnonia? — perguntou finalmente.

— Porque Meurig insistiu. E porque nunca quis governar.

— Mas foi irresponsabilidade da parte dele! — disse Dafydd, sério.

— Artur não era rei, e nossas leis insistem em que só os reis podem governar.

— As leis são maleáveis — disse Dafydd, fungando. — Eu sei, e Artur deveria ter sido rei.

— Concordo, mas não foi. Ele não nasceu para isso, e Mordred sim.

— Então Gwydre também não nasceu para reinar — objetou Dafydd.

— Verdade, mas se Mordred tivesse morrido, Gwydre tinha mais direito a reivindicar o trono do que qualquer um, exceto Artur, claro, mas Artur não queria ser rei. — Fiquei pensando em quantas vezes tinha explicado essa mesma coisa. — Artur veio à Britânia porque jurou proteger Mordred, e quando foi para a Silúria tinha conseguido tudo que se havia proposto fazer. Tinha unido os reinos da Britânia, tinha dado justiça à Dumnonia e derrotado os saxões. Poderia ter resistido às exigências de Meurig, mas no coração ele não queria, por isso devolveu a Dumnonia ao rei de direito e viu desmoronar tudo que tinha conseguido.

— Então ele deveria ter se mantido no poder — argumentou Daffyd. Acho que Daffyd é muito parecido com São Sansum, um homem que jamais admite estar errado.

— Sim — falei —, mas ele estava exausto. Queria que outros homens carregassem o fardo. Se havia alguém a culpar, era eu! Eu deveria ter ficado na Dumnonia em vez de passar tanto tempo em Isca, mas na época nenhum de nós viu o que estava acontecendo. Nenhum de nós percebeu que Mordred seria um bom soldado, e quando isso aconteceu nos convencemos de que ele morreria logo e Gwydre seria o rei. Então tudo ficaria bem. Nós vivemos mais de esperança do que de realidade.

— Ainda acho que Artur nos abandonou — disse Daffyd, seu tom de voz explicando por que desaprovava o nome do novo *edling*.

Quantas vezes fui forçado a ouvir a mesma condenação de Artur? Se ao menos Artur tivesse ficado no poder, dizem os homens, os saxões continuariam nos pagando tributo e a Britânia se estenderia de um mar ao outro, mas quando a Britânia tinha Artur, vivia reclamando. Quando ele deu o que as pessoas queriam, os pagãos o atacaram por tolerar os cristãos, e os reis, todos menos Cuneglas e Oengus Mac Airem, tinham ciúme dele. O apoio de Oengus contava pouco, mas quando Cuneglas morreu Artur perdeu seu aliado mais valioso. Além disso, Artur não abandonou ninguém. A Britânia se abandonou. A Britânia deixou os saxões se esgueirarem de volta, a Britânia ficou presa numa discussão interna e começou a gemer dizendo que era tudo culpa de Artur. Artur, que tinha lhe dado a vitória!

Daffyd folheou as últimas páginas.

— Ceinwyn se recuperou? — perguntou ele.

— Graças a Deus, sim, e viveu muitos anos depois disso. — Eu já ia dizer a Daffyd alguma coisa sobre aqueles últimos anos, mas pude ver que ele não estava interessado, por isso guardei as lembranças para mim. No final Ceinwyn morreu de febre. Eu estava com ela e queria queimar seu corpo, mas Sansum insistiu em que ela fosse enterrada ao modo cristão. Obedeci, mas um mês depois arranjei para que alguns homens — filhos e netos de meus antigos lanceiros — exumassem seu corpo e o queimassem numa pira, para que sua alma pudesse se juntar às filhas no Outro Mundo, e dessa ação pecaminosa não me arrependo. Duvido de que algum homem faça o mesmo por mim, mas talvez Igraine, se ler estas palavras, mande construir minha pira funerária. Rezo para que sim.

— Você muda a história quando traduz? — perguntei a Daffyd.

— Se eu mudo? — perguntou ele, indignado. — Minha rainha não me deixa mudar uma sílaba!

— Verdade?

— Talvez eu corrija algumas infelicidades gramaticais — disse ele pegando as peles —, mas só isso. Presumo que o fim da história está chegando, não é?

— Está.

— Então voltarei daqui a uma semana — prometeu ele. Em seguida, enfiou os pergaminhos numa sacola e saiu às pressas.

Um instante depois, o bispo Sansum entrou no meu quarto. Estava carregando um embrulho estranho que a princípio achei que fosse um pau enrolado numa capa velha.

— Daffyd trouxe notícias?

— A rainha está bem, assim como o filho. — Decidi não contar a Sansum que o menino teria o nome de Artur, porque isso apenas irritaria o santo, e a vida fica muito mais fácil em Dinnewrac quando Sansum está de bom humor.

— Eu pedi notícias — disse Sansum rispidamente — e não fofocas de mulher sobre uma criança. E quanto aos incêndios? Daffyd mencionou os incêndios?

— Ele não sabe mais do que nós, bispo. Mas o rei Brochvael acha que são os saxões.

— Que Deus nos guarde — disse Sansum e foi até a minha janela, de onde a mancha de fumaça era fracamente visível no leste. — Que Deus e seus santos nos guardem — rezou ele e em seguida veio até minha mesa e pôs o estranho embrulho em cima deste pergaminho. Depois retirou a capa e vi, espantado, que era Hywelbane. Não ousei demonstrar a emoção e em vez disso fiz o sinal da cruz como se estivesse chocado pelo aparecimento de uma arma em nosso mosteiro. — Há inimigos por perto — disse Sansum, explicando a presença da espada.

— Temo que esteja certo, bispo.

— E os inimigos provocam homens famintos naqueles morros, de modo que à noite você montará guarda ao mosteiro.

— Que seja, senhor — falei humildemente.

Mas eu? Montar guarda? Estou velho, frágil e tenho cabelos brancos. Seria o mesmo que pedir a um bebê para montar guarda, mas não protestei e, assim que Sansum saiu do quarto, tirei Hywelbane da bainha e pensei em como ela havia ficado pesada durante os longos anos em que permanecera no armário do tesouro do mosteiro. Era pesada e desajeitada, mas ainda era minha espada. Olhei para os ossos de porco amarelados no punho e depois para o anel de amante preso no botão do cabo, e vi, naquele anel achatado, as minúsculas lascas de ouro que havia roubado do Caldeirão fazia tanto tempo. Esta espada trouxe de volta muitas histórias. Havia um trecho de ferrugem na lâmina, que raspei cuidadosamente com a faca que uso para afiar minhas penas, e depois a acalentei durante longo tempo, imaginando que era jovem e forte de novo para brandi-la.

Mas eu? Montar guarda? Na verdade Sansum não queria que eu montasse guarda, e sim que ficasse como um idiota para ser sacrificado enquanto ele se esgueirava pela porta dos fundos com São Tudwal numa das mãos e o ouro do mosteiro na outra. Mas se esse for meu destino, não vou reclamar. Prefiro morrer como meu pai, com a espada na mão, ainda que meu braço esteja fraco e a espada cega. Esse não era o destino que Merlin queria para mim, nem o que Artur queria, mas para um soldado não é ruim morrer, e mesmo que eu tenha sido um monge durante todos esses anos e um cristão há mais anos ainda, na minha alma pecadora continuo sendo um lanceiro de Mitra. E assim beijei minha Hywelbane, satisfeito por vê-la depois de todos esses anos.

De modo que agora devo escrever o fim da história com a espada ao lado, e espero ter tempo para terminar esta narrativa de Artur, meu senhor, que foi traído, vilipendiado e, depois de sua partida, teve sua falta sentida como nenhum outro homem na história da Britânia.

Caí numa febre depois que minha mão foi decepada, e quando acordei descobri Ceinwyn sentada junto à cama. A princípio não a reconheci, porque seu cabelo estava curto e tinha ficado branco como cinza. Mas era a minha Ceinwyn, estava viva e sua saúde ia voltando, e quando viu a luz em meus olhos se inclinou à frente e encostou o rosto no meu. Pus o braço esquerdo em volta dela e descobri que não tinha mão para acariciar suas costas, só um coto enrolado em pano ensanguentado. Eu podia sentir a mão, até podia senti-la coçar, mas não havia mão. Tinha sido queimada.

Uma semana depois fui batizado no rio Usk. O bispo Emrys realizou a cerimônia e, assim que ele me jogou na água fria, Ceinwyn me seguiu pela margem lamacenta e insistiu em ser batizada também.

— Vou aonde meu homem for — disse ao bispo Emrys, assim ele a fez cruzar as mãos sobre os seios e a mergulhou de costas no rio. Um coro de mulheres cantava enquanto éramos batizados. E naquela noite, vestidos de branco, recebemos o pão e o vinho cristãos pela primeira vez. Depois da missa Morgana pegou um pergaminho onde havia escrito minha promessa de obedecer ao seu marido na fé cristã, e exigiu que eu assinasse.

— Já lhe dei minha palavra — falei.

— Você assinará, Derfel, e jurará também sobre um crucifixo.

Suspirei e assinei. Parecia que os cristãos não confiavam na forma mais antiga de juramento e exigiam pergaminho e tinta. Assim reconheci Sansum como meu senhor e, depois de eu ter escrito meu nome, Ceinwyn insistiu em acrescentar o dela. Então começou a segunda metade de minha vida, a metade em que mantive o juramento a Sansum, ainda que não tão bem quanto Morgana esperava. Se Sansum soubesse que eu estava escrevendo esta história, veria isso como um rompimento da promessa e me puniria, mas não me importo mais. Cometi muitos pecados, mas violar juramentos não foi um deles.

Depois do batismo meio que esperei ser convocado por Sansum, que ainda estava com o rei Meurig em Gwent, mas o lorde camundongo simplesmente guardou a promessa escrita e não exigiu nada, nem mesmo dinheiro. Não na época.

O coto do meu pulso curou-se lentamente, e não ajudei na cura ao insistir em treinar com um escudo. Na batalha o homem passa o braço esquerdo pelas duas alças do escudo e agarra o suporte de madeira que fica adiante, mas eu não tinha mais dedos para segurar o suporte, por isso mandei refazer as alças como cintos com fivelas que poderiam ser apertadas no antebraço. Não era tão seguro quanto o modo adequado, mas era melhor do que não ter escudo, e assim que me acostumei com as tiras apertadas treinava com espada e escudo contra Galahad, Culhwch ou Artur. Achei o escudo desajeitado, mas ainda podia lutar, mesmo que cada treino fizesse o coto sangrar, e Ceinwyn me censurava enquanto punha um novo curativo.

A lua cheia chegou e não levei espada nem vítima de sacrifício a Nant Dduu. Esperei a vingança de Nimue, que não veio. A festa de Beltain acontecia uma semana depois da lua cheia, e Ceinwyn e eu, obedecendo às ordens de Morgana, não apagamos nossos fogos nem ficamos acordados para ver as novas fogueiras sendo acesas, mas Culhwch veio na manhã seguinte trazendo um pedaço de pau com o fogo novo e jogou no nosso fogão.

— Quer que eu vá a Gwent, Derfel? — perguntou ele.

— Gwent? Por quê?

— Assassinar aquele sapo do Sansum, claro.

— Ele não está me incomodando.

— Mas vai incomodar — resmungou Culhwch. — Não posso imaginar você como cristão. A sensação é diferente?

— Não.

Pobre Culhwch. Ele se regozijou em ver Ceinwyn bem, mas odiou a barganha que eu tinha feito com Morgana. Ele, como muitos outros, se perguntava por que eu simplesmente não rompi a promessa a Sansum, mas eu temia que a doença de Ceinwyn voltasse, por isso permaneci fiel. Com o tempo essa obediência se tornou um hábito, e quando Ceinwyn morreu descobri que não tinha ânimo para quebrar a promessa, ainda que a morte dela tenha afrouxado a força da promessa sobre mim.

Mas isso estava longe, no futuro desconhecido, naquele dia em que novos fogos aqueciam fogões frios. Era um dia lindo, com sol e flores nascendo. Lembro-me de que compramos uns filhotes de ganso no mercado naquela manhã, pensando que nossos netos gostariam de vê-los crescer no laguinho atrás de nossos aposentos, e depois fui com Galahad ao anfiteatro, onde treinei de novo com meu escudo desajeitado. Éramos os únicos lanceiros ali, porque a maioria dos outros ainda estava se recuperando de uma noite de bebedeira.

— Filhotes de ganso não são boa ideia — disse Galahad, acertando meu escudo com um golpe forte do cabo da lança.

— Por quê?

— Eles crescem e ficam mal-humorados.

— Absurdo. Eles crescem e viram jantar.

Gwydre nos interrompeu dizendo que seu pai estava chamando. Voltamos à cidade e ficamos sabendo que Artur tinha ido ao palácio do bispo Emrys. O bispo estava sentado e Artur, de camisa e calções, estava encostado numa mesa grande coberta com lascas de madeira onde o bispo tinha escrito listas de lanceiros, armas e barcos. Artur nos olhou e por um instante ficou quieto, mas lembro-me de que seu rosto com a barba grisalha estava muito sério. Então ele pronunciou uma palavra:

— Guerra.

Galahad se persignou, enquanto eu, acostumado aos modos antigos, toquei o punho de Hywelbane.

— Guerra? — perguntei.

— Mordred está marchando contra nós. Está marchando agora mesmo! Meurig lhe deu permissão de atravessar Gwent.

— Com trezentos e cinquenta lanceiros, pelo que soubemos — acrescentou o bispo Emrys.

Até hoje acredito que a persuasão de Sansum convenceu Meurig a trair Artur. Não tenho prova e Sansum sempre negou, mas o esquema fedia à esperteza do lorde camundongo. É verdade que Sansum tinha nos alertado da possibilidade de um ataque assim, mas o lorde camundongo sempre foi cauteloso em suas traições, e se Artur vencesse a batalha que Sansum esperava que fosse travada em Isca ele desejaria uma recompensa de Artur. Certamente não queria recompensa de Mordred, porque o esquema de Sansum, se fosse realmente dele, destinava-se a beneficiar Meurig. Deixar Mordred e Artur lutarem até a morte, depois Meurig poderia tomar a Dumnonia e o lorde camundongo governaria em nome de Meurig.

E Meurig realmente queria a Dumnonia. Queria as terras ricas e as cidades abastadas, por isso encorajou a guerra, mas negou enfaticamente o encorajamento. Se Mordred queria visitar o tio, disse ele, como poderia impedir? E se Mordred queria uma escolta de 350 lanceiros, quem era Meurig para negar ao rei o seu séquito? E assim deu a permissão que Mordred queria e quando soubemos do ataque os primeiros cavaleiros do exército de Mordred já haviam passado de Glevum e vinham para o oeste, onde estávamos.

Assim, pela traição, e através da ambição de um rei fraco, teve início a última guerra de Artur.

Estávamos prontos para essa guerra. Tínhamos esperado o ataque há semanas. E ainda que o momento escolhido por Mordred nos tenha surpreendido, nossos planos estavam feitos. Navegaríamos para o sul pelo mar de Severn e marcharíamos para a Durnovária, onde esperávamos que os homens de Sagramor se juntassem a nós. Então, com as forças unidas, seguiríamos o urso de Artur para o norte, para enfrentar Mordred quando ele voltasse da Silúria. Esperávamos uma batalha, esperávamos ganhar, e depois aclamaríamos Gwydre como rei da Dumnonia no Caer Cadarn. Era a velha história: mais uma batalha, e depois tudo mudaria.

Mensageiros foram mandados para a costa, exigindo que cada barco de pesca siluriano fosse trazido a Isca, e enquanto esses barcos remavam rio acima na maré montante, nos preparávamos para a viagem apressada. Espadas e lanças eram afiadas, armaduras eram polidas e a comida colocada em cestos ou sacos. Juntamos as riquezas dos três palácios e as moedas do tesouro, e alertamos aos habitantes de Isca para estarem preparados para fugir para o oeste antes da chegada dos homens de Mordred.

Na manhã seguinte tínhamos 27 barcos de pesca amarrados no rio abaixo da ponte romana de Isca. Cento e sessenta e três lanceiros estavam preparados para embarcar e a maioria deles tinha família, mas havia espaço nos barcos para todos. Fomos forçados a deixar os cavalos, porque Artur tinha descoberto que os cavalos eram maus marinheiros. Enquanto eu estivera viajando para me encontrar com Nimue ele havia tentado pôr cavalos num dos barcos de pesca, mas os animais entravam em pânico mesmo nas ondas mais fracas. Um deles chegou a arrebentar o casco do barco com coices, por isso, no dia anterior à viagem, levamos os animais até os pastos numa fazenda distante e prometemos a nós mesmos que voltaríamos para pegá-los assim que Gwydre fosse feito rei. Só Morgana se recusou a navegar conosco e insistiu em se juntar ao marido em Gwent.

Começamos a carregar os barcos ao alvorecer. Primeiro colocamos o ouro no fundo, e em cima do ouro pusemos as armaduras, a comida e, sob um céu cinzento e um vento forte, começamos a embarcar. A maioria dos barcos levava dez ou onze pessoas, e assim que estavam cheios eles foram para o meio do rio e ancoraram, de modo que toda a frota partisse junta.

O inimigo chegou assim que o último barco estava sendo carregado. Era o maior e pertencia a Balig, marido de minha irmã. Nele estavam Artur,

Guinevere, Gwydre, Morwenna e seus filhos, Galahad, Taliesin, Ceinwyn e eu, além de Culhwch, da única esposa que lhe restava e dois filhos. O estandarte de Artur tremulava na proa alta do barco, e o de Gwydre balançava na popa. Sentíamo-nos animados, porque navegávamos para dar um reino a Gwydre, mas no momento em que Balig gritou para Hygwydd, serviçal de Artur, o inimigo chegou.

Hygwydd vinha trazendo o último fardo vindo do palácio de Artur e estava a apenas cinquenta passos da margem do rio quando olhou para trás e viu os cavaleiros que chegavam do portão da cidade. Teve tempo de largar o fardo e meio que desembainhar a espada, mas então os cavalos estavam em cima dele e uma lança o acertou no pescoço.

Balig jogou a prancha de embarque para fora, tirou uma faca do cinto e cortou a corda de popa. Seu tripulante saxão jogou fora a corda de proa e nosso barco deslizou para a corrente enquanto os cavaleiros chegavam à margem. Artur estava de pé e olhando horrorizado para o agonizante Hygwydd, mas eu olhava para o anfiteatro onde uma horda tinha aparecido.

Não era o exército de Mordred. Era um enxame de insanos; uma torrente de criaturas tortas, partidas e lamentáveis que surgiu em volta dos arcos de pedra do anfiteatro e desceu correndo até a margem do rio soltando gritos débeis. Estavam em trapos, com cabelos desgrenhados e olhos cheios de uma fúria fanática. Era o exército dos loucos de Nimue. A maioria estava armada apenas com pedaços de pau, mas alguns tinham lanças. Todos os cavaleiros estavam armados de lanças e escudos, e não eram loucos. Eram fugitivos dos Escudos Sangrentos de Diwrnach e ainda usavam as capas pretas e esfarrapadas e levavam os escudos escurecidos por sangue, e espalharam os loucos enquanto esporeavam os animais ao longo da margem para nos acompanhar.

Alguns dos loucos caíram sob os cascos dos cavalos, mas outras dezenas simplesmente pularam no rio e nadaram desajeitadamente em direção aos barcos. Artur gritou para os barqueiros soltarem as âncoras e, uma a uma, as embarcações pesadas se soltaram e começaram a deslizar. Algumas tripulações relutavam em abandonar as pedras pesadas que serviam de âncora e tentaram levantá-las, mas com isso os barcos soltos bateram nos que estavam parados e o tempo todo aquelas coisas desesperadas, tristes e loucas espadanavam desajeitadas vindo para nós.

— Cabos de lanças! — gritou Artur e pegou sua própria lança, virou-a ao contrário e bateu com força na cabeça de um nadador.

— Remos! — gritou Balig, mas ninguém obedeceu. Estávamos ocupados demais empurrando os nadadores para longe do casco. Eu trabalhava com a mão única, acertando nos atacantes embaixo da água, mas um homem agarrou o cabo de minha lança e quase me derrubou na água. Eu o deixei ficar com a arma, desembainhei Hywelbane e golpeei com ela. O primeiro sangue jorrou no rio.

Agora a margem norte do rio estava coberta dos seguidores de Nimue, uivando e cabriolando. Alguns jogavam lanças contra nós, mas a maioria simplesmente gritava de ódio, enquanto outros seguiam os nadadores dentro do rio. Um homem de cabelos compridos com lábio leporino tentou subir na nossa proa, mas o saxão o chutou no rosto, depois chutou de novo até que ele caiu. Taliesin tinha encontrado uma lança e estava usando a lâmina contra outros nadadores. Abaixo de nós um barco deslizou para a margem onde sua tripulação tentou desesperadamente se livrar da lama usando os cabos das lanças. Mas estavam lentos demais e os lanceiros de Nimue subiram a bordo. Eram liderados por Escudos Sangrentos, e aqueles matadores treinados gritavam desafios enquanto usavam as lanças por todo o barco. Era o barco do bispo Emrys, e vi o religioso de cabelos brancos aparar um golpe de lança com uma espada, mas em seguida foi morto e uma quantidade de criaturas loucas seguiu os Escudos Sangrentos para dentro do casco escorregadio. A mulher do bispo gritou brevemente, depois foi cortada por uma lança. Facas cortavam, rasgavam e estocavam, e o sangue escorreu do casco indo em direção ao mar. Um homem com uma túnica de pele de cervo se equilibrou na popa do barco capturado e, enquanto passávamos por ele, saltou em direção à nossa amurada. Gwydre levantou sua lança e o homem gritou enquanto se empalava no cabo comprido. Lembro-me das mãos dele agarrando o cabo da lança enquanto o corpo se retorcia na ponta, e então Gwydre largou a lança e o homem no rio e desembainhou sua espada. A mãe dele estava enfiando uma lança nos braços que espadanavam junto ao barco. Mãos agarravam nossa amurada e pisávamos nelas, ou as cortávamos com espadas, e gradualmente o barco se afastou dos atacantes. Agora todas as embarcações estavam deslizando, algumas de lado, algumas com a popa para a frente, e os barqueiros xingavam e gritavam uns para os outros, ou então gritavam para os lanceiros usarem os remos. Uma lança voou da margem e bateu no nosso casco, e então chegaram as primeiras flechas. Eram flechas de caça e zumbiam ao passar sobre nossas cabeças.

— Escudos! — gritou Artur e fizemos uma parede de escudos ao longo da amurada. As flechas batiam neles. Eu estava agachado ao lado de Balig, protegendo nós dois, e meu escudo estremecia acertado pelas pequenas flechas.

Fomos salvos pela corrente rápida do rio e pela maré vazante que levava nossa massa desarrumada de barcos corrente abaixo, para longe do alcance dos arqueiros. A horda que gritava furiosa nos seguiu, mas a oeste do anfiteatro havia um trecho de chão pantanoso, o que diminuiu a velocidade dos perseguidores e nos deu tempo para finalmente organizar o caos. Os gritos dos atacantes nos seguiram, e seus corpos deslizavam na corrente ao lado da pequena frota, mas finalmente estávamos com os remos e pudemos girar o barco e seguir os outros em direção ao mar. Nossos dois estandartes estavam crivados de flechas.

— Quem são eles? — perguntou Artur, olhando para a horda.

— O exército de Nimue — expliquei azedamente. Graças à habilidade de Morgana, os feitiços de Nimue tinham fracassado, e por isso ela havia mandado seus seguidores para pegar Excalibur e Gwydre.

— Por que nós não os vimos chegando? — quis saber Artur.

— Seria um feitiço de ocultação, senhor? — sugeriu Taliesin e me lembrei da frequência com que Nimue fizera esse tipo de feitiço.

Galahad zombou da explicação pagã.

— Eles marcharam durante a noite e se esconderam no mato até estarem prontos e nós ocupados demais para ver.

— Agora a cadela pode lutar contra Mordred, em vez de nós — sugeriu Culhwch.

— Ela não fará isso — falei. — Vai se juntar a ele.

Mas Nimue ainda não havia terminado conosco. Um grupo de cavaleiros galopava pela estrada que levava ao norte através do pântano, e uma horda de pessoas seguia a pé aqueles lanceiros. O rio não seguia reto até o mar, fazia vastas curvas pela planície costeira, e eu sabia que a cada curva para oeste encontraríamos o inimigo esperando.

De fato os cavaleiros nos esperavam, mas o rio se alargava enquanto se aproximava do mar, e a água corria rápida, e a cada curva éramos levados em segurança para além deles. Os cavaleiros xingavam-nos, depois galopavam até a próxima curva, de onde podiam jogar suas lanças e flechas. Logo antes do mar havia um longo trecho reto e os cavaleiros de Nimue mantiveram o passo conosco durante todo aquele trecho, e foi então que vi Nimue pela primeira vez. Montava um cavalo branco, vestida num manto branco e tinha o cabelo tonsurado como o de um druida. Levava o cajado de Merlin e usava uma espada na cintura. Gritou para nós, mas o vento levou suas palavras para longe e então o rio se curvou para leste e nos afastamos dela entre as margens cobertas de junco. Nimue se virou e esporeou o cavalo em direção à boca do rio.

— Agora estamos em segurança — disse Artur.

Podíamos sentir o cheiro do mar, gaivotas gritavam no alto, adiante havia o som interminável de ondas se quebrando, e Balig e o saxão estavam atando o pano da vela às cordas que as prendiam ao mastro. Havia uma última grande curva do rio, um último encontro com os cavaleiros de Nimue, e então entraríamos no mar de Severn.

— Quantos homens perdemos? — perguntou Artur e perguntas e respostas foram gritadas entre a pequena frota. Apenas dois homens tinham sido acertados por flechas, o único barco desgarrado fora dominado, mas a maioria do pequeno exército estava em segurança. — Pobre Emrys — disse Artur e em seguida ficou quieto por um tempo, mas pôs a melancolia de lado. — Dentro de três dias estaremos com Sagramor. — Ele enviara mensagens para o leste e, agora que o exército de Mordred tinha deixado a Dumnonia, certamente nada poderia impedir Sagramor de vir nos encontrar. — Teremos um exército pequeno, mas bom. Suficientemente bom para derrotar Mordred, e depois vamos recomeçar tudo.

— Recomeçar? — perguntei.

— Derrotar Cerdic de novo e enfiar um pouco de bom senso em Meurig. — Artur deu um riso amargo. — Sempre há mais uma batalha. Já notou isso? Sempre que pensamos que tudo está resolvido, tudo começa de novo. — Ele tocou o punho de Excalibur. — Pobre Hygwydd. Vou sentir falta dele.

— Vai sentir falta de mim também, senhor — falei, sombrio. O coto do meu braço esquerdo latejava dolorosamente e a mão desaparecida pinicava de modo insuportável, com uma sensação tão real que eu ficava tentando coçá-la.

— Vou sentir falta de você? — perguntou Artur, levantando uma sobrancelha.

— Quando Sansum me convocar.

— Ah! O lorde camundongo. — Ele deu um sorriso rápido. — Creio que o nosso lorde camundongo desejará voltar à Dumnonia, não acha? Não consigo vê-lo obtendo importância em Gwent, eles já têm muitos bispos. Não, ele desejará voltar e a pobre Morgana vai querer de novo o templo em Ynys Wydryn, de modo que terei de fazer uma barganha com eles: sua alma pela permissão de Gwydre para que vivam na Dumnonia. Vamos livrá-lo do juramento, Derfel, não se preocupe. — Ele deu um tapa no meu ombro o depois foi até onde Guinevere estava sentada, junto ao mastro.

Balig tirou uma flecha do cadaste de popa, arrancou a ponta de ferro e guardou num bolso, depois jogou fora a haste com a pena.

— Não gosto do jeito daquilo — falou para mim, apontando o queixo para o oeste. Eu me virei e vi que havia nuvens pretas longe no mar.

— Chuva chegando?

— Pode haver um pouco de vento nela também — disse ele em tom agourento, depois cuspiu na água para evitar o azar. — Mas não temos de ir longe. Talvez não peguemos o mau tempo. — Ele se encostou no remo que servia como leme enquanto o barco era levado pela última grande curva do rio. Agora estávamos indo para o oeste, contra o vento, e a superfície do rio era agitada por ondas pequenas e com espuma branca, que se despedaçavam na popa e espirravam no convés. A vela ainda estava abaixada. — Força agora! — gritou Balig para os nossos remadores. O saxão estava com um remo, Galahad com outro, Taliesin e Culhwch ocupavam o banco do meio e os dois filhos de Culhwch completavam a tripulação. Os seis remavam com força, lutando contra o vento, mas a corrente e a maré nos ajudavam. Os estandartes na proa e na popa estalavam ao vento, fazendo chacoalhar as flechas presas no tecido.

À nossa frente o rio virava para o sul, e era ali, eu sabia, que Balig levantaria a vela para que o vento nos ajudasse a seguir o longo trecho até o mar. Assim que chegássemos ao mar seríamos forçados a ficar dentro do canal cheio de juncos que corria entre os amplos alagadiços até as águas profundas, onde poderíamos sair da direção do vento e partir para o litoral da Dumnonia.

— A travessia não vai demorar muito — disse Balig em tom reconfortante, olhando as nuvens. — Não muito. Nós devemos chegar na frente daquele vento.

— Os barcos vão conseguir ficar juntos?

— O suficiente. — Ele virou a cabeça na direção do barco logo à nossa frente. — Aquele barril velho vai ficar para trás. Veleja que nem uma porca grávida, mas vai ficar suficientemente perto. Suficientemente.

Os cavaleiros de Nimue esperavam por nós numa língua de terra que ficava onde o rio virava para o sul em direção ao mar. À medida que nos aproximávamos, ela se destacou da massa de lanceiros e instigou o cavalo para a água rasa. Ao chegarmos mais perto, vi dois de seus lanceiros arrastarem um cativo para os alagadiços junto dela.

A princípio achei que deveria ser um dos nossos homens tirados do barco desgarrado, mas depois vi que o prisioneiro era Merlin. Sua barba fora cortada e o cabelo branco e desgrenhado se sacudia ao vento, que aumentava enquanto ele cambaleava às cegas em nossa direção, mas eu poderia jurar que estava sorrindo. Não podia ver seu rosto com clareza, porque a distância era grande demais, mas juro que estava sorrindo enquanto era empurrado para as ondas pequenas. Ele sabia o que ia acontecer.

Então, de repente, eu também soube, e não havia nada que pudesse fazer para impedir.

Na infância Nimue foi tirada deste mar. Fora capturada na Demétia por um bando de caçadores de escravos, depois levada através do Severn até a Dumnonia, mas na viagem surgiu uma tempestade e todos os navios de escravos afundaram. A tripulação e os cativos se afogaram, todos menos Nimue, que saiu do mar em segurança na costa rochosa de Ynys Wydryn, e Merlin, ao resgatar a criança, tinha-a chamado de Vivien, porque ela era claramente amada por Manawydan, o Deus do mar, e Vivien é um nome que pertence a Manawydan. Nimue, sendo rabugenta, sempre se recusou a usar o nome, mas me lembrei dele agora, e lembrei de que Manawydan a amava, e soube que ela estava para usar a ajuda do Deus para lançar uma grande maldição sobre nós.

— O que ela está fazendo? — perguntou Artur.

— Não olhe, senhor.

Os dois lanceiros tinham voltado à margem, deixando o cego Merlin sozinho ao lado do cavalo de Nimue. Ele não fez qualquer tentativa de escapar. Apenas ficou ali parado, com os cabelos brancos balançando, enquanto Nimue pegava uma faca no cinto da espada. Era a Faca de Laufrodedd.

— Não! — gritou Artur, mas o vento carregou seu protesto de volta para o nosso barco, de volta sobre os pântanos e juncos, de volta para o nada. — Não! — gritou ele de novo.

Nimue apontou o cajado de druida para o oeste, levantou a cabeça para o céu e uivou. Ainda assim, Merlin não se mexeu. Nossa frota passou por eles, cada barco chegando perto dos alagadiços onde o cavalo de Nimue estava, antes de ser levado para o sul enquanto as tripulações levantavam as velas. Nimue esperou até que nosso barco com os estandartes chegasse perto, então baixou a cabeça e nos encarou com seu olho único. Estava sorrindo, e Merlin também. Agora eu me encontrava suficientemente perto para ver com clareza, e ele ainda sorria quando Nimue se abaixou na sela com a faca. Só foi preciso um golpe forte.

E o cabelo branco e comprido e o manto branco e comprido de Merlin ficaram vermelhos.

Nimue uivou de novo. Eu a tinha ouvido uivar muitas vezes, mas nunca assim, porque esse uivo misturava agonia com triunfo. Ela fizera o feitiço.

Em seguida, desmontou do cavalo e soltou o cajado. Merlin devia ter morrido depressa, mas seu corpo ainda se sacudiu nas pequenas ondas e durante alguns instantes pareceu que Nimue lutava com o morto. Seu manto branco estava manchado de vermelho, e o vermelho foi instantaneamente diluído pelo mar enquanto ela empurrava o cadáver de Merlin mais para dentro da água. Finalmente, livre da lama, ele flutuou e ela o empurrou na corrente como um presente para seu senhor, Manawydan.

E que presente ela deu. O corpo de um druida é magia poderosa, a mais poderosa deste pobre mundo, e Merlin foi o último e o maior dos druidas. Outros vieram depois, claro, mas nenhum tinha seu conhecimento, e nenhum tinha sua sabedoria, e nenhum tinha metade de seu poder. E todo esse poder foi dado agora a um feitiço, um encantamento ao Deus do mar que havia resgatado Nimue há tantos anos.

Ela pegou o cajado que flutuava nas ondas e apontou para o nosso barco, depois gargalhou. Curvou a cabeça para trás e gargalhou como os loucos que a haviam seguido das montanhas até essa matança na água.

— Vocês viverão! — gritou ela para o nosso barco —, e vamos nos encontrar de novo!

Balig levantou a vela, que foi apanhada pelo vento e nos levou para o mar. Nenhum de nós falou. Apenas ficamos olhando para Nimue e para onde, branco no tumulto das ondas cinzentas, o corpo de Merlin nos seguia para as profundezas.

Onde Manawydan nos esperava.

Viramos o barco para o sudeste, deixando o vento entrar na barriga da vela, e meu estômago se embrulhava a cada onda.

Balig pelejava com o remo que servia de leme. Tínhamos guardado os outros remos, deixando que o vento fizesse o trabalho, mas a maré forte estava contra nós e ficava empurrando a cabeça do barco para o sul, onde o vento fazia a vela estalar, e o remo-leme se curvava de modo alarmante. Mas aos poucos o barco voltava, a vela estalava como um grande chicote ao se encher de novo, a proa mergulhava no espaço entre as ondas e minha barriga se embrulhava e a bile subia na garganta.

O céu escureceu. Balig olhava para as nuvens, cuspia e depois forçava o remo de novo. A primeira chuva chegou, grandes gotas que se chocaram no convés e escureceram a vela suja.

— Baixem esses estandartes! — gritou Balig e Galahad enrolou a bandeira de proa enquanto eu lutava para soltar a da popa. Gwydre me ajudou a baixá-la, depois perdeu o equilíbrio quando o barco bateu na crista de uma onda. Caiu de encontro à amurada enquanto a onda se partia sobre a proa. — Tirem a água! — gritou Balig. — Tirem a água!

Agora o vento estava aumentando. Vomitei por cima da amurada e depois ergui os olhos e vi o resto da frota se sacudindo num pesadelo cinza de água agitada e espuma voando. Ouvi um estalo acima, ergui a cabeça e vi que nossa vela tinha se partido ao meio. Balig xingou. Atrás de nós a costa era uma linha escura, e além dela, iluminados pelo sol, os morros da Silúria brilhavam verdes, mas em volta de nós o tempo estava escuro, molhado e ameaçador.

— Tirem a água! — gritou Balig de novo e os que estavam na barriga do barco usaram os elmos para tirar a água de perto dos fardos do tesouro, das armaduras e da comida.

E a tempestade chegou. Até então tínhamos sofrido apenas os ataques externos da tormenta, mas agora o vento uivava sobre o mar e a chuva veio reta e cortante sobre as ondas embranquecidas. Perdi de vista os outros barcos, de tão densa era a chuva e tão escuro o céu. A costa desapareceu e eu só podia ver um pesadelo de ondas curtas, altas e com cristas brancas, das quais a água voava para encharcar nosso barco. A vela se rasgou em trapos que voavam presos à verga como se fossem estandartes partidos. Trovões cortavam o céu, o barco caiu da crista de uma onda e eu vi a água, verde e preta, subindo para se derramar sobre a amurada, mas de algum modo Balig guiou a proa para a onda e a água hesitou na borda do barco, depois se afastou enquanto subíamos na próxima crista torturada pelo vento.

— Deixem o barco leve! — gritou Balig acima do uivo da tempestade.

Jogamos o ouro no mar. Abandonamos o tesouro de Artur, e o meu tesouro, e o tesouro de Gwydre e o tesouro de Culhwch. Demos tudo a Manawydan, derramando moedas, taças, castiçais e barras de ouro em seu bucho cobiçoso, e ele continuava querendo mais, por isso lançamos os cestos de comida e os estandartes enrolados. Mas Artur não admitia entregar sua armadura, nem eu, por isso guardamos as armaduras e nossas armas na cabine minúscula debaixo do convés de popa, e em vez disso lançamos parte do lastro de pedras depois do ouro. Cambaleávamos no barco como bêbados, sacudidos pelas ondas e com os pés escorregando numa mistura de vômito e água. Morwenna agarrava seus filhos, Ceinwyn e Guinevere rezavam, Taliesin tirava água com um elmo, enquanto Culhwch e Galahad ajudavam Balig e o tripulante saxão a baixar os restos da vela. Jogaram a vela no mar, com verga e tudo, mas amarraram os destroços numa comprida corda de crina de cavalo que prenderam no cadaste de popa, e de algum modo o arrasto da verga com a vela fez a cabeça do barco virar para o vento, de modo que estávamos de frente para a tempestade e cavalgávamos sua fúria em grandes saltos.

— Nunca vi uma tempestade se mover tão depressa! — gritou Balig para mim. E não era de espantar. Esta não era uma tempestade usual, e sim uma fúria trazida pela morte de um druida, e o mundo fazia o ar e o mar gritarem em nossos ouvidos enquanto o barco subia e caía nas ondas violentas. A água brotava entre as tábuas do casco, mas nós a retirávamos com a mesma velocidade com que entrava.

Então vi o primeiro destroço na crista de uma onda, e num instante enxerguei um homem nadando. Ele tentou nos chamar, mas o mar o puxou para baixo. A frota de Artur estava sendo destruída. Algumas vezes, quando o vendaval amainava e o ar se limpava momentaneamente, víamos homens baldeando feito loucos, e podíamos ver como seus barcos estavam com o casco baixo em meio ao tumulto. E então a tempestade nos cegava de novo e, quando parou outra vez, não havia barcos visíveis, só madeira flutuando. A frota de Artur, barco a barco, tinha afundado e seus homens e mulheres estavam afogados. Os que usavam armadura foram os que morreram mais rápido.

E o tempo todo, logo além dos destroços da vela que se arrastava atrás do barco, o corpo de Merlin nos seguia. Ele apareceu algum tempo depois de termos jogado a vela na água e depois ficou conosco. E eu via seu manto branco na face de uma onda, via-o desaparecer, apenas para vislumbrá-lo de novo enquanto o mar se movia. Uma vez pareceu que ele havia levantado a cabeça da água e vi que o ferimento na garganta tinha sido lavado pelo oceano, e ele nos encarava com as órbitas vazias, mas então as ondas o faziam afundar e eu tocava um prego de ferro no cadaste de popa e implorava a Manawydan que levasse o druida para o leito do mar. Leve-o para baixo, rezei, e mande sua alma para o Outro Mundo, mas a cada vez que eu olhava ele continuava ali, com o cabelo branco balançando em volta da cabeça no mar revolto.

Merlin estava ali, mas não os outros barcos. Espiávamos através da chuva e da espuma que voava, mas nada havia ali a não ser um céu escuro e agitado, um mar cinza e branco sujo, destroços e Merlin, sempre Merlin, e acho que ele estava nos protegendo, não porque nos desejava em segurança, mas porque Nimue ainda não tinha terminado conosco. Nosso barco levava o que ela mais desejava, e assim apenas o nosso barco deveria ser preservado através das águas de Manawydan.

Merlin só desapareceu quando a tempestade também foi embora. Vi seu rosto uma última vez e então ele simplesmente afundou. Por um instante foi uma forma branca de braços abertos no coração verde de uma onda, e então desapareceu. E com seu desaparecimento a ira do vento morreu e a chuva cessou.

O mar ainda nos sacudia, mas o ar se limpou e as nuvens se transformaram de pretas em cinzentas, e então num branco partido, e à nossa volta só havia o mar vazio. Nosso barco era o único que restava, e enquanto Artur olhava as ondas cinzentas em volta vi lágrimas em seus olhos. Seus homens tinham partido para Manawydan, todos, todos os seus bravos homens a não ser nós. Todo um exército tinha sumido.

E estávamos sozinhos.

Recuperamos a verga e os restos da vela, e então remamos para o oeste pelo resto daquele dia comprido. Todos os homens, menos eu, estavam com as mãos cheias de bolhas, e até eu tentei remar, mas descobri que uma mão boa não bastava para manobrar um remo, por isso fiquei sentado e olhando enquanto seguíamos para o sul através do mar agitado até que, no fim da tarde, nossa quilha raspou na areia e lutamos para chegar à praia com as poucas posses que restavam.

Dormimos nas dunas, e de manhã limpamos o sal das armas e contamos as moedas que ainda tínhamos. Balig e seu saxão ficaram com o barco, dizendo que poderiam salvá-lo. Dei-lhe minha última peça de ouro, abracei-o e depois segui Artur para o sul.

Encontramos um salão nos morros do litoral, e o senhor daquele salão se mostrou um defensor de Artur, dando-nos um cavalo de sela e duas mulas. Tentamos lhe dar ouro, mas ele recusou.

— Gostaria de ter lanceiros para lhes dar, mas infelizmente... — Ele deu de ombros. Seu salão era pobre e ele já nos dera mais do que podia. Comemos sua comida, secamos as roupas junto ao seu fogo e depois nos sentamos com Artur sob a macieira florida no pomar.

— Não podemos lutar contra Mordred agora — disse Artur, desanimado. As forças de Mordred somavam pelo menos 350 lanceiros, e os seguidores de Nimue iriam ajudá-lo enquanto ele nos perseguisse, ao passo que Sagramor tinha menos de duzentos homens. A guerra estava perdida antes mesmo de começar.

— Oengus virá ajudar-nos — sugeriu Culhwch.

— Ele vai tentar — concordou Artur —, mas Meurig nunca deixará os Escudos Pretos marcharem através de Gwent.

— E Cerdic virá — disse Galahad em voz baixa. — Assim que souber que Mordred está lutando contra nós, ele marchará. E teremos duzentos homens.

— Menos — observou Artur.

— Para lutar contra quantos? — perguntou Galahad. — Quatrocentos? Quinhentos? E os nossos sobreviventes, se vencermos, terão de dar a volta e enfrentar Cerdic.

— Então o que faremos? — perguntou Guinevere.

Artur sorriu.

— Vamos para a Armórica. Mordred não nos perseguirá lá.

— Ele poderia fazer isso — rosnou Culhwch.

— Então enfrentaremos o problema quando ele chegar — disse Artur calmamente. Naquela manhã ele estava amargo, mas não com raiva. O destino lhe dera um golpe terrível, de modo que tudo que podia fazer era alterar os planos e tentar nos dar esperança. Lembrou-nos de que o rei Budic de Broceliande era casado com sua irmã, Anna, e Artur tinha certeza de que o rei nos daria abrigo. — Seremos pobres — disse com um sorriso que pedia desculpas a Guinevere —, mas temos amigos e eles vão nos ajudar. E Broceliande vai receber bem os lanceiros de Sagramor. Não passaremos fome. E quem sabe? — ele deu um sorriso para o filho —, Mordred pode morrer e poderemos voltar.

— Mas Nimue vai nos perseguir até o fim do mundo — falei.

Artur fez uma careta.

— Então Nimue deve ser morta. Mas esse problema também deve esperar. O que precisamos fazer agora é decidir como chegaremos a Broceliande.

— Vamos a Camlann — falei. — E perguntar pelo barqueiro Caddwg.

Artur me olhou, surpreso com a certeza na minha voz.

— Caddwg?

— Merlin arranjou isso, e me contou. É o presente final que ele tem para o senhor.

Artur fechou os olhos. Estava pensando em Merlin e, por um instante ou dois, pensei que iria derramar lágrimas. Mas em vez disso apenas deu de ombros.

— Então vamos a Camlann — falou, abrindo os olhos.

Einion, o filho de Culhwch, pegou o cavalo e partiu para o leste em busca de Sagramor. Levou novas ordens instruindo Sagramor a arranjar barcos e atravessar o mar para o sul até a Armórica. Einion diria ao númida que pegaríamos nosso barco em Camlann e iríamos procurá-lo no litoral de Broceliande. Não haveria batalha contra Mordred, nem aclamação em Caer Cadarn, só uma fuga ignominiosa pelo mar.

Quando Einion tinha partido nós pusemos Artur-bach e a pequena Seren numa das mulas, amontoamos as armaduras na outra e caminhamos para o sul. Agora, Artur sabia, Mordred já teria descoberto que tínhamos fugido da Silúria, e o exército da Dumnonia já estaria voltando. Sem dúvida, os homens de Nimue estariam com eles, que tinham a vantagem das boas estradas romanas, enquanto nos restavam quilômetros de terreno montanhoso a atravessar. Por isso nos apressamos.

Ou tentamos nos apressar, mas os morros eram íngremes, a estrada era longa, Ceinwyn ainda estava fraca, as mulas eram lentas, e Culhwch mancava desde a antiga batalha contra Aelle perto de Londres. A jornada era lenta, mas agora Artur parecia resignado ao seu destino.

— Mordred não saberá onde nos procurar — disse ele.

— Nimue pode saber — sugeri. — Quem sabe o que ela forçou Merlin a contar no fim?

Artur não disse nada durante um tempo. Estávamos andando por um bosque cheio de campânulas azuis e folhas do novo ano.

— Sabe o que eu deveria fazer? — falou depois de um tempo. — Deveria encontrar um poço fundo e jogar Excalibur lá dentro, e então cobri-la com pedras para que ninguém a descubra entre agora e o fim do mundo.

— Por que não faz isso, senhor?

Ele sorriu e tocou o punho da espada.

— Estou acostumado com ela. Vou mantê-la até não precisar mais. Se for preciso, irei escondê-la. Mas ainda não. — Ele continuou andando, pensativo. — Você está com raiva de mim? — perguntou depois de uma longa pausa.

— Do senhor? Por quê?

Ele fez um gesto para abarcar toda a Dumnonia, todo aquele país triste que estava tão florido e cheio de folhas novas naquela manhã de primavera.

— Se eu tivesse ficado, Derfel, se tivesse negado o poder a Mordred, isso jamais teria acontecido. — Ele parecia lamentar.

— Mas quem saberia que Mordred seria um bom soldado? Ou que montaria um exército?

— Certo, e quando concordei com a exigência de Meurig pensei que Mordred apodreceria na Durnovária. Pensei que ele ia beber até cair na sepultura ou entraria numa disputa e receberia uma faca nas costas. — Artur balançou a cabeça. — Ele nunca deveria ter sido rei, mas que opção eu tinha? Havia jurado a Uther.

Tudo remontava àquele juramento, e me lembrei do Grande Conselho, o último realizado na Britânia, onde Uther propusera o juramento que tornaria Mordred rei. Uther era um velho na época, grosseiro, doente e agonizante, e eu uma criança que só queria virar lanceiro. Tudo aquilo fazia muito tempo, e na época Nimue era minha amiga.

— Uther nem queria que o senhor fosse um dos que fariam o juramento — falei.

— Nunca pensei que ele quisesse, mas fiz. E um juramento é um juramento e, se violarmos um deles propositadamente, violamos a fé para com todos. — Mais juramentos tinham sido violados do que mantidos, pensei, mas fiquei quieto. Artur tentara cumprir seus juramentos e isso lhe servia de consolo.

Deu um sorriso súbito e vi que sua mente tinha passado para um assunto mais feliz. — Há muito tempo vi um pedaço de terra em Broceliande. Era um vale que ia para o litoral sul, e me lembro de um riacho e de algumas faias. Achei que seria um bom lugar para um homem construir um salão e levar a vida.

Gargalhei. Mesmo agora o que ele realmente queria era um salão, um pouco de terra e amigos em volta; as mesmas coisas que sempre desejara. Ele jamais amara palácios, nem se regozijara com o poder, mas tinha amado a prática da guerra. Tentava negar esse amor, mas era bom em batalha e rápido no pensamento, o que o tornava um soldado mortal. Era a atividade de soldado que o tornara famoso e que lhe permitira unir os britânicos e derrotar os saxões, mas então sua repulsa ao poder e sua crença perversa na bondade inata do homem, e sua ligação fervorosa à santidade dos juramentos, permitiram que homens inferiores desfizessem sua obra.

— Um salão de madeira — disse ele em voz sonhadora —, com uma arcada de pilares virada para o mar. A terra cai para o sul, em direção a uma praia, e podemos fazer o salão no alto, para que de dia e de noite possamos ouvir as ondas batendo na areia. E atrás do salão vou construir uma nova oficina de ferreiro.

— Para que possa torturar mais metal? — perguntei.

— *Ars longa* — disse ele em tom tranquilo —, *vita brevis.*

— Latim?

Ele assentiu.

— A arte é longa, a vida é breve. Vou melhorar, Derfel. Meu defeito é a impaciência. Vejo a forma do metal que desejo e corro, mas o ferro não se deixa apressar. — Ele pôs a mão sobre meu braço com o curativo. — Você e eu ainda temos anos, Derfel.

— Espero que sim, senhor.

— Anos e anos, anos para envelhecer, ouvir canções e contar histórias.

— E sonhar com a Britânia?

— Servimos bem a ela, e agora ela deve servir a si mesma.

— E se os saxões voltarem e os homens o chamarem de novo, o senhor voltará?

Ele sorriu.

— Eu poderia voltar para dar o trono a Gwydre, mas caso contrário vou pendurar Excalibur na trave mais alta do teto do meu salão, Derfel, e deixar que as teias de aranha façam um sudário sobre ela. Vou olhar o mar, plantar e ver meus netos crescerem. Você e eu estamos acabados, meu amigo. Nós nos licenciamos dos juramentos.

— De todos menos um — falei.

Ele me lançou um olhar incisivo.

— Está falando de meu juramento para ajudar Ban?

Eu tinha me esquecido desse juramento, o único, o único que Artur havia fracassado em manter, e seu fracasso o atormentava desde então. O reino de Ban, Benoic, tinha caído diante dos francos, e apesar de Artur ter mandado homens, ele próprio não foi a Benoic. Ele queria ajudar, mas os saxões de Aelle estavam pressionando na época, e ele não poderia travar duas guerras ao mesmo tempo.

— Não, senhor. Eu estava pensando no meu juramento a Sansum.

— O lorde camundongo se esquecerá de você — disse Artur sem dar importância.

— Ele não se esquece de nada, senhor.

— Então teremos de mudar o pensamento dele, porque não creio que eu possa envelhecer sem você.

— Nem eu sem o senhor.

— Então vamos nos esconder, você e eu, e os homens perguntarão: onde está Artur? E onde está Derfel? E onde está Galahad? Ou Ceinwyn? E ninguém saberá, porque estaremos escondidos sob as faias junto ao mar. — Ele riu, mas agora podia ver o sonho muito perto, e a esperança o levou pelos últimos quilômetros de nossa longa jornada.

Levamos quatro dias e quatro noites, mas finalmente estávamos no litoral sul da Dumnonia. Tínhamos contornado o grande urzal e chegamos ao oceano andando pela crista de um morro alto. Paramos na crista enquanto a luz do fim de tarde passava sobre nossos ombros para iluminar o amplo vale do rio que se abria para o mar à frente. Isso era Camlann.

Eu tinha estado aqui antes. Aquele era o país do sul, abaixo de Isca da Dumnonia, onde o povo local tatuava o rosto de azul. Eu servia a lorde Owain quando vim pela primeira vez, e foi sob sua liderança que participei do massacre do urzal. Anos depois cavalguei até perto deste morro quando fui com Artur tentar salvar a vida de Tristan, mas minha tentativa fracassou e Tristan morreu, e agora voltava pela terceira vez. Era um lugar bonito, um dos mais belos que já vira em toda a Britânia, mas para mim guardava lembranças de assassinato, e eu sabia que ficaria feliz em vê-lo sumir atrás do barco de Caddwg.

Olhamos para o fim de nossa jornada. O rio Exe corria para o mar abaixo de nós, mas antes de chegar ao oceano formava um grande lago separado do oceano por uma estreita faixa de areia. Essa faixa era o lugar que os homens chamavam de Camlann e em sua ponta, apenas visível de onde estávamos, os romanos tinham construído uma pequena fortaleza. Dentro do forte haviam erguido uma grande tigela de ferro onde antigamente era aceso um fogo à noite para alertar as galés que se aproximavam da traiçoeira língua de areia.

Agora olhávamos para o lago, a faixa de areia e a margem verde. Não havia inimigo à vista. Nenhuma lâmina de lança refletia o sol da tarde, nenhum cavaleiro percorria as trilhas do litoral e nenhum lanceiro escurecia a estreita língua de areia. Era como se estivéssemos sozinhos em todo o universo.

— Você conhece Caddwg? — perguntou Artur, rompendo o silêncio.

— Eu o encontrei uma vez, senhor, há anos.

— Então ache-o, Derfel, e diga que vamos esperá-lo na fortaleza.

Olhei para o sul, em direção ao mar. Gigantesco, vazio e brilhante, era o caminho para nos tirar da Britânia. Então desci para tornar possível a viagem.

A última luz da tarde iluminou meu caminho para a casa de Caddwg. Eu tinha pedido informações a pessoas e fora guiado a uma pequena cabana no litoral ao norte de Camlann, e agora, como a maré estava apenas na metade da subida, a cabana se encontrava diante de uma brilhante vastidão de lama vazia. O barco de Caddwg não estava na água, e sim empoleirado alto e seco na terra, com a quilha sustentada por troncos roliços, e o casco apoiado por paus.

— Ele se chama *Prydwen* — disse Caddwg, sem me cumprimentar. Tinha me visto parado junto ao barco e saiu da casa. Era um velho de barba densa, muito bronzeado e vestia um gibão de lã manchado de piche e brilhando com escamas de peixe.

— Merlin me mandou — falei.

— Achei que ele mandaria. Disse que mandaria. Ele vem?

— Ele está morto.

Caddwg cuspiu.

— Nunca pensei que ouviria isso. — E cuspiu pela segunda vez. — Pensei que a morte não iria encontrá-lo.

— Ele foi assassinado.

Caddwg parou e jogou uns pedaços de lenha numa fogueira acesa sob um caldeirão borbulhante. O caldeirão continha piche e pude ver que ele estivera calafetando as fendas nas tábuas do *Prydwen*. O barco parecia lindo. O casco de madeira tinha sido limpo e a camada brilhante e nova de madeira contrastava com o preto intenso do piche que impediria a entrada da água. Tinha proa alta, um alto cadaste de popa e um mastro comprido e novo que agora repousava sobre cavaletes ao lado do casco.

— Então você vai querer o barco — disse Caddwg.

— Nós somos treze, esperando na fortaleza.

— Amanhã a esta hora.

— Não pode ser antes? — perguntei, alarmado com a demora.

— Não sabia que vocês viriam — resmungou ele — e só posso lançar o barco na maré alta, que vai ser amanhã de manhã. E quando eu tiver colocado o mastro, a vela e o leme, a maré terá baixado outra vez. O barco vai flutuar de novo no meio da tarde e virei pegar vocês o mais rápido possível, mas não antes do entardecer. Você deveria ter me mandado a notícia.

Era verdade, mas nenhum de nós tinha pensado em mandar um alerta a Caddwg porque nenhum de nós entendia de barcos. Tínhamos pensado em chegar aqui, encontrar o barco e ir embora, e nunca havíamos sonhado que o barco poderia estar fora d'água.

— Existem outros barcos? — perguntei.

— Não para treze pessoas, e nenhum para levar vocês para onde vou.

— Para Broceliande.

— Levarei vocês para onde Merlin me mandou levar — disse Caddwg obstinadamente, depois foi até a proa do *Prydwen* e apontou para uma pedra cinza mais ou menos do tamanho de uma maçã. Nada havia de notável na pedra, a não ser que fora habilmente encravada na proa, onde era presa pelo carvalho como uma gema num engaste de ouro. — Ele me deu esse pedaço de pedra — disse Caddwg, falando de Merlin. — Uma pedra-fantasma.

— Pedra-fantasma? — perguntei, porque nunca tinha ouvido falar disso.

— Levo Artur para onde Merlin queria que ele fosse, e nenhuma outra coisa o levará até lá. E nenhum outro barco pode levá-lo lá, só um barco ao qual Merlin deu um nome. — O nome Prydwen significava Britânia. — Artur está com você? — Perguntou Caddwg, subitamente ansioso.

— Está.

— Então levarei o ouro também.

— Ouro?

— O velho o deixou para Artur. Achava que ele precisaria. Não adianta para mim. Ouro não pega peixe. Serviu para comprar uma vela nova, isso eu posso dizer, e Merlin me disse para comprar a vela, portanto teve de me dar o ouro, mas ouro não pega peixe. Pega mulheres — ele deu um risinho —, mas não peixe.

Olhei para o barco fora d'água.

— Você precisa de ajuda? — perguntei.

Caddwg ofereceu um sorriso sem humor.

— E que ajuda você pode dar? Você e seu cotoco de braço? Você pode calafetar um barco? Pode levantar um mastro ou prender uma vela? — Ele cuspiu. — Basta eu assobiar e terei vinte homens me ajudando. Você vai nos ouvir cantando de manhã, e isso significa que estamos empurrando o barco para a água. Amanhã à tarde — ele assentiu rapidamente para mim — procuro vocês na fortaleza. — Caddwg se virou e voltou para a cabana.

E fui me juntar a Artur. Já estava escuro e todas as estrelas espetavam o céu. Uma lua tremeluziu numa trilha comprida sobre o mar e iluminou as muralhas partidas da pequena fortaleza onde esperaríamos pelo *Prydwen*.

Tínhamos um último dia na Britânia, pensei. Uma última noite e um último dia, e então navegaríamos com Artur no caminho da lua, e a Britânia não passaria de uma lembrança.

O vento da noite soprava suave sobre a precária muralha de terra da fortaleza. O resto enferrujado do farol antigo estava inclinado sobre o mastro descorado acima de nós, as pequenas ondas se quebravam na praia comprida, a lua mergulhou lentamente no abraço do mar e a noite escureceu.

Dormimos no pequeno abrigo da muralha. Os romanos tinham feito as muralhas do forte com areia, sobre a qual puseram terra plantada com capim, e depois uma paliçada de madeira ao longo do topo. A muralha devia ser frágil mesmo quando foi construída, mas a fortaleza nunca tinha passado de um posto de atalaia e de um local onde um pequeno destacamento de homens podia se abrigar dos ventos marinhos enquanto cuidava do farol. A paliçada de madeira estava quase toda podre, e a chuva e o vento haviam desgastado boa parte do paredão de areia, mas em alguns lugares ele ainda se erguia a cerca de um metro e meio de altura.

A manhã surgiu clara e ficamos olhando enquanto um punhado de pequenos barcos de pesca saía para o dia de trabalho no mar. A partida deles deixou apenas o *Prydwen* junto ao lago. Artur-bach e Seren brincaram na areia do lago onde não havia ondas fortes, enquanto Galahad ia com o outro filho de Culhwch até a praia, para encontrar comida. Voltaram com pão, peixe seco e um balde de madeira com leite fresco. Todos estávamos estranhamente felizes naquela manhã. Lembro-me dos risos enquanto víamos Seren rolar por uma duna, e como aplaudimos quando Artur-bach arrancou um grande tufo de algas da água rasa e trouxe até a areia. A enorme massa verde devia pesar tanto quanto ele, mas ele puxou, fez força, e de algum modo conseguiu arrastar o emaranhado pesado até a muralha do forte. Gwydre e eu aplaudimos seus esforços, e depois começamos a conversar.

— Se meu destino é não ser rei — disse Gwydre —, tudo bem.

— O destino é inexorável — falei e sorri quando ele me olhou interrogativamente. — Era um dos ditados preferidos de Merlin. Isso e "Não seja absurdo, Derfel". Para ele eu era sempre absurdo.

— Tenho certeza de que não era — disse Gwydre com lealdade.

— Todos nós éramos. Exceto talvez Nimue e Morgana. O resto de nós simplesmente não era inteligente o bastante. Sua mãe, talvez, mas ele e ela nunca foram amigos de fato.

— Eu gostaria de tê-lo conhecido melhor.

— Quando você estiver velho, Gwydre, ainda poderá dizer aos homens que conheceu Merlin.

— Ninguém vai acreditar.

— É, provavelmente não. E quando você estiver velho terão inventado novas histórias sobre ele. E sobre o seu pai também. — Joguei um pedaço de concha pela face da fortaleza. De longe, sobre a água, podia ouvir o som forte de homens cantando e soube que estava escutando o lançamento do *Prydwen* ao mar. Agora não faltava muito, disse a mim mesmo, agora não faltava muito. — Talvez ninguém jamais acredite na verdade — falei a Gwydre.

— Na verdade?

— Sobre o seu pai, ou sobre Merlin.

Já havia canções que davam crédito a Meurig pela vitória no Mynydd Baddon, logo Meurig! E muitas canções punham Lancelot acima de Artur. Olhei em volta procurando Taliesin e imaginei se ele corrigiria essas canções. Naquela manhã o bardo havia nos contado que não pretendia atravessar o mar conosco, e que voltaria à Silúria ou a Powys, e acho que Taliesin só tinha vindo tão longe para poder conversar com Artur e assim saber dele a história de sua vida. Ou talvez tenha visto o futuro e veio vê-lo se desdobrar. Quaisquer que fossem seus motivos, o bardo estava conversando com Artur agora, mas de repente Artur saiu de perto de Taliesin e correu para a margem do lago. Ficou ali durante longo tempo, olhando para o norte. E de repente se virou e correu para a duna mais próxima. Subiu e em seguida se virou e olhou de novo para o norte.

— Derfel! — gritou ele. — Derfel! — Desci da face da fortaleza, corri pela areia e subi o flanco da duna. — O que você está vendo?

Olhei para o norte, por cima do lago brilhante. Podia ver o *Prydwen* na metade do caminho até a água, podia ver as fogueiras onde o sal era evaporado e os peixes apanhados diariamente eram defumados, e podia ver algumas redes de pescadores penduradas em vergas plantadas na areia. Só então vi os cavaleiros.

A luz do sol brilhou numa ponta de lança, depois noutra, e de repente vi uns vinte homens, talvez mais, seguindo por uma estrada que entrava na terra, bem além da margem do lago.

— Escondam-se! — gritou Artur e escorregamos duna abaixo, pegamos Seren e Artur-bach e nos agachamos como coisas culpadas dentro da muralha de terra semidesmoronada da fortaleza.

— Eles devem ter nos visto, senhor — falei.

— Talvez não.

— São quantos homens? — perguntou Culhwch.

— Vinte? — sugeriu Artur. — Trinta? Talvez mais. Estavam saindo de umas árvores. Pode haver uma centena.

Houve um som raspado e baixo. Eu me virei e vi que Culhwch tinha desembainhado a espada. Ele riu para mim.

— Não me importo que sejam duzentos homens, eles não vão cortar minha barba.

— Por que eles quereriam sua barba? — perguntou Galahad. — Um negócio fedorento e cheio de piolhos?

Culhwch gargalhou. Ele gostava de provocar Galahad, e de ser provocado em troca, e ainda estava pensando na resposta quando Artur levantou cautelosamente a cabeça acima da muralha e olhou para o leste, em direção ao lugar onde os lanceiros apareceriam. Ficou muito imóvel, e sua imobilidade nos silenciou, e de repente ele se levantou e acenou.

— É Sagramor! — gritou para nós, e a alegria em sua voz era inconfundível. — É Sagramor! — repetiu, e estava tão empolgado que Artur-bach juntou-se num grito feliz.

— É Sagramor! — gritou o menino e todos nós subimos na muralha e vimos a bandeira preta de Sagramor balançando numa ponta de lança encimada por um crânio. O próprio Sagramor, com seu elmo preto e cônico, estava na frente. Ao ver Artur, esporeou o animal sobre a areia. Artur correu para encontrá-lo, Sagramor saltou do cavalo, tombou de joelhos e agarrou a cintura de Artur.

— Senhor! — disse ele numa rara demonstração de sentimento. — Senhor! Pensei que nunca mais ia vê-lo.

Artur o fez levantar e o abraçou.

— Teríamos nos encontrado em Broceliande, meu amigo.

— Broceliande? — disse Sagramor e cuspiu em seguida. — Odeio o mar. — Havia lágrimas em seu rosto negro e me lembrei de uma vez em que ele me contou por que tinha seguido Artur. Porque, disse ele, quando eu não tinha nada, Artur me deu tudo. Sagramor não viera aqui porque estava relutante em entrar num barco, mas porque Artur precisava de ajuda.

O númida tinha trazido 83 homens, e Einion, o filho de Culhwch, tinha vindo com eles.

— Eu só tinha noventa e dois cavalos, senhor — disse Sagramor a Artur. — Estive recolhendo-os há meses. — Ele esperava poder cavalgar mais rápido do que as forças de Mordred e levar todos os seus homens em segurança até a Silúria, mas em vez disso trouxera o máximo possível para essa língua de areia entre o lago e o oceano. Alguns dos cavalos tinham ficado pelo caminho, mas 83 haviam chegado em segurança.

— Onde estão seus outros homens? — perguntou Artur.

— Navegaram para o sul ontem, com todas as nossas famílias — disse Sagramor e em seguida saiu do abraço de Artur e nos olhou. Devíamos estar parecendo um grupo lamentável e exausto, porque ele ofereceu um de seus raros sorrisos antes de fazer uma reverência para Guinevere e Ceinwyn.

— Nós só temos um barco — disse Artur preocupado.

— Então o senhor tomará esse barco, senhor — disse Sagramor calmamente — e nós cavalgaremos para o oeste até Kernow. Podemos encontrar barcos lá, e segui-lo para o sul. Mas eu queria encontrá-lo deste lado do mundo, para o caso de seus inimigos o encontrarem também.

— Até agora não vimos nenhum — disse Artur, tocando o punho de Excalibur —, pelo menos não deste lado do mar de Severn. E rezo para que não vejamos nenhum o dia inteiro. Nosso barco vai chegar no crepúsculo, e então partiremos.

— Então vou guardá-los até o crepúsculo — disse Sagramor e seus homens desceram das selas, tiraram os escudos das costas e plantaram as lanças na areia. Os cavalos, brancos de suor e ofegantes, ficaram parados exaustos enquanto os homens de Sagramor esticavam os braços e pernas cansados. Agora éramos um bando de guerreiros, quase um exército, e nossa bandeira era o estandarte preto de Sagramor.

Mas então, apenas uma hora depois, tão cansados quanto os homens de Sagramor, os inimigos chegaram a Camlann.

CEINWYN ME AJUDOU a colocar a armadura, porque era difícil manejar a pesada cota de malha só com uma das mãos, e era impossível afivelar as grevas de bronze que eu tinha tomado no Mynydd Baddon e que protegiam minhas pernas dos golpes de lanças que vêm por baixo da borda do escudo. Assim que as grevas e a malha estavam no lugar, e assim que o cinto de Hywelbane foi afivelado na cintura, deixei Ceinwyn prender o escudo no meu braço esquerdo.

— Mais apertado — falei, instintivamente fazendo pressão contra a cota de malha para sentir o pequeno calombo onde seu broche estava preso na minha camisa. Estava ali em segurança, um talismã que me levara através de incontáveis batalhas.

— Talvez eles não ataquem — disse ela, apertando ao máximo as tiras do escudo.

— Reze para que não.

— Rezar a quem? — perguntou ela com um sorriso triste.

— Ao Deus em quem você mais confia, meu amor — falei, e em seguida beijei-a. Pus o elmo e ela apertou a tira sob o queixo. A mossa feita no topo do elmo na batalha do Mynydd Baddon fora martelada até ficar lisa, e uma nova placa de ferro tinha sido rebitada para cobrir o rasgo. Beijei Ceinwyn de novo, depois fechei as laterais do elmo. O vento soprava a cauda de lobo na frente das fendas para os olhos, e sacudi a cabeça para trás, jogando para o lado os compridos pelos cinzentos. Eu era o último cauda de lobo. Os outros tinham sido massacrados por Mordred ou tomados por Manawydan. Eu era o último, assim como era o último guerreiro a levar a estrela de Ceinwyn no escudo. Sopesei a lança de guerra, cujo cabo era grosso como o pulso de Ceinwyn e a lâmina uma cunha afiada do melhor aço de Morridig. — Caddwg chegará aqui logo — falei. — Não teremos muito a esperar.

— Só o dia inteiro — disse Ceinwyn e olhou para o lago onde o *Prydwen* flutuava na beira do banco de lama. Homens levantavam o mastro, mas logo a maré vazante deixaria o barco de novo no seco, e teríamos de esperar que as águas subissem. Mas pelo menos o inimigo não havia incomodado Caddwg e não tinha motivos para fazê-lo. Para eles, sem dúvida, ele não passava de outro pescador e não era de sua conta. Nós éramos de sua conta.

Havia sessenta ou setenta inimigos, todos a cavalo, e deviam ter viajado muito para nos encontrar, mas agora esperavam no fim da língua de areia, e todos sabíamos que outros lanceiros viriam atrás. Ao crepúsculo poderíamos enfrentar um exército, talvez dois, porque os homens de Nimue sem dúvida viriam com os lanceiros de Mordred.

Artur estava com sua vestimenta de guerra. A armadura de escamas, que tinha línguas de ouro em meio às placas de ferro, brilhava ao sol. Eu o vi colocar o elmo com a crista de plumas de ganso. Normalmente Hygwydd teria vestido a armadura nele, mas Hygwydd estava morto, por isso Guinevere prendeu na sua cintura a bainha de Excalibur, bordada em pontos cruzados, e pendurou a capa branca sobre seus ombros. Ele sorriu para ela, inclinou-se para perto falando alguma coisa, riu, depois fechou as laterais do elmo. Dois homens o ajudaram a subir na sela de um dos cavalos de Sagramor e, assim que ele estava montado, passaram-lhe sua lança e o escudo coberto de prata, de onde a cruz tinha sido arrancada há muito tempo. Ele pegou as rédeas com a mão do escudo e em seguida esporeou o cavalo até nós.

— Vamos agitá-los — gritou para Sagramor, que estava de pé ao meu lado. Artur planejava levar trinta cavaleiros em direção ao inimigo, depois fingir uma fuga em pânico, com a qual esperava atraí-los para uma armadilha.

Deixamos vinte homens guardando as mulheres e crianças na fortaleza enquanto o resto de nós seguia Sagramor até uma depressão funda atrás de uma duna diante da praia do mar. Toda a faixa de areia a oeste da fortaleza era uma confusão de dunas e depressões que formavam um labirinto de armadilhas e passagens ocultas, e só os últimos duzentos metros da faixa, a leste do forte, ofereciam terreno plano.

Artur esperou até que estivéssemos escondidos, depois levou seus trinta homens para oeste, ao longo da areia batida pelo mar, perto das ondas. Ficamos agachados sob a cobertura das dunas. Eu tinha deixado minha lança na fortaleza, preferindo lutar esta batalha somente com Hywelbane. Sagramor também planejava lutar apenas com a espada. Ele estava raspando um pedaço de ferrugem de sua lâmina curva, usando um punhado de areia.

— Você perdeu a barba — grunhiu ele.

— Troquei pela vida de Amhar.

Vi um lampejo de dentes enquanto ele ria por trás das sombras das laterais do elmo.

— Uma boa troca. E sua mão?

— Pela magia.

— Mas não a mão da espada. — Ele segurou a lâmina para refletir a luz e ficou satisfeito ao ver que a ferrugem tinha desaparecido. Depois inclinou a cabeça, ouvindo, mas não podíamos escutar nada além das ondas se partindo. — Eu não deveria ter vindo — falou depois de um tempo.

— Por quê? — Eu nunca tinha visto Sagramor evitar uma luta.

— Eles devem ter me seguido — falou, sacudindo a cabeça para o oeste, indicando o inimigo.

— Eles deviam saber que estávamos vindo para cá — falei, tentando consolá-lo, mas a não ser que Merlin tivesse falado de Camlann a Nimue, parecia mais provável que Mordred realmente tivesse deixado alguns cavaleiros vigiando Sagramor, e que esses batedores houvessem revelado nosso esconderijo. Como quer que fosse, agora era tarde demais. Os homens de Mordred sabiam onde estávamos e agora era uma corrida entre Caddwg e o inimigo.

— Ouviram isso? — gritou Gwydre. Ele estava de armadura e levava o urso do pai no escudo. Estava nervoso, o que não era de espantar, porque seria sua primeira batalha de verdade.

Ouvi. Meu elmo forrado de couro abafava o som, mas finalmente ouvi o som de cascos na areia.

— Fiquem abaixados! — rosnou Sagramor para os homens que tentavam espiar por cima da crista da duna.

Os cavalos estavam galopando pela praia do mar, e a duna nos escondia daquela praia. O som chegou mais perto, crescendo até um trovejar de cascos enquanto agarrávamos as lanças e espadas. O elmo de Sagramor tinha na crista a máscara de uma raposa rosnando. Olhei para a raposa, mas ouvia apenas o ruído crescente dos cavalos. O dia estava quente, e o suor escorria pelo meu rosto. A cota de malha pesava, mas era sempre assim antes do início da luta.

Os primeiros cascos passaram por nós, e então Artur estava gritando da praia.

— Agora! Agora! Agora!

— Vamos! — gritou Sagramor e todos subimos a face interior da duna. Nossas botas escorregavam na areia, e parecia que nunca chegaríamos ao topo, mas então estávamos acima da crista e corríamos para a praia, onde um redemoinho de cavaleiros levantava a areia molhada junto ao mar. Artur tinha se virado e seus trinta homens haviam se chocado contra os perseguidores que estavam num número duas vezes maior do que os de Artur, mas agora esses perseguidores nos viram correndo para o seu flanco e os mais prudentes deram a volta de imediato e galoparam em direção à segurança no oeste. A maioria ficou para lutar.

Gritei um desafio, recebi a ponta da lança de um cavaleiro no centro do meu escudo, brandi Hywelbane na perna traseira do cavalo, para cortar seus tendões, e então, quando o cavalo tombou em minha direção, girei Hywelbane com força contra as costas do cavaleiro. Ele gritou de dor e saltei para trás quando cavalo e homem desmoronaram numa agitação de cascos, areia e sangue. Chutei o rosto do homem que se retorcia, enfiei Hywelbane e em seguida girei-a para trás contra um cavaleiro em pânico que me golpeava debilmente com a lança. Sagramor soltava um terrível grito de guerra, e Gwydre furava com a lança um homem caído na beira do mar. O inimigo ia se retirando da luta e esporeando os cavalos para a segurança através dos baixios do mar, onde a água que recuava sugou um redemoinho de areia e sangue para as ondas. Vi Culhwch esporear seu cavalo até um inimigo e arrancar o sujeito da sela. O homem tentou ficar de pé, mas Culhwch girou sua espada para trás, fez o cavalo se virar e golpeou de novo para baixo. Os poucos inimigos que tinham sobrevivido estavam presos entre nós e o mar, e os matamos violentamente. Cavalos gritavam e sacudiam os cascos enquanto morriam. As pequenas ondas estavam cor-de-rosa e a areia preta com o sangue.

Matamos vinte e fizemos dezesseis prisioneiros, e quando os prisioneiros tinham contado tudo que sabiam foram mortos também. Artur fez uma careta ao dar a ordem, porque não gostava de matar homens desarmados, mas não podíamos poupar lanceiros para guardar prisioneiros, nem tínhamos misericórdia por aqueles bandidos que carregavam escudos sem distintivos, alardeando sua selvageria. Nós os matamos rapidamente, forçando-os a se ajoelhar na areia onde Hywelbane ou a espada afiada de Sagramor arrancava suas cabeças. Eram homens de Mordred, e o próprio Mordred os havia liderado pela praia, mas o rei tinha feito o cavalo retornar ao primeiro sinal de nossa emboscada, e gritou para que os homens recuassem.

— Cheguei perto dele — disse Artur pesaroso —, mas não o bastante. — Mordred tinha escapado, mas a primeira vitória era nossa, ainda que três de nossos homens tivessem morrido na luta e mais sete estivessem sangrando muito. — Como Gwydre lutou? — perguntou-me Artur.

— Com bravura, senhor. — Minha espada estava grossa de sangue que eu tentava limpar com um punhado de areia. — Ele matou, senhor.

— Bom — disse Artur, depois foi até o filho e pôs o braço sobre seus ombros. Usei minha única mão para limpar o sangue de Hywelbane, depois soltei a fivela do elmo e o tirei da cabeça.

Matamos os cavalos feridos, deixamos os outros voltarem à fortaleza e em seguida recolhemos as armas e os escudos dos inimigos.

— Eles não virão de novo enquanto não receberem reforços — falei a Ceinwyn. Em seguida olhei para o sol e vi que ele estava subindo lentamente pelo céu sem nuvens.

Tínhamos muito pouca água, só a que os homens de Sagramor tinham trazido na pequena bagagem, por isso racionamos os odres. Seria um dia longo e sedento, especialmente para os feridos. Um deles estava tremendo. Seu rosto estava pálido, quase amarelo, e quando Sagramor tentou derramar um pouco de água em sua boca o homem mordeu convulsivamente a beira do odre. Começou a gemer e o som de sua agonia rasgava nossas almas, por isso Sagramor apressou a morte dele com sua espada.

— Devíamos acender uma pira na ponta da faixa de areia — disse Sagramor e virou a cabeça na direção da areia lisa onde o mar tinha deixado um emaranhado de destroços de madeira embranquecida pelo sol.

Artur não pareceu ouvir a sugestão.

— Se você quiser pode ir para o oeste agora — disse a Sagramor.

— E deixá-lo aqui?

— Se você ficar, não sei se sairá. Nós só temos um barco. E mais homens virão ajudar Mordred. Nenhum virá em nossa ajuda.

— São mais homens para matar — disse Sagramor peremptoriamente, mas acho que ele sabia que ao ficar estava garantindo a própria morte. O barco de Caddwg podia levar vinte pessoas para a segurança, não mais. — Podemos nadar até a outra margem, senhor — disse ele, virando a cabeça para a margem leste do canal que corria rápido e fundo junto à ponta da faixa de areia. — Os que sabem nadar — acrescentou.

— Você sabe?

— Nunca é tarde demais para aprender — disse Sagramor e cuspiu. — Além disso, ainda não estamos mortos.

Nem estávamos derrotados ainda, e cada minuto que passava nos levava mais perto da segurança. Eu podia ver os homens de Caddwg levando a vela até o *Prydwen*, inclinado na beira do mar. Agora o mastro estava de pé, mas os homens ainda prendiam as cordas na ponta, e dentro de uma ou duas horas a maré iria se virar e o barco flutuaria de novo, pronto para a viagem. Tínhamos de aguentar apenas até o fim da tarde. Ocupamo-nos fazendo uma pira gigantesca com os restos de madeira trazida pelo mar e quando ela estava acesa pusemos os corpos de nossos mortos nas chamas. O cabelo deles se incendiou luminoso, depois veio o cheiro de carne assando. Jogamos mais lenha até que o fogo estivesse rugindo, um inferno incandescente.

— Uma cerca-fantasma poderia deter o inimigo — observou Taliesin quando tínhamos cantado uma oração para os quatro homens cujas almas estavam subindo com a fumaça para encontrar seus corpos de sombra.

Eu não via uma cerca-fantasma há anos, mas fizemos uma naquele dia. Foi um negócio feio. Tínhamos 36 corpos de inimigos mortos, e pegamos 36 cabeças cortadas que enfiamos nas lâminas das lanças capturadas. Depois plantamos as lanças atravessando a língua de areia, e Taliesin, visível em seu manto branco e levando um cabo de lança para se parecer com um druida, foi de uma cabeça sangrenta à outra, de modo que o inimigo pensasse que um feitiço estava sendo realizado. Poucos homens atravessariam de boa vontade uma cerca-fantasma sem um druida para evitar o mal, e assim que a cerca ficou pronta descansamos mais tranquilamente. Compartilhamos uma parca refeição de meio-dia e me lembro de Artur olhando pesaroso para a cerca-fantasma enquanto comia.

— De Isca até isso — observou baixinho.

— Do Mynydd Baddon até isso — falei.

Ele deu de ombros.

— Pobre Uther.

E devia estar pensando no juramento que tinha tornado Mordred rei, o juramento que levara até esta língua de areia aquecida pelo sol junto ao mar.

Os reforços de Mordred chegaram no início da tarde. Na maioria vinham a pé, numa longa coluna que se arrastava pela margem oeste do lago. Contamos mais de cem homens e sabíamos que mais estavam vindo.

— Eles estarão cansados — disse Artur — e nós temos a cerca-fantasma.

Mas agora o inimigo possuía um druida. Fergal tinha chegado com os reforços e, uma hora depois de termos visto pela primeira vez a coluna de lanceiros, vimos o druida se arrastar para perto da cerca e farejar o ar salgado como um cão. Jogou punhados de areia para a cabeça mais próxima, saltou numa das pernas por um momento, depois correu até a lança e a derrubou. A cerca estava quebrada, e Fergal virou a cabeça para o sol e deu um grande grito de triunfo. Nós pusemos os elmos, encontramos os escudos e passamos pedras de amolar de uns para os outros.

A maré tinha virado, e os primeiros barcos de pesca vinham para casa. Gritamos para eles enquanto passavam pela faixa de areia, mas a maioria ignorou os chamados, porque frequentemente as pessoas comuns têm bons motivos para temer lanceiros, porém Galahad mostrou uma moeda de ouro e essa isca trouxe um barco que se virou com agilidade para a praia e parou na areia perto da pira chamejante. Seus dois tripulantes, ambos com rostos muito tatuados, concordaram em levar as mulheres e crianças até o barco de Caddwg, que estava quase flutuando de novo. Demos ouro aos pescadores, pusemos as mulheres e crianças no barco e mandamos um dos lanceiros feridos para guardá-las.

— Diga aos outros pescadores que há ouro para todo homem que trouxer seu barco com Caddwg — disse Artur. Em seguida se despediu brevemente de Guinevere, como eu fiz com Ceinwyn. Segurei-a com força durante alguns instantes e descobri que não tinha palavras.

— Fique vivo — disse ela.

— Por você, eu fico. — E em seguida ajudei a empurrar o barco encalhado e o vi lentamente entrar no canal.

Um instante depois, um dos nossos batedores montados voltou galopando da cerca-fantasma quebrada.

— Eles estão vindo, senhor!

Desta vez não lutaríamos nas dunas, porque não tínhamos homens suficientes para montar uma parede de escudos que se estendesse pela parte ondulada da faixa de areia, o que significava que os cavaleiros de Mordred poderiam galopar em volta de nossos flancos, rodear-nos, e estaríamos condenados a morrer dentro de um círculo de inimigos. E não lutaríamos no forte, porque também ali poderíamos ser rodeados e isolados da água quando Caddwg chegasse, por isso recuamos para a ponta estreita da faixa de areia onde a parede de escudos poderia ir de uma margem à outra. A fogueira funerária ainda chamejava logo acima da linha de algas que marcava o limite da maré alta, e enquanto esperávamos pelo inimigo Artur ordenou que puséssemos mais pedaços de madeira nas chamas. Continuamos alimentando aquele fogo até que vimos os homens de Mordred se aproximando, e então fizemos a parede de escudos a poucos passos diante das labaredas. Pusemos o estandarte preto de Sagramor no centro da linha, tocamos os escudos borda com borda e esperamos.

Éramos 84 homens, e Mordred trouxe mais de cem para nos atacar, mas quando viram nossa parede de escudos formada e pronta, eles pararam. Alguns dos cavaleiros de Mordred esporearam os animais para a água rasa do lago, esperando ultrapassar nosso flanco, mas a água afundava rapidamente onde o canal passava junto à margem sul, e eles descobriram que não podiam nos flanquear; por isso desmontaram e levaram os escudos e lanças para se juntar à longa parede de Mordred. Ergui os olhos e vi que o sol finalmente estava descendo para os altos morros do oeste. O *Prydwen* estava quase flutuando, mas os homens continuavam ocupados montando o cordame. Pensei que não demoraria muito até a chegada de Caddwg, mas já havia mais lanceiros inimigos chegando pela estrada do oeste. As forças de Mordred estavam crescendo, e nós só podíamos ficar mais fracos.

Fergal, a barba trançada com pelo de raposa e cheia de ossinhos pendurados, veio à areia em frente de nossa parede de escudos e pulou numa perna, ergueu uma das mãos e ficou com um olho fechado. Xingou nossas almas, prometendo-as ao verme de fogo de Crom Dubh e à matilha de lobos que caça no Passo de Flechas de Eryri. Nossas mulheres seriam dadas como brinquedos para os demônios de Annwn e as crianças seriam pregadas nos carvalhos de Arddu. Amaldiçoou nossas lanças e espadas, e emitiu um feitiço para despedaçar nossos escudos e transformar nossas entranhas em água. Gritou suas pragas, prometendo que para comer no Outro Mundo teríamos de revirar a bosta dos cães de Arawn, e que como água lamberíamos a bile das serpentes de Cefydd.

— Seus olhos serão sangue — cantarolou ele —, suas barrigas se encherão de vermes e suas línguas ficarão pretas! Vocês verão o estupro de suas mulheres e o assassinato de seus filhos! — Fergal chamou alguns de nós pelo nome, ameaçando tormentos inimagináveis, e para enfrentar seus feitiços entoamos a Canção de Guerra de Beli Mawr.

Desde aquele dia até hoje nunca mais ouvi essa canção cantada por guerreiros, e nunca a ouvi mais bem-cantada do que naquele trecho de areia envolta pelo mar e aquecida pelo sol. Éramos poucos, mas éramos os melhores guerreiros que Artur jamais comandou. Havia apenas um ou dois jovens na parede de escudos; o resto era de homens calejados, endurecidos, que tinham atravessado batalhas, sentido o cheiro da morte e sabiam como matar. Éramos os senhores da guerra. Não havia um homem fraco ali, nenhum em quem o vizinho não pudesse confiar, e nenhum cuja coragem fosse fraquejar, e como cantamos naquele dia! Afogamos as pragas de Fergal, e o som forte de nossas vozes deve ter atravessado a água até onde nossas mulheres esperavam no *Prydwen*. Cantamos a Beli Mawr, que tinha arreado o vento em sua carruagem, cujo cabo da lança era uma árvore e cuja espada destroçava o inimigo como uma foice cortando um arbusto. Cantamos sobre suas vítimas espalhadas mortas nos campos de trigo e nos regozijamos pelas viúvas feitas por sua fúria. Cantamos dizendo que suas botas pareciam pedras de moinho, seu escudo um penhasco de ferro e que a pluma de seu elmo era tão grande que raspava as estrelas. Cantamos até ficar com lágrimas nos olhos e lançar medo no coração do inimigo.

A canção terminou num uivo feroz, e mesmo antes desse uivo terminar Culhwch tinha mancado para fora de nossa parede de escudos e sacudido a lança para o inimigo. Ele os acusou de covardes, cuspiu em sua linhagem e os convidou a sentir o gosto de sua lança. O inimigo o observou, mas ninguém se moveu para aceitar o desafio. Eles eram um bando esfarrapado, temível, tão endurecido para matar quanto nós, mas talvez não tão acostumado à guerra das paredes de escudos. Eram a escória da Britânia e da Armórica, os bandoleiros, renegados e homens sem senhores que tinham acorrido à promessa de pilhagem e estupro feita por Mordred. Minuto a minuto, suas fileiras se inchavam à medida que mais homens vinham pela faixa de areia, mas os recém-chegados estavam com os pés doídos e exaustos, e o estreitamento da faixa de areia restringia o número de homens que conseguiria avançar para nossas lanças. Eles poderiam nos empurrar para trás, mas não nos flanquear.

E parecia que nenhum viria enfrentar Culhwch. Ele se plantou diante de Mordred, que estava no centro da linha inimiga.

— Você nasceu de uma sapa prostituta! — gritou para o rei. — E de um pai covarde. Lute comigo! Sou manco! Sou velho! Sou careca! Mas você não ousa me enfrentar! — Ele cuspiu para Mordred, e ainda assim nenhum dos homens de Mordred se mexeu. — Crianças! — zombou Culhwch, depois se virou de costas para o inimigo para mostrar seu desprezo.

Foi então que um jovem saiu correndo das fileiras inimigas. Seu elmo era grande demais para a cabeça imberbe, o peitoral era uma coisa precária, de couro, e o escudo tinha um rasgo entre duas tábuas. Era um rapaz que precisava matar um campeão para conseguir riqueza, e ele correu para Culhwch gritando de ódio. O resto dos homens de Mordred gritou, incitando-o.

Culhwch se virou, meio que se agachou e levantou a lança em direção à virilha do inimigo. O rapaz levantou sua lança, pensando em enfiá-la por cima do escudo de Culhwch, depois gritou em triunfo enquanto baixava-a com força, mas o grito se transformou num gorgolejo quando a lança de Culhwch subiu para arrancar a alma do rapaz pela boca aberta. Culhwch, velho na guerra, deu um passo atrás. Seu escudo nem tinha sido tocado. O homem agonizante cambaleou com a lança presa na garganta. Ele deu uma meia-volta na direção de Culhwch e em seguida caiu. Culhwch chutou a lança do inimigo para fora de sua mão, liberou a dele e a enfiou com força no pescoço do jovem. Depois sorriu para os homens de Mordred.

— Outro? — gritou. Ninguém se mexeu. Culhwch cuspiu para Mordred e voltou para as nossas fileiras que comemoravam. Piscou para mim enquanto chegava perto. — Está vendo como se faz, Derfel? — gritou. — Olhe e aprenda. — E os homens perto de mim gargalharam.

Agora o *Prydwen* estava flutuando, com o reflexo do casco pálido brilhando na água agitada por um vento suave de oeste. Esse vento nos trouxe o fedor dos homens de Mordred: o cheiro misturado de couro, suor e hidromel. Muitos dos inimigos deviam estar bêbados, e muitos nunca ousariam encarar nossas lâminas se não estivessem. Imaginei se o rapaz cuja boca e garganta estavam agora pretas de moscas necessitara da coragem do hidromel para enfrentar Culhwch.

Agora Mordred estava engambelando seus homens para se adiantarem, e os mais bravos encorajavam os companheiros a irem para a frente. De súbito, o sol parecia muito mais baixo, porque estava começando a nos ofuscar; eu não tinha percebido quanto tempo havia se passado enquanto Fergal nos xingava, e Culhwch provocava o inimigo, e mesmo assim esse inimigo não juntava coragem para atacar. Alguns se adiantavam, mas o resto ficava atrás, e então Mordred os xingava, fechando a parede de escudos e insistindo com eles de novo. Era sempre assim. É preciso grande coragem para se bater contra uma parede de escudos e a nossa, ainda que pequena, era fechada e cheia de guerreiros famosos. Olhei para o *Prydwen* e vi sua vela se abrir tombando da verga, e vi que a vela nova era tingida de vermelho como sangue e decorada com o urso preto de Artur. Caddwg gastara muito ouro para aquela vela, mas não tive tempo de ficar olhando o barco distante porque os homens de Mordred finalmente se aproximavam, e os corajosos instigavam os outros.

— Fiquem firmes! — gritou Artur e dobramos os joelhos para receber o impacto dos escudos. O inimigo estava a doze passos de distância, dez, e a ponto de atacar berrando quando Artur gritou de novo: — Agora! — E sua voz fez os inimigos pararem, porque não sabiam o que ele quis dizer, e então Mordred gritou para que matassem e finalmente eles chegaram.

Minha lança acertou um escudo e foi derrubada. Eu a soltei e peguei Hywelbane, que tinha enfiado na areia à minha frente. Um instante depois os escudos de Mordred golpearam nossos escudos e uma espada curta esbarrou na minha cabeça. Meus ouvidos zumbiram com um golpe no elmo enquanto eu enfiava Hywelbane por baixo do escudo para encontrar a perna do atacante. Senti a lâmina morder, torci-a com força e vi o homem cambalear quando o aleijei. Ele se encolheu, mas ficou de pé. Tinha cabelos pretos e crespos enfiados debaixo de um velho elmo de ferro, e estava cuspindo para mim enquanto eu conseguia puxar Hywelbane de trás do escudo. Aparei um golpe violento de sua espada curta e em seguida bati com minha lâmina pesada em sua cabeça. Ele afundou na areia.

— Na minha frente! — gritei para o homem atrás de mim, que usou a lança para matar o homem aleijado que, caso contrário, poderia ter acertado minha virilha, e em seguida ouvi homens gritando de dor ou alarme. Olhei para a esquerda, com a vista obscurecida por espadas e machados, e vi que grandes pedaços de madeira incendiada estavam sendo jogados por sobre nossas cabeças, contra a fileira inimiga. Artur estava usando a pira funerária como arma e sua última palavra de comando antes que as paredes de escudos se chocassem fora para ordenar que os homens junto à fogueira pegassem os troncos pelas pontas não queimadas e jogassem sobre as fileiras de Mordred. Os lanceiros inimigos se encolheram instintivamente para longe das chamas, e Artur ordenou que nossos homens entrassem na abertura formada.

— Abram caminho! — gritou uma voz atrás de mim. Abaixei-me de lado enquanto um lanceiro corria através de nossas fileiras com uma grande tora de madeira em chamas. Ele jogou-a no rosto dos inimigos, que se desviaram da ponta em chamas, e pulamos na abertura. O fogo chamuscava nosso rosto enquanto cortávamos e estocávamos. Mais galhos em chamas voavam acima. O inimigo mais perto de mim tinha se afastado do calor, abrindo para o meu vizinho seu lado desprotegido, e ouvi suas costelas estalarem sob o golpe da lança e vi o sangue borbulhar em seus lábios enquanto ele caía. Agora eu estava na segunda fileira inimiga, e a lenha caída queimava minha perna, mas deixei a dor se transformar numa fúria que impulsionou Hywelbane com força contra o rosto de um homem. E então os homens atrás de mim chutaram areia nas chamas enquanto se adiantavam, levando-me para a terceira fila. Agora eu não tinha espaço para usar a espada, porque estava esmagado — escudo com escudo — contra um homem que xingava e me cuspia tentando passar a espada pela borda do meu escudo. Uma lança passou sobre meu ombro, acertando o rosto do homem que xingava, e a pressão de seu escudo cedeu apenas o bastante para deixar que eu empurrasse o meu e girasse Hywelbane. Mais tarde, muito mais tarde, lembro-me de ter soltado um grito de fúria incoerente enquanto golpeava aquele homem até ele cair na areia. A loucura da batalha estava conosco, a loucura desesperada de homens que lutavam presos num lugar pequeno, mas era o inimigo quem estava cedendo. A fúria se transformou em horror e lutávamos feito Deuses. O sol chamejava logo acima do morro do oeste.

— Escudos! Escudos! Escudos! — rugiu Sagramor, lembrando-nos de manter a parede contínua, e meu vizinho da direita bateu o escudo contra o meu, riu e deu uma estocada à frente com sua lança. Vi a espada de um inimigo sendo recuada para dar um golpe poderoso e o enfrentei com Hywelbane, que cortou aquele pulso como se os ossos do inimigo fossem feitos de junco. A espada dele voou para nossas fileiras de trás com a mão sangrenta ainda segurando o punho. O homem à minha esquerda caiu com uma lança inimiga na barriga, mas o da segunda fila ocupou seu lugar e gritou um juramento enquanto batia com o escudo e baixava a espada num golpe feroz.

Mais um tronco em chamas voou baixo acima de nós e caiu sobre dois inimigos, que se separaram rapidamente. Saltamos na abertura e de repente havia areia vazia à nossa frente.

— Fiquem juntos! — gritei. — Fiquem juntos! — O inimigo estava se rompendo. Todos de sua primeira fila estavam mortos ou feridos, os da segunda estavam morrendo, e os de trás eram os que menos queriam lutar, sendo por isso os mais fáceis de ser mortos. Essas fileiras de trás eram cheias de homens hábeis no estupro e inteligentes na pilhagem, mas que nunca tinham enfrentado uma parede de escudos feita de matadores endurecidos. E como estávamos matando agora! Sua parede ia se rompendo, corroída pelo fogo e pelo medo, e estávamos gritando um canto de vitória. Tropecei num corpo, caí para a frente e rolei com o escudo sobre o rosto. Uma espada bateu no escudo, um som ensurdecedor, depois os homens de Sagramor passaram sobre mim e um lanceiro me levantou.

— Está ferido? — perguntou ele.

— Não.

Ele foi em frente. Procurei ver se nossa parede precisava de reforço, mas em toda parte ela estava com espessura de pelo menos três homens, e aquelas três fileiras se comprimiam para a frente sobre a carnificina de um inimigo trucidado. Homens grunhiam girando, estocando e cravando as lâminas na carne do inimigo. É a glória jubilosa da guerra, a simples empolgação de romper uma parede de escudos e enfiar uma espada num inimigo odiado. Olhei para Artur, o homem mais gentil que já conheci, e vi apenas alegria em seus olhos. Galahad, que rezava todos os dias para ser capaz de obedecer ao mandamento cristão de amar todos os homens, agora os matava com uma eficiência terrível. Culhwch rugia insultos. Tinha descartado o escudo para usar as duas mãos com sua lança pesada. Gwydre estava rindo por trás das laterais do elmo, e Taliesin cantava enquanto ia matando os inimigos feridos deixados para trás por nossa parede de escudos. Não se ganha a guerra da parede de escudos sendo sensato e moderado, e sim com um jorro divino de loucura uivante.

E os inimigos não puderam suportar nossa loucura, por isso se romperam e fugiram. Mordred tentou segurá-los, mas eles não queriam ficar, e ele fugiu junto com os outros em direção à fortaleza. Alguns dos nossos homens, com a fúria da batalha ainda fervendo por dentro, começaram a persegui-los, mas Sagramor os chamou de volta. Ele havia se ferido no ombro do escudo, mas descartou qualquer tentativa que fizemos de ajudá-lo e gritou para que seus homens parassem com a perseguição. Não ousamos ir atrás dos inimigos, por mais derrotados que estivessem, porque então chegaríamos à parte mais larga da faixa de areia, o que seria um convite para nos cercarem. Em vez disso, ficamos onde tínhamos lutado e zombamos, chamando-os de covardes.

Uma gaivota bicou os olhos de um morto. Desviei o olhar e vi que o *Prydwen* estava com a proa virada para nós, livre das amarras, mas a vela vibrante praticamente não tremia ao vento suave. Entretanto estava se movendo, e a cor da vela tremulava no reflexo comprido sobre a água vítrea.

Mordred viu o barco, viu o grande urso na vela e soube que o inimigo poderia escapar para o mar, por isso gritou para seus homens formarem uma nova parede. Os reforços estavam chegando minuto a minuto e alguns dos recém-chegados eram os homens de Nimue, porque vi dois Escudos Sangrentos ocuparem seus lugares na nova linha que se formava para nos atacar.

Voltamos para onde tínhamos começado, formando nossa parede de escudos logo na frente da fogueira que ajudara a vencer o primeiro ataque. Os corpos de nossos primeiros mortos estavam apenas meio queimados, e seus rostos riam de modo maligno para nós através de lábios encolhidos para longe dos dentes sem cor. Deixamos os mortos inimigos na areia, como obstáculos no caminho dos vivos, mas arrastamos os nossos para trás e os empilhamos junto à fogueira. Tínhamos dezesseis mortos e uns vinte que estavam muito feridos, mas ainda havia homens suficientes para formar uma parede de escudos, e ainda podíamos lutar.

Taliesin cantou para nós. Cantou sua própria canção sobre a batalha do Mynydd Baddon, e foi com esse ritmo intenso que juntamos os escudos de novo. Nossas espadas e lanças estavam cegas e ensanguentadas, o inimigo estava renovado, mas comemoramos quando eles vieram. O *Prydwen* mal se movia. Parecia um barco sobre um espelho, mas então vi remos compridos se desdobrarem como asas saindo do casco.

— Matem-nos! — gritou Mordred. Agora ele também tinha a fúria da batalha e essa fúria o impulsionou para a nossa linha. Um punhado de homens corajosos o apoiava, seguidos por algumas das almas dementes de Nimue, de modo que foi uma carga esfarrapada que caiu primeiro sobre nossa linha, mas entre esses homens havia alguns recém-chegados que queriam se provar, e de novo dobramos os joelhos e nos encolhemos por trás das bordas dos escudos. Agora o sol estava ofuscante, mas no momento anterior ao choque enlouquecido vi clarões de luz vindos do morro do oeste e soube que ainda havia mais lanceiros naquele terreno elevado. Tive a impressão de que todo um novo exército de lanceiros tinha chegado ao cume, mas de onde vinham, ou quem os liderava, eu não sabia. E então não tive tempo para pensar nos recém-chegados, porque estava empurrando meu escudo. O choque de escudo contra escudo fez o coto do braço cantar de dor e emiti um som de agonia enquanto golpeava para baixo com Hywelbane. Um Escudo Sangrento estava à minha frente e o cortei com força, encontrando o espaço entre seu peitoral e o elmo, e quando soltei Hywelbane de sua carne golpeei selvagemente o próximo inimigo, uma criatura louca, e o fiz girar com sangue jorrando do rosto, do nariz e do olho.

Aqueles primeiros tinham corrido adiante da parede de escudos de Mordred, mas agora o grosso do inimigo chegou, e nos inclinamos para receber seu ataque e gritamos um desafio projetando as lâminas por cima das bordas dos escudos. Lembro-me da confusão e do ruído das espadas se chocando contra espadas, do choque de escudos batendo contra escudos. A batalha é uma questão de centímetros, e não de quilômetros. Os centímetros que separam um homem de seu inimigo. Você sente o cheiro de hidromel no hálito dele, ouve a respiração em sua garganta, ouve seus grunhidos, sente-o mudar o peso, sente o cuspe dele em seus olhos, e procura perigo, olha para os olhos do próximo homem que deve matar, encontra uma abertura, ocupa-a, fecha a parede de escudos de novo, dá um passo à frente, sente o impulso dos homens que vêm atrás, meio que tropeça nos corpos dos que matou, recupera-se, empurra, e mais tarde se lembra de pouca coisa, a não ser dos golpes que praticamente o mataram. Você trabalha, empurra, golpeia para fazer uma abertura na parede de escudos, e em seguida rosna, estoca e corta para aumentar a abertura, e só então a loucura toma conta quando o inimigo se rompe e você pode começar a matar como um Deus, porque ele está apavorado e correndo, ou apavorado e imobilizado, e tudo que pode fazer é morrer enquanto você colhe almas.

E nós os derrotamos de novo. De novo usamos chamas da pira funerária, e de novo rompemos sua parede, mas também rompemos a nossa ao fazer isso. Lembro-me do sol brilhante por trás do alto morro do oeste, e lembro-me de ter cambaleado num trecho de areia aberta e de gritar para os homens me apoiarem, e me lembro de brandir Hywelbane na nuca exposta de um inimigo, ver seu sangue jorrar para o alto através dos cabelos cortados e ver sua cabeça virando bruscamente para trás. Então vi que as duas linhas de batalha tinham se rompido e que não passávamos de pequenos grupos de homens sangrentos lutando num trecho ensanguentado de areia iluminada pelo fogo.

Mas tínhamos vencido. As fileiras de trás dos inimigos tinham preferido fugir a receber mais das nossas espadas, mas no centro, onde Mordred lutava, e onde Artur lutava, eles não correram, e a luta se tornou feia em volta daqueles dois líderes. Tentamos contornar os homens de Mordred, mas eles lutavam de volta, e vi como éramos poucos e que muitos de nós jamais lutariam de novo porque tinham derramado o sangue nas areias de Camlann. Uma multidão do inimigo olhava das dunas, mas eram covardes e não viriam ajudar seus companheiros, e assim os últimos de nossos homens lutavam contra os últimos de Mordred. Vi Artur cortando com Excalibur, tentando chegar ao rei, e Sagramor estava lá, e Gwydre também, e me juntei à luta, afastando uma lança com o escudo, estocando com Hywelbane, e minha garganta estava seca como fumaça e a voz parecia o crocitar de um corvo. Acertei outro homem, e Hywelbane deixou uma cicatriz em seu escudo enquanto ele cambaleava para trás e não tinha forças para se adiantar de novo. Minha força também estava se acabando, por isso apenas o olhei através dos olhos ardidos de suor. Ele veio para a frente devagar, estoquei, ele cambaleou para trás por causa do golpe no escudo e projetou a lança para mim, e foi a minha vez de recuar. Eu estava ofegando, e em toda a faixa de areia homens exaustos lutavam contra homens exaustos.

Galahad estava ferido, o braço da espada quebrado e o rosto ensanguentado. Culhwch estava morto. Eu não vi, mas encontrei seu corpo mais tarde com duas lanças enfiadas na virilha onde não havia armadura. Sagramor mancava, mas sua espada rápida ainda era mortal. Ele estava tentando proteger Gwydre, que sangrava de um corte no rosto e tentava chegar junto ao pai. As plumas de ganso de Artur estavam vermelhas de sangue, e o sangue escorria de sua capa branca. Vi-o cortar um homem alto, chutar desviando o golpe desesperado do inimigo e baixar Excalibur com força.

Foi então que Loholt atacou. Eu não o tinha visto até aquele momento, mas ele viu o pai, esporeou o cavalo e sopesou a lança com a mão que lhe restava. Gritou um canto de ódio enquanto penetrava no emaranhado de homens cansados. O cavalo estava com os olhos brancos e aterrorizado, e as esporas o impeliam enquanto Loholt apontava sua lâmina para Artur. Mas então Sagramor pegou uma lança e arremessou-a, de modo que as pernas do animal se embaraçaram com o cabo pesado e ele caiu num chuveiro de areia. Sagramor pisou entre os cascos agitados, girou sua lâmina escura e vi o sangue jorrar do pescoço de Loholt. Mas no momento em que Sagramor arrancava a alma de Loholt, um Escudo Sangrento saltou com uma lança e deu uma estocada contra ele. Sagramor girou a espada para trás, fazendo espirrar o sangue de Loholt da ponta, e o Escudo Sangrento caiu gritando, mas então um grito anunciou que Artur tinha alcançado Mordred e o resto de nós se virou instintivamente para ver os dois homens se confrontando. Toda uma vida de ódio se inflamou entre eles.

Mordred estendeu a espada lentamente, depois puxou-a para trás mostrando aos seus homens que queria Artur para si próprio. O inimigo se afastou, obediente. Mordred, assim como no dia em que fora aclamado em Caer Cadarn, estava todo de preto. Capa preta, peitoral preto, calções pretos, botas pretas e elmo preto. Em alguns lugares a armadura preta estava arranhada onde lâminas tinham cortado o piche seco e mostrado o metal nu. Seu escudo era coberto de piche, e os únicos toques de cor estavam num galho de verbena murcho que aparecia no pescoço e nas órbitas dos olhos do crânio montado na crista do elmo. Um crânio de criança, acho, porque era pequeno demais, e as órbitas tinham sido cheias de trapos vermelhos.

Ele mancou à frente sobre o pé torto, girando a espada, e Artur fez um gesto para nos afastarmos, dando-lhe espaço para lutar. Ele sopesou Excalibur e levantou o escudo prateado, que estava rasgado e amassado. Quantos de nós restávamos então? Não sei. Quarenta? Talvez menos, e o *Prydwen* tinha chegado à curva do canal do rio e agora deslizava em nossa direção com a pedra-fantasma cinza na proa e a vela mal se agitando ao vento fraco. Os remos subiam e desciam, e a maré estava quase totalmente cheia.

Mordred estocou. Artur aparou, estocou também, e Mordred deu um passo atrás. O rei era rápido, e era jovem, mas o pé torto e o ferimento profundo que ele recebera na coxa na Armórica o tornavam menos ágil do que Artur. Ele lambeu os lábios secos, adiantou-se de novo e as espadas retiniram no ar da tarde. Um dos inimigos que olhava cambaleou de súbito e caiu sem motivo aparente, mas não se moveu de novo enquanto Mordred se adiantava depressa e girava a espada num arco ofuscante. Artur aparou a lâmina com Excalibur, depois empurrou o escudo para acertar o rei e Mordred se afastou cambaleando. Artur recuou o braço para estocar, mas de algum modo Mordred manteve o equilíbrio e recuou sua espada, contendo o golpe e respondendo rapidamente.

Eu podia ver Guinevere de pé na proa do *Prydwen*, com Ceinwyn logo atrás. Na maravilhosa luz da tarde parecia que o casco era feito de prata e a vela do mais fino linho escarlate. Os remos compridos desciam e subiam, desciam e subiam, e lentamente o barco vinha, até que um sopro de ar quente finalmente encheu o urso na vela e a água criou marolas mais rápidas sob os flancos prateados. Foi nesse momento que Mordred gritou e atacou, as espadas se chocaram, os escudos bateram, e Excalibur arrancou o crânio medonho da crista do elmo de Mordred. Ele girou contra-atacando e vi Artur se encolher quando a lâmina do inimigo o acertou, mas ele empurrou o rei com o escudo e os dois se afastaram.

Artur apertou a mão da espada com força na cintura, onde fora acertado, depois balançou a cabeça como se negasse que estava ferido. Entretanto Sagramor estava ferido. Ele estivera olhando a luta, mas agora se curvou à frente de súbito e cambaleou na areia. Fui até lá.

— Uma lança na minha barriga — disse ele e vi que Sagramor estava agarrando o ventre com as duas mãos para impedir que as entranhas se derramassem na areia. No momento em que ele havia matado Loholt, o Escudo Sangrento tinha atacado com a lança e morrido ao fazer isso, mas agora Sagramor estava morrendo. Pus meu braço bom em volta dele e o deitei de costas. Ele agarrou minha mão. Seus dentes chacoalharam, e ele gemeu, depois forçou a cabeça coberta pelo elmo a se levantar para olhar enquanto Artur se adiantava cautelosamente.

Havia sangue na cintura de Artur. O último giro de Mordred tinha cortado sua armadura, subindo entre as escamas de metal, e penetrado fundo no flanco de Artur. Enquanto Artur se adiantava o sangue novo brilhava e brotava no ponto em que a espada rasgara a cota, mas de repente ele saltou e transformou sua estocada ameaçadora num golpe de cima para baixo, que Mordred aparou com o escudo. Mordred girou o escudo até longe, para afastar Excalibur, e estocou com sua espada, mas Artur recebeu esse golpe em seu escudo, puxou Excalibur e foi então que vi seu escudo se inclinar para trás e a espada de Mordred raspar a cobertura de prata rasgada. Mordred gritou e empurrou a lâmina com mais força, e Artur só viu a ponta da espada chegando quando ela passou sobre a borda do escudo e se cravou na fenda dos olhos de seu elmo.

Vi sangue. Mas também vi Excalibur descer do céu no golpe mais forte já dado por Artur.

Excalibur cortou o elmo de Mordred. Cortou o ferro preto como se fosse pergaminho, depois quebrou o crânio do rei e ficou cravada nele. E Artur, com sangue brilhando na fenda do olho do elmo, cambaleou, recuperou-se e em seguida soltou Excalibur, fazendo voar um chuveiro de sangue. Mordred, morto no momento em que Excalibur tinha cortado seu elmo, caiu para a frente aos pés de Artur. Seu sangue espirrou na areia e nas botas de Artur, e seus homens, vendo o rei morto e Artur ainda de pé, soltaram um gemido baixo e recuaram.

Soltei minha mão do aperto de Sagramor.

— Parede de escudos! — gritei. — Parede de escudos! — E enquanto os espantados sobreviventes de nosso pequeno bando de guerreiros cerraram fileiras na frente de Artur, juntamos os escudos combalidos e rosnamos passando sobre o corpo sem vida de Mordred. Pensei que os inimigos poderiam voltar em busca de vingança, mas em vez disso eles recuaram. Seus líderes estavam mortos e nós ainda mostrávamos desafio, e eles não tinham entranhas para mais morte naquela tarde.

— Fiquem aqui! — gritei para a parede de escudos, depois voltei para Artur.

Galahad e eu tiramos o elmo de sua cabeça, liberando um jorro de sangue. A espada tinha errado o olho direito pela distância de um dedo, mas havia quebrado o osso do lado de fora do olho, e o ferimento fazia o sangue sair pulsando.

— Pano! — gritei e um homem ferido rasgou um pedaço de pano do gibão de um morto e o usamos para apertar contra o ferimento. Taliesin o amarrou, usando uma tira arrancada da bainha de seu manto. Artur me olhou quando Taliesin terminou e tentou falar.

— Quieto, senhor — falei.

— Mordred — disse ele.

— Está morto, senhor. Está morto.

Acho que ele sorriu, e então a proa do *Prydwen* raspou na areia. O rosto de Artur estava pálido e riachos de sangue se desenhavam em sua bochecha.

— Agora você pode deixar a barba crescer, Derfel — disse ele.

— Sim, senhor. Vou deixar. Não fale. — Havia sangue em sua cintura, sangue demais, mas eu não podia tirar sua armadura para encontrar o ferimento, mesmo temendo que fosse o pior dos dois.

— Excalibur — disse-me ele.

— Quieto, senhor.

— Pegue Excalibur. Pegue e jogue no mar. Promete?

— Prometo, senhor.

Tirei a espada ensanguentada de sua mão, depois recuei enquanto quatro homens que não estavam feridos levantavam Artur e o carregavam por cima da amurada. Guinevere ajudou a pegá-lo e deitá-lo no convés do *Prydwen*. Ela fez um travesseiro com a capa de Artur, encharcada de sangue, depois se agachou ao lado e acariciou seu rosto.

— Você vem, Derfel? — perguntou ela.

Fiz um gesto para os homens que ainda formavam uma parede de escudos na areia.

— Vocês podem levá-los? E podem levar os feridos?

— Mais doze homens — gritou Caddwg da popa. — Só doze. Não tenho espaço para mais.

Nenhum barco de pesca tinha vindo. Mas por que viriam? Por que aqueles homens iriam se envolver na matança, no sangue e na loucura quando seu serviço é tirar comida do mar? Nós tínhamos apenas o *Prydwen*, e o barco teria de viajar sem mim. Sorri para Guinevere.

— Não posso ir, senhora — falei e fiz um gesto de novo para a parede de escudos. — Alguém precisa ficar para levá-los pela ponte de espadas. — O coto do meu braço esquerdo estava brotando sangue, havia um hematoma nas minhas costelas, mas eu estava vivo. Sagramor estava morrendo, Culhwch estava morto, e Galahad e Artur estavam feridos. Não havia ninguém além de mim. Eu era o último dos lordes guerreiros de Artur.

— Eu posso ficar! — Galahad tinha entreouvido nossa conversa.

— Você não pode lutar de braço quebrado — falei. — Entre no barco e leve Gwydre. E depressa! A maré está baixando.

— Eu deveria ficar — disse Gwydre nervosamente.

Peguei-o pelos ombros e o empurrei para a água.

— Vá com o seu pai. Por mim. E diga a ele que fui fiel até o final. — Em seguida segurei-o subitamente e virei-o de novo para me encarar. Vi que havia lágrimas em seu rosto jovem. — Diga ao seu pai que o amei até o final.

Ele assentiu, depois subiu a bordo junto com Galahad. Artur estava com sua família agora e recuei enquanto Caddwg usava um dos remos para empurrar o barco de novo para o canal. Olhei para Ceinwyn e sorri, e havia lágrimas em meus olhos, mas não podia pensar em nada além de que iria esperá-la sob as macieiras do Outro Mundo; mas assim que estava formando as palavras desajeitadas, e no momento em que o barco se desgrudava da areia, ela subiu com passo leve na proa e pulou na água rasa.

— Não! — gritei.

— Sim — disse ela e estendeu a mão para que eu a ajudasse a chegar à margem.

— Sabe o que eles farão com você? — perguntei.

Ela me mostrou uma faca na mão esquerda, dando a entender que se mataria antes de ser tomada pelos homens de Mordred.

— Nós ficamos juntos por tempo demais, meu amor, para nos separarmos agora. — Em seguida ela permaneceu ao meu lado olhando o *Prydwen* entrar na água mais profunda. Nossa última filha e seus filhos estavam indo embora. A maré tinha virado e começava a arrastar o navio prateado para o mar.

Fiquei com Sagramor enquanto ele morria. Aninhei sua cabeça, segurei sua mão e falei guiando sua alma para a ponte de espadas. Depois, com os olhos cheios de lágrimas, voltei para nossa pequena parede de escudos e vi que Camlann estava cheia de lanceiros. Todo um exército tinha vindo, mas chegou tarde demais para salvar seu rei, porém ainda tinha bastante tempo para acabar conosco. Pude ver Nimue finalmente, com o manto branco e o cavalo branco parecendo luminosos nas dunas sombreadas. Agora minha antiga amiga e amante era minha inimiga final.

— Arranje um cavalo — falei a um lanceiro. Havia cavalos desgarrados em toda parte, e ele correu, pegou uma rédea e me trouxe uma égua. Pedi a Ceinwyn para soltar meu escudo, depois deixei o lanceiro me ajudar a subir na sela e, assim que estava montado, enfiei Excalibur sob o braço esquerdo e peguei as rédeas com a mão direita. Esporeei e a égua saltou à frente, esporeei de novo, fazendo a areia espirrar e os homens saírem do caminho. Agora eu estava cavalgando entre os homens de Mordred, mas não havia luta neles, porque tinham perdido seu rei. Eram homens sem senhor, e o exército dos loucos de Nimue estava atrás, e atrás das forças esfarrapadas de Nimue havia um terceiro exército. Um novo exército havia chegado às areias de Camlann.

Era o mesmo exército que eu tinha visto no alto morro do oeste, e percebi que ele deveria ter marchado para o sul atrás de Mordred, para tomar a Dumnonia para si. Era um exército que viera olhar Artur e Mordred se destruírem, e agora que a luta havia terminado o exército de Gwent marchava lentamente entre suas bandeiras com a cruz. Veio governar a Dumnonia e tornar Meurig seu rei. Os mantos vermelhos e as plumas escarlates pareciam negros no crepúsculo, e ergui os olhos e vi que as primeiras estrelas estavam furando o céu.

Cavalguei na direção de Nimue, mas parei a cem passos de minha antiga amiga. Podia ver Olwen me observando e o olhar maligno de Nimue, e depois sorri, peguei Excalibur com a mão direita e levantei o coto da esquerda, para que ela visse o que eu tinha feito. Depois lhe mostrei Excalibur.

Então ela soube o que eu tinha planejado.

— Não! — gritou Nimue e seu exército de loucos uivou com ela, seus gritos abalando o céu do fim de tarde.

Pus Excalibur sob o braço de novo, peguei as rédeas e esporeei a égua enquanto me virava. Instiguei-a, galopando rápido na areia da praia do mar, e ouvi o cavalo de Nimue galopando atrás de mim, mas ela estava muito atrás. Atrás demais.

Cavalguei na direção do *Prydwen*. Agora o vento fraco enchia a vela, e o barco estava longe da faixa de areia, com a pedra-fantasma na proa que subia e descia nas intermináveis ondas do mar. Esporeei de novo, a égua sacudiu a cabeça e gritei instigando-a a entrar naquele mar escurecido. Continuei esporeando até que as ondas começaram a se partir frias em seu peito, e só então soltei as rédeas. Ela estremeceu debaixo de mim enquanto eu pegava Excalibur com a mão direita.

Recuei o braço. Havia sangue na espada, mas mesmo assim a lâmina parecia brilhar. Um dia Merlin tinha me dito que a Espada de Rhydderch iria se transformar em chamas no final, e talvez isso tenha acontecido, ou talvez as lágrimas em meus olhos tenham me enganado.

— Não! — uivou Nimue.

E joguei Excalibur, joguei-a com força num arco em direção à água profunda onde a maré tinha cortado o canal através das areias de Camlann.

Excalibur girou no ar do fim de tarde. Nenhuma espada jamais foi tão linda. Merlin jurava que tinha sido feita por Gofannon na forja do Outro Mundo. Era a Espada de Rhydderch e um Tesouro da Britânia. Era a espada de Artur e presente de um druida, e girou contra o céu que escurecia e sua lâmina lançou um fogo azul contra as estrelas que iam se iluminando. Por um instante se tornou uma barra brilhante de chama azul presa nos céus, e então caiu.

Caiu bem no centro do canal. Praticamente não provocou espirros, apenas um brilho de água branca, e sumiu.

Nimue gritou. Virei a égua e fui para a praia, atravessei os restos da batalha até onde esperava meu último bando de guerreiros. E ali vi que o exército dos loucos estava se espalhando. Estavam indo embora, e os homens de Mordred, os que tinham sobrevivido, fugiam pela praia para escapar ao avanço das tropas de Meurig. A Dumnonia cairia, um rei fraco governaria e os saxões voltariam, mas iríamos sobreviver.

Desmontei da égua, peguei o braço de Ceinwyn e levei-a até o topo de uma duna próxima. O céu no oeste era um brilho vermelho e feroz porque o sol tinha se posto, e juntos ficamos na sombra do mundo, olhando o *Prydwen* subir e descer nas ondas. Agora a vela estava cheia, porque o vento da noite soprava do oeste e a proa do barco rompia a água criando espuma branca, e a popa deixava uma esteira que se alargava sobre o mar. Seguia para o sul, e em seguida virou para o oeste, mas o vento vinha do oeste, e nenhum barco pode velejar direto no olho do vento, mas juro que aquele fez isso. Velejou para o oeste, e o vento estava soprando do oeste, entretanto a vela estava cheia e a proa alta cortava a água em espumas brancas, ou talvez eu não soubesse o que via, porque havia lágrimas em meus olhos e mais lágrimas correndo pelo rosto.

E enquanto olhávamos vi uma névoa prateada se formar na água.

Ceinwyn agarrou meu braço. A névoa era apenas um fiapo, mas cresceu e brilhou. O sol tinha sumido, não havia lua brilhando, só as estrelas e a luz do crepúsculo, o mar com pontos prateados e o barco de vela escura, mas a névoa brilhava. Como o pó prateado das estrelas, ela brilhava. Ou talvez fossem apenas as lágrimas em meus olhos.

— Derfel! — gritou Sansum. Ele tinha vindo com Meurig e agora subia pela areia em nossa direção. — Derfel! Eu quero você! Venha aqui! Agora!

— Meu querido senhor — falei, mas não para ele. Falava com Artur. E fiquei olhando e chorando, com o braço em volta de Ceinwyn, enquanto o barco pálido era engolido pela névoa de prata brilhante.

E assim meu senhor se foi.

E ninguém o viu desde então.

Nota histórica

Gildas, o historiador que provavelmente escreveu sua *De Excidio et Conquestu Brittaniae* (Da Ruína e da Conquista da Britânia) uma geração após o período arturiano, registra que a Batalha de Badonici Montis (geralmente traduzido hoje em dia como Monte Badon) foi um cerco, mas, de modo atormentador, não menciona se Artur estava presente à grande vitória que, como ele lamenta, “foi a última derrota daqueles desgraçados”. A *Historia Brittonum* (A História dos Britânicos) que pode ter sido escrita ou não por um homem chamado Nennius, e que foi compilada pelo menos dois séculos depois do período arturiano, é o primeiro documento a afirmar que Artur foi o comandante britânico no “Mons Badonis” onde “num só dia 960 homens foram mortos por um ataque de Artur, e ninguém senão ele os derrubou”. No século X alguns monges no oeste de Gales compilaram os *Annales Cambriae* (Anais de Gales) onde registram “a Batalha de Badon, onde Artur levou a cruz de nosso Senhor Jesus Cristo nos ombros durante três dias e três noites, e os britânicos foram vitoriosos”. O Venerável Beda, um saxão cuja *Historia Ecclesiastica Gentis Anglorum* (História Eclesiástica dos Ingleses) surgiu no século VIII, reconhece a derrota, mas não menciona Artur, mas isso não é surpreendente porque Beda parece ter tirado a maioria das informações de Gildas. Esses quatro documentos são praticamente as únicas fontes (e três deles não são suficientemente antigos) de informações sobre a batalha. Será que ela aconteceu?

Os historiadores, ainda que relutantes em admitir que o lendário Artur tenha existido, parecem concordar que em algum momento próximo do ano 500 d.C. os britânicos venceram uma grande batalha contra os usurpadores saxões num lugar chamado Mons Badonicus ou Mons Badonis, Badonici Montis, Mynydd Baddon, Monte Badon ou, simplesmente, Badon. Além disso, eles sugerem que esta foi uma batalha importante porque parece ter impedido que os saxões conquistassem terras britânicas durante uma geração. E também, como lamenta Gildas, parece ter sido a "última derrota daqueles desgraçados", porque nos duzentos anos seguintes àquela derrota os saxões se espalharam pelo que agora é chamado de Inglaterra, tirando o poder dos britânicos nativos. Em todo o negro período da era mais negra da história da Grã-Bretanha, esta única batalha se destaca como um acontecimento importante, mas infelizmente não temos ideia de onde ela ocorreu. Houve muitas sugestões. O castelo de Liddington em Wiltshire e Badbury Rings em Dorset são candidatos ao local, ao passo que Geoffrey de Monmouth, escrevendo no século XII, situa a batalha em Bath, provavelmente porque Nennius descreve as fontes quentes de Bath como *balnea Badonis*. Historiadores posteriores propuseram Little Solsbury Hill, logo a oeste de Batheaston no vale do Avon perto de Bath, como o campo de batalha, e adotei a sugestão para o local descrito no romance. Teria sido um cerco? Ninguém realmente sabe, assim como não sabemos quem sitiou quem. Só parece haver o consenso geral de que uma batalha provavelmente aconteceu no Monte Badon, onde quer que isso seja, que pode ter sido um cerco, mas talvez não, que provavelmente ocorreu muito perto do ano 500 d.C., ainda que nenhum historiador queira arriscar a reputação afirmando isso, que os saxões perderam e que possivelmente Artur foi o arquiteto dessa grande vitória.

Nennius, se é que ele foi realmente o autor da *Historia Brittonum*, atribui doze batalhas a Artur, a maioria em locais não identificáveis, e não menciona Camlann, a batalha que tradicionalmente encerra a narrativa de Artur. Os *Annales Cambriae* são nossa fonte mais antiga para essa batalha, e esses anais foram escritos muito tarde para terem credibilidade. A Batalha de Camlann, então, é ainda mais misteriosa do que a do Monte Badon, e é impossível identificar qualquer local onde ela possa ter acontecido, se é que de fato aconteceu. Geoffrey de Monmouth disse que foi travada junto ao rio Camel em Cornwall, ao passo que no século XV *Sir* Thomas Malory a situou na Planície de Salisbury. Outros escritores sugeriram Camlann em Merioneth em Gales, no rio Cam que corre perto de South Cadbury ("Caer Cadarn"), na Muralha de Adriano ou até mesmo em locais na Irlanda. Eu a situei em Dawlish Warren, no sul de Devon, por nenhum outro motivo além de eu já ter tido um barco no estuário do Exe e ter alcançado o mar passando por Warren. O nome Camlann pode significar "rio torto", e o canal do estuário do Exe é muito torto, mas minha escolha é puro capricho.

Os *Annales Cambriae* têm apenas isto a dizer sobre Camlann: "(...) a batalha de Camlann, onde Artur e Medraut (Mordred) faleceram." E talvez tenham mesmo, mas a lenda sempre insistiu em que Artur sobreviveu aos ferimentos e foi levado à ilha mágica de Avalon, onde ainda dorme com seus guerreiros. Nós passamos claramente para além do reino em que qualquer historiador de respeito iria se aventurar, só para sugerir que a crença na sobrevivência de Artur reflete uma profunda nostalgia popular por um herói perdido, e em toda a ilha da Grã-Bretanha nenhuma lenda é mais persistente do que essa ideia de que Artur continua vivo. "Uma sepultura para Mark", diz o Livro Negro de Carmarthen, "uma sepultura para Gwythur, uma sepultura para Gwgawn da espada vermelha, mas nem pensar numa sepultura para Artur." Artur provavelmente não foi rei, pode não ter vivido, mas apesar de todos os esforços dos historiadores em negar sua existência, para milhões de pessoas em todo o mundo ele ainda é aquilo que um copista no século XIV chamou de *Arturus Rex Quondam, Rexque Futurus*: Artur, Nosso Rei Antigo e Futuro.

Este livro foi composto na tipografia Sabon LT Std,
em corpo 10/16, e impresso em papel
Pólen Soft 70g/m² na gráfica santa marta.

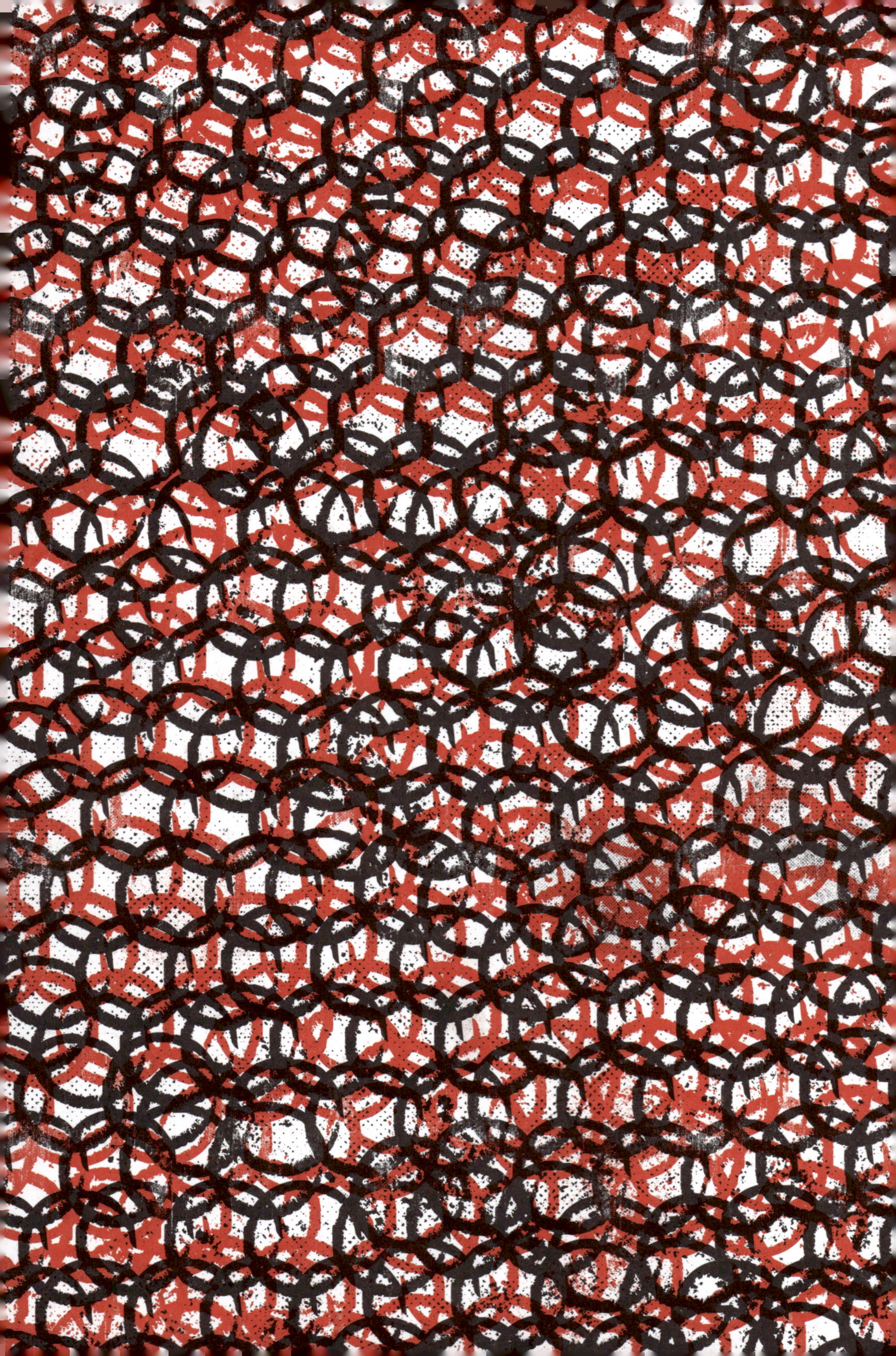